GUINNESS WORLD RECORDS 2015

Le plus grand yo-yo

Le 15 septembre 2012, Beth Johnson (USA) a été ovationnée par les spectateurs à LaRue, (Ohio, USA) ébaubis devant son yo-yo.géant, le "whoa yo". D'un diamètre de 3,63 m et d'un poids de 2,09 t, le disque est descendu de 36,5 m le long d'une corde attachée à une grue de 68 t, avant de rebondir.

Tous les diamants taillés du monde rempliraient un **autobus à impériale**.

Le plus grand diamant taillé en brillant
Un diamant de 545,67 carats connu sous le nom de « Diamant du Jubilé d'or » a été acheté au groupe De Beers par un syndicat d'hommes d'affaires thaïlandais en 1995 et présenté au roi de Thaïlande pour commémorer son jubilé d'or. Il a été serti dans le sceptre royal thaïlandais.

Le plus grand diamant noir taillé fantaisie
Un diamant noir fantaisie (sans nom) contenant de petits cristaux rouges de diamants a été

taillé en 55 facettes sur plusieurs années et terminé en juin 2004. Il pèse 555,55 carats – l'utilisation répétitive du chiffre 5 est culturellement significative dans le monde islamique. C'est Ran Gorenstein (Belgique), qui l'a commandé.

Le plus de diamants sur une bague
Créée par la Lobortas Classic Jewelry House (Ukraine), la bague « Tsarevna Swan » en or blanc est sertie de 2 525 diamants. Elle a été mesurée à Kiev (Ukraine), le 21 juillet 2011.

Le plus précieux jeton de casino
Un jeton de casino conçu par Gerald N. Lewy (Canada) a été estimé à 450 000 $ canadiens, le 30 mai 2013. Le jeton en or rose 22 carats est serti de 173 diamants grand-brillant (dont 17 autour de la monture) et de 64 diamants roses naturels.

Le diamant le plus cher par carat
Le record de prix d'un diamant par carat est de 1 375 938 $ pour un diamant bleu vif fantaisie taillé en rectangle de 7,03 carats, vendu chez Sotheby's à Genève (Suisse), le 12 mai 2009. La pierre originale pesait 26,58 carats.

Les bottes les plus chères
Fabriquée par les sociétés Diarough/UNI-Design et A F Vandevorst d'Anvers (Belgique), une paire de bottines pointure 39

INFO
Le scintillant Snoopy arbore aussi 783 diamants noirs et un collier fait de 415 rubis !

Le Snoopy le plus précieux
Le 13 novembre 2009, pour célébrer le 60e anniversaire du chien Snoopy de Charles Schulz, Tse Sui Luen, joailliers de Hong Kong (Chine), ont créé un Snoopy haut de 14 cm, serti de 9 917 diamants. Connue aussi sous le nom de « l'étoile perpétuellement scintillante », la création de 207 carats a été mise en vente au prix de 372 750 $.

Le plus grand diamant de l'univers
BPM 37093 est une étoile naine blanche à 50 années-lumière de la Terre, dans la constellation du Centaure. En 2004, des astronomes du Harvard-Smithsonian Center pour l'Astrophysique (Massachusetts, USA) ont déduit que la naine blanche de carbone s'était cristallisée en un diamant de 4 000 km de diamètre. On a surnommé l'étoile « Lucy » en référence à la chanson des Beatles *Lucy in the Sky with Diamonds*. En estimant un coût de 1 000 € par carat, Lucy ferait un trou de 10 000 000 000 000 000 000 000 000 000 000 000 € dans votre poche.

Les plus précieux matériaux dans une œuvre d'art
Pour l'Amour de Dieu de Damien Hirst (RU) est un crâne humain serti de 8 601 diamants sans défauts, dont un diamant rose de 52,4 carats sur le front. Les 1 106,18 carats de diamants sont estimés à 23,7 millions $.

ANATOMIE D'UN DIAMANT : LA TAILLE BRILLANT

Un diamant est taillé – sculpture et polissage – pour mettre en valeur sa beauté et son éclat.

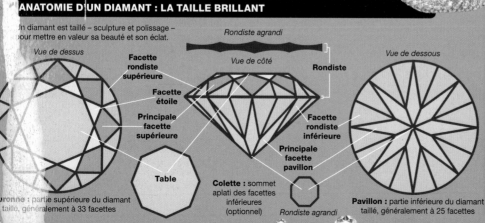

Vue de dessus

Facette rondiste supérieure

Facette étoile

Principale facette supérieure

Table

Rondiste agrandi

Vue de côté

Rondiste

Facette rondiste inférieure

Principale facette pavillon

Colette : sommet aplati des facettes inférieures (optionnel)

Rondiste agrandi

Vue de dessous

Pavillon : partie inférieure du diamant taillé, généralement à 25 facettes

Couronne : partie supérieure du diamant taillé, généralement à 33 facettes

« Baby » Williams
Le dernier accessoire à la mode pour tout rappeur qui se respecte est un « grillz », c'est-à-dire un dentier en diamants. Le roi du bling est sans aucun doute Bryan « Baby » Williams (USA), qui aurait dépensé 500 000 $ pour avoir les dents recouvertes de couronnes en or et blanc 18 carats et de platine avec des diamants taille Asscher.

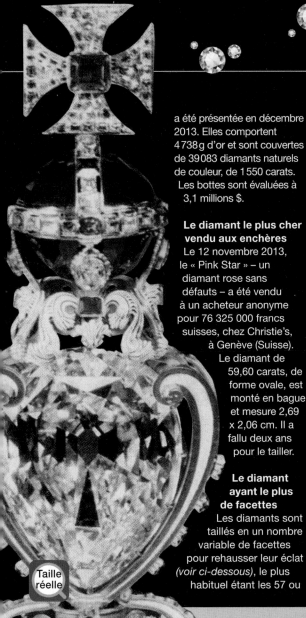

Taille réelle

a été présentée en décembre 2013. Elles comportent 4 738 g d'or et sont couvertes de 39 083 diamants naturels de couleur, de 1 550 carats. Les bottes sont évaluées à 3,1 millions $.

Le diamant le plus cher vendu aux enchères

Le 12 novembre 2013, le « Pink Star » – un diamant rose sans défauts – a été vendu à un acheteur anonyme pour 76 325 000 francs suisses, chez Christie's, à Genève (Suisse). Le diamant de 59,60 carats, de forme ovale, est monté en bague et mesure 2,69 x 2,06 cm. Il a fallu deux ans pour le tailler.

Le diamant ayant le plus de facettes

Les diamants sont taillés en un nombre variable de facettes pour rehausser leur éclat *(voir ci-dessous)*, le plus habituel étant les 57 ou 58 facettes de la taille brillant, que l'on retrouve sur la plupart des bagues de fiançailles. Créée par Louis Verelst (Belgique), la taille du « Brilliant Lady 21 » compte 221 facettes, produisant un grand nombre de reflets.

Le plus grand pendentif en diamants

L e plus grand pendentif non religieux est « Crunk Ain't Dead », propriété de l'artiste de hip-hop Lil' Jon (USA). Avec 3 576 diamants blancs, il pèse 977,6 g sans sa chaîne.

Le plus gros diamant non taillé

Le plus gros diamant non taillé est le « Cullinan ». Il pesait 3 106,75 carats quand il a été découvert en 1905 en Afrique du Sud. Il a été partagé en 9 plus « petits » diamants ; le plus gros, la « Grande Étoile d'Afrique », pèse 530,2 carats et surmonte le sceptre royal *(à gauche)* d'Élizabeth II. Le deuxième fragment – la « Deuxième Étoile d'Afrique » – est serti dans la couronne d'État impériale.

Le plus grand diamant sans défauts

« L'Incomparable » est un collier contenant un diamant sans défauts de 407,48 carats ainsi que 102 diamants « satellites ». Fabriqué par les joailliers Mouawad, établis en Suisse, il a été estimé à 55 millions $ le 13 février 2013. Ce diamant sans défaut a été découvert au Congo il y a 30 ans dans un tas de kimberlite.

Taille réelle

Le 1er diamant fabriqué par l'homme

En 1955, des scientifiques du laboratoire GE de Schenectady, à New York (USA), ont construit un appareil à ultra haute pression, la « Diamond Press », qui produisait une pression de plus de 1 milliard de kg/m² et une température de 2 760 °C. Métal et carbone étaient fondus par un courant électrique puis refroidis. Résultat : de parfaits diamants pesant jusqu'à 1/10e de carat.

Le **plus gros diamant fabriqué par l'homme** pèse 2,16 carats. Taillé en marquise, il a été créé par la Scio Diamond Technology Corporation (USA). Le diamant de 13,42 mm a été analysé en avril 2013 par le Gemological Institute of America.

INFO

« L'Incomparable » est apparu sur eBay en 2002 au prix de départ de 15 millions £, mais ne s'est pas vendu.

La 1re bague 100 % diamant

Le 8 mars 2012, le joailler Shawish (Suisse) a dévoilé la première bague taillée dans un seul et même diamant. La création de 150 carats vaudrait 70 millions $.

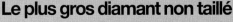

ℹ Rock stars : définis par les diamants

Le diamant – **la substance naturelle la plus dure du monde** – est un minéral formé à 140-200 km de profondeur dans le manteau de la Terre. C'est une forme allotropique de l'élément chimique carbone (C) dans lequel les atomes sont disposés dans une formation cristalline tétraédrique. Les diamants sont mesurés en carats, un carat pesant 200 mg. Pour chaque carat de diamant extrait, il faut dégager 250 t de terre.

Le plus important hold-up en 90 s

À l'heure du déjeuner, le 28 juillet 2013, un homme armé est entré dans l'hôtel Carlton International *(à droite)* à Cannes (France). Son but : s'emparer de joyaux estimés à 103 millions €. Il a réussi seul le plus grand vol de diamants en tout juste 1 min et demie. Les montres serties de diamants, les bagues et les boucles d'oreilles qu'il a volées *(à gauche)*, propriétés de Lev Leviev – magnat israélien du diamant et de l'immobilier né en Russie – étaient exposées à l'hôtel.

Nous dédions ce livre à Chris Bernstein

Édition française © 2014 Hachette Livre (Hachette Pratique)
www.hachette-pratique.com
Cette édition du Guinness World Records a été publiée avec l'autorisation de Guinness World Records Ltd. Toute représentation ou reproduction, intégrale ou partielle, faite sans le consentement de l'auteur ou de ses ayants droit, ou ayants cause, est illicite (article L. 122-4 du Code de la Propriété intellectuelle).

ISBN: 978-1-897553-38-1

Dépôt légal : septembre 2014

Crédits iconographiques et remerciements p. 252.

Les records sont faits pour être battus ; en effet, c'est l'un des critères clés pour entrer dans une catégorie de record. Aussi, si vous pensez pouvoir battre un record, informez-nous en et présentez votre candidature. Toutes les informations sur les démarches à effectuer p. 5. Contactez-nous toujours avant de vous lancer dans une tentative de record.

Retrouvez régulièrement sur le site www.guinnessworldrecords.com des informations sur les records et des vidéos des tentatives de record. Rejoignez la communauté en ligne GWR.

Développement durable
Le papier utilisé pour cette édition est fabriqué par UPM Plattling, Allemagne. Le site de production assure une traçabilité du bois et bénéficie de la certification ISO14001 et du certificat EMAS.

Les papiers UPM sont des produits Biofore authentiques, fabriqués à partir de matériaux renouvelables et recyclables.

Pour l'édition française
Édition : Anne Le Meur
Réalisation : Dédicace/NordCompo (Villeneuve-d'Ascq)
Traduction : Stéphanie Alglave, Olivier Cechman, Karine Descamps, Alice Gallori, Cécile Giroldi, Laurent Laget, Armelle Lebrun, Agnès Letourneur, Jean-Pierre Massias, Anne-Marie Naboudet-Martin, Céline Petit
Relecture : Dorica Lucaci et Anne-Fleur Drillon

OFFICIALLY AMAZING

© 2014 GUINNESS WORLD RECORDS LIMITED
Aucune partie de ce livre ne pourra être reproduite ou transmise par des moyens électroniques, chimiques ou mécaniques, quels qu'ils soient, y compris la photographie, ni utilisée dans un système de stockage ou de récupération de données, sans une licence ou toute autre autorisation des détenteurs des droits d'auteur.

Éditeur en chef
Craig Glenday
Responsable éditorial
Stephen Fall
Mise en page
Ian Cranna, Rob Dimery, Lucian Randall
Éditeur assistant
Roxanne Mackey
Équipe éditoriale
Theresa Bebbington (américanisation), Marie Lorimer (indexation), Matthew White (relecture)
Éditeur iconographie
Michael Whitty
Éditeur assistant iconographie
Fran Morales
Recherche iconographique et artistique
Jenny Langridge
Iconographe
Laura Nieberg

Directeur général de l'édition
Jenny Heller
Directeur des acquisitions
Patricia Magill
Responsable de la production éditoriale
Jane Boatfield
Assistants de production éditoriale
Ebyan Egal, Charlie Peacock
Consultants techniques
Roger Hawkins, Dennis Thon
Impression et façonnage
MOHN Media Mohndruck GmbH, Gütersloh, Allemagne
Production de la couverture
Hololens Technology Co, Ltd; Simon Thompson (API Laminates Ltd); Bernd Salewski (GT Produktion)
Réalité augmentée
Mustard Design Limited; Anders Ehrenborg (Robert Wadlow modelling & texturing)

Conception graphique
Paul Wylie-Deacon, Richard Page, Matt Bell de 55design.co.uk
Photographies originales
Richard Bradbury, Anne Caroline, Kimberly Cook, Matt Crossick, Daniel Deme, James Ellerker, Jarek Jõepera, Paul Michael Hughes, Shinsuke Kamioka, Ranald Mackechnie, Kevin Scott Ramos, Chris Skone-Roberts, Philip Robertson, Ryan Schude
Consultants éditoriaux
Mark Aston, Jan Bondeson, Iain Borden, Martyn Chapman, Nicholas Chu, Sammpa von Cyborg, Steven Dale, Joshua Dowling, Dick Fiddy, David Fischer, Mike Flynn, Justin Garvanovic, Ben Hagger, Ralph Hannah, David Hawksett, Eberhard Jurgalski, David Lardi, Glen O'Hara, Ocean Rowing Society, Paul Parsons, Clara Piccirillo, Dr Karl Shuker, Matthew White, World Sailing Speed Record Council, Stephen Wrigley, Robert Young

Président-directeur général : Alistair Richards
Vice-président Amériques : Peter Harper
Président (Chine et Taïwan) : Rowan Simons
Vice-président Japon : Erika Ogawa
Responsable pays, ÉAU : Talal Omar

ADMINISTRATION
Directeur financier, juridique, RH et DSI : Alison Ozanne
Contrôleur financier : Scott Paterson
Contrôleurs de gestion : Daniel Ralph, Shabana Zaffar
Responsable des comptes créditeurs : Kimberley Dennis
Assistant des comptes créditeurs : Victoria Aweh
Responsable des comptes débiteurs : Lisa Gibbs
Directeur des affaires juridiques et commerciales : Raymond Marshall
Responsable des affaires juridiques et commerciales : Michael Goulbourn
Assistant des affaires juridiques et commerciales : Xiangyun Rablen
Directeur informatique DSI : Rob Howe
Développeur responsable : Philip Raeburn
Développeur : Lewis Ayers
Support informatique : Ainul Ahmed
Responsable des RH : Jane Atkins
Responsable administrative (RU) : Jacqueline Angus
Responsable administrative et RH (Amérique) : Morgan Wilber
Responsable administrative (Japon) : Fumiko Kitagawa
Responsable administrative (Chine et Taïwan) : Tina Shi
Assistant administrative (Chine et Taïwan) : Sabrine Wang

TÉLÉVISION
Directeur de la programmation et des ventes de programmes : Rob Molloy
Responsable de la distribution audiovisuelle : Denise Carter Steel

MARKETING MONDIAL
Directeur général du marketing : Samantha Fay
Directeur du marketing (Amériques) : Stuart Claxton
Directeur du marketing (Chine et Taïwan) : Sharon Yang
Responsable Presse (Amériques) : Jamie Antoniou

Assistante Relations presse et marketing (Amériques) : Sara Wilcox
Responsables marketing : Justine Tommey (RU), Tanya Batra (RU et EMEA)
Assistants Marketing : Aurora Bellingham (RU), Christelle BeTrong (RU), Asumi Funatsu (Japon), Mayo Ma (Chine et Taïwan)
Directeur des Relations presse (RU) : Amarilis Whitty
Responsable Presse et Promotion (Japon) : Kazami Kamioka
Responsables Relations presse (RU): Tandice Abedian, Damian Field
Assistant Relations Presse (RU) : Jamie Clarke
Assistant Relations Presse (Chine et Taïwan) : Leila Wang
Directeur du développement et du marketing numériques : Katie Forde
Responsable du développement numérique : Kirsty Brown
Producteur vidéo numérique : Adam Moore
Responsable de la communauté web : Dan Thorne
Éditeur de contenu en ligne : Kevin Lynch
Concepteur graphique : Neil Fitter
Assistant de conception graphique : Jon Addison
Concepteur graphique (Japon) : Momoko Cunneen
Responsable de contenu (Amériques) : Mike Janela
Responsable de contenus papier et numérique (Japon) : Takafumi Suzuki
Responsable numérique (Chine et Taïwan) : Jacky Yuan

GWR CREATIVE
Directeur : Paul O'Neill
Responsable des programmes et des attractions : Louise Toms

VENTES
Directeur général des ventes RU et EMEA : Nadine Causey
Directeur commercial : Andrew Brown
Directeur de l'édition, des ventes et produits (Amériques) : Jennifer Gilmour
Directeur de contenu (Chine et Taïwan) : Angela Wu
Directeur de la diffusion (EL) : John Pilley
Responsable des ventes et de la distribution (RU et international) : Richard Stenning
Directeur des comptes et licence de marque (RU) : Samantha Prosser
Responsable licence éditoriale : Emma Davies

Directeur commercial (Chine et Taïwan) : Blythe Fitzwiliam
Responsable du développement commercial (Amériques) : Amanda Mochan
Directeur des ventes et du marketing (Japon) : Kaoru Ishikawa
Contrôleur de gestion : Vihag Kulshrestha
Responsables de comptes clients : Dong Cheng (Chine), Ralph Hannah (RU/Paraguay), Annabel Lawday (RU), Takuro Maruyama (Japon), Nicole Pando (États-Unis), Lucie Pessereau (RU), Terje Purga (RU), Nikhil Shukla (Inde), Seyda Subasi-Gemici (Turquie), Charlie Weisman (États-Unis)
Assistant commercial (Chine et Taïwan) : Catherine Gao

GESTION DES RECORDS
Directeur général des records : Marco Frigatti
Directeur d'équipe de gestion des records : Turath Alsaraf
Responsables de la gestion des records : Carlos Martinez (Japon), Kimberly Partrick (Amériques), Charles Wharton (Chine et Taïwan)
Responsable de base de données : Carim Valerio
Responsable des certifications : Benjamin Backhouse
Chef d'équipe, Gestion des records (RU) : Jacqueline Fitt
Spécialistes-responsables des records (RU) : Anatole Baboukhian, Louise McLaren, Elizabeth Smith
Responsables des records (Amériques) : Alex Angert, Evelyn Carrera, Michael Empric, Johanna Hessling, Annie Nguyen, Philip Robertson
Responsables des records (Chine et Taïwan) : John Garland, Lisa Hoffman
Responsables des records (Japon) : Mariko Koike, Aya McMillan, Mai McMillan, Justin Patterson, Gulnaz Ukassova
Responsables des records (RU) : Jack Brockbank, Fortuna Burke, Tom Ibison, Sam Mason, Mark McKinley, Eva Norroy, Anna Orford, Pravin Patel, Glenn Pollard, Chris Sheedy, Lucia Sinigagliesi, Victoria Tweedy, Lorenzo Veltri, Aleksandr Vypirailenko
Responsable de projets (RU) : Alan Pixsley
Chefs de projets : Samer Khallouf (ÉAU), Paulina Sapinska (RU)
Coordinateur de projets (RU) : Shantha Chinniah

Guinness World Records Limited a recours à des méthodes de vérification très précises pour certifier les records. Malgré ses efforts, des erreurs peuvent subsister. Guinness World Records Limited ne peut être tenu pour responsable des erreurs ou omissions que comporterait cette édition. Toute correction ou précision de la part des lecteurs est bienvenue.

Guinness World Records Limited utilise le système métrique dans cette édition. Pour la conversion des monnaies, lorsqu'une date précise est indiquée, nous appliquons le taux de change en vigueur à l'époque. Si seule l'année est mentionnée, nous appliquons le taux de change au 31 décembre de l'année.

Il est important de prendre conseil auprès de personnes compétentes préalablement à toute tentative de record. Les candidats agissent à leurs risques et périls. Guinness World Records Limited conserve l'entière liberté d'inclure ou non un record dans ses ouvrages. Être détenteur d'un record ne garantit pas sa mention dans une publication de Guinness World Records.

Battre un record

Vous avez un talent et pourriez bien battre un record ?

Tout le monde peut établir un record, et les façons d'y parvenir sont plus nombreuses que jamais. C'est gratuit et vous pouvez vous inscrire immédiatement sur **www.guinnessworldrecords.com**. Quand nous avons débuté en 1955, les détenteurs de records ne pouvaient apparaître que dans le livre. Maintenant vous pouvez intervenir à la télévision, lors d'événements *live* ou révéler votre tentative sur notre site Internet.

INFO

Vous pouvez tenter de battre un record sans plus attendre en vous rendant sur **www.guinnessworldrecords.com/challengers**. Quand vous obtenez le feu vert, téléchargez la vidéo de votre tentative. Vous recevrez rapidement une réponse: GWR se prononce chaque semaine.

Commencez

Savez-vous quel record vous voulez tenter ?

Si vous pensez avoir les qualités nécessaires pour tenter de battre un record enregistré, contactez-nous. Vous voulez essayer quelque chose de nouveau ? Les nouvelles idées nous intéressent, alors contactez-nous sans plus attendre.

OUI ← → **NON**

Inscrivez-vous en ligne

Allez sur **www.guinnessworldrecords.com** et cliquez sur « S'inscrire » en haut de l'écran. Il ne vous faut que quelques minutes pour ouvrir un compte et vous serez presque prêt. Connaissez-vous déjà la marche à suivre ?

NON **OUI**

Lisez, observez, naviguez

Lisez attentivement le livre ! Vous y trouverez des idées et vous pourrez prendre connaissance des derniers exploits sur notre site **www.guinnessworldrecords.com**. Vous comprendrez mieux quels types de records nous acceptons.

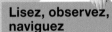

Règles des records

Si le record choisi existe déjà (ou si votre idée nous plaît), nous vous indiquerons les règles applicables à tous pour le tenter. Si votre idée est rejetée, nous vous dirons pourquoi.

Recueillez les preuves

Donnez-vous assez de temps pour vous exercer. Quand vous estimez être prêt, recueillez l'ensemble des preuves dont nous avons besoin pour mettre toutes les chances de votre côté.

Uniquement les faits

Rassemblez vos preuves et envoyez-les-nous. Selon le record, nous aurons besoin de la déclaration d'un témoin indépendant, de photos, d'une vidéo et d'autres éléments indiqués dans la marche à suivre. Attendez que nous vous contactions…... avez-vous battu votre record ?

NON **OUI**

Terminé !

Vous avez battu un record !

Si vous avez suivi les règles et battu un record existant ou si vous en avez établi un nouveau, vous recevrez une lettre de confirmation, ainsi que votre certificat officiel de Guinness World Records pour vous accueillir dans la famille des détenteurs de records. Félicitations ! Avec de la chance, vous pouvez même être cité dans le livre de l'année prochaine.

Ce n'est que partie remise

Vous avez raté votre coup ? N'abandonnez pas ! Revenez et réessayez ou choisissez un autre record pour avoir une chance d'obtenir le fameux certificat.

En 2015

Quoi de neuf dans le **livre millésimé le plus vendu au monde** ?

Une réalité augmentée inédite !

Téléchargez notre appli GRATUITE « See It 3D » (À voir en 3D) : vos idoles des records prennent vie. Pointez votre téléphone portable ou votre tablette sur les pages qui portent la mention À VOIR EN 3D : vous pourrez rencontrer un géant, explorer les profondeurs de l'océan et même vous battre avec des vers dans un jeu vidéo hilarant.

Le logiciel de réalité augmentée (RA) fonctionne avec le mode photo de votre tablette ou de votre smartphone, qui va détecter des éléments sur la page imprimée. Votre appareil affiche alors à l'écran des images en 3D. Aujourd'hui, la technologie permet de développer des environnements virtuels, des animations interactives en 3D et même des jeux, comme celui présenté ci-après...

3D SUR CETTE PAGE

Réalité augmentée !

JOUEZ AVEC LA RÉALITÉ AUGMENTÉE : Maggot Splat !

À VOIR EN 3D AVEC L'APPLI GRATUITE

Tentez l'expérience 3D dès maintenant en téléchargeant l'appli et en jouant à ce jeu inspiré du record du **fromage le plus dangereux** ! Le casu marzu est un fromage de Sardaigne qui doit parvenir à un stade de fermentation très très avancé, sous l'action des larves de la mouche du fromage. Cela en améliorerait la saveur, bien que votre estomac puisse en souffrir. Votre défi ? Écraser les vers lorsqu'ils sautent du fromage (comme cela se passe quand on mange vraiment du casu marzu). Enregistrez votre score. Vous pourriez remporter un certificat officiel Guinness World Records ! Bonne chance !

① TÉLÉCHARGEZ L'APPLI GRATUITE "SEE IT 3D"

Download on the App Store

ANDROID APP ON Google play

GUINNESSWORLDRECORDS. COM/SEEIT3D

② RECHERCHEZ LE LOGO "EN 3D" SUR LA COUVERTURE ET DANS LE LIVRE

À VOIR EN 3D AVEC L'APPLI GRATUITE

③ AVEC L'APPLI, LE LIVRE ET LES RECORDS APPARAISSENT EN 3D !

#seeit3d

Partagez avec nous votre expérience de la réalité augmentée

Facebook.com/GuinnessWorldRecords

Twitter.com/GWR

Youtube.com/guinnessworldrecords

Plus.Google.com/+guinnessworldrecords

Instagram.com/guinnessworldrecords

> **SOMMAIRE**

CITATION

« Quand on pense au Guinness World Records, les premiers mots qui viennent à l'esprit sont "extraordinaire" et "remarquable". Pour moi, être dans le GWR est un honneur et une grande joie. »
Usain Bolt

 Les renvois de pages signalent d'autres records sur un sujet connexe.

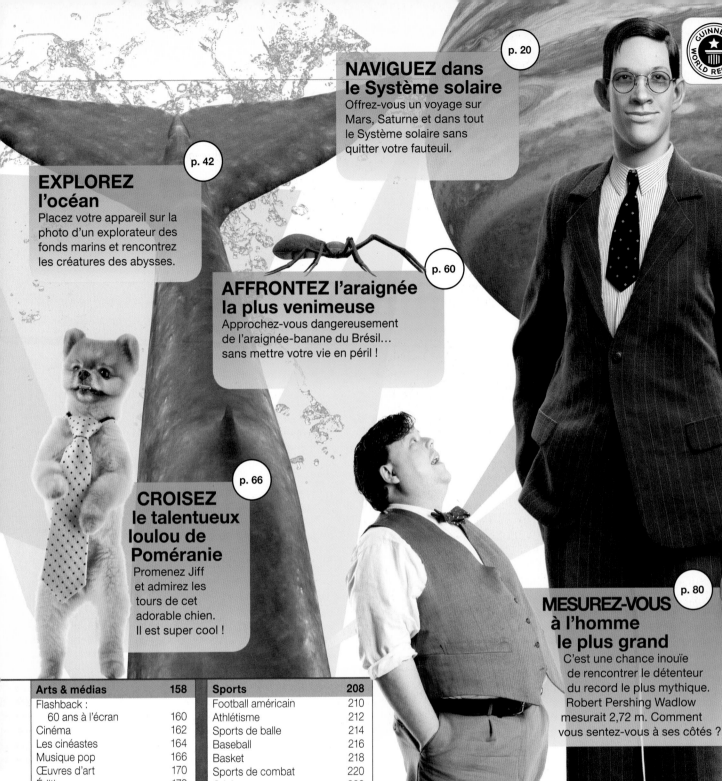

p. 20

NAVIGUEZ dans le Système solaire

Offrez-vous un voyage sur Mars, Saturne et dans tout le Système solaire sans quitter votre fauteuil.

p. 42

EXPLOREZ l'océan

Placez votre appareil sur la photo d'un explorateur des fonds marins et rencontrez les créatures des abysses.

p. 60

AFFRONTEZ l'araignée la plus venimeuse

Approchez-vous dangereusement de l'araignée-banane du Brésil… sans mettre votre vie en péril !

p. 66

CROISEZ le talentueux loulou de Poméranie

Promenez Jiff et admirez les tours de cet adorable chien. Il est super cool !

p. 80

MESUREZ-VOUS à l'homme le plus grand

C'est une chance inouïe de rencontrer le détenteur du record le plus mythique. Robert Pershing Wadlow mesurait 2,72 m. Comment vous sentez-vous à ses côtés ?

#seeit3d

L'appli SEE IT 3D fonctionne avec un appareil intégrant une fonction photo. Photographiez-vous avec vos amis aux côtés des détenteurs de records portant le logo à voir en 3D, et envoyez-nous vos photos.

Le mot de l'éditeur

Cette année, seules 7,6 % des demandes ont abouti à des records du monde officiels.

Bienvenue dans cette édition célébrant l'anniversaire de diamant du livre le plus vendu dans le monde chaque année. Nous entrons peut-être dans notre 60ᵉ année, mais n'avons aucune intention de prendre notre retraite. Cette édition présente l'évolution des records durant les six décennies passées, répertorie les nouveaux records et les records actualisés. Vous y trouverez donc l'association habituelle d'exploits sportifs sans précédent, d'animaux talentueux, de découvertes scientifiques et de personnes remarquables...

Le plus long trajet sur béquilles

Du 16 mars au 6 septembre 2013, Guy Amalfitano, originaire d'Orthez, a franchi 6 006,03 km avec des béquilles. Parti d'Orthez, il est revenu à son point de départ. Au cours de son périple, il a voyagé durant 175 jours et a parcouru en moyenne 32 km par jour.

Il y a toujours autant de candidats pour battre des records, avec près de 50 000 nouvelles demandes, enquêtes et actualisations parvenues dans nos boîtes aux lettres ou boîtes mail l'an passé. Nous avons reçu du courrier et des demandes du monde entier, de l'Afghanistan (la **plus longue chaîne de bonhommes en papier**,

soit 6,5 km) au Zimbabwe (le **plus long mix de DJ** : à confirmer, mais le record actuel de 168 h sera difficile à battre !), et avons enquêté dans des lieux aussi éloignés que le Timor oriental, Tongo et le Tadjikistan.

La France a conservé sa place dans le Top 20 des pays détenteurs de records avec 387 demandes et un score respectable de 40 demandes ayant abouti à un record du monde officiel. La diversité des records est toujours aussi importante, et les tentatives portent sur des thèmes très variés :

• **La collection de briquets la plus chère :** une collection de briquets baptisée « Louis XIII Fleur de Parme » a été vendue 500 000 € à un acheteur privé le 25 novembre 2013. Les briquets en or et saphirs ont été dessinés par la princesse Tania de Bourbon Parme et vendus par S. T. Dupont.

Le plus grand orchestre de rock

Un orchestre de 520 personnes composé de 121 batteurs, 62 joueurs de synthétiseur, 168 guitaristes, 97 chanteurs et 72 bassistes a joué *7 Nation Army* des White Stripes, *I Love Rock 'n' Roll* de Joan Jett, *Creep* de Radiohead et *We Are the Champions* de Queen à Pernes-les-Fontaines, le 23 juin 2013. L'événement était organisé par l'association Music Revolution (France).

La plus grande exposition de macarons

Une pyramide de 12 étages composée de 8 540 macarons a été réalisée par Sébastien Laurent au château de Montjoux, à Thonon-les-Bains, le 8 juin 2013. Chaque macaron a été disposé à la main et fixé à une structure de 6,7 m à l'aide d'un pic à cocktail. Trois saveurs étaient proposées : praliné, chocolat et framboise.

• **Le record d'haltérophilie (femme, moins de 73 kg) :** Souhad Ghazouani (France) a soulevé 150 kg dans la catégorie des moins de 73 kg aux championnats d'Europe de l'IPC en 2013, à Aleksine (Russie), le 25 mai 2013.
• **Le pays le plus apprécié des touristes :** la France a accueilli 83 millions de visiteurs de tous pays en 2012, soit une hausse de 1,8 % par rapport à l'année précédente et une part d'un peu plus de 8 % du marché touristique mondial.

Le saut à la perche le plus haut (homme)

Renaud Lavillenie a effectué un saut de 6,16 m lors des rencontres du Pole Vault Stars, à Donetsk (Ukraine), le 15 février 2014. Le record précédent – celui de Sergueï Bubka, présent lors de la tentative de Renaud – n'avait pas été battu depuis 21 ans et avait aussi été établi à Donetsk.

Le plus de victoires aux Championnats du monde de judo (hommes)

Teddy "Bear" Riner (France, né en Guadeloupe) a remporté 6 titres aux Championnats du monde de judo : 5 dans la catégorie des plus de 100 kg (poids lourds) en 2007, 2009-2011 et 2013 et 1 avec l'équipe de France masculine (2011). Les 5 titres mondiaux individuels du sportif et ses 7 médailles (6 en or, 1 en argent) sont sans précédent aux Championnats du monde.

• **La traversée la plus rapide entre Cadix et San Salvador avec une main :** il a fallu 6 jours, 23 h et 18 s à Armel Le Cleac'h pour franchir avec son trimaran *Banque Populaire 7* de 31,4 m de long les 3 884 miles nautiques (7 193,17 km) de la Route de la Découverte entre Cadix et San Salvador, du 23 au 30 janvier 2014. Sa vitesse moyenne était de 23,16 nœuds (42,89 km/h).

• **La plus longue chaîne de chemises :** le personnel de Henkel Laundry & Home Care France, aux Arcs, a noué 1 208 chemises, le 16 janvier 2014. La chaîne a par la suite été défaite et les chemises ont été distribuées à des œuvres.

• **La plus haute pile de morceaux de sucre :** une pile de 2,08 m composée de 2 669 morceaux de sucre a été réalisée par Camille Courgeon, à Blanquefort, le 1er juillet 2013, en 2 h et 59 min.

Où trouver une telle variété de sujets originaux et fascinants dans un même livre ? Ce ne peut être que dans le Guinness World Records !

Le plus long marathon de peinture

Roland Palmaerts (Belgique/Canada) a peint durant 60 h d'affilée à Arches (France), du 3 au 5 octobre 2013. Au cours de son marathon, il a réalisé 60 aquarelles qui ont été numérotées, légendées, signées et exposées dans une galerie. Pour compléter le thème du chiffre 60, les tableaux placés côte à côte mesuraient 60 m.

NOUVELLES RUBRIQUES

Parallèlement aux nouveaux records, à l'occasion de notre 60e anniversaire, nous avons décidé de suivre l'évolution de certaines de vos catégories de records préférées. Vous trouverez des rubriques « Flash-back » au début de chaque chapitre. Chacune a trait à un sujet relatif aux records – 60 ans dans l'espace (p. 16), découverte de nouveaux animaux (p. 44) et technologies de communication (p. 180) – et retrace l'évolution de ces records depuis notre première édition. Nous nous sommes aussi plongés dans d'anciennes éditions pour rédiger de brefs flash-backs à intervalles réguliers, en comparant les records du passé à ceux d'aujourd'hui. L'une des raisons du succès du Guinness World Records au cours des 60 années passées est liée au fait que nous nous sommes toujours efforcés de nous adapter aux nouvelles tendances, modes et technologies. Nous ne sommes pas un catalogue poussiéreux, nous reflétons le monde qui nous entoure. Cette année, cela reste vrai, et vous trouverez de nouvelles catégories liées à des sujets tels que l'impression 3D (p. 206), Instagram et Twitter (p. 138),

La plus longue chaîne humaine sous l'eau

Le groupement des professionnels de la plongée a réuni 110 plongeurs sous l'eau à Saint-Leu (La Réunion), le 1er décembre 2013. Les plongeurs se sont ainsi tenu la main pendant 5 min et 42 s à 18 m de profondeur en formant une chaîne humaine de 76,20 m.

INFO
Pour battre le record du **plus grand orchestre de rock**, il faut que celui-ci respecte certaines proportions, aucun instrument ne devant représenter moins de 10 % ou plus de 40 % de sa totalité.

Le plus grand madison

Un madison incluant 1 010 participants a été organisé par l'association Music Revolution (France), à Pernes-les-Fontaines, le 23 juin 2013. La tentative de record a eu lieu au cours du même événement que le **rassemblement du plus grand orchestre de rock** (voir page précédente). Le madison est né aux États-Unis à la fin des années 1950.

nouveau parcouru le monde avec son équipe pour vous apporter de splendides photographies, comme celles de Jiff, un chien américain (le **5 m le plus rapide sur les pattes avant**, p. 67), le QTvan du Royaume-Uni (la **plus petite caravane**, p. 192) et le Fisarmonica Gigante d'Italie (le **plus gros accordéon**, p. 97).

Nos rubriques de RÉALITÉ AUGMENTÉE 3D sont aussi de retour cette année.

Le plus grand rassemblement de porteurs de fausses moustaches

Le parc Astérix et les Éditions Albert René ont fait appel à Big Moustache (livraison de rasoirs à domicile) pour battre un record du monde le 30 juin 2013. La tentative s'est déroulée au parc à thème de Plailly, où 1 654 visiteurs du delphinarium ont arboré de fausses moustaches d'Astérix, battant le précédent record de 1 532 atteint aux États-Unis, le 7 mars 2013.

les transports alternatifs (p. 190) et le piratage numérique (p. 174). Notez aussi les néologismes de 2013, tels que « bitcoin » (p. 135), « twerking » (p. 117) ou encore « selfies » (p. 207).

Nous avons également renouvelé notre maquette – en nous inspirant des « diamants » et de la « typographie tablette » – avec l'aide des concepteurs de 55 Design. Pour cela, nous avons créé un nouvel élément que nous appelons Control Strip. Cette bande informative figure au bas de la plupart des doubles pages. Elle est réservée

aux encadrés, glossaires, pages Flash-backs mentionnés plus haut et aux graphiques, donnant accès en un seul coup d'œil à des informations complémentaires.

GALERIES

Cette édition comporte une autre nouveauté, les galeries photos. Ces doubles pages présentent d'étonnantes photographies prises par Guinness World Records au fil des ans. Le responsable éditorial de l'iconographie, Michael Whitty, a de

Le plus long parcours sur 2 roues en quad 2 places

Yannick Dupont et sa passagère Dalila Ouadah ont parcouru 26,07 km sur 2 roues avec leur quad 2 places sur le circuit de la Cité de l'Automobile de Mulhouse, le 21 avril 2014. Le pilote devait accomplir 75 tours de circuit.

Vous pourrez accéder à des contenus 3D et à des animations interactives – et apprendrez comment télécharger notre application gratuite – p. 6-7. Vous découvrirez d'étonnantes images, notamment un portrait grandeur nature de Robert Pershing Wadlow, l'**homme le plus grand du monde** (p.81), ce qui vous permettra de vous prendre en photo à côté de ce célèbre détenteur de record. Nous remercions Mustard

Design (RU) pour son travail sur ces éléments.

Pour poursuivre sur le thème du numérique, nous avons eu le plaisir d'accueillir notre 4 millionième fan sur Facebook, et nous nous sommes inscrits sur Instagram et Flickr pour partager quelques-unes des centaines d'incroyables photographies et vidéos qui parviennent dans nos bureaux chaque semaine. Nous comptons presque 500 000 abonnés sur notre chaîne YouTube et nos abonnés sur Twitter ont

La plus grande gravure anamorphique

Une gravure anamorphique 3D de 4 227,50 m² commandée par Renault Trucks a été réalisée en 5 mois par François Abélanet à Lyon. La gravure était composée de 25 parties distinctes et a été achevée le 6 juillet 2013. L'œuvre représente une ville et une zone rurale reliées par un pont, avec des camions parcourant la ville et la campagne environnante.

Le plus grand cyanotype

Un cyanotype est un procédé photographique aboutissant à un cliché bleu cyan. Le plus grand mesure 7,95 x 5,56 m et a été réalisé par le CAES du CNRS avec l'aide de Vincent Martin et Michel Miguet, au festival d'Avignon OFF 2013, le 11 juillet 2013.

Le 200 m lancé le plus rapide (homme)

Plusieurs records du monde ont été battus lors de la coupe du monde de l'UCI, à Aguascalientes (Mexique), en décembre 2013. Les coureurs cyclistes ont profité des avantages de l'altitude (1 887 m). Parmi eux, François Pervis a effectué un 200 m lancé en 9,347 s.

atteint 87,2 K. Évidemment, nous sommes loin des scores de Katy Perry (le **plus d'abonnés sur Twitter**) et de Shakira (la **personne la plus « likée » sur Facebook**) – voir p. 166 –, mais notre travail consiste à répertorier et à diffuser les records, non à les battre !

CHALLENGERS

Puisque Internet est omniprésent dans nos vies, n'hésitez pas à consulter la section Challengers de notre site web. Celle-ci permet à tous ceux qui veulent concourir d'entrer en contact avec un juge officiel de Guinness World Records concernant diverses catégories de records à battre

Le base jump le plus haut depuis un immeuble

L'un des records les plus spectaculaires – et éprouvants – de cette année est un base jump de 828 m. Les deux parachutistes expérimentés Fred Fugen et Vince Reffet (tous deux France) ont effectué ce saut le 21 avril 2014. Le duo téméraire a sauté du sommet de la flèche de la tour Burj Khalifa, à Dubaï (ÉAU).

Après ce saut, Fred a déclaré : « C'est le saut de ma vie et le couronnement de trois années d'entraînement. Je suis heureux que nous ayons atterri sans encombre, en réalisant le rêve de notre vie. »

« C'est de loin mon saut préféré, a ajouté Vince. Un rêve devenu réalité. »

Nous sommes redevables, comme toujours, à nos innombrables candidats et supporters.

Nous essayons de répondre à chaque e-mail et lettre, mais n'avons pas assez de place pour chaque nouveau record homologué : notre édition annuelle n'inclut que 10 % des records, ainsi que les records qui ont résisté à l'épreuve du temps. Si vous avez battu un record et n'avez pas été sélectionné, vous aurez peut-être plus de chance la prochaine fois…

Si l'ambition de votre vie consiste à voir chez soi. Par exemple : la nourriture et les boissons, le sport et les exploits physiques ou les jeux vidéo. Consultez l'adresse www.guinnessworldrecords.com/challengers.

L'aspect le plus agréable du travail, chez Guinness World Records, consiste à rencontrer les détenteurs de records ; cette année, nous avons fait des rencontres mémorables. Nous avons eu l'honneur d'offrir des certificats à de grandes légendes du monde du sport, comme Pelé (voir p. 239) et Haile Gebrselassie (p. 212), et d'accueillir des aventuriers et des pionniers dans nos bureaux (voir p. 142-157).

figurer votre nom dans le Guinness World Records, présentez votre candidature ! Établir un record est gratuit et ouvert à tous – découvrez comment procéder p. 5. Nous avons besoin de candidats pour battre des records. Il y a soixante ans, il était impossible de téléphoner de l'autre côté de l'Atlantique (voir p. 180) et personne n'avait encore marché sur la Lune (p. 16). Imaginez ce que nous serons capables de faire dans 60 ans…

Craig Glenday,
Directeur de la publication

Incroyable !

Célébration des 60 ans de la **plus grosse vente annuelle**.

À la fin des années 1950, sir Hugh Beaver (à gauche), directeur général de la Brasserie Guinness, a eu l'idée d'un livre des records qui pourrait servir de juge de paix dans les discussions animées des clients des pubs. Soixante ans plus tard, les records continuent de passionner les foules… et poussent des millions de gens à tenter leur chance.

« Apaiser des débats fougueux par le savoir » : tel était l'objectif de la première édition du *Guinness Book of Records*. Le 10 novembre 1951, durant une partie de chasse à North Slob, dans le comté de Wexford, (Irlande), sir Hugh Beaver (1890-1967, directeur général de la Brasserie Guinness, et ses compagnons de chasse ne parvinrent pas à viser un seul des pluviers dorés volant au-dessus de leur tête. Le pluvier doré serait-il l'oiseau le plus rapide d'Europe ? Un débat s'ensuivit, mais aucune réponse ne fut trouvée, même pas dans la bibliothèque bien garnie de l'hôte.

Sir Hugh imagina alors que des bien d'autres personnes à travers le Royaume-Uni et l'Irlande devaient argumenter sur toutes sortes de sujets, et qu'il serait peut-être bon d'écrire un livre qui leur apporterait des réponses. S'il créait un tel livre, il pourrait même l'offrir aux 80 000 pubs du Royaume-Uni, et faire ainsi une belle opération de promotion pour vendre davantage de stout Guinness. Pour l'aider dans son projet, il devait trouver une agence spécialisée dans la recherche de records. Par chance, un brasseur de Park Royal (Londres) connaissait la perle rare : les jumeaux McWhirter.

Ce brasseur, Chris Chataway (1931-2014), athlète amateur, était le « lièvre » de Roger Bannister. Ce dernier avait battu le record du mile, le 6 mai 1954, en 4 min – un exploit jugé alors impossible. Le chronométreur de la course n'était autre que Norris McWhirter (1925-2004) qui, avec son jumeau Ross (1925-

En 1973, l'homme de télé David Frost (2e à gauche) achète les droits des émissions spéciales GWR. La spéciale le *Hall of Fame* (ci-dessus) date de 1986.

1998 Début de *Guinness World Records Primetime* sur Fox TV le 27 juillet 1998, présenté par Mark Thompson. L'émission comptera 53 épisodes.

1972 Au Royaume-Uni, la BBC a élaboré un dérivé de l'émission de télé *Blue Peter* baptisé *Record Breakers*, présenté par Roy Castle (à droite) et les jumeaux McWhirter ; l'émission a duré presque 30 ans.

1954 Sir Hugh Beaver demande aux jumeaux McWhirter de travailler sur un livre de records.

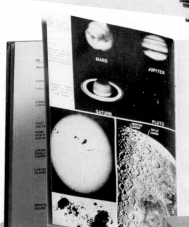

1955 Les jumeaux Ross (gauche) et Norris McWhirter publient la 1re édition de *The Guinness Book of Records* pour la Brasserie Guinness.

1956 1re édition américaine.

1962 1re édition française.

1963 1re édition allemande.

1967 1res éditions japonaise, danoise et norvégienne.

1968 1res éditions suédoise, finlandaise et italienne.

1971 1re édition néerlandaise.

1975 Le 1er musée GWR est ouvert dans l'Empire State Building, New York (USA).

1976 1re édition tchèque.

1977 1res éditions en hébreux, en serbo-croate et en islandais.

1978 1re édition slovène.

1999 GWR lance sa 1ʳᵉ émission de télévision au Royaume-Uni, *Guinness World Records*, présentée par le footballeur Ian Wright.

année), il fut mis en vente (sans la couverture qui le protégeait de la bière !) et devint vite un best-seller. Et il l'est resté depuis. L'année suivante, il était lancé aux États-Unis sous le titre *The Guinness Book of World Records*. Il est aujourd'hui disponible dans plus de 100 pays et dans une vingtaine de langues.

1975), avait ouvert une agence spécialisée dans la recherche de records à Londres.

Sir Hugh engagea les deux frères pour créer son livre d'exploits et, en 1954, les jumeaux ouvrirent un bureau dans un gymnase désaffecté au 107 Fleet Street à Londres. Sous le nom de Superlatifs Guinness, ils ont passé plusieurs mois à faire des recherches et à rassembler les éléments de la première édition de *The Guinness Book of Records*, qui parut le 27 août 1955.

Conçu comme un outil promotionnel, le livre a pourtant dépassé le comptoir des bars ; en octobre (même

La brasserie Guinness a vendu les droits en 1999 et le livre a pris son titre actuel (*Guinness World Records*).

S'y sont ajoutées les émissions de télévision, les musées, les sites Internet, les applications, les e-books et, plus récemment, les événements en direct qui y sont associés.

FICHES D'ARBITRAGE

Le Guinness World Records examine environ 50 000 demandes par an, et a envoyé des arbitres jusqu'au fond des océans

Expérience GWR en direct

Ne manquez pas les passionnantes Guinness World Records Attractions, dont la première est programmée pour 2015. Voyez les records prendre vie grâce à une technologie de pointe, et tentez vos propres records en face des arbitres officiels GWR.

2006 Le rédacteur en chef Craig Glenday reçoit le roi de la pop, Michael Jackson, dans les bureaux londoniens, la veille des World Music Awards 2006, quand l'album *Thriller* est reconnu comme l'**album le plus vendu de tous les temps**.

et au sommet de la Burj Khalifa, le **plus haut building**. Nous avons agrandi nos locaux à Londres et ouvert de nouveaux bureaux à New York (USA), Tokyo (Japon), Pékin (Chine) et Dubaï (ÉAU), avec toujours plus de représentants et de consultants éditoriaux dans le monde.

Et comme vous le constaterez avec cette édition, nous continuons

de nous adapter, en nous projetant dans le monde moderne en constante évolution. Aussi longtemps que les hommes repousseront les limites du possible, nous serons là avec nos chronomètres, à constater et à valider toutes sortes d'exploits. Les 60 prochaines années seront sans doute aussi fascinantes et verront autant de records battus que les 60 qui viennent de s'écouler.

2005 Sa Majesté Élisabeth II reçoit un exemplaire de notre édition du 50ᵉ anniversaire des mains du P-DG de GWR, Alistair Richards.

1996 GWR ouvre un bureau à New York (USA).

2000 Lancement de guinnessworldrecords.com

2003 Le 100 000 000ᵉ exemplaire du livre est vendu.

2005 1ʳᵉ journée du Guinness World Records, rendez-vous devenu annuel.

2010 Lancements des applications GWR. Ouverture d'un bureau à Tokyo (Japon).

2012 Ouverture d'un bureau à Pékin (Chine).

2013 Ouverture d'un bureau à Dubaï (ÉAU).

2015 GWR célèbre son 60ᵉ anniversaire.

2013 L'acteur de Hong Kong Jackie Chan est l'acteur qui a réalisé le plus de cascades (plus de 100 films) et qui enregistre le **plus d'apparitions au générique dans un film** (15).

Une **galerie photo** pour découvrir toute la beauté de l'Univers… (Échelle non respectée.)

1. La galaxie la plus jeune
En février 2014 a été découverte la galaxie Abell 2744-Y1, à un tout petit plus de 13 milliards d'années-lumière de la Terre. Environ 30 fois plus petite que la Voie lactée, elle produit 10 fois plus d'étoiles.

2. La galaxie la plus commune
Les galaxies spirales comme Messier 101 (ici, photo du télescope spatial *Hubble*) constituent 77 % des galaxies. Notre Voie lactée en est une : ses deux bras spirales entourent un cœur plus lumineux.

3. La 1ʳᵉ spirale découverte
William Parsons (Irlande), 3ᵉ comte de Rosse, identifia la galaxie spirale M51, dite galaxie Tourbillon, en 1845, à l'aide du Leviathan, alors **le plus grand télescope** du monde, au château de Birr (Conty Offaly, Irlande).

4. La galaxie la plus proche de la Voie lactée
La galaxie naine du Grand Chien, située à une moyenne de 42 000 années-lumière du centre de la Voie lactée, n'a été découverte qu'en 2003 car, depuis la Terre, elle se situe derrière le plan de notre galaxie.

5. L'objet visible à l'œil nu le plus lointain
La galaxie d'Andromède, dite Messier 31, se trouve à environ 2,5 millions d'années-lumière de la Terre. Elle est suivie par Messier 33, une galaxie spirale à 2,53 millions d'années-lumière.

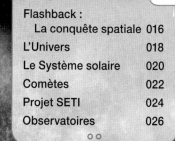

6

7

8

10

9

6. Les galaxies les plus denses
Les galaxies naines ultra-compactes, comme M60-UCD1 *(photo)*, comprennent environ 100 millions d'étoiles dans un espace de seulement 200 années-lumière de large.

7. La plus grande galaxie satellite
Environ 15 petites galaxies orbitent autour de la Voie lactée. La plus grande et brillante est le Grand Nuage de Magellan, à environ 160 000 années-lumière.

8. La galaxie approchant le plus rapidement
L'Univers est en expansion, mais M86, une galaxie lenticulaire à environ 52 millions d'années-lumière, dans l'amas de la Vierge, se rapproche de la Terre à 419 km/s.

9. La plus grande galaxie
IC 1101, dans l'amas Abell 2029, a un diamètre maximal de 5,6 millions d'années-lumière (80 fois la Voie lactée) et émet 2 000 milliards de fois plus de lumière que le Soleil. Elle est peut-être née de la fusion de plusieurs galaxies plus petites.

10. L'amas de galaxies le plus massif
« El Gordo », amas de galaxies à 7 milliards d'années-lumière, a été découvert suite à une distorsion du fond diffus cosmologique. Il s'agit en fait de deux amas entrant en collision à plusieurs millions de km/h.

La conquête spatiale

En tout, les 5 navettes spatiales (NASA) ont passé **1 320 jours** dans l'espace.

En 1955, année du 1er Livre des Records, l'être humain n'avait jamais quitté la Terre. À partir de 1961, les pionniers de l'exploration spatiale ont enchaîné les étapes à une vitesse impressionnante : visite de la Lune, construction de stations, envoi de sondes sur Mars et au-delà des limites du Système solaire.

Le pouvoir de l'imagination humaine est tel que les vols spatiaux sont vite devenus partie intégrante de notre quotidien. L'avenir de l'exploration spatiale tient une place prépondérante dans les films de science-fiction et même les pays manquant de ressources s'efforcent d'envoyer des sondes vers les autres planètes.

La conquête spatiale voit le jour en pleine guerre froide entre États-Unis et URSS. En 1955, les deux puissances annoncent qu'elles entendent lancer des satellites. L'URSS a été le **1er pays à réaliser un satellite artificiel**, avec *Spoutnik I* en 1957, et bat un nouveau record en 1961 avec le 1er homme

dans l'espace. Soucieux de rattraper le retard des États-Unis, le président Kennedy promet en 1962 que le 1er homme sur la Lune sera américain : « Nous choisissons d'aller sur la Lune dans cette décennie [...] parce que c'est un défi que nous sommes prêts à relever, que nous ne voulons pas remettre à plus tard. »

La course à l'espace s'emballe. Les hommes et les femmes les plus audacieux changent pour toujours notre destin et notre manière de voir notre planète et notre place dans le Système solaire.

1984

La 1re sortie autonome dans l'espace : Le 7 février 1984, Bruce McCandless sort de la navette spatiale *Challenger* à bord du fauteuil Manned Maneuvering Unit (MMU).

Le 1er vol vers une station spatiale : Mir EO-1 est la 1re expédition vers la station spatiale soviétique *Mir*. Leonid Kizim et Vladimir Soloviov quittent la Terre le 13 mars 1986, atteignent *Mir* 2 jours plus tard et y passent 6 semaines. *Mir* quitte son orbite 15 ans plus tard, en 2001, après avoir reçu plus de 100 visiteurs.

1986

Le 1er vol inaugural habité : En 1981, John Young et Robert Crippen (USA) prennent part à la toute première mission de la navette spatiale *Columbia*. C'est la 1re fois qu'un vaisseau spatial ne réalise pas d'abord un vol inhabité.

1981

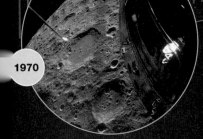

1973

La distance la plus éloignée atteinte par l'homme : Le 15 avril 1970, à 1 h 21 (heure britannique), l'équipe d'*Apollo 13* se situe à 400 171 km de la Terre, 254 km au-dessus du côté sombre de la Lune.

La plus grande distance parcourue dans un autre monde : Entre janvier et juin 1973, le rover soviétique *Lunokhold 2* parcourt 42 km à la surface de la Lune.

Le 1er vol spatial habité : Le 12 avril 1961, le cosmonaute Youri Gagarine atteint une altitude de 327 km à bord du *Vostok 1*. Il réalise une orbite de la Terre et passe, comme prévu, 108 min dans l'espace – le **plus court vol orbital**.

1970

Les 1ers hommes sur la Lune : Neil Armstrong (USA), commandant de la mission *Apollo 11*, fait « un petit pas » sur la surface de la Lune le 21 juillet 1969, à 2 h 56 (heure de Greenwich), suivi par Edwin « Buzz » Aldrin.

1969

1961

LES PIONNIERS DE L'ESPACE

1961

Youri Gagarine :
1er homme dans l'espace
Le 12 avril, Gagarine (voir ci-dessus) parcourt 40 868,6 km et devient un héros de l'URSS. Il meurt tragiquement dans un accident de vol en 1968, à 34 ans.

1963

Valentina Tereshkova :
1re femme dans l'espace
Partie du Kazakhstan à bord de *Vostok 6*, Valentina Tereshkova (URSS) réalise un vol de 2 jours, 22 h et 50 min. Elle joue ensuite un rôle politique important.

1965

Alexeï Leonov :
1re sortie dans l'espace
Leonov (URSS) effectue la 1re sortie extravéhiculaire en quittant le *Voskhod 2* pendant 12 min, le 18 mars 1965.

1969

Neil Armstrong :
1ers hommes sur la Lune
Le commandant de la mission *Apollo 11* est le 1er à fouler le sol lunaire. Il avait appris à voler à 15 ans, avant même de passer son permis.

1969

« Buzz » Aldrin :
1ers hommes sur la Lune
En 2013, Aldrin a déclaré : « Neil utilisait le mot "beau" avec optimisme. Quand je regardais dehors, le paysage n'était pas beau, mais désolé. »

1972

Eugene Cernan : plus longue mission lunaire habitée
Du 7 au 19 décembre 1972, l'Américain passe 74h, 59min et 40s sur la Lune avec Schmitt (*voir à droite*). *Apollo 17* est la dernière mission lunaire habitée.

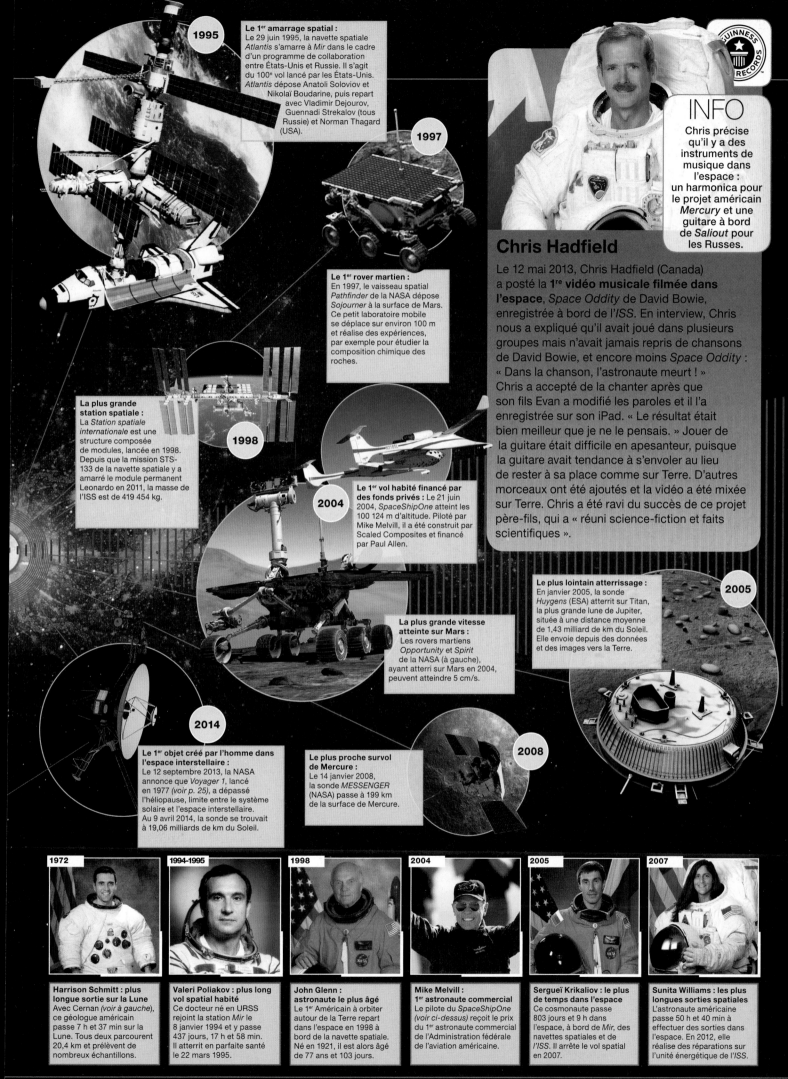

1995

Le 1ᵉʳ amarrage spatial :
Le 29 juin 1995, la navette spatiale *Atlantis* s'amarre à *Mir* dans le cadre d'un programme de collaboration entre États-Unis et Russie. Il s'agit du 100ᵉ vol lancé par les États-Unis. *Atlantis* dépose Anatoli Soloviov et Nikolaï Boudarine, puis repart avec Vladimir Dejourov, Guennadi Strekalov (tous Russie) et Norman Thagard (USA).

1997

Le 1ᵉʳ rover martien :
En 1997, le vaisseau spatial *Pathfinder* de la NASA dépose *Sojourner* à la surface de Mars. Ce petit laboratoire mobile se déplace sur environ 100 m et réalise des expériences, par exemple pour étudier la composition chimique des roches.

La plus grande station spatiale :
La *Station spatiale internationale* est une structure composée de modules, lancée en 1998. Depuis que la mission STS-133 de la navette spatiale y a amarré le module permanent Leonardo en 2011, la masse de l'ISS est de 419 454 kg.

1998

2004

Le 1ᵉʳ vol habité financé par des fonds privés : Le 21 juin 2004, *SpaceShipOne* atteint les 100 124 m d'altitude. Piloté par Mike Melvill, il a été construit par Scaled Composites et financé par Paul Allen.

La plus grande vitesse atteinte sur Mars
Les rovers martiens *Opportunity* et *Spirit* de la NASA (à gauche), ayant atterri sur Mars en 2004, peuvent atteindre 5 cm/s.

2014

Le 1ᵉʳ objet créé par l'homme dans l'espace interstellaire :
Le 12 septembre 2013, la NASA annonce que *Voyager 1*, lancé en 1977 *(voir p. 25)*, a dépassé l'héliopause, limite entre le système solaire et l'espace interstellaire. Au 9 avril 2014, la sonde se trouvait à 19,06 milliards de km du Soleil.

Le plus proche survol de Mercure :
Le 14 janvier 2008, la sonde *MESSENGER* (NASA) passe à 199 km de la surface de Mercure.

2008

GUINNESS RECORDS

INFO
Chris précise qu'il y a des instruments de musique dans l'espace : un harmonica pour le projet américain *Mercury* et une guitare à bord de *Saliout* pour les Russes.

Chris Hadfield

Le 12 mai 2013, Chris Hadfield (Canada) a posté la **1ʳᵉ vidéo musicale filmée dans l'espace**, *Space Oddity* de David Bowie, enregistrée à bord de l'*ISS*. En interview, Chris nous a expliqué qu'il avait joué dans plusieurs groupes mais n'avait jamais repris de chansons de David Bowie, et encore moins *Space Oddity* : « Dans la chanson, l'astronaute meurt ! » Chris a accepté de la chanter après que son fils Evan a modifié les paroles et il l'a enregistrée sur son iPad. « Le résultat était bien meilleur que je ne le pensais. » Jouer de la guitare était difficile en apesanteur, puisque la guitare avait tendance à s'envoler au lieu de rester à sa place comme sur Terre. D'autres morceaux ont été ajoutés et la vidéo a été mixée sur Terre. Chris a été ravi du succès de ce projet père-fils, qui a « réuni science-fiction et faits scientifiques ».

Le plus lointain atterrissage :
En janvier 2005, la sonde *Huygens* (ESA) atterrit sur Titan, la plus grande lune de Jupiter, située à une distance moyenne de 1,43 milliard de km du Soleil. Elle envoie depuis des données et des images vers la Terre.

2005

1972

Harrison Schmitt : plus longue sortie sur la Lune
Avec Cernan *(voir à gauche)*, ce géologue américain passe 7 h et 37 min sur la Lune. Tous deux parcourent 20,4 km et prélèvent de nombreux échantillons.

1994-1995

Valeri Poliakov : plus long vol spatial habité
Ce docteur né en URSS rejoint la station *Mir* le 8 janvier 1994 et y passe 437 jours, 17 h et 58 min. Il atterrit en parfaite santé le 22 mars 1995.

1998

John Glenn : astronaute le plus âgé
Le 1ᵉʳ Américain à orbiter autour de la Terre repart dans l'espace en 1998 à bord de la navette spatiale. Né en 1921, il est alors âgé de 77 ans et 103 jours.

2004

Mike Melvill : 1ᵉʳ astronaute commercial
Le pilote du *SpaceShipOne* *(voir ci-dessus)* reçoit le prix du 1ᵉʳ astronaute commercial de l'Administration fédérale de l'aviation américaine.

2005

Sergueï Krikaliov : le plus de temps dans l'espace
Ce cosmonaute passe 803 jours et 9 h dans l'espace, à bord de *Mir*, des navettes spatiales et de l'*ISS*. Il arrête le vol spatial en 2007.

2007

Sunita Williams : les plus longues sorties spatiales
L'astronaute américaine passe 50 h et 40 min à effectuer des sorties dans l'espace. En 2012, elle réalise des réparations sur l'unité énergétique de l'*ISS*.

L'Univers

Le système planétaire **Kepler-47b** est éclairé par deux étoiles.

INFO

Les sursauts gamma, les phénomènes cosmiques les plus violents, seraient la naissance des trous noirs : une étoile supermassive s'effondre sur elle-même et crée une singularité.

GRB 130427A

faible dans la constellation des Chiens de chasse. Appelé aussi le vide géant de l'hémisphère galactique nord, ou AR-Lp 36, il s'agit du plus grand espace vide connu dans l'Univers visible. Son diamètre est estimé à 300-400 Mpc (1 à 1,3 milliard d'années-lumière) et son centre est situé à environ 1,5 milliard d'années-lumière de la Terre.

Le trou noir le plus massif

Le 5 décembre 2011, des astronomes utilisant les observatoires *Gemini Nord, Keck II* et *Hubble* ont repéré un trou noir supermassif au centre de la galaxie éliptique NGC 4889, à 336 millions d'années-lumière. On estime que sa masse fait 20 milliards de fois celle du Soleil.

Le plus grand nuage d'hydrogène primordial
Découvert en 2000, LAB-1 est un blob Lyman-alpha. D'une largeur de 300 000 années-lumière et situé à environ 11,5 milliards d'années-lumière de la Terre, ce nuage d'hydrogène ne s'est pas encore aggloméré en galaxies. Il est très brillant, peut-être en raison de galaxies déjà formées. LAB-1 est si éloigné de nous que nous le voyons tel qu'il était quand l'Univers n'était âgé que de 15 % de son âge actuel.

Le plus grand vide
Le « vide géant » est une très vaste région présentant une densité de galaxies et de matière anormalement

La galaxie la plus dense
Présentée en septembre 2013, M60-UCD1 est une galaxie naine ultra-compacte, type de galaxie découvert en 1999 par des astrophysiciens dirigés par Michael Drinkwater (RU). Ces galaxies sont peut-être les restes de galaxies bien plus grandes désormais disparues. La moitié de la masse de M60-UCD1

La 1re planète extragalactique

En 2009, des astronomes ont distingué une planète dans la galaxie d'Andromède, à 2,2 millions d'années-lumière. En passant devant une étoile, elle en a magnifié la lumière. En 2004, ce phénomène appelé « lentille gravitationnelle » avait été attribué à une étoile binaire.

Les rayons gamma les plus puissants dans un sursaut gamma

En mai 2013, le télescope spatial à rayons gamma *Fermi* (NASA) a détecté un sursaut d'au moins 94 milliards d'électron-volts (35 milliards de fois l'énergie de la lumière visible). Cette explosion, GRB 130427A, a eu lieu dans une galaxie à 3,6 milliards d'années-lumière.

se situe dans un rayon de 80 années-lumière. Sa densité en étoiles est donc 15 000 fois supérieure à celle de la Voie lactée.

La galaxie naine la plus éloignée
En 2012, l'équipe d'astronomes de Simona Vegetti (Massachusetts Institute of Technology) a annoncé avoir découvert une galaxie naine en orbite autour d'une grande galaxie elliptique à 10 milliards d'années-lumière. Invisible au télescope, elle a été repérée car elle entraîne des distorsions lumineuses. Elle pourrait n'être composée que de matière noire, ou d'étoiles trop faibles pour être vues à une telle distance.

 La Terre vue de l'espace p. 34-35

Nos tout 1ers records

En 1955, notre 1re édition recensait une « **nébuleuse extragalactique** située à une distance d'environ 1 000 millions d'années-lumière ». En 2014, la **galaxie connue la plus distante** est z8-GND-5296 : sa lumière voyage pendant 13,3 milliards d'années avant d'atteindre la Terre.

LA COMPOSITION COSMIQUE

On a longtemps cru que l'Univers était surtout composé de matière : des étoiles et planètes constituées d'atomes et d'éléments lourds. Cependant, les observations suggèrent que la masse de l'Univers est surtout invisible. Moins de 1 % de l'Univers serait composé d'éléments lourds : le reste est de l'énergie et de la matière noires *(voir page de droite)*.

LÉGENDE

- Énergie noire
- Matière noire
- Hydrogène et hélium libres

<4,9 %
26,8 %
68,3 %

Nous sommes tous des poussières d'étoiles

Vous êtes bien plus âgé que vous ne le pensez. La majeure partie des éléments qui constituent votre corps sont des atomes dont l'origine remonte au Big Bang, il y a 13,82 milliards d'années. L'astronome et vulgarisateur scientifique éminent Carl Sagan (USA, 1934-1996), créateur de la série documentaire télévisée *Cosmos* en 1980, a écrit cette phrase célèbre : « *L'azote dans notre ADN, le calcium de nos dents, le fer de notre sang, le carbone de nos tartes aux pommes ont été fabriqués au cœur d'effondrements stellaires. Nous sommes faits de la même étoffe que les étoiles* ».

Le trou noir le plus distant

Un trou noir supermassif se trouve au centre du quasar ULAS J112001.48+064124.3. Son décalage vers le rouge est de 7,085, ce qui signifie qu'il s'éloigne de nous à une vitesse supérieure à celle de la lumière. Présenté en juin 2011, il émet des radiations issues de la matière surchauffée qui l'entourait moins de 770 millions d'années après le Big Bang.

Le plus long jet galactique

Le trou noir supermassif au centre de la galaxie CGCG 049-033 émet un jet de matière de 1,5 million d'années-lumière de long. Il anéantirait toute forme de vie se trouvant sur son chemin.

Le plus fort courant électrique

Des chercheurs de l'université de Toronto (Canada) ont découvert le plus fort courant électrique de l'Univers. Généré par un jet cosmique à plus

de 2 milliards d'années-lumière, dans la galaxie 3C303, il mesure 1E18 ampères (1 suivi de 18 zéros). Les scientifiques ont utilisé l'effet de ce courant sur les ondes radio en provenance de 3C303 pour en mesurer l'incroyable énergie, probablement générée par les champs magnétiques d'un trou noir situé au centre de la galaxie. Le jet de matière qui en résulte dépasse les 150 000 années-lumière : le plus grand éclair jamais vu.

La supernova la plus distante

Une supernova de type IIn a été repérée à environ 11 milliards d'années-lumière grâce aux données du télescope Canada-France-Hawaï. En 2009, des astronomes ont annoncé avoir vu briller temporairement une galaxie caractérisée par un étroit spectre de couleur émis par l'hydrogène en combustion.

La lumière la plus ancienne

Le fond diffus cosmologique (CMB) est une radiation apparue 380 000 ans après le Big Bang. La naissance de l'Univers s'est accompagnée d'une quantité phénoménale de lumière restée omniprésente, comme des photons allant dans toutes les directions. En 2013, la carte de *Planck* du CMB a montré que l'Univers est plus vieux qu'on ne le croyait : 13,82 milliards d'années.

La plus petite planète extrasolaire

La planète Kepler-37b, à peine plus grande que la Lune, orbite autour de l'étoile Kepler-37, à environ 210 années-lumière de la Terre, dans la constellation de la Lyre. Elle a été découverte le 20 février 2013 par l'observatoire spatial *Kepler*, le programme de la NASA

enquêtant sur les planètes habitables. Kepler-37b ne fait que 1 930 km de large : elle est donc plus petite que Mercure.

La plus grande structure

Le Grand Mur d'Hercule-Couronne boréale est un immense amas de galaxies et de matière de 10 milliards d'années-lumière de large, à environ 10 milliards d'années-lumière de la Terre. Les superamas sont liés par la gravité. Celui-ci a été présenté en novembre 2013 par des astronomes qui l'ont cartographié en étudiant les sursauts gammas de la région *(ci-dessus)*.

Le corps le plus magnétique

Un magnétar passant à moins de 161 000 km de la Terre désactiverait toutes les cartes de crédit. Heureusement, on ne connaît qu'une douzaine de ces étoiles à neutrons, issues du cœur d'étoiles s'étant effondrées sur elles-mêmes et faisant désormais la taille d'une ville. Les magnétars sont peut-être le résultat des supernovae d'étoiles massives. Leurs champs magnétiques sont gigantesques : jusqu'à 1 000 milliards de fois celui d'une machine à IRM.

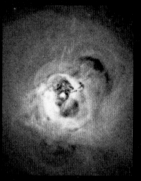

Musique !

La note la plus basse de l'Univers provient des ondes acoustiques générées par un trou noir supermassif au centre de l'amas de galaxies de Persée *(ci-dessus)*, à 250 millions d'années-lumière. Ce si bémol, 57 octaves plus bas qu'un do central, se propage dans le gaz peu épais qui entoure le trou noir.

L'invisible matière noire

INFO
Année-lumière : distance parcourue par la lumière en 1 an à 300 000 km/s.

Pendant les années 1970, des astronomes telle Vera Rubin *(à droite)* ont remarqué que les étoiles situées au bord des galaxies se déplaçaient plus vite. Pour respecter la loi de la gravité, ils ont suggéré l'existence d'une matière invisible, appelée « matière noire », qui n'émet ni n'absorbe de lumière ou de radiations comme le font les étoiles et les planètes. En mesurant ses effets du point de vue gravitationnel, ils ont alors supposé que la matière noire représente jusqu'à 95 % de l'Univers.

 Les trous noirs

Les plus proches :
2 trous noirs en orbite dans le quasar SDSS J153636.22+044127.0, à seulement un tiers d'année-lumière l'un de l'autre

Le plus proche de la Terre :
V4641 Sgr, à 1 600 années-lumière

Le trou noir supermassif le plus proche : Sagittarius A*, au centre de la Voie lactée, à 27 000 années-lumière

○ ○ ○

Le Système solaire

Le mot planète vient du grec ancien « **astre errant** ».

L'astéroïde au plus grand nombre de queues

Le 10 septembre 2013, *Hubble* a repéré un astéroïde à 6 queues. Large de 480 m, P/2013 P5 perd sans doute de la matière en tournant sur lui-même, car les radiations solaires ont accéléré sa vitesse de rotation. Il a donc des queues, comme les comètes.

MERCURE

Le plus grand bassin d'impact

Le bassin Caloris possède un diamètre de 1 550 km et est entouré de montagnes de 2 km de haut. Il s'est formé il y a 3,8 ou 3,9 milliards d'années, suite à l'impact d'un objet de 100 km de large.

La planète la plus rapide

Mercure tourne autour du Soleil en 87,96 jours à la distance moyenne de 57,9 millions de km. Vitesse moyenne : 172 248 km/h, presque 2 fois plus vite que la Terre.

VÉNUS

La planète la plus brillante

Avec une magnitude maximale de -4,4, Vénus est la planète visible à l'œil nu la plus brillante.

Le 1er coup de tonnerre

Le 25 décembre 1978, la sonde *Venera 11* (ex-URSS) a atterri sur Vénus. Le détecteur acoustique qu'elle transportait a enregistré un bruit de 82 dB, probablement un coup de tonnerre vénusien.

TERRE

La planète la plus dense

En moyenne 5,517 fois plus dense que l'eau, la Terre est la planète la plus dense.

Le cratère le plus profond

La face cachée de la Lune présente le plus grand et profond cratère du système solaire. Le bassin d'impact Pôle Sud-Aïtken a un diamètre de 2 250 km et une profondeur moyenne de 12 000 m.

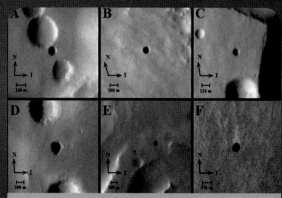

Les 1res grottes extraterrestres

En mars 2007, *Mars Odyssey* a renvoyé à la NASA des images de 7 cavités circulaires à la surface de Mars, les entrées de cavernes souterraines. Le sol n'est visible qu'au fond de l'une des cavités, au moins 130 m sous la surface.

MARS

Les nuages les plus élevés

En août 2006, des scientifiques européens ont annoncé que *Mars Express* (Agence spatiale européenne) avait découvert des nuages situés entre 90 et 100 km au-dessus de la surface de Mars et composés de cristaux de glace de dioxyde de carbone. S'ils sont très denses, ils pourraient rendre d'éventuelles manœuvres d'atterrissage difficiles.

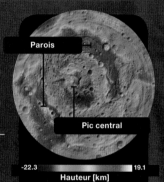

Parois
Pic central
-22.3   19.1
Hauteur [km]

Le plus haut pic central dans un cratère d'impact

Le cratère d'impact Rheasilvia, large de 505 km, se trouve sur l'astéroïde Vesta, entre Mars et Jupiter. En son centre s'élève un pic haut de 20 km (la tache rouge au centre de l'image satellite ci-dessus).

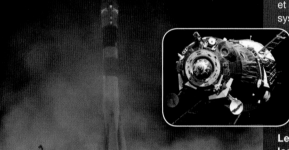

Le voyage vers l'*ISS* le plus rapide

Le temps de trajet le plus court pour atteindre la *Station spatiale internationale (ISS)* après le lancement est de 5 h et 39 min. Le 29 mai 2013, l'équipe de l'expédition 36, à bord du *Soyuz TMA-09M (photo)*, a décollé de Baïkonour (Kazakhstan), à 20 h 31 UTC, et a atteint le module Rassvet de l'ISS, à 2 h 10 UTC, le 30 mai.

SPLENDEUR ET GIGANTISME DES MONTAGNES

Olympus Mons, sur Mars, est la **plus haute montagne du Système solaire**. Sa hauteur est de 25 km, presque 3 fois l'Everest. Cependant, l'Everest n'est pas la plus haute montagne terrestre si on mesure le Mauna Kea (Hawaï) depuis sa base.

Olympus Mons
hauteur : 25 000 m

Mont Everest
hauteur : 8 848 m

Mauna Kea
hauteur : 4 205 m
(base-sommet : 10 205 m)

Niveau de la mer

Plus d'infos sur la taille des montagnes p. 36

⚡ Une histoire de taille

En 1955, Pluton, à 5,9 x 10⁹ de km, était considéré comme la planète la plus éloignée du Soleil. Elle a été découverte le 18 février 1930 par Clyde Tombaugh, astronome travaillant à l'observatoire Lowel (USA). Au fil du temps, les astronomes ont remis en cause sa qualité de planète en raison de sa petite taille et de son orbite irrégulière. En 2006, l'Union astronomique internationale a revu la définition d'une planète, et Pluton ne répondait pas à tous les critères. Elle est donc devenue une planète naine.

INFO

Le Soleil pourrait contenir 1 million de Terres.

ℹ Vers l'infini

Le 6 février 2014, à 15 h 26 GMT, la sonde *Voyager I*, **objet le plus éloigné créé par l'homme**, se trouvait à 19 034 504 880 km de la Terre. Sortie du Système solaire en août 2012, elle traverse désormais l'espace interstellaire.

Espace

La plus grande surface gelée

Presque toute la glace de la surface martienne se trouve aux pôles. La calotte sud est la plus grande (420 km de large) et contient assez d'eau pour recouvrir la planète d'une couche d'eau de 11 m.

JUPITER

Le plus de lunes

En 2013, on connaissait 67 satellites naturels de Jupiter. Il s'agit surtout de petits corps de glace et de roche à la forme irrégulière. Certains sont sûrement des astéroïdes.

Ganymède est la **lune à la plus importante masse du système solaire**. Deux fois plus lourde que notre Lune, elle mesure 5 267 km de large.

SATURNE

La moins dense

Saturne est surtout composée d'hydrogène et d'hélium, les deux éléments les plus légers. Elle flotterait s'il existait une baignoire assez grande pour la contenir.

INFO

Saturne possède l'anneau le plus large du Système solaire: il est composé de milliards de minuscules particules de poussière et de glace en orbite, équivalant à 30 millions de fois la masse de l'Everest.

Les nuages les plus hauts

Un vortex nuageux 5 fois plus haut que les ouragans terrestres a été découvert au-dessus du pôle Sud de Saturne en 2006.

NEPTUNE

La planète la plus éloignée du Soleil

Depuis que Pluton n'est plus une planète *(voir page de gauche)*,

Neptune est la planète la plus éloignée du Soleil. À 4,5 milliards de km, elle parcourt son orbite en 164,79 ans à 5,45 km/s.

La planète la plus venteuse

Mesurés en 1989 à environ 2 400 km/h par la sonde *Voyager 2* (NASA), les vents de Neptune sont les plus rapides du système solaire.

Le plus grand hexagone

Le plus grand hexagone du système solaire se trouve au-dessus du pôle Nord de Saturne. Il s'agit d'un ensemble massif de nuages hexagonaux d'environ 13 800 km de côté. Repéré par *Voyager* au début des années 1980, il a été étudié plus en détails et l'on sait qu'il existe depuis au moins 30 ans.

À VOIR EN **3D** AVEC L'APPLI GRATUITE

3D SUR CETTE PAGE

ATTENTION, RÉALITÉ AUGMENTÉE

Saturne

Uranus

Neptune

Jupiter

La plus grande planète

Avec un diamètre équatorial de 143 884 km et un diamètre polaire de 133 708 km, Jupiter est le plus grand corps du Système solaire. Sa masse et son volume sont, respectivement, environ 317 et 1 323 fois supérieurs à ceux de la Terre. Sa **période de rotation est la plus courte** : son jour ne dure que 9 h, 55 min et 29,69 s.

Terre

Mars

Mercure

Vénus

Le Système solaire suédois

Quand le **plus grand bâtiment sphérique du monde**, le Stockholm Globe Arena (désormais Ericsson Globe), a ouvert en février 1989, deux chercheurs suédois se sont posé une question : si ce bâtiment de 110 m était considéré comme une maquette du Soleil, où seraient les planètes et quelle serait leur taille ? Nils Brenning et Gösta Gahm ont donc créé la **plus grande représentation du Système solaire au monde**. Ce modèle à l'échelle 1 : 20 millions s'étend sur 950 km avec des représentations des planètes et des comètes à l'échelle installées à la distance adéquate.

Mercure (25 cm), à 2,9 km

La Terre (65 cm), à 7,6 km

Soleil (110 m)

Glossaire

Planète naine : corps ayant assez de masse pour devenir sphérique mais pas suffisamment d'attraction gravitationnelle pour attirer tous les débris de son orbite

Année-lumière : distance parcourue par la lumière dans le vide en 1 an (9 460 milliards de km)

Masse : mesure de la quantité de matière et de l'inertie d'un corps

Poids : force d'un objet liée à la gravité

Comètes

La comète de Halley devrait être de retour en **2061**.

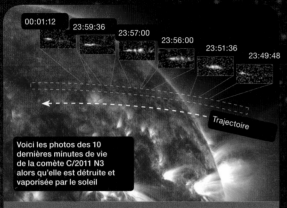

00:01:12   **23:59:36**   **23:57:00**   **23:56:00**   **23:51:36**   **23:49:48**

Trajectoire

Voici les photos des 10 dernières minutes de vie de la comète C/2011 N3 alors qu'elle est détruite et vaporisée par le soleil

La 1re observation de la destruction d'une comète

Le 6 juillet 2011, le Solar Dynamics Observatory (NASA) a saisi des clichés de la mort de la comète C/2011 N3. Dotée d'un noyau de 9 à 45 m, elle s'est approchée à moins de 100 000 km du Soleil à 2,1 millions de km/h. Elle a ensuite éclaté en morceaux et s'est vaporisée.

La plus grande source de comètes
Situés au-delà de Neptune, la ceinture de Kuiper, le disque des objets épars et le nuage d'Oort sont appelés « objets transneptuniens ». Le nuage d'Oort contient des milliards de noyaux de comètes.

Entourant le Soleil à d'environ 50 000 unités astronomiques (UA, distance Terre-Soleil), soit 1 000 fois la distance Pluton-Soleil, il serait la source de la plupart des comètes traversant le Système solaire.

De plus près
Noyau : poussière, débris et gaz gelé
Coma : nuage de gaz et de poussière autour du noyau
Enveloppe hydrogène : grandit à l'approche du Soleil
Queue de poussières : suit l'orbite jusqu'à 150 millions de km
Queue d'ions : gaz ionisés suivant les lignes magnétiques du plasma du vent solaire

La plus longue queue
La queue de la comète Hyakutate mesurait 570 millions de km, plus de 3 AU. Geraint Jones de l'Imperial College de Londres (RU) l'a découverte le 13 septembre 1999 grâce à des données recueillies par la sonde *Ulysses* (ESA/NASA), lors d'une rencontre fortuite avec la comète, le 1er mai 1996.

La comète passée le plus près de la Terre
Le 1er juillet 1770, la comète de Lexell est passée à moins de 2 200 000 km – à peine 0,015 UA – de la Terre à 138 600 km/h.

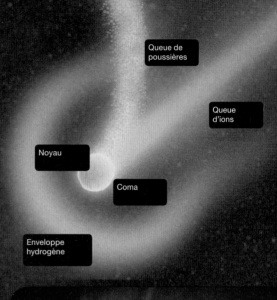

Queue de poussières

Queue d'ions

Noyau

Coma

Enveloppe hydrogène

La grande comète la plus récente

Les grandes comètes sont extrêmement brillantes. La plus récente, la comète McNaught, a été découverte en 2006 par Robert McNaught (Australie). Le 12 janvier 2007, au maximum de sa brillance, sa queue mesurait jusqu'à 35° dans le ciel.

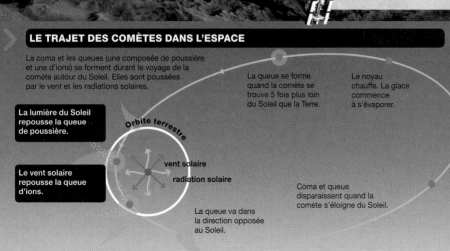

Le 1er atterrisseur cométaire

Lancée le 2 mars 2004 par l'Agence spatiale européenne (ESA), la sonde *Rosetta* a pour mission d'atteindre 67P/Tchourioumov-Guérassimenko en 2014, de l'étudier et de la cartographier. Elle libérera ensuite l'atterrisseur *Philae*, qui se fixera à la surface de cette comète de 4 km de large grâce à des harpons et y passera au moins 1 semaine.

La plus petite comète visitée par une sonde
Lancée le 12 jan. 2005, la sonde *Deep Impact* (NASA) a reçu une nouvelle mission appelée EPOXI le 3 juil. 2007 : étudier les planètes extrasolaires et survoler la comète 103P/Hartley. Ce survol a eu lieu le 4 novembre 2010, lorsque

---

LE TRAJET DES COMÈTES DANS L'ESPACE

La coma et les queues (une composée de poussière et une d'ions) se forment durant le voyage de la comète autour du Soleil. Elles sont poussées par le vent et les radiations solaires.

La lumière du Soleil repousse la queue de poussière.

Le vent solaire repousse la queue d'ions.

Orbite terrestre

vent solaire

radiation solaire

La queue va dans la direction opposée au Soleil.

La queue se forme quand la comète se trouve 5 fois plus loin du Soleil que la Terre.

Le noyau chauffe. La glace commence à s'évaporer.

Coma et queue disparaissent quand la comète s'éloigne du Soleil.

⚡ Toujours plus grandes...

En 1955, *Le Guinness des Records* indiquait qu'aucun noyau ne faisait « plus de 30 km de diamètre » et que la plus grande queue pouvait « s'étendre sur 300 millions de km maximum ». Aujourd'hui, la **plus grande comète connue** est Chiron, dont le diamètre fait 182 km et dont la queue mesure jusqu'à 1 273 millions de km de long.

📖 Glossaire

Astéroïde : corps de roche, inactif et en orbite autour du Soleil.

Comète : amas de glace, poussière, roche et gaz gelé datant de la naissance du Système solaire. Quand elle passe près du Soleil, une chevelure et une queue sont souvent visibles *(voir ci-dessus)*.

Météorite : rocher entrant dans l'atmosphère terrestre et devenant une étoile filante. Voir p. 32.

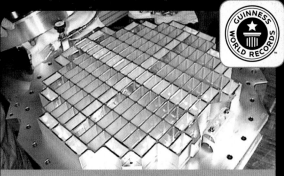

GUINNESS WORLD RECORDS

Deep Impact est passée à moins de 700 km du noyau de cette comète d'une longueur d'environ 2,25 km et d'une masse d'environ 300 millions de t.

Le plus grand impact dans le Système solaire

Du 16 au 22 juillet 1994, plus de 20 fragments de la comète Shoemaker-Levy 9 sont entrés en collision avec Jupiter. Le fragment G a provoqué le plus gros impact : une explosion 600 fois plus puissante que l'arsenal nucléaire terrestre, soit 6 millions de mégatonnes de TNT.

La plus lointaine observation d'une comète

Le 3 septembre 2003, l'Observatoire européen astral de Paranal (Chili) a publié une image de la comète de Halley à 4 200 millions de km du Soleil. Halley est un point flou dont la luminosité

Le 1ᵉʳ échantillon cométaire

En 2004, la sonde *Stardust* a rencontré la comète Wild 2 *(ci-dessous)* et collecté de petits échantillons de poussière, qu'elle a renvoyés sur Terre le 15 janvier 2006, dans un collecteur en aérogel. Leur analyse nous permet de mieux comprendre la composition chimique de ce corps gelé et très ancien.

n'a qu'une magnitude de 28,2, environ 1 milliard de fois moins que les objets visibles à l'œil nu les moins brillants.

Première comète périodique découverte

La comète de Halley (1P/Halley) orbite autour du Soleil en 75,32 ans. L'homme l'observe depuis au moins 240 av. J-C, mais c'est l'astronome anglais Edmond Halley qui a réalisé, en 1705, que ces observations concernaient le même objet et qui a prédit son retour en 1758. La comète est mentionnée dans la tablette d'argile babylonienne ci-dessous (env. 164 av. J.-C.). La tapisserie de Bayeux (env. 1100) la représente accompagnée d'un texte latin signifiant « [Ils] regardent avec étonnement l'étoile » (ci-dessous à droite).

La plus grande coma

La coma de la grande comète de 1811, découverte par l'astronome Honoré Flaugergues (France), le 25 mars 1811, avait un diamètre d'environ 2 millions de km.

Le 1ᵉʳ impact cométaire

Le 4 juillet 2005, la sonde *Deep Impact* a lancé un « boulet » en cuivre contre la comète Tempel 1 à 10,3 km/s. Cet impact, de la puissance de 4,7 t de TNT, a créé un cratère de 100 m de large et 30 m de profondeur.

Le 1ᵉʳ médicament anti-comète

En 1910, la Terre a traversé la queue de la comète de Halley, qui contenait un gaz toxique, le cyanogène. Paniqués, des gens ont acheté des masques à gaz, pilules et parapluies « anti-comète »… inutiles.

Quel destin pour les comètes ?

Une comète peut « mourir » de plusieurs manières. Certaines ne sont pas en orbite autour du Soleil et se contentent de quitter le Système solaire. Dès qu'une comète passe près du Soleil, elle perd de la poussière et de la glace. Une fois qu'elle n'a plus de glace, elle peut devenir une structure inactive, comme un astéroïde, ou éclater en nuage de poussière. Enfin, une comète peut mourir violemment si son orbite l'amène à s'écraser sur une lune ou une planète. Notre Lune *(à droite)* porte justement de nombreux cratères d'impact causés par des comètes et des astéroïdes.

D'autres records

Le plus bas survol : La sonde *Giotto* est passée à moins de 200 km de Grigg-Skjellerup le 10 juillet 1992.

Le plus de queues rencontrées : *Ulysses* a traversé les queues de Hyakutake (1996), McNaught-Hartley (2004) et McNaught (2007).

Le plus de queues découvertes : fin 2013, SOHO (*Solar and Heliospheric Observatory*) avait découvert 2 574 comètes.

Projet SETI

À la recherche d'une **intelligence extraterrestre**

Système Kepler-22

Système solaire

Zone habitable

Kepler-22b   Mercure   Vénus   Terre   Mars

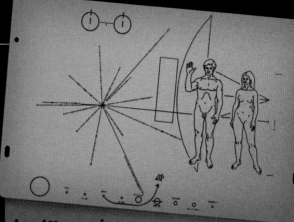

La 1re zone habitable d'une étoile

Plus de 700 planètes se situent dans la zone habitable de leur étoile. La 1re découverte, le 5 décembre 2011, Kepler-22b, est deux fois et demie plus grande que la Terre et orbite autour d'une étoile semblable au Soleil en environ 290 jours à environ 600 années-lumière. Si elle a un effet de serre comme la Terre, la température de surface pourrait être de 22 °C.

Le 1er pulsar

Le 28 novembre 1967, les astronomes Jocelyn Bell Burnell et Antony Hewish (RU) ont repéré un signal radio provenant d'une étoile. Ce phénomène est normal, mais il était ici extrêmement régulier : une pulsation de 0,04 s toutes les 1,3373 s. Amusés, ils l'ont baptisé LGM-1, sigle anglais de « petits hommes verts ». En réalité, il s'agissait d'un pulsar, c'est-à-dire des restes d'une supernova en rotation rapide sur eux-mêmes. Aussi précis soient-ils, les pulsars sont entièrement naturels. Le premier d'entre eux a ensuite été renommé CP 1919.

Le plus grand télescope chasseur de planètes

Le télescope spatial Kepler (NASA) a été lancé le 7 mars 2009 par une fusée Delta II à Cape Canaveral (USA). D'une taille de 2,7 x 4,7 m, il suit une orbite héliocentrique en arrière de celle de la Terre. Il capture des images de planètes hors du système solaire (dites exoplanètes ou planètes extrasolaires) grâce à un miroir de 1,4 m de diamètre et une caméra de 95 mégapixels. En février 2014, il avait déjà identifié 961 exoplanètes, soit plus de la moitié de celles découvertes ces 20 dernières années, et 2 903 planètes potentielles.

Un air de famille

L'Indice de similarité avec la Terre permet de classer le nombre croissant d'exoplanètes potentielles en fonction de leur ressemblance avec la Terre (taille, densité, vitesse de fuite et température de surface). Le résultat va de 0 à 1 (identique à la Terre). Découverte par le télescope Kepler en 2012, la première du classement est KOI-3284.01, avec une note de 0,9. Nous ne savons pas si elle est rocheuse, mais elle pourrait posséder de l'eau liquide.

La 1re capsule temporelle choisie par le public

Le 9 octobre 2008, le télescope radio d'Eupatoria (Ukraine) a envoyé un message radio vers la planète Gliese 581c, à environ 20,3 années-lumière de la Terre. Le message contenait des images de paysages et de célébrités, comme Cheryl Cole (photo), ainsi que 501 messages d'utilisateurs de Bebo. Il atteindra Gliese 581c en 2029.

Le 1er envoi d'un message physique dans l'espace lointain

Lancée le 3 mars 1972, la sonde *Pioneer 10* de la NASA porte une plaque en aluminium renforcé par de l'or représentant un homme, une femme et la sonde à la même échelle, ainsi qu'une carte du système solaire et l'emplacement du Soleil par rapport à des pulsars de notre galaxie. Sa mission : le **1er survol de Jupiter**, réalisé le 3 décembre 1973.

Le plus ancien signal extrasolaire non expliqué

Le 15 août 1977, Jerry Ehman (USA) a détecté un signal radio via le télescope *Big Ear* (Grande Oreille) de l'université de l'Ohio. D'une durée de 72 s, ce signal correspondait au profil attendu d'un signal extraterrestre. L'astronome l'a entouré sur son relevé et indiqué : « Wow ! » Le signal n'a plus jamais été détecté.

LE DISQUE D'OR DE *VOYAGER*

Explication du disque d'or de *Voyager* (NASA)

Plan du disque : code binaire indiquant la vitesse de rotation du bord

Hauteur du disque : montre le positionnement de la cellule

Localisation du Soleil : par rapport à l'emplacement de 14 pulsars

Forme d'onde des signaux vidéo : le code binaire indique le temps de lecture

Informations des vidéos : lue correctement, la 1re image est un cercle

Deux états de l'hydrogène avec moments de spin du proton et de l'électron : référence temporelle des schémas et images

Lisa Vanderperre-Hirsch

Les extraterrestres sont souvent représentés avec des têtes très grandes par rapport au reste du corps et des yeux noirs. Lisa Vanderperre-Hirsch (Floride, USA) possède la **plus grande collection de ces Petits-Gris** au monde, avec 547 objets au 20 novembre 2011 : des posters, des calendriers et même du papier toilette sur le thème extraterrestre.

i Temps d'écoute

SETI utilise bien moins de ressources qu'on ne le croit. Le projet Phoenix représente le **plus long temps d'écoute dans le cadre de SETI**, avec 2 400 h d'analyse de signaux radio entre septembre 1998 et mars 2004, soit environ 5 % du temps d'observation total à Arecibo. Dans le monde, seule une trentaine de scientifiques et ingénieurs travaille à temps plein sur SETI.

Le signal radio le plus puissant vers l'espace

Le 16 novembre 1974, le télescope radio d'Arecibo (Porto Rico) a envoyé un message radio de 169 s contenant des informations sur l'humanité (voir ci-dessous) vers l'amas globulaire M13 dans la constellation d'Hercules. Le message voyagera pendant 25 000 ans à une vitesse 10 millions fois supérieure à celle des signaux radio solaires. Une éventuelle réponse devra à son tour voyager pendant 25 000 ans pour nous atteindre.

L'objet humain le plus éloigné
Lancée le 5 septembre 1977, la sonde *Voyager 1* avait pour mission principale de survoler Jupiter et Saturne. Le 9 avril 2014, elle se situait à 19,06 milliards km du Soleil. *Voyager 1* et *Voyager 2* transportent un disque de cuivre plaqué or, ainsi que le matériel et les instructions nécessaires pour le jouer (voir « Le disque d'or de *Voyager* »). Le disque contient 116 images enregistrées sous forme audio, ainsi que des sons naturels terrestres, des salutations en 59 langues et de la musique.

La 1re « soucoupe volante »
L'homme voit des OVNI depuis des siècles, mais c'est le 24 juin 1947 que les journaux ont commencé à parler de « soucoupes volantes ». Le pilote Kenneth Arnold n'a pas utilisé ces mots exacts pour décrire les neuf objets aperçus dans le ciel près du mont Rainer (Washington USA), mais il a dit qu'ils ressemblaient à des soucoupes, des disques ou des plats à gâteau.

La 1re aire d'atterrissage pour OVNI
La petite ville de St Paul (Alberta, Canada) dispose d'une aire d'atterrissage officielle pour OVNI. Inaugurée le 3 juin 1967 par le ministre canadien de la Défense, cette plate-forme de béton ressemblant à une soucoupe se trouve au-dessus de pierres de bienvenue provenant de chaque province du Canada. Symbole « de notre foi que l'humanité protégera l'univers des guerres et conflits nationaux », elle contient une capsule témoin qui sera ouverte lors de ses 100 ans en 2067.

Le plus grand groupe civil étudiant les OVNI
Le réseau MUFON est une association américaine étudiant les observations d'OVNI. Fondée en mai 1969 et présente partout dans le monde, elle comprend plus de 3 000 membres.

La plus grande réunion sur les OVNI
Le 23e Congrès international sur les OVNI s'est déroulé en Arizona, du 12 au 16 février 2014. En moyenne, 1 500 personnes ont participé à des réunions sur des sujets tels que les dénis officiels, l'exopolitique, les projets secrets et les visites d'aliens.

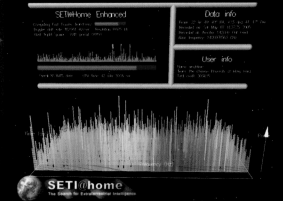

Le plus long projet SETI

Développé par l'université de Californie, le projet SETI@home réunit les capacités de nombreux ordinateurs pour étudier de grandes quantités de données. Les premiers signaux du télescope radio d'Arecibo ont été proposés au téléchargement le 17 mai 1997. Repéré en mars 2003, le signal SHGb02+14a constitue la découverte la plus intrigante : il ne correspond en effet à aucun phénomène galactique connu.

Une équation sur la vie intelligente dans la galaxie

En 1961, l'astronome Frank Drake (USA) a établi une équation pour estimer le nombre de planète abritant une forme de vie intelligente :
$$N = R_* F_p N_e F_l F_i F_c L$$
Si certaines de ces variables sont spéculatives (voir Glossaire), Drake estime le nombre de civilisations avancées dans notre galaxie à 10 000.

La 1re assurance contre les enlèvements extraterrestres

La société UFO Abduction Insurance Co (USA) offre une assurance à 19,95 $ versant 10 000 000 $ aux victimes d'enlèvement par des aliens. La signature d'un extraterrestre est acceptée comme preuve de l'enlèvement.

📖 L'équation de Drake

N nombre de civilisations disposant de communications radio

R. taux moyen de formation d'étoiles dans notre galaxie

F_p fraction de ces étoiles avec des planètes

N_e moyenne de planètes pouvant abriter la vie

F_l fraction de ces planètes où la vie se développe

F_i fraction de ces planètes où la civilisation apparaît

F_c fraction de civilisations développant des technologies détectables

L durée de transmission de ces civilisations

La vie sur Mars : des preuves ? Ou pas ?

Giovanni Schiaparelli (Italie) a été le **1er à relever des indices scientifiques de la vie sur Mars**. En 1877, il observa au télescope des lignes à la surface de Mars, les *canali* (chenaux). Appelés à tort « canals », ils furent ensuite cartographiés par d'autres astronomes, qui croyaient voir les constructions d'une civilisation martienne. Lorsque les télescopes sont devenus plus puissants et que les sondes spatiales ont envoyé des informations depuis la surface, les *canali* sont redevenus de simples formations géologiques pour tout le monde.

Observatoires

Un site turc datant d'il y a 11 000 ans pourrait constituer un observatoire primitif.

Le plus grand réseau de radiotélescopes

Le Very Large Array de la National Science Foundation américaine dispose de 27 antennes mobiles, d'un diamètre de 25 m, posées sur des rails formant un Y aux branches de 21 km de long. Complété en 1980, il se trouve à 80 km à l'ouest de Socorro (Nouveau-Mexique, USA).

En profondeur

L'Observatoire de neutrinos de Sudbury est situé dans une mine, à 2 075 m de profondeur, au Canada. À l'abri des rayons cosmiques influençant les expériences sur les neutrinos solaires, il recherche la matière noire et les neutrinos issus de supernovas.

Le plus grand télescope robotisé

Le télescope Liverpool reçoit des demandes en ligne et « décide » seul quelles observations effectuer. Situé sur l'île de La Palma (Canaries), il dispose d'un miroir de 2 m et consacre 5 % de son temps d'observation aux écoles.

LE PLUS GRAND...

Miroir primaire (non segmenté)

Les plus grands miroirs de télescope sont ceux du Large Binocular Telescope *(voir à droite)*, mais le plus grand miroir primaire appartient au télescope japonais Subaru, sur le mont Mauna Kea (Hawaï, USA). D'un diamètre de 8,2 m, il est composé de verre d'une épaisseur de 20 cm et pèse 22,8 t. Grâce aux 261 actionneurs assurant la mise à point, sa distorsion est de moins de 0,1 micron (0,00001 mm).

Télescope à rayons cosmiques

L'observatoire Pierre-Auger est un vaste réseau de 1 600 détecteurs de particules. Il cherche des particules cosmiques très riches en énergie qui seraient produites par les trous noirs supermassifs. Étant donné qu'une seule de ces particules touche le sol par siècle sur une surface de 1 km², il couvre une surface de 3 000 km² en Argentine, soit plus que le Luxembourg.

L'observatoire le plus haut

L'observatoire d'Atacama de l'université de Tokyo (Japon) a été établi au Chili, à une altitude de 5 640 m, soit deux fois l'altitude à laquelle le mal aigu des montagnes fait généralement son apparition. Perché au sommet du Cerro Chajnantor, dans le désert d'Atacama, il dispose d'un télescope à infrarouges complété en mars 2009.

Télescope radio à antenne

L'observatoire d'Arecibo *(voir aussi p. 25)* est si impressionnant qu'il a fait son apparition dans un James Bond,

LES OBSERVATOIRES LES PLUS ÉLEVÉS

5 640 m	Observatoire de l'université de Tokyo de l'Atacama (Chili)
5 230 m	Observatoire astrophysique de Chacaltaya (Bolivie)
5 200 m	Observatoire James Ax (Chili)
5 190 m	Télescope cosmologique de l'Atacama (Chili)
5 105 m	Observatoire de Llano de Chajnantor, APEX (Chili)
5 100 m	Observatoire Shiquanhe, NAOC Ali Observatory (Tibet)
5 080 m	Observatoire de Llano de Chajnantor, QUIET (Chili)
5 000 m	Observatoire Llano de Chajnantor, ALMA (Chili)
4 860 m	Atacama Submillimeter Telescope Experiment (Chili)
4 600 m	Large Millimeter Telescope (Mexique)

Niveau de la mer

De plus en plus grands

En 1955, le **plus grand télescope au monde** était celui de l'Institut de technologie de Californie, sur le mont Palomar (USA), avec son miroir non segmenté de 5,1 m de diamètre. Aujourd'hui, le **plus grand miroir primaire non segmenté** revient au télescope Subaru à Hawaï *(lire ci-dessus)*, avec 8,2 m de diamètre. Le **plus grand télescope terrestre dans l'absolu** est cependant le Gran Telescopio segmenté, aux Canaries *(à droite)*, avec un diamètre de 10,4 m.

Glossaire

Actionneur : moteur qui déplace le miroir ou en modifie la forme dans les grands télescopes.

Ouverture : mécanisme d'un télescope (ou appareil photo) qui détermine quelle quantité de lumière laisser entrer.

Première lumière : inauguration d'un télescope enregistrant une image astronomique.

Miroir principal : principal outil de captation de la lumière dans un télescope.

Le plus grand binoculaire

En Arizona (USA), le grand télescope binoculaire comprend deux télescopes identiques dotés chacun d'un miroir primaire de 8,4 m de diamètre. Utilisés en même temps, ils ont la même puissance qu'un miroir de 11,8 m de diamètre et peuvent obtenir la netteté d'image d'une ouverture de 22,8 m.

à environ 3 200 km l'une de l'autre. Ses détecteurs, actuellement en cours de mise à jour, cherchent à localiser les ondes gravitationnelles définies par la théorie générale de la relativité d'Einstein.

Miroir liquide
D'un diamètre de 6 m et d'un poids de 6 t, le miroir du grand télescope zénithal (Canada) est composé de mercure liquide. Lorsqu'il entre en rotation sur lui-même, le mercure adopte une forme concave.

La plus grande structure terrestre mobile à moteur

Le radiotélescope Robert C. Byrd Green Bank, situé dans le National Radio Astronomy Observatory en Virginie-Occidentale (USA), dispose d'une antenne de 100 x 110 m culminant à 146 m de hauteur. La structure est entièrement mobile : elle tourne sur elle-même pour observer l'ensemble du ciel 5° au-dessus de l'horizon.

GoldenEye. Son antenne de 305 m de diamètre fait 7,48 ha et est recouverte de 38 778 panneaux en aluminium. Une plate-forme mobile située 100 m au-dessus de l'antenne porte le récepteur et permet au télescope d'observer n'importe quelle partie du ciel.

Détecteur d'ondes gravitationnelles
L'observatoire laser par interférométrie LIGO est composé de deux structures en forme de L de 4 km de long situées en Louisiane et dans l'État de Washington (USA),

La plus forte concentration de télescopes en altitude

Kitt Peak, en Arizona (USA), est une montagne de 2 096 m disposant d'une telle visibilité atmosphérique que 22 radiotélescopes et 2 télescopes optiques ont été installés à son sommet depuis 1958. Le plus grand est le télescope Nicholas U. Mayall, un miroir de 4 m situé dans un bâtiment de 57 m de haut visible à 80 km à la ronde.

Un télescope zénithal ne peut observer que le ciel juste au-dessus de lui, mais il est économique car le mercure coûte moins cher que les miroirs en verre.

Lunette astronomique
Les lunettes astronomiques utilisent des lentilles plutôt que des miroirs pour réunir et concentrer la lumière. L'observatoire de Yerkes, fondé en 1897 aux États-Unis, dispose d'une lentille primaire d'un diamètre de 1,02 m.

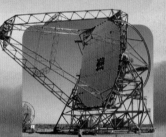

Le plus grand télescope Cherenkov

Le télescope H.E.S.S. II, l'élément le plus récent du système stéréoscopique à haute énergie, mesure 28 m de diamètre et a une surface de collecte totale de 614 m². Il détecte les faibles radiations Cherenkov produites par des particules voyageant plus vite que la lumière. Il a vu sa première lumière en Namibie le 26 juillet 2012.

INFO
Le H.E.S.S. II est plus grand que de nombreux télescope, mais ce détecteur Cherenkov rentre dans une catégorie différente.

Le plus grand miroir

Avec une ouverture effective de 10,4 m, le Gran Telescopio Canarias est le **plus grand télescope optique terrestre**. Il possède aussi le **plus grand miroir primaire segmenté du monde**, avec 36 pièces hexagonales pouvant être déplacées individuellement pour compenser les effets optiques de l'atmosphère terrestre sur la lumière stellaire. Situé à 2 276 m d'altitude sur l'île La Palma (Canaries), il a saisi des images de la Voie Lactée à une résolution 60 millions de fois supérieure à celle de la vision humaine.

INFO
La toute nouvelle génération comporte trois grands télescopes : le télescope géant Magellan (Chili), le télescope de trente mètres (Hawaï) et le télescope européen extrêmement grand (Chili). Ils devraient entrer en service d'ici 10 ans. Leur budget s'élève à 700 millions $ en moyenne.

La Terre

Si tous les océans étaient réunis en une goutte d'eau, celle-ci mesurerait **1 371 km** de large.

Les plus grandes cascades de glace illuminées

En été, les chutes d'eau d'Eidfjord (Norvège) plongent bruyamment sur près de 500 m. En hiver, quand les températures descendent jusqu'à –26 °C, l'eau qui s'écoule se fige dans la glace. En janvier 2013, les alpinistes Stephan Siegrist et Dani Arnold (en photo, avec Martin Echsner à l'assurage), le photographe Thomas Senf et le fabricant d'équipements sportifs Mammut ont capturé des images de ces « cascades de glace » la nuit. Ces illuminations ont été créées au moyen de projecteurs, de torches et de fusées lumineuses, alimentés par 700 m de câbles.

Sommaire

INFO

Ce magnifique spectacle de lumières s'inspire des histoires des géants de glace scandinaves – nés de la goutte d'une stalactite après la rencontre entre les feux de la création et les neiges glacées.

L'histoire de l'humanité se définit par notre soif de découverte. Depuis que les premiers explorateurs ont traversé les océans en quête de nouvelles terres, nous utilisons les toutes dernières technologies pour observer le temps et surveiller les mers afin de prévoir les orages. Aujourd'hui, les scientifiques les utilisent pour mesurer la santé de notre planète.

Notre connaissance des systèmes qui gouvernent la Terre a explosé au cours des 60 dernières années, à l'aide de capteurs de plus en plus précis et d'une couverture complète des télécommunications permettant de surveiller les mouvements du sol et l'activité des mers. Nous cherchons inlassablement à découvrir les secrets des forces qui régissent notre monde.

Les scientifiques peuvent mesurer les propriétés magnétiques de la Terre, la force de son champ de gravité est cartographiée en tous points, et des véhicules robotisés testent les environnements dans lesquels nous ne pourrions survivre.

Les systèmes de recueil de données nous ont aidés à mesurer l'ampleur du changement climatique. Chaque année, nous obtenons une image plus précise des activités humaines, tels que l'irrigation et la déforestation. Nous découvrons ainsi comment notre planète fonctionne, mais aussi comment mieux la respecter et la protéger.

Le **satellite d'observation de la Terre le plus longtemps en orbite** fut *Landsat 5*, conçu par la NASA et lancé le 1er mars 1984 de la Vandenberg Air Force Base (Californie, USA). Géré par la NOAA (National Oceanic and Atmospheric Administration) de 1984 à 2000, puis par la US Geological Survey de 2001 à 2013, il fut désactivé en 2013, après avoir capturé plus de 2,5 millions d'images de la surface de la Terre au cours de ses 150 000 orbites.

TIROS-1 (USA) est le **1er satellite météorologique opérationnel**. Lancé le 1er avril 1960, *TIROS* (Television Infra Red Observation Satellite) est resté opérationnel 78 jours, durant lesquels il a utilisé ses caméras haute et basse résolutions pour enregistrer des images de la formation de nuages *(encart)* qui ont été utilisées par les météorologistes du monde entier pour comprendre les systèmes météorologiques.

1958

1960

1975

1984

2004

Les magnétomètres sont des appareils sensibles servant à mesurer les champs magnétiques en orbite. Le 15 mai 1958, le **1er satellite magnétomètre** a été lancé à bord du satellite soviétique *Sputnik 3* – un satellite en forme de cône de 3,57 m de long et 1,73 m de large au niveau de sa base. Ce satellite de 1 327 kg était doté de 12 instruments scientifiques *(ci-dessous)*. Il est resté en orbite jusqu'au 6 avril 1960.

Le **1er satellite météo géostationnaire** – *GOES-1* (Geostationary Operational Environmental Satellite) – a été lancé de Cap Canaveral (Floride, USA), le 16 octobre 1975. Le principal instrument à bord était le radiomètre VISSR (Visible Infrared Spin Scan Radiometer), chargé de fournir en permanence des images de la nébulosité du disque complet *(encart)*. Ce satellite peut relayer des données météorologiques recueillies sur plus de 10 000 points vers un centre de traitement, de façon à mettre au point des modèles de prévision météo.

Le programme Argo utilise le **plus grand réseau de flotteurs** pour surveiller les modèles des grands courants océaniques. Les 3 600 flotteurs robotisés d'Argo *(ci-dessous)* dérivent jusqu'à 2 000 m de profondeur et remontent à la surface pour transmettre leurs données via des satellites. En novembre 2012, Argo a recueilli son millionième profil de température et de salinité – soit 2 fois plus que ceux obtenus par tous les vaisseaux de recherche au xxe siècle.

60 ANS DE CONDITIONS CLIMATIQUES EXTRÊMES

1959

La plus importante chute de neige
Du 13 au 19 février, il est tombé 4 800 mm de neige au mont Shasta Ski Bowl (nord de la Californie, USA).

1964

L'endroit le plus sec
De 1964 à 2001, les précipitations annuelles moyennes de la station météorologique Quillagua, dans le désert d'Atacama (Chili), n'ont été que de 0,5 mm.

1966

La température annuelle moyenne la plus élevée
Le Dallol (Éthiopie) a enregistré une température annuelle moyenne de 34°C, entre 1960 et 1966.

1970

Les précipitations les plus fortes
Basse-Terre (Guadeloupe, France) a enregistré 38,1 mm de pluie en 1 min, le 26 novembre. C'est le chiffre reconnu le plus élevé, même si les scientifiques concèdent qu'il est difficile de faire des relevés précis sur de si courtes périodes.

1983

La température la plus basse enregistrée sur Terre
Le 21 juillet 1983, la température de la station de recherche soviétique de Vostok (Antarctique) a été relevée à – 89,2 °C. Le site sera foré pour étudier les anciennes glaces enfouies sous la calotte glaciaire.

Le 7 juillet 2005, des scientifiques ont réalisé la **1re mesure précise du niveau de la mer par satellite** à l'aide de divers instruments (tel le satellite *Gravity Recovery and Climate Experiment*, ou *GRACE*, *ci-dessus*). Des données ont été recueillies sur les changements du champ gravitationnel de la Terre, la masse des calottes glaciaires polaires, et la circulation et la topographie des océans (encart). À l'aide de ces données, il a pu être établi que le niveau de la mer avait augmenté de 1,8 mm par an au cours des 50 dernières années – bien qu'il soit passé à 3 mm par an au cours des 12 dernières.

INFO
La température radiométrique a été mesurée par la somme de radiations (ou l'absence) de la dorsale antarctique.

La **plus faible température radiométrique de la Terre enregistrée par un satellite** est de – 93,2 °C, sur une dorsale élevée de l'Antarctique, comme l'a annoncé la NASA en décembre 2013. Des données recueillies pendant 32 ans par des satellites, notamment le *Terra* de la NASA (*à droite*), ont permis de découvrir que l'air sec et pur de l'Antarctique favorise la dispersion de la chaleur.

Le **1er satellite chargé d'observer le changement climatique** a été lancé le 2 novembre 2009 par l'Agence spatiale européenne (ESA). La mission SMOS (Soil Moisture and Ocean Salinity) étudie les phases du cycle de l'eau entre les océans, l'air et le sol en mesurant la salinité de la mer et en surveillant le contenu de l'eau dans le sol. Le satellite est chargé de mesurer les émissions micro-ondes naturelles de la Terre, lesquelles varient selon les niveaux d'humidité des terres émergées ou de la salinité des mers.

2005 **2006** **2009** **2013** **2015**

Des scientifiques ont découvert que le **glacier de l'Antarctique qui fond le plus vite** est celui de l'Île du Pin, avec une perte de hauteur d'environ 16 m par an. Ces données ont été obtenues grâce à *Autosub (ci-dessous)*, un drone sous-marin envoyé sous le glacier, qui a révélé qu'il s'était détaché d'une dorsale sous-marine, permettant aux eaux plus chaudes de couler en dessous et d'accélérer la fonte.

Le **plus grand satellite d'observation de la Terre** sans équipage est *Envisat*, satellite de l'Agence spatiale européenne. Pesant 8 100 kg et mesurant 26 x 10 x 5 m, il est resté en orbite entre 785 et 791 km d'altitude. *Envisat* a observé les terres et les océans, les calottes glaciaires (*encart*) et l'atmosphère du globe à l'aide d'un éventail d'instruments, avant de devenir brutalement silencieux le 8 avril 2012 après ses 10 ans en orbite.

De son lancement en 2009 à sa désintégration en 2013, le satellite *GOCE (ci-dessus)*, ou *Gravity Field and Steady-State Ocean Circulation Explorer*, de l'ESA est le **satellite de cartographie du champ de gravité le plus précis**, au milligal (unité de mesure du champ gravitationnel).

Les **cartes du champ de gravité de la Terre à la plus haute résolution** ont été créées en 2013 par une équipe australo-allemande à l'aide de données recueillies par la navette spatiale américaine. Les cartes (*à droite*) ont amélioré la résolution des précédentes cartes d'un facteur de 40, et révélé que l'attraction de la gravité est à son point le plus fort au pôle nord ; le plus faible étant au sommet du Huascarán (Andes).

1994

Le cyclone le plus long
L'ouragan/typhon John s'est formé le 11 août dans l'est de l'océan Pacifique. D'une durée de 31 jours, il a parcouru 13 280 km, soit la **plus longue distance pour un cyclone tropical**.

1998

La plus importante disparition de récifs de corail
En 1998, près de 16 % de l'ensemble des récifs de corail ont été détruits ou endommagés suite à un événement très rare. Le phénomène El Niño de 1998 serait à l'origine de ce désastre.

2008

La température de l'océan la plus élevée
En août 2008, des scientifiques ont annoncé qu'ils avaient mesuré de l'eau à 464 °C se déversant d'une source hydrothermale sur le plancher océanique, à 3 000 m de profondeur de la dorsale médio-atlantique.

2013

La plus grande tornade jamais mesurée
Une tornade d'un diamètre de 4,18 km a été mesurée à l'aide d'un radar Doppler par le Service météorologique américain, le 31 mai, à El Reno (Oklahoma, USA).

La plus grande amplitude de température
Verkhoyansk, dans le pôle du froid sibérien de l'est de la Russie, a connu la plus grande amplitude thermique, soit 105 °C : la température la plus basse relevée à – 68 °C et la plus haute à 37 °C.

Ces objets de l'espace

Près de **100 t de débris de météoroïde** pénètrent l'atmosphère de la Terre chaque jour.

La récolte d'échantillons aller-retour la plus lointaine

Le 13 juin 2010, le contenu de la sonde japonaise *Hayabusa* a été récupéré en Australie après une mission d'échantillonnage de l'astéroïde (25143) Itokawa à près de 300 millions de km. La sonde avait atterri le 25 novembre 2005, et les échantillons recueillis – 1 500 grains de poussière – sont les **1ers matériaux provenant d'une astéroïde**. L'encart montre Masaharu Nakagawa *(à gauche)*, ministre des Sciences et des Technologies du Japon, et le chef du projet Hayabusa, Junichiro Kawaguchi.

La pluie de météores la plus rapide

Les Léonides sont une pluie de météores (étoiles filantes) qui pénétrent l'atmosphère de la Terre à 71 km/s et se mettent à briller à une altitude de 155 km. Le mouvement de la traînée du météoroïde-parent de la comète 55P/Tempel–Tuttle explique la vitesse. Se déplaçant en sens inverse du mouvement orbital de la Terre autour du Soleil, il provoque une collision quasiment frontale entre les particules et la Terre chaque année entre les 15 et 20 novembre.

Tous les 33 ans, les Léonides sont encore plus impressionnantes, quand leur comète-parent passe près du Soleil. Les 16 et

17 novembre 1966, des astronomes amateurs ont pu voir les Léonides entre l'ouest de l'Amérique du Nord et la Russie orientale (alors URSS), passant au-dessus de l'Arizona (USA) à raison de 2 300 par min, pendant 20 min, dès 5 h du matin – la **plus importante pluie de météores** jamais relevée.

Le 1er impact d'astéroïde prédit avec précision

L'analyse de l'orbite de l'astéroïde 2008 TC3 a indiqué qu'il heurterait la Terre 21 h après avoir été découvert le 6 octobre 2008. À 2 h 46, le 7 octobre 2008, l'astéroïde – de quelques mètres – a explosé à 37 km au-dessus du Soudan dégageant une énergie de 1 kilotonne. Les passagers d'un avion ont vu l'éclair à 750 milles marins (1 389 km).

Le plus lourd objet artificiel à réentrer dans l'atmosphère

La station spatiale russe *Mir* est sortie de son orbite lors d'une réentrée dans l'atmosphère de la Terre parfaitement contrôlée le 23 mars 2001. Après avoir passé 15 ans dans l'espace, le laboratoire de 130 t s'est brisé avant de tomber dans l'océan, à l'est de la Nouvelle-Zélande. La **plus grande station spatiale** est désormais la Station spatiale internationale.

Le plus gros impact sur Terre

Selon la théorie la plus répandue sur la formation de la Lune, celle-ci aurait fait partie de la Terre jusqu'à

Le 1er cratère d'impact identifié

Le cratère météoritique Barringer, ou Meteor Crater (Arizona, USA), mesure environ 1,2 km de diamètre et 173 m de profondeur. On a suggéré en 1891 qu'il résultait de l'impact d'une météorite, puis il a été défini comme étant le cratère d'une météorite ferreuse. D'après les scientifiques, elle a atterri il y a environ 49 000 ans, avec une puissance 150 fois supérieure à la bombe atomique lancée sur Hiroshima en 1945.

il y a 4,5 milliards d'années. Une planète de la taille de Mars serait entrée en collision avec la Terre, détachant une partie du manteau et envoyant des morceaux en orbite. Les débris recueillis sous sa propre gravité auraient formé la Lune.

Le plus gros impact sur Terre jamais relevé

Le 30 juin 1908, la désintégration d'un astéroïde 10 km au-dessus du bassin du fleuve Podkamennaya Tunguska (Russie) a provoqué une énorme explosion. Une zone de 3 900 km² a été dévastée par la désintégration du météoroïde, laquelle a dégagé une énergie près de

---

SITES D'IMPACT DANS LE MONDE

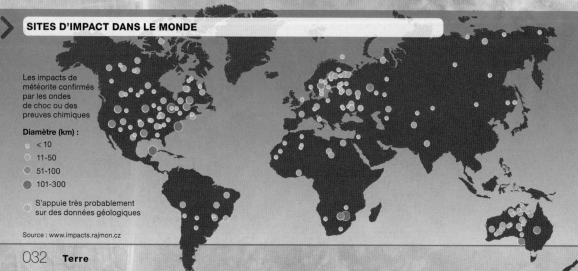

Les impacts de météorite confirmés par les ondes de choc ou des preuves chimiques

Diamètre (km) :
- < 10
- 11-50
- 51-100
- 101-300

S'appuie très probablement sur des données géologiques

Source : www.impacts.rajmon.cz

📖 Glossaire

Météoroïde : fragments métalliques ou rocheux provenant d'une comète ou d'un astéroïde, et de moins de 1 m de large ; les plus petits fragments sont appelés micro-météoroïdes.

Météore : un météoroïde qui traverse l'atmosphère à pleine vitesse en émettant de la chaleur et de la lumière ; une « étoile filante ».

Météorite : météoroïde qui résiste à l'atmosphère de la Terre et atterrit sur le sol.

Le plus de personnes blessées par l'explosion d'un météoroïde

Selon les recherches actuelles, on ne recense aucun accident mortel lié aux impacts de météorite. Les pires dommages connus ont eu lieu le 15 février 2013, lorsqu'un météoroïde a explosé au-dessus de l'oblast de Tchelyabinsk, au sud de l'Oural (Russie). Près de 1 200 personnes ont été blessées, la plupart par des éclats de verre provoqués par l'onde de choc qui a suivi la boule de feu. D'après les calculs de l'astronome Alan Harris, les risques d'être tué par un astéroïde sont de 1 pour 700 000. Selon les hypothèses scientifiques, un astéroïde de plus de 10 km de long anéantirait presque toute la population humaine ; par chance, cela ne se produit que tous les 100 millions d'années.

Les plus grandes météorites

• **La plus grande :** météorite Hoba – 59 t, découverte en 1920, à Hoba West (Namibie).
• **Exposée dans un musée :** Cape York météorite – 30 883 kg, découverte en 1897, près du cap York (Groenland) ; exposée au Hayden Planetarium de New York, USA.
• **Provenant de Mars :** météorite Zagami – 18 kg, découverte le 3 octobre 1962, près de Zagami (Nigéria).

La plus grande tectite

Les tectites, morceaux de roche vitreuse, se forment lors de la fonte et du refroidissement de roches terrestres après l'impact d'un météore. Une tectite de 10,8 kg a été découverte en 1971 en Thaïlande.

Un fragment de la météorite de Chelyabinsk (voir à gauche), retrouvé dans le lac Chebarkul, a été exposé dans un musée local en 2013. Les analyses scientifiques montrent qu'il s'agit d'un météore de type commun, appelé chondrite ordinaire.

Big Muley, ou échantillon 61016, est revenu avec Apollo 16 le 27 avril 1972. Pesant 11,7 kg, c'est la **roche la plus lourde ramenée de l'espace**. Toutes les roches ramenées à ce jour sont de type lunaire, dans le cadre des programmes Apollo et Luna.

La **plus grande météorite d'origine lunaire** – on en recense une cinquantaine à ce jour – est Kalahari 009. Découverte dans le désert du Kalahari (Botswana) en septembre 1999, elle pèse 13,5 kg.

5 fois supérieure à celle de tous les explosifs utilisés lors de la Seconde Guerre mondiale. S'il n'existe pas de chiffres exacts de 1908, on connaît les mesures précises du **plus grand impact récent sur Terre**, celui de Tchelyabinsk, le 15 février 2013 (voir ci-dessus).

La 1re personne heurtée par un débris spatial

La 1re et unique personne touchée par un objet spatial d'origine humaine sur orbite est Lottie Williams (USA). Le 22 janvier 1997, à Tulsa (Oklahoma, USA), elle a été heurtée à l'épaule par un morceau métallique de 15 cm. D'après la NASA, il proviendrait de la fusée Delta II. Lottie n'a pas été blessée.

Le plus grand cratère d'impact sur Terre

Si le cratère Vredefort, près de Johannesburg (Afrique du Sud), a perdu le titre de **plus ancien cratère d'impact** au profit du cratère Maniitsoq (Groenland, voir à droite), il n'en demeure pas moins le plus grand, avec un diamètre estimé à 300 km. Le cratère s'est formé après un impact il y a 2 milliards d'années.

Découverte au Maroc en 2012, la roche NWA 7325 serait la **1re météorite provenant de Mercure**. Des fragments de 345 g correspondent d'un point de vue chimique aux données renvoyées dans le cadre d'une mission en orbite autour de Mercure.

Le plus ancien cratère d'impact sur Terre

Le 29 juin 2012, des scientifiques de la Geological Survey du Danemark et du Groenland ont annoncé qu'ils avaient découvert un cratère d'impact au Groenland qui daterait de 3 milliards d'années. Le cratère Maniitsoq mesure 100 km de long. Une grande partie ayant subi l'érosion, on suppose qu'il était beaucoup plus grand auparavant. Si un tel cratère se formait lors d'un impact avec la Terre aujourd'hui, toute vie ou presque serait balayée.

Amende pour débris de crash

Le 11 juillet 1979, la station spatiale américaine Skylab (à gauche) est réentrée dans l'atmosphère de la Terre avant de se désintégrer. Des morceaux ont résisté au crash dans l'ouest de l'Australie, et le comté d'Esperance a infligé une amende de 400 $ australiens à la NASA pour dépôt de déchets. Cette amende a été réglée en son nom en 2009 par l'animateur radio Scott Barley (USA) qui a réuni la somme auprès de ses auditeurs, à l'occasion du 30e anniversaire de la disparition de la station. Des pièces de Skylab sont exposées au musée d'Esperance, ainsi qu'une affiche déclarant que l'amende a été réglée.

ℹ Aller-retour échantillonnage

Certaines missions spatiales rapportent des échantillons :
• Apollo (1969-1972) : 2 415 échantillons de roche lunaire pour un poids de 382 kg.
• Luna (1959-1976) : dans le cadre de leurs missions, les sondes spatiales automatiques soviétiques ont recueilli 326 g d'échantillons lunaires.
• Le Orbital Debris Collector de Mir (1996-1997) a rapporté de la poussière interplanétaire.
• Genesis (2001-2004) : projet de la NASA visant à recueillir des molécules du vent solaire (**1ers matériaux recueillis ailleurs que sur la Lune**).

La Terre vue de l'espace

Près de **2 500 satellites artificiels** – opérationnels et hors service – gravitent autour de la Terre.

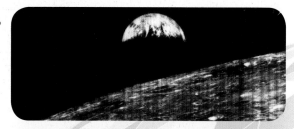

La 1ʳᵉ image de la Terre depuis l'orbite lunaire

Lunar Orbiter 1 du programme *Apollo* lancé par la NASA a pris un cliché de la Terre le 23 août 1966 alors qu'il était en orbite autour de la Lune *(photo originale à droite, en haut)*. Les technologies modernes ont permis le rendu des images en plus haute résolution par rapport aux originales et le résultat a été révélé en 2008 *(à droite, en bas)*.

La 1ʳᵉ photographie couleur de la Terre entière

Le 10 novembre 1967, le satellite *ATS-3* de la NASA a pris une photo de la Terre alors qu'il était en orbite géostationnaire à 37 000 km au-dessus du Brésil.

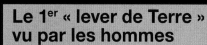

Le 1ᵉʳ « lever de Terre » vu par les hommes

La nuit de Noël, les membres d'équipage d'*Apollo 8* – vaisseau spatial habité en orbite lunaire les 23 et 24 décembre 1968 –, Frank Borman, Bill Anders et Jim Lovell (tous USA), ont capturé une image emblématique de la beauté fragile de ce que l'on a appelé « lever de Terre ». Cette image a eu un énorme impact sur notre sensibilité à l'égard de l'environnement.

La 1ʳᵉ image montrant la Terre et la Lune

Le 18 septembre 1977, la sonde *Voyager 1* de la NASA était en route vers Jupiter quand elle a capturé une image de la Terre et de la Lune à une distance de 11,66 millions de km. L'image de la Lune, bien plus diffuse que celle de la Terre, a dû être renforcée artificiellement par un facteur de 3 pour être visible.

L'image de la Terre la plus éloignée

L'image appelée « point bleu pâle » a été prise par *Voyager 1* le 14 février 1990, à près de 6,5 milliards de km de distance, à la demande de l'astronome Carl Sagan, lequel a dit : « Toutes les "superstars", tous les "guides suprêmes", tous les saints et pécheurs de l'histoire de notre espèce ont vécu ici, sur ce grain de poussière suspendu dans un rayon de soleil. »

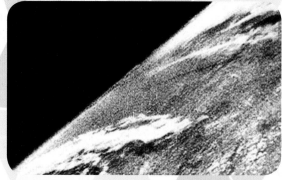

La 1ʳᵉ image de la Terre vue de l'espace

Une ancienne fusée nazie V2 a été lancée par les Américains le 24 octobre 1946, du Nouveau-Mexique (USA), équipée d'un appareil prenant une image toutes les 1,5 s. La fusée a plongé de 104 km avant de s'écraser, mais le film, protégé dans un caisson en acier, a pu être récupéré.

Mars

Vénus

Terre et Lune

La 1re image montrant la Terre, la Lune, Mars et Vénus depuis Saturne

Le 19 juillet 2013, le vaisseau spatial *Cassini* de la NASA s'est glissé dans l'ombre de Saturne, où il a compilé une mosaïque panoramique de la planète, 7 de ses lunes et des détails des anneaux intérieurs. L'image a été prise à 1,4 milliard de km de la Terre, selon un angle de vue si unique que les rayons du Soleil potentiellement dangereux ont été éclipsés par Saturne elle-même.

La plus grande structure géologique découverte de l'espace

L'« œil de l'Afrique » de la Structure de Richat, dans le Sahara (Mauritanie), a été découvert en orbite par les astronautes Jim McDivitt et Ed White (tous deux USA), au cours de la mission *Gemini IV*, en juin 1965. Elle mesure 50 km de diamètre.

La 1re image de la Terre depuis l'orbite martienne

Le 8 mai 2003, le vaisseau spatial *Mars Global Surveyor* de la NASA a orienté sa Mars Orbiter Camera vers la Terre et l'a photographiée à 139 millions de km. L'encart ci-dessus montre l'image de la Terre, où l'on distingue l'Amérique du Nord, l'Amérique du Sud et la Lune. En bas de l'image principale (*à gauche*) se trouve Jupiter.

La 1re image en haute résolution d'une éclipse solaire totale depuis l'orbite lunaire

La Terre ressemble à une bague en diamant dans cette série d'éclipses solaires totales prise par la sonde japonaise *Kaguya* (sans équipage), ou mission SELENE, le 10 février 2009.

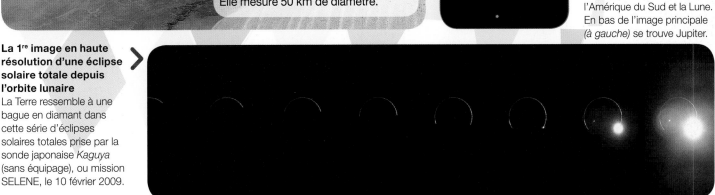

Montagnes

Chaque palier de 305 m d'altitude fait baisser le **point d'ébullition de l'eau** de 1 °C.

La plus haute montagne de l'Arctique

Le sommet du Gunnbjørn Fjeld, dans la chaîne Watkins (Groenland), culmine à 3 694 m au-dessus du niveau de la mer. Ce type de montagne, appelé « nunatak », est un pic rocheux émergeant à travers un glacier ou un champ de glace. De l'autre côté du globe, la **plus haute montagne de l'Antarctique** est le mont Vinson, l'un des sept sommets, dont le pic atteint 4 892 m au-dessus du niveau de la mer.

La plus haute montagne
Le sommet de l'Everest, situé dans la chaîne de l'Himalaya, à la frontière entre le Tibet et le Népal, culmine à 8 848 m. Pour plus d'informations sur les conquêtes de l'Everest, voir p.148.

La plus haute paroi de montagne
Le versant Rupal du Nanga Parbat, dans la partie occidentale de l'Himalaya, au Pakistan, est une paroi d'environ 5 000 m du fond de la vallée au sommet. La montagne elle-même, qui culmine à 8 125 m, est la plus haute montagne du Pakistan et la 8e au monde.

La plus grande amplitude verticale
Les points les plus élevés et les plus bas sur la surface exposée de la Terre se trouvent sur le continent asiatique. Le mont Everest, qui culmine à 8 848 m au-dessus du niveau de la mer, et la mer Noire, dont la surface se situe à 422 m sous le niveau de la mer, font de l'Asie le continent présentant la plus grande amplitude verticale, avec 9 270 m.

La calotte glaciaire polaire la plus élevée
Le dôme Argus est un plateau glaciaire près de la partie orientale de l'Antarctique. Son point culminant s'élève à 4 093 m au-dessus du niveau de la mer. Cette structure de glace, la plus haute de l'Antarctique, surplombe la chaîne de montagnes Gamburtsev, longue de 1 200 km. Pour plus de détails, voir p. 37.

La plus haute montagne
Mesuré depuis le plancher océanique dans la fosse de Hawaï, le Mauna Kea (« montagne blanche »), sur l'île d'Hawaï (USA), atteint 10 205 m, dont 4 205 m au-dessus du niveau de la mer.

CHAÎNES DE MONTAGNES

La plus étendue
Une chaîne de montagnes est un ensemble de montagnes, ou de monts, reliées entre elles. La chaîne de l'Himalaya (Asie) est la plus vaste chaîne au monde, 96 de ses 109 sommets culminant à plus de 7 300 m.

La chaîne continentale la plus longue
La cordillère des Andes (Amérique du Sud) s'étend sur 7 600 km. Elle couvre 7 pays, du Venezuela à l'Argentine, et ses montagnes comptent parmi les plus hautes de la

INFO
Le plateau tibétain couvre une zone plus vaste que l'Europe occidentale.

Le plus grand plateau

Le haut plateau le plus étendu est le plateau tibétain qui couvre 1,85 million de km² en Asie centrale. Son altitude moyenne est de 4 900 m. La chaîne de l'Himalaya, située au sud du plateau, abrite 30 des plus hauts sommets du monde.

La plus haute montagne tabulaire
Le mont Roraima, à la frontière du Brésil, de la Guyane et du Venezuela, est un plateau de grès s'élevant à 2 810 m. Son environnement rude a dissuadé hommes et prédateurs. Près du tiers de ses végétaux sont ainsi endémiques.

INFO
Le mont Roraima aurait inspiré *Le Monde perdu* d'Arthur Conan Doyle.

RECORDS D'ALTITUDE : LES POINTS CULMINANTS DU GLOBE

env. 4 150 m

8 848 m

Plateau tibétain

env. 4 700 m

4 884 m

10 205 m

4 205 m

2 351 m

8 449 m

Niveau de la mer

6 098 m

6 000 m

Le plus haut sommet insulaire :
Puncak Jaya (Indonésie), 4 884 m au-dessus du niveau de la mer

La plus haute montagne sous-marine :
mont Pico (Açores), 6 098 m sous le niveau de la mer

La plus haute montagne :
Mauna Kea, 10 205 m depuis le plancher océanique

La plus haute montagne : Everest, 8 848 m ; dénivelé moyen depuis le niveau de la mer de 4 700 m, donnant un dénivelé moyen base-sommet d'environ 4 150 m

⚡ Montagnes dynamiques
Il y a 60 ans, la hauteur de l'Everest a changé du jour au lendemain ! Dans le cadre de la Great Trigonometrical Survey of India, une vaste étude menée au XIXe siècle, la hauteur de son sommet a été établie à 8 840 m en 1856. En 1955, ce chiffre a été modifié de sorte que l'altitude actuelle est de 8 848 m. Cette montagne a pris le nom qu'on lui connaît en 1865, en l'honneur de sir George Everest *(ci-dessus)*. En qualité de Surveyor General (arpenteur général) britannique de l'Inde de 1830 à 1843, il a en effet joué un rôle majeur dans la cartographie du sous-continent indien.

GUINNESS WORLD RECORDS

Blanche. Elle comprend 33 sommets de plus de 5 500 m, 80 glaciers et 120 lacs glaciaires.

La chaîne sous-marine la plus longue

La dorsale océanique serpente sur 65 000 km de l'océan Arctique à l'Atlantique. Elle traverse l'Afrique, l'Asie et l'Australie, et court sous le Pacifique jusqu'à la côte ouest de l'Amérique du Nord. Ses sommets culminent à 4 200 m au-dessus du plancher océanique.

La montagne la plus dynamique

Le Nanga Parbat (Pakistan) s'élève de 7 mm par an. Cette montagne de la chaîne de l'Himalaya s'est formée quand l'Inde a commencé à heurter la plaque continentale de l'Eurasie, il y a entre 50 et 30 millions d'années.

La plus grande paroi verticale

Le mont Thor, sur l'île de Baffin (territoire canadien du Nunavut), est une montagne de granite dont la face occidentale se compose d'une paroi verticale de 1 250 m. Il s'agit techniquement d'un surplomb présentant un angle de repos moyen de 105° – ou 15° au-delà de la verticale.

La chaîne la plus ancienne

La « ceinture de roches vertes » de Barberton (Afrique du Sud), ou montagnes Makhonjwa, se compose de roches vieilles de 3,6 milliards d'années. C'est là que l'on a découvert de l'or pour la première fois en Afrique du Sud, en 1875. Ses sommets culminent à 1 800 m au-dessus du niveau de la mer.

planète. Plus de 50 sommets des Andes atteignent 6 000 m de haut et s'étirent en moyenne sur 300 km de large.

La chaîne côtière la plus haute

La Sierra Nevada de Santa Marta (Colombie) est une chaîne de montagnes séparée des Andes. Elle se dresse à 5 775 m au-dessus du niveau de la mer. En raison de son incroyable biodiversité, elle

a été désignée réserve de biosphère par l'Unesco en 1979.

La chaîne tropicale la plus élevée

Le sommet du parc national de Huascarán, dans la cordillère Blanche (Pérou), s'élève à 6 768 m au-dessus du niveau de la mer. Cette zone protégée couvre environ 340 000 ha et s'étend sur presque toute la cordillère

La plus haute montagne isolée

Le Kilimandjaro (Tanzanie, Afrique) culmine à 5 895 m. C'est le 4e des sept sommets du monde et la plus haute montagne d'Afrique. Le Kilimandjaro, qui n'est rattaché à aucune chaîne de montagne, est un stratovolcan en sommeil ou éteint, dont la dernière éruption a eu lieu il y a 150 000 à 200 000 ans.

La chaîne la plus petite

La chaîne Sutter Buttes (Californie, USA) se compose de vestiges d'un volcan qui fut actif il y a environ 1,4 à 1,6 million d'années. Ces montagnes émergent du fond de la vallée de Sacramento et n'excèdent pas 628 m de haut, avec un diamètre de base d'environ 16 km.

Montagne gelée : sommets sous la glace

La chaîne Gamburtsev, dans la partie orientale de l'Antarctique, s'étend sur près de 1 200 km à travers le continent. Si son sommet atteint 2 700 m, elle est constamment enfouie sous plus de 600 m de glace, ce qui en fait la **plus grande chaîne de montagnes subglaciaire au monde**.

La chaîne Gamburtsev remonterait à 1 milliard d'années, résultat d'une collision de mini-continents ayant donné naissance à un supercontinent et contraint le relief à se dresser en une chaîne de montagnes. Cette dernière s'est effondrée sous son poids et a été érodée, pour ne conserver qu'une racine. Les mouvements tectoniques ont séparé le relief en plusieurs continents et créé un rift (fossé d'effondrement) qui s'étend de l'Antarctique oriental à l'Inde. La racine, qui s'est réchauffée sous l'effet du morcellement, a conduit à la formation de l'Antarctique oriental. Quand la Terre a refroidi, une nappe de glace de la taille du Canada a recouvert ce relief.

Calotte glaciaire

Chaîne Gamburtsev

Racine

INFO

Le Chimborazo, stratovolcan inactif des Andes, s'élève à 6 268 m d'altitude – soit 2 000 m de moins que l'Everest. En raison de sa place sur l'équateur – où la planète a une forme plus bombée –, les scientifiques considèrent son sommet comme le **point du globe le plus éloigné du centre de la Terre.**

Planète bleue

Les océans fournissent **190 fois plus d'espace viable** que la terre, l'air et l'eau douce réunis.

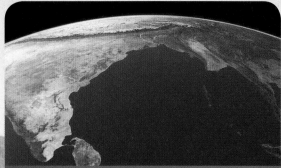

INFO
Le lac Supérieur est l'un des Grands Lacs d'Amérique du Nord, avec le Michigan, le Huron, l'Érié et l'Ontario. Couvrant plus de 1 200 km, ces lacs concentrent près de 1/5ᵉ de l'eau douce du globe – seules les calottes glaciaires en contiennent davantage.

Le plus grand lac d'eau douce

Le lac Supérieur se partage entre le Canada et les États-Unis. Bordé par l'Ontario et le Minnesota, au nord et à l'ouest, ainsi que par le Wisconsin et le Michigan, au sud, il s'étend sur 82 100 km². En Sibérie (Russie), le lac Baïkal contient le **volume d'eau douce le plus important** (environ 23 000 km³).

La plus grande baie

Dans l'océan Indien, la baie du Bengale s'étend sur 2,17 millions de km². Un quart des 7,2 milliards d'habitants de la planète vivent dans les pays qui la bordent : Sri Lanka, Inde, Bangladesh, Birmanie et Malaisie.

La baie de Chesapeake, la **plus grande baie en termes de longueur de littoral**, s'étire sur 18 804 km le long de la côte atlantique bordant le Maryland et la Virginie (USA).

Le fleuve le plus bas

Le fleuve Jourdain naît en Israël à une altitude de 2 814 m et s'écoule sur 251 km au sud de la mer Morte. À cet endroit, la plus basse altitude est de 416 m sous le niveau de la mer.

Ce dénivelé fait de la mer Morte la **masse d'eau exposée la plus basse**. Bordant Israël et la Jordanie, elle mesure 80 km de long et 18 km dans sa partie la plus large.

Le fleuve le plus élevé

Le fleuve Yarlung Zangbo a une altitude moyenne de 4 000 m. Il prend sa source au Tibet, s'écoule sur 2 000 km à travers la Chine et devient le Brahmapoutre en Inde. Il se jette dans l'océan dans la baie du Bengale, où il rejoint le Gange pour former le **plus grand delta**, couvrant 75 000 km².

La plus forte hausse du niveau de la mer depuis la dernière glaciation
Meltwater Pulse 1A est survenu il y a 14 500 ans, quand le niveau de la mer a augmenté de 20 m en moins de 500 ans. Près de 3 000 ans auparavant, quand les plaques de glace de la dernière ère glaciaire ont reculé, elles ont apporté de l'eau douce aux océans. Leur niveau a augmenté d'environ 1 cm par an jusqu'à ce que Meltwater Pulse 1A accélère le processus, sans doute en raison d'une chute partielle des plaques de glace de l'Antarctique.

La plus ancienne masse d'eau de mer

Le US Geological Survey a étudié une masse d'eau à plus de 1 000 m sous la baie de Chesapeake (USA). Selon ces recherches, elle serait un vestige de l'eau de mer de l'Atlantique Nord du crétacé inférieur (de 100 à 145 millions d'années).

Le plus grand lac dans un désert

Le lac Turkana, dans la vallée du Grand Rift (Kenya), couvre 6 405 km².

Le lac le plus ancien

Le lac Baïkal (Russie) a plus de 25 millions d'années. Il s'est formé en raison d'une faille dans l'écorce terrestre.

Le plus grand lac rose

Un mélange de micro-organismes et de minéraux donne au lac Retba, ou lac Rose (Sénégal), sa teinte caractéristique. Avec ses 7,5 km², il est certes le plus grand, mais il est loin d'être le seul. Il en existe aussi au Canada (lac Dusty Rose en Colombie-Britannique), en Espagne (2 lacs d'eau salée près de Torrevieja) et en Australie (lac Hillier). Ces lacs prennent une couleur rose en raison des algues ou d'organismes produisant du caroténoïde, tels que *Dunaliella salina*, espèce d'algue marine.

MASSES D'EAU : LES PLUS LONGS FLEUVES, LES PLUS GRANDS OCÉANS

Top 10 des plus longs fleuves

1. **Nil**, Égypte, 6 650 km
2. **Amazone**, Brésil, 6 400 km
3. **Yangtsé**, Chine, 6 300 km
4. **Mississippi**, USA, 6 275 km
5. **Ienisseï**, Russie, 5 539 km
6. **Huang He**, Chine, 5 464 km
7. **Ob-Irtysh**, Russie, 5 410 km
8. **Paraná**, Brésil, 4 880 km
9. **Congo**, Congo, 4 700 km
10. **Amour-Argun**, Russie, 4 444 km

Terre émergée 34,2 %
Océan Arctique 2,8 %
Océan Antarctique 4,0 %
Océan Indien 13,4 %
Océan Atlantique 15,1 %
Océan Pacifique 30,5 %

Les plus grands mascarets

Un mascaret se produit quand le Soleil, la Lune et la Terre s'alignent et forment des marées exceptionnelles. Une vague solitaire remonte alors un fleuve étroit à grande vitesse.

En 1955, le **plus grand mascaret** fut le Tsien Tang Kiang, avec « une hauteur de plus de 7,62 m et une vitesse de 13 nœuds ». Plus tard, nous avons rapporté l'incident de 1993, au cours duquel l'une de ces vagues avait atteint la baie de Hangzhou (Chine). D'une hauteur de 9 m, elle mesurait 300 km de long et poussait 9 millions de litres d'eau par seconde vers le rivage, provoquant de nombreux accidents mortels.

Glossaire

Profileur de courant à effet Doppler (ADCP ou ADP) : appareil qui mesure la vitesse des courants marins à diverses profondeurs, en référençant les propriétés acoustiques des ondes.

Biome : vaste réservoir de faune et de flore qui se développe de façon naturelle dans un environnement particulier tel que désert, prairie, toundra, forêt ou océan.

Delta : zone de terre émergée formée à partir de dépôts sédimentaires, à l'embouchure d'un grand fleuve.

Le fleuve le plus profond

En juillet 2008, des scientifiques de la US Geological Survey et du Muséum d'histoire naturelle américain ont découvert que le fleuve Congo, qui traverse 10 pays d'Afrique, présente une profondeur maximale de 220 m. Ces mesures ont été faites au niveau de la partie basse du fleuve, à l'aide d'échosondeurs, de GPS sophistiqués et de profileurs de courant à effet Doppler.

OCÉANS

Le point le plus profond
Dans la fosse des Mariannes (Pacifique), Challenger Deep atteint une profondeur de 10 911 m. L'Everest pourrait s'y loger entièrement, son sommet à 2 000 m sous la surface de la terre.

Le plus grand biome
La zone de haute mer – ne comprenant ni le front de mer ni le littoral – est dite « zone pélagique ». Au niveau mondial, son volume est de 1,3 milliard km³. Elle permet à la vie de se développer, ce qui en fait le plus grand biome. Il abrite bon nombre des plus grands animaux de la planète, notamment les baleines.

Le plus grand système de courant océanique continu
Le système de circulation océanique qui transporte l'eau froide et salée des profondeurs est appelé circulation thermohaline (« thermo » de chaleur et « haline » de salinité). L'eau est transportée lentement

de l'Atlantique Nord vers le Sud, où elle traverse l'est et le nord vers les océans Indien et Pacifique. À cet endroit, elle remonte et se réchauffe, puis repart vers l'ouest, où elle plonge de nouveau dans l'Atlantique Nord. Le cycle complet peut durer 1 000 ans.

CHUTES D'EAU

La plus grande chute d'eau de tous les temps
Les Dry Falls (« chutes sèches »), près de Missoula (Montana, USA), sont ce qu'il reste d'une chute d'eau qui s'étirait sur 5,6 km et mesurait 115 m de haut. Elle est apparue quand l'eau d'un lac glaciaire – formé il y a 18 000 ans – a percé la glace, provoquant une inondation majeure.

La plus haute chute d'eau sous-marine
La Cataracte du détroit du Danemark, dans les profondeurs de celui-ci, sépare le Groenland de l'Islande. Cette chute d'eau de 3,5 km transporte près de 5 millions m³ d'eau par seconde. La Cataracte, **plus grande chute d'eau**, se

GUINNESS WORLD RECORDS

La plus grande zone de bioluminescence

Les légendes au sujet d'une mer lactée remontent à très loin dans l'histoire navale. En 2005, des scientifiques du US Naval Research Laboratory ont eu recours à l'imagerie par satellite pour corroborer les rapports détaillés établis par le navire britannique *SS Lima* en 1995. Ils ont décrit une zone dans l'océan Indien, près de la Somalie, mesurant près de 14 000 km². D'énormes quantités de bactéries bioluminescentes, probablement *Vibrio harveyi*, en seraient responsables.

forme quand l'eau de la mer du Groenland, plus froide et dense, atteint la mer Irminger, légèrement plus chaude.

Le plus grand bassin de dissipation (bassin naturel)
Les bassins de dissipation se forment à la base des chutes d'eau, par érosion. Celui de Perth Canyon, au large des côtes australiennes, descend à 300 m de profondeur pour 12 km². Ce bassin préhistorique s'est formé quand la région se trouvait sous le niveau de la mer.

Le plus important débit
Les chutes Boyoma (Rép. dém. du Congo) ont un débit de 17 000 m³ par seconde. Elles se composent de 7 cataractes se succédant sur 100 km sur le fleuve Lualaba.

Le plus grand lac dans un lac

Le lac Manitou couvre 106 km². Il se situe sur la **plus grande île dans un lac**, l'île Manitoulin (*photo ci-dessus*), laquelle s'étend sur 2 766 km² dans la partie canadienne du lac Huron. Autre jeu de poupées russes géographique, Vulcan Point est la **plus grande île située dans un lac sur une île dans un lac sur une île**. L'île de 40 m se trouve dans le Crater Lake, cratère central du volcan Taal, dans le lac Taal, sur l'île de Luzon (Philippines).

Déchets : une goutte dans l'océan

Le **plus grand site de déchets dans l'océan** se situe dans le gyre du Pacifique Nord (*à droite*), un tourbillon qui aspire vers son centre tous les détritus flottant sur l'eau. La plupart se composent de plastique, qui ne se dégrade pas mais se décompose en fines particules qui polluent jusqu'à 10 m sous la surface. Ces fragments toxiques intègrent la chaîne alimentaire et les études montrent que le rapport entre ces particules et le plancton océanique est de 6 pour 1. Les sacs plastique représentent plus de 50 % des déchets marins, soit le **plus important agent polluant de l'océan** (*à gauche*).

 Dans les profondeurs

Le lac le plus profond : lac Baïkal (Russie), 1 637 m de profondeur.

Le lac hypersalin le plus profond : mer Morte (Israël/Jordanie), 378 m de profondeur et plus de 8 fois plus salée que l'eau de mer.

Le bassin de saumure le plus profond : bassin d'Orca, golfe du Mexique, 2 200 m sous le niveau de la mer, rempli d'une eau 8 fois plus salée que celle du golfe.

Grottes

Il faut **100 000 ans** avant qu'une grotte soit assez grande pour accueillir des êtres humains.

La grotte marine la plus longue

La grotte de Matainaka, sur l'île du Sud de la Nouvelle-Zélande, s'étend sur 1 540 m et continue de se former sous l'effet du batillage (vagues créées par le sillage des bateaux). Elle est 3 fois plus longue que sa rivale la plus proche, la grotte de Mercer Bay (Nouvelle-Zélande), qui s'étire sur 470 m. La **plus grande grotte marine** est la Sea Lion Caves (Oregon, USA). Dans un passage de 400 m de long, une des salles mesure 95 m de long, 50 m de large et 15 m de haut.

Le trou bleu le plus profond
Au niveau de la mer ou juste en dessous, les trous bleus étaient autrefois des grottes sèches ou des puits. Ils se sont remplis d'eau de mer lors de la fonte des glaces au cours de l'âge glaciaire. Le trou bleu de Dean, qui mesure 76 m de large, est un puits vertical plongeant à 202 m de profondeur à Turtle Cove (côte atlantique des Bahamas). Il renferme 1,1 million m³ d'eau.

La descente la plus profonde dans une grotte glaciaire
Janot Lamberton (France) est descendu à 202 m dans une grotte glaciaire du Groenland.

Découverte par lui-même en 1998, la grotte doit sa formation à un fleuve d'eau fondue au cours de l'été arctique.

La grotte de lave la plus profonde
Lorsqu'une coulée de lave se refroidit, elle forme une croûte solide. Parfois, la lave en fusion continue de s'écouler au centre de la croûte créant une galerie. Le tunnel de lave le plus long et le plus profond est le Kazumura, à Hawaï (USA). Il mesure 65,5 km de long, et atteint 1 101 m de profondeur.

Le plus long réseau de grottes
Il a fallu 25 millions d'années pour que la Mammoth Cave se forme sous l'effet de l'érosion du fleuve Green et de ses affluents. Situé dans le parc national de Mammoth Cave (Kentucky, USA), ce système est un réseau de grottes calcaires, dont 644 km ont été explorés à ce jour.

La plus longue grotte de gypse
Le gypse, minerai friable, est utilisé pour la fabrication du plâtre de Paris. Un réseau de galeries, appelé Optymistychna (Optimiste), près de Korolivka (Ukraine), se présente sous la forme d'une couche de

La plus longue rivière souterraine

En mars 2007, les spéléologues plongeurs Stephen Bogaerts (RU) et Robbie Schmittner (Allemagne) ont annoncé qu'ils avaient découvert une rivière de 153 km de long sous la péninsule du Yucatán (Mexique). Cette rivière, qui comporte de nombreux méandres, s'écoule sur 10 km de terre.

La plus grande salle de grotte

Une salle est le plus grand espace dans une grotte. Elle se forme souvent à la jonction de passages, où l'érosion et les effondrements ont révélé davantage de roche, et sa taille maximum est dictée par la force du plafond. La salle Sarawak de la grotte de Lubang Nasib Bagus à Sarawak (Bornéo) mesure 700 m de long. Sa largeur moyenne est de 300 m et elle s'élève au moins à 70 m. À titre de comparaison, elle est presque aussi longue que 7 terrains de football et plus haute que l'Obélisque de Louxor, place de la Concorde à Paris.

gypse d'environ 20 m d'épaisseur. Ce réseau s'étend jusqu'à présent sur 236 km, sous 2 km².

Les plus anciennes grottes
Les grottes de Sudwala, à Mpumalanga (Afrique du Sud), datent de 240 millions d'années. Ces galeries se seraient développées à partir de dolomies du précambrien, il y a 3,8 milliards d'années. Si elles ont servi d'abri aux hommes préhistoriques, elles ont été utilisées depuis pour stocker des armes et ont servi de salle de concert. Les excréments de chauves-souris qu'on y trouve servent de fertilisant.

Le plus long réseau de grottes sous-marin exploré
La Sistema Ox Bel Ha (« Trois Voies d'eau » en maya),

LES GROTTES LES PLUS LONGUES

1. **Mammoth Cave**, USA, 644 km

2. **Sistema Sac Actun**, Mexique, 310,72 km

3. **Jewel Cave National Monument**, USA, 267,57 km

4. **Sistema Ox Bel Ha**, Mexique, 243,03 km

5. **Optymistychna Cave**, Ukraine, 236 km

6. **Wind Cave**, USA, 228,24 km

7. **Lechuguilla Cave**, USA, 222,57 km

8. **Hölloch**, Suisse, 200,42 km

9. **Réseau de galeries de Fisher Ridge**, USA, 197,18 km

10. **Gua Air Jernih (Clearwater Cave)**, Malaisie, 197,08 km

Source :
www.caverbob.com

Les grottes les plus profondes

La 1re édition du GWR annonçait que 6 spéléologues français avaient découvert la grotte Berger près de Grenoble, en juillet 1955. Elle était la **grotte la plus profonde**, avec 902 m.

Aujourd'hui, le gouffre Berger n'a plus rien de l'incroyable défi de l'époque, puisqu'il est exploré régulièrement par des groupes de plus de 200 personnes. Nous savons maintenant qu'il se trouve à 1 122 m de profondeur et que le gouffre de Krubera (Géorgie) est presque 2 fois plus profond (*voir à droite*).

Glossaire

Grotte : salle naturelle ou série de salles dans le sol, les coteaux ou les falaises.

Spéléologie de loisir (ou **spéléologie d'exploration**) : exploration de loisir de grottes.

Spéléologie : étude scientifique des grottes, comprenant leurs propriétés, structure, histoire, occupants et processus de formation (spéléogenèse).

○ ○ ○

La grotte la plus grande

Le paysan Ho Khanh (Vietnam) a découvert une grotte dans le centre du Vietnam en 1991, avant d'oublier où elle se trouvait. Il a fallu attendre 2009 pour qu'il guide une équipe britannique vers Hang Son Doong (« Grotte de la Rivière de la Montagne »), une grotte de 200 m de haut, 150 m de large et au moins 6,5 km de long. Les touristes peuvent désormais la visiter pour 3 000 $, mais ils doivent d'abord marcher plus d'une journée dans la jungle et descendre en rappel les 79 m menant à l'entrée.

dans l'État de Quintana Roo (Mexique), se compose d'un ensemble de passages immergés auxquels on a accès par des lacs de surface. En mars 2014, selon le chercheur en grottes Bob Gulden (caverbob.com), 243 km du réseau avaient été cartographiés.

La plus grande étendue verticale pour une cascade de calcite

Les cascades de calcite se forment en strates quand l'eau saturée de calcaire s'écoule sur les parois et le sol, laissant des dépôts de calcite qui se solidifient. Le plus grand spécimen mesure 150 m. On le trouve dans la grotte de Lechuguilla, dans le parc national de Carlsbad Caverns (Nouveau-Mexique, USA).

La plus longue stalactite

Les stalactites se forment au plafond des grottes. La plus longue, 28 m, se trouve dans la Gruta do Janelão, dans la région de Minas Gerais (Brésil).

La plus grande stalagmite

Une stalagmite se forme au sol. La plus grande mesure environ 70 m de haut (grotte de Zhijin, province du Guizhou, Chine).

La plus haute colonne naturelle de grotte

Une colonne de 61,5 m, dans une grotte de Tham Sao Hin (Thaïlande), s'est formée après la fusion d'une stalactite et d'une stalagmite. C'est à l'endroit de cette fusion que les deux formations se sont transformées en une seule colonne.

Le plus grand cristal de gypse

La grotte de Naica, sous la mine du même nom, dans le désert de Chihuahua (Mexique), renferme des cristaux de gypse transparents mesurant jusqu'à 11 m de long et pesant jusqu'à 55 t. Ils ont commencé à se former il y a des centaines de milliers d'années, quand la grotte était remplie d'eau chaude riche en minéraux.

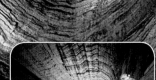

Le puits vertical ininterrompu le plus profond

Les puits droits naturels sont des défis pour les spéléologues – ils tombent à pic et sont dépourvus de saillies. La grotte de Miao Keng, près de Tian Xing (Chine), renferme un puits continu de 501 m qui nécessite près de 2 h de descente en rappel. Il fait les 2/3 du **plus grand building** – la tour Burj Khalifa, haute de 8 280 m (Dubaï, ÉAU).

La grotte la plus profonde s'enfonce encore

Il est rare qu'une curiosité géologique batte son propre record. C'est pourtant ce qu'il s'est produit avec le gouffre de Krubera (*à gauche*), la **grotte la plus profonde**. Gennady Samokhin (*à droite*), spéléologue ukrainien, a étendu la profondeur connue de la grotte de 6 m, le 10 août 2012. La profondeur du gouffre, dans le massif Arabika (Géorgie), est officiellement de 2 197 m. Cette nouvelle zone se situe dans un puisard (partie submergée) appelé Dva Kapitana (« Deux Capitaines ») et pourrait s'étendre sur 10 km jusqu'à la mer Noire, selon Samokhin. Ce dernier faisait aussi partie de l'équipe ayant tenté le précédent record en 2007.

Musique souterraine

L'émission de radio en direct la plus profonde : programme de 2 h de CBC Radio Points North (Canada), à 2 340 m, mine de Creighton (Ontario, Canada), 24 mai 2005.

Le plus grand instrument de musique naturel souterrain : le Great Stalacpipe Organ, stalactites couvrant 1,4 ha et produisant des sons quand on les frappe avec des maillets reliés à un clavier (grottes de Luray, Virginie, USA).

Le concert souterrain le plus profond : Agonizer (Finlande), 1 271 m sous le niveau de la mer, mine de Pyhäsalmi, Pyhäjärvi (Finlande), 4 août 2007.

Planète vivante

On estime à 7,77 millions le **nombre d'espèces animales** vivant sur Terre ; 12 % seulement ont été décrites à ce jour.

À VOIR EN
3D
AVEC L'APPLI
GRATUITE

Le plus grand poisson

Le plus grand poisson de la Terre est le requin-baleine *(Rhincodon typus)*, une espèce rare qui se nourrit de plancton et vit dans les eaux chaudes des océans Atlantique, Pacifique et Indien. Le spécimen le plus grand jamais étudié par les scientifiques mesurait 12,65 m de long – soit quasiment la même longueur que 3,5 Mini Cooper – et 7 m d'envergure au niveau de la partie la plus large de son corps. Capturé au large de Baba Island, près de Karachi (Pakistan), le 11 novembre 1949, il pesait environ 21 t.

ATTENTION, RÉALITÉ AUGMENTÉE

3D SUR CETTE PAGE

INFO

Les œufs du requin-baleine – les **plus gros œufs de poisson** – mesurent la taille d'un ballon de football américain !

Nouvelles découvertes

Constatation tragique mais inévitable : des espèces animales disparaissent en permanence, le plus souvent du fait des activités humaines. Heureusement, on assiste encore aujourd'hui à la découverte d'un nombre étonnant de nouvelles espèces, auparavant inconnues – en moyenne 15 000 par an.

Un grand nombre des espèces récemment découvertes sont de petits animaux insignifiants, essentiellement des insectes, des vers et autres petits invertébrés. Quelques-unes sont aussi des créatures bien plus impressionnantes et ne sont pas seulement présentes dans quelques régions spécifiques du globe.

Pour souligner cette tendance continue et rassurante, notre spécialiste, le Dr Karl Shuker, met un coup de projecteur sur certaines des trouvailles les plus remarquables de ces six dernières décennies. Toutes ont été découvertes, formellement décrites et classées par les scientifiques depuis la 1re édition du Guinness Book of Records en 1955, et chacune détient un record GWR.

Ci-dessous, nous vous présentons dix découvertes parmi les plus récentes et les plus extraordinaires. À en croire les faits cités sur cette double page, il y a tout lieu d'être optimiste compte tenu des nombreuses espèces qui attendent encore d'être mises au jour !

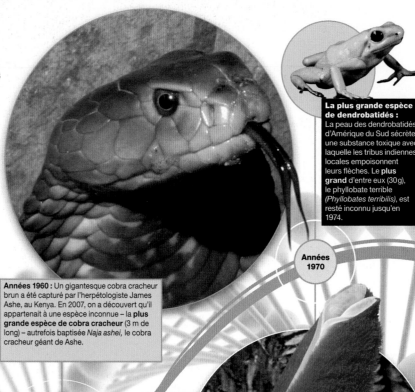

La plus grande espèce de dendrobatidés : La peau des dendrobatidés d'Amérique du Sud sécrète une substance toxique avec laquelle les tribus indiennes locales empoisonnent leurs flèches. Le **plus grand** d'entre eux (30 g), le phyllobate terrible *(Phyllobates terribilis)*, est resté inconnu jusqu'en 1974.

Années 1970

Années 1960 : Un gigantesque cobra cracheur brun a été capturé par l'herpétologiste James Ashe, au Kenya. En 2007, on a découvert qu'il appartenait à une espèce inconnue – la **plus grande espèce de cobra cracheur** (3 m de long) – autrefois baptisée *Naja ashei*, le cobra cracheur géant de Ashe.

Années 1970 : En 1977, des scientifiques embarqués sur le sous-marin américain *Alvin* ont découvert un écosystème florissant autour de sources hydrothermales, au fond de la mer, au large des Galápagos (Équateur). De nouvelles espèces telles que le ver tubicole géant *(Riftia pachyptila)* et ses énormes tentacules rouges sont apparues. C'est le **1er écosystème à ne pas tirer son énergie de la lumière du soleil**, cette dernière ne pouvant pas l'atteindre, mais par chimiosynthèse (énergie produite par des bactéries).

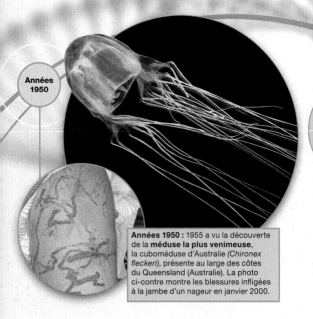

Années 1950

Années 1960

La plus grande espèce de gerbille : Découverte dans les années 1960, la grande gerbille *(Rhombomys opimus)* peut dépasser 40 cm. Elle est originaire du Turkménistan, du Kazakhstan, de Mongolie, et du centre et de l'est de l'Asie.

Années 1950 : 1955 a vu la découverte de la **méduse la plus venimeuse**, la cuboméduse d'Australie *(Chironex fleckeri)*, présente au large des côtes du Queensland (Australie). La photo ci-contre montre les blessures infligées à la jambe d'un nageur en janvier 2000.

La plus grande étoile de mer : en 1968, un spécimen de brisingidé très fragile, *Midgardia xandaros*, a été pêché dans le golfe du Mexique. Il mesurait 1,38 m d'envergure ! L'espèce a été classifiée en 1972.

DIX DES ESPÈCES LES PLUS RÉCENTES CHEZ LES...

Amphibiens

2013
Leptolalax botsfordi a été officiellement décrit et classifié fin 2013. Elle a été découverte sur les hauteurs du mont Fansipan (Vietnam), point culminant de l'Indochine.

Primates

2010
Nomascus annamensis est un gibbon originaire des forêts tropicales humides situées entre le Vietnam, le Laos et le Cambodge. Il se distingue des espèces similaires par ses vocalisations.

Rapaces

2010
Officiellement décrite et nommée en 2010, la buse de Socotra *(Buteo socotraensis)* est exclusivement présente sur l'archipel de Socotra, groupe d'îles minuscules appartenant au Yémen, dans la péninsule Arabique.

Félins

2013
Le selkirk rex est aussi connu sous le nom de chat caniche en raison de sa fourrure épaisse et bouclée constituée de trois couches. La race a été développée à partir d'une mutation génétique spontanée, dans le Montana (USA), en 1987.

Cétacés d'eau douce

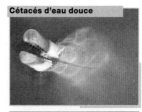

2014
Inia araguaiaensis, ou boto-do-Araguaia, a été officiellement décrit et nommé en janvier 2014. Cette espèce de dauphin d'eau douce originaire du bassin de l'Araguaia (Brésil) est la 1re espèce de ce type découverte depuis un siècle.

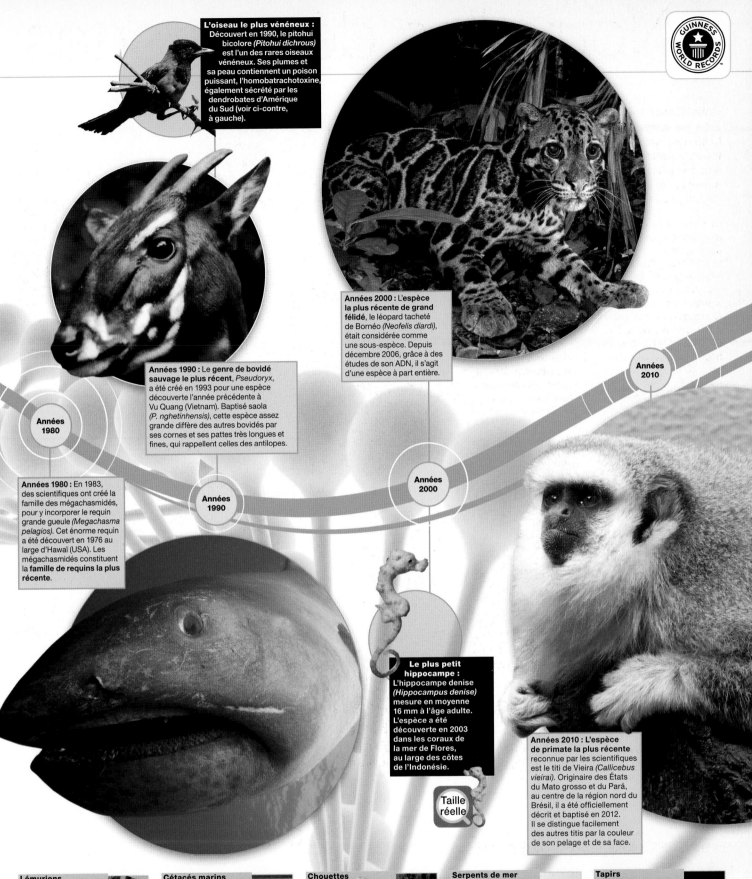

L'oiseau le plus vénéneux : Découvert en 1990, le pitohui bicolore (*Pitohui dichrous*) est l'un des rares oiseaux vénéneux. Ses plumes et sa peau contiennent un poison puissant, l'homobatrachotoxine, également sécrété par les dendrobates d'Amérique du Sud (voir ci-contre, à gauche).

Années 2000 : L'espèce la plus récente de grand félidé, le léopard tacheté de Bornéo (*Neofelis diardi*), était considérée comme une sous-espèce. Depuis décembre 2006, grâce à des études de son ADN, il s'agit d'une espèce à part entière.

Années 2010

Années 1990 : Le genre de bovidé sauvage le plus récent, *Pseudoryx*, a été créé en 1993 pour une espèce découverte l'année précédente à Vu Quang (Vietnam). Baptisé saola (*P. nghetinhensis*), cette espèce assez grande diffère des autres bovidés par ses cornes et ses pattes très longues et fines, qui rappellent celles des antilopes.

Années 1980

Années 1980 : En 1983, des scientifiques ont créé la famille des mégachasmidés, pour y incorporer le requin grande gueule (*Megachasma pelagios*). Cet énorme requin a été découvert en 1976 au large d'Hawaï (USA). Les mégachasmidés constituent la **famille de requins la plus récente.**

Années 1990

Années 2000

Le plus petit hippocampe : L'hippocampe denise (*Hippocampus denise*) mesure en moyenne 16 mm à l'âge adulte. L'espèce a été découverte en 2003 dans les coraux de la mer de Flores, au large des côtes de l'Indonésie.

Taille réelle

Années 2010 : L'espèce de primate la plus récente reconnue par les scientifiques est le titi de Vieira (*Callicebus vieirai*). Originaire des États du Mato grosso et du Pará, au centre de la région nord du Brésil, il a été officiellement décrit et baptisé en 2012. Il se distingue facilement des autres titis par la couleur de son pelage et de sa face.

Lémuriens

2013
Microcebus marohita et *M. tanosi* sont de petits lémuriens originaires de Madagascar, comme tous les autres lémuriens. Le séquençage de leurs gènes a permis de les distinguer des autres espèces de lémuriens souris.

Cétacés marins

2012
Le dernier cétacé marin à avoir été reconnu scientifiquement est le dauphin Burrunan (*Tursiops australis*), qui a officiellement été décrit et nommé en 2012. L'espèce est endémique des eaux côtières du sud-est de l'Australie.

Chouettes

2013
L'effraie d'Alma (ou de Seram ; *Tyto almae*) a été décrite et nommée en 2013, mais sa découverte remonte à 1987 lorsqu'un spécimen a été photographié dans la nature (et laissé sur place). Elle est originaire de l'île de Seram (Indonésie).

Serpents de mer

2012
Le serpent mosaïque (*Aipysurus mosaicus*) est connu à partir d'un spécimen conservé au Muséum d'histoire naturelle de Copenhague. Capturé au xixe siècle en mer, entre la Nouvelle-Guinée et l'Australie, il a été reconnu comme espèce en 2012.

Tapirs

2013
Le petit tapir noir (*Tapirus kabomani*) est l'un des plus grands mammifères découverts depuis un siècle, mais c'est la **plus petite espèce de tapir** du monde, avec un poids moyen très modeste de 110 kg.

Mammifères

La **baleine boréale** *(Balaena mysticetus)*, espèce rare, peut vivre plus d'un siècle.

Le plus grand félin carnivore

Le tigre de Sibérie *(Panthera tigris altaica)* mâle mesure en moyenne 3,15 m du bout du museau à celui de la queue, de 99 à 107 cm au garrot, et pèse plus ou moins 265 kg. L'espèce compte aujourd'hui environ 360 individus, alors qu'il n'en restait que 20 à 30 dans les années 1930.

CARNIVORES

Le plus gros ours de l'histoire

Ursus maritimus tyrannus est un ours blanc préhistorique apparu dans une population isolée d'ours bruns au milieu du Pléistocène (il y a 250 000 à 100 000 ans). Avec un corps de 3,7 m de long et haut de 1,83 m au garrot, il devait peser plus de 1 t. C'est l'ancêtre de tous les ours polaires.

Le plus vieil ours brun en captivité

Le 24 mai 2013, Andreas, un ours brun de 50 ans, est mort dans un refuge de la Société mondiale pour la Protection des animaux (WSPA), dans le nord de la Grèce. Dans la nature, la durée

de vie moyenne de cet ours est de 25 ans.

Le plus gros eupléridé

Les eupléridés étaient autrefois classés dans la famille des civettes. On les connaît sous le nom de civettes de Madagascar, qui comptent 10 espèces. La plus grande est le fossa *(Cryptoprocta ferox)*, qui a la taille et l'apparence d'un petit puma. Son corps mesure de 70 à 80 cm et sa queue de 65 à 70 cm. Elle pèse entre 5,5 et 8,6 kg.

Le plus ancien fossile de grand félin

En 2010, des fossiles d'une espèce jusque-là inconnue, ressemblant à un léopard des neiges, ont été découverts dans l'Himalaya. Baptisée *Panthera blytheae*, l'espèce aurait vécu il y a 4,1 à 5,95 millions d'années, ce qui conforte la théorie selon laquelle les grands félins seraient originaires d'Asie centrale (et non d'Afrique).

L'espèce de chat sauvage la plus récente

Baptisé en 2013, *Leopardus guttulus* est un oncille (chat-tigre) de la forêt qui borde l'Atlantique, au sud du Brésil. Il ne croise pas les oncilles des autres régions du pays.

Le renard le plus rare

Le renard gris insulaire *(Urocyon littoralis)* est une espèce originaire de 6 des 8 îles de Channel Islands (Californie, USA). Chaque île possède sa propre sous-espèce. En 2002, sa population était estimée à 1 500 individus (moins de 100 pour certaines sous-espèces). Depuis, son déclin s'est poursuivi, notamment à cause de la prédation de l'aigle royal, des maladies parasitaires et de la destruction de son habitat. L'Union internationale pour la Conservation de la Nature (IUCN) le classe parmi les espèces «en danger critique».

Le raton-laveur le plus rare

Le raton laveur de Cozumel *(Procyon pygmaeus)* vit sur l'île de Cozumel, au large de la péninsule du Yucatán (Mexique), qui couvre 478 km². Il est classé parmi les espèces « en danger critique » par l'IUCN : de 250 à 300 individus seraient encore en vie.

L'espèce en captivité la plus chère

La population indigène de pandas géants *(Ailuropoda melanoleuca)* appartient à la Chine. Quatre zoos américains payent chaque année 1 million $ à la Chine pour louer un couple. S'y ajoutent des frais pour les naissances, la production de bambous et la sécurité. Cela en vaut la peine : le zoo d'Édimbourg (RU) a annoncé une augmentation de 51 % des visites l'année qui a suivi l'arrivée des pandas géants Sunshine et Sweetie.

Le mammifère marin le plus rapide

Le 12 octobre 1958, une orque *(Orcinus orca)* de 6,1 à 7,6 m de long a été chronométrée à 55,5 km/h dans nord-est du Pacifique. Des vitesses de pointe similaires ont été rapportées à propos du marsouin de Dall *(Phocoenoides dalli)*.

 Histoires d'ours

Le plus grand espace vital pour un mammifère terrestre : en 1 an, les ours polaires *(Ursus maritimus)* se déplacent à travers l'Arctique sur 30 000 km².

Le nez le plus sensible pour un mammifère terrestre : l'ours polaire peut détecter une proie à plus de 30 km, même s'il est sous la glace.

Le lait d'ourse le plus riche : le lait de l'ourse polaire contient jusqu'à 48,4 % de matière grasse, un taux qui permet aux oursons de constituer des réserves pour affronter des conditions extrêmes.

Le régime le plus gras : au printemps et en été, les ours polaires se nourrissent de petits phoques marbrés, dont la masse corporelle est constituée à 50 % de graisse.

Baleine bleue : le plus gros cœur du monde

La baleine bleue *(Balaenoptera musculus)*, qui pèse jusqu'à 160 t, est le **plus grand mammifère** et le **plus grand animal**. Cette photo représente le cœur d'une baleine bleue grandeur nature, réalisé pour le Te Papa Tongarewa, musée de Nouvelle-Zélande, par Human Dynamo Workshop. De la taille d'une voiture, le cœur de la baleine bleue pèse 680 kg, ce qui en fait le plus gros cœur animal. Il bat entre 4 et 8 fois par minute **(rythme cardiaque le plus lent)**.

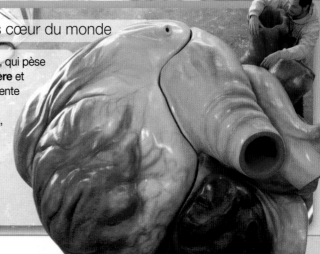

La plus petite famille de carnivores terrestres

Deux familles de carnivores terrestres ne comptent qu'une espèce chacune : celle des nandiniidés en Afrique, avec la civette palmiste africaine *(Nandinia binotata)*, et celle des ailuridés en Asie, avec le petit panda, ou panda roux *(Ailurus fulgens)*.

CÉTACÉS

Le plus grand cétacé

La baleine bleue *(Balaenoptera musculus)* femelle tuée à Twofold

La plus grande famille de cétacés

Le terme « cétacé » regroupe les baleines, les dauphins et les marsouins. Les dauphins *(Delphinidae)* comptent 37 espèces vivantes, qui ne s'appellent pas toutes dauphins. Cette famille très diversifiée comprend aussi les globicéphales, les orques, les fausses orques et les orques pygmées. Tous respirent par un évent situé sur la tête.

Le plus grand carnivore terrestre

L'ours polaire *(Ursus maritimus)* pèse entre 400 et 600 kg et mesure de 2,4 à 2,6 m de long. Il se nourrit des **proies les plus grosses qui soient** : il peut tuer des morses de 500 kg ou des bélougas de 600 kg afin de remplir son estomac de 68 kg, soit 4 kg de plus que le poids moyen d'un homme adulte.

Bay (Nouvelle-Galles du Sud, Australie) en 1910 mesurait 29,57 m de long.
Les plus petits cétacés sont le dauphin d'Hector *(Cephalorhynchus hectori)* et le marsouin du golfe de Californie *(Phocoena sinus)*, qui mesurent à peine 1,2 m de long.

La plus petite espèce de baleine à fanons

(qui ne possède pas de dents mais des fanons pour filtrer la nourriture contenue dans l'eau) est la baleine pygmée *(Caperea marginata)*, qui vit dans l'océan Antarctique. Elle mesure de 6 à 6,5 m de long et pèse entre 3 et 3,5 t.

Le mammifère qui plonge le plus profond

En 1991, au large de la Dominique, des scientifiques ont enregistré une plongée de 1 h et 15 min à 2 000 m, par un grand cachalot *(Physeter macrocephalus)*.

En 1989, au large de la Californie (USA), un éléphant de mer *(Mirounga angustirostris)* mâle a plongé à 1 529 m, **la plongée la plus profonde pour un pinnipède**.

Le plus grand carnivore

L'éléphant de mer austral *(Mirounga leonina)* mâle mesure en moyenne 5 m de long et pèse jusqu'à 3 500 kg. Présent dans les îles subantarctiques, ce phoque géant – le **plus grand pinnipède** –, dépasse même l'ours polaire *(U. maritimus*, à gauche).

 Pour des animaux plus familiers, voir p. 64

COMPARATIF VISUEL CARNIVORES/CÉTACÉS

   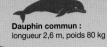

Tigre de Sibérie mâle : longueur 3,15 m, poids 265 kg

Ours polaire : longueur 2,6 m, poids 600 kg

Homme adulte : taille 1,75 m, poids 64 kg

Éléphant de mer : longueur 5 m, poids 3 500 kg

Orque : longueur 9 m, poids 10 t

Dauphin commun : longueur 2,6 m, poids 80 kg

Dauphin d'Hector : longueur 1,20 m poids 40-60 kg

Baleine bleue : longueur 24 m, poids 160 t

Glossaire

Carnivore : animal qui mange de la viande (ordre *Carnivora*).
Cétacé : mammifère aquatique (ordre *Cetacea*). Deux groupes principaux : les baleines à dents (dauphins, marsouins, petites baleines) et celles à fanons (grandes baleines et rorquals, qui se nourrissent en filtrant l'eau).
Pinnipède : mammifère marin carnivore semi-aquatique (ordre *Pinnipedia*). Il comprend phoques, lions de mer et morses.

Mammifères

Les cris des singes hurleurs s'entendent à **5 km à la ronde**.

Le plus grand singe

Le mandrill mâle *(Mandrillus sphinx)* des régions équatoriales d'Afrique de l'Ouest mesure de 61 à 76 cm de long et sa queue de 5,2 à 7,6 cm. Il pèse en moyenne 25 kg, mais peut atteindre 54 kg. Ses fesses bleues, sa face barrée de rouge et sa barbe jaune font de lui l'un des mammifères aux couleurs les plus vives.

CHIROPTÈRES

La plus grande colonie de chauves-souris

La grotte de Bracken à San Antonio (Texas, USA) abrite jusqu'à 20 millions de molosses du Brésil *(Tatarida brasiliensis)* femelles et leurs petits. La densité peut atteindre 500 petits au m². Quand elles sortent la nuit, elles forment une colonne que capte le radar de l'aéroport local.

La plus grande famille de chauves-souris

En novembre 2013, il existait 300 espèces de vespertilionidés *(Vespertilionidae)*. Parmi elles, la pipistrelle commune, la sérotine commune, les noctules, les chauves-souris au nez en tube, les murins et la barbastelle. On en découvre chaque année de nouvelles.

La plus longue gestation d'une chauve-souris

La gestation du vampire commun *(Desmodus rotundus)* dure de 7 à 8 mois. À la naissance, les petits tètent leur mère pendant 9 mois, parfois plus longtemps. Les vampires, présents au Mexique, en Amérique centrale et en Amérique du Sud, ne se nourrissent que de sang.

INSECTIVORES

Le mammifère au rapport masse du cerveau-masse du corps le plus élevé

Le cerveau des musaraignes représente 10 % de leur poids.

L'insectivore le plus dangereux

Les solénodontidés, petits mammifères des Caraïbes, ressemblent à des rats. La salive de l'almiqui paradoxal *(Solenodon paradoxus)* et du rare solénodonte de Cuba *(Solenodon cubanus)* est toxique pour l'homme.

La plus grande chauve-souris

Les chauves-souris sont les seuls mammifères à voler (c'est-à-dire à battre des ailes et non à planer). Les plus grands spécimens sont les renards volants *(Pteropodidae)*, dont l'envergure peut atteindre 1,7 m.

Le plus petit primate

Le microcèbe pygmée *(Microcebus myoxinus)*, qui vit à Madagascar, mesure environ 62 mm de long. Sa queue atteint 136 mm et il pèse en moyenne 30,6 g. Il arbore une bande blanche qui va du nez au front et une bande noire le long du dos.

La musaraigne arboricole la plus lourde

La musaraigne arboricole (ou toupaye) ressemble à un écureuil au museau pointu sans moustaches. Plusieurs spécimens mâles adultes de toupaye des Philippines *(Urogale everetti)* de plus de 350 g ont été répertoriés.

L'organe animal le plus sensible

La taupe à nez étoilé *(Condylura cristata)* doit son nom aux 22 tentacules qui couvrent son nez, aussi pourvu de 25 000 récepteurs – 5 fois plus que les fibres nerveuses de la main humaine.

INFO

Les musaraignes ont bon appétit : en un jour, elles peuvent manger l'équivalent de leur poids en vers et insectes !

Le plus petit singe

Le ouistiti pygmée *(Callithrix pygmaea)* pèse 15 g à la naissance et atteint un poids moyen de 119 g à l'âge adulte. Il mesure 136 mm de long sans la queue. Malgré sa taille, il peut faire des bonds de 5 m dans les airs.

COMPARATIF VISUEL CHIROPTÈRES/INSECTIVORES/PRIMATES

Gorille de plaine oriental mâle : taille 1,75 m, poids 163 kg

Mandrill : taille 61-76 cm, poids 25 kg

Roussette de Malaisie (renard volant) : envergure 1,7 m, poids 1,6 kg

Potamogale : longueur totale 64 cm, poids 950 g

Grand gymnure : longueur totale 43-71 cm, poids 1-2 kg

Koalas

Le marsupial qui dort le plus : du fait de la mauvaise qualité de son alimentation (feuilles d'eucalyptus), le koala *(Phascolarctos cinereus)* passe jusqu'à 18 h sur 24 à dormir.

La plus grande portée de koalas : des jumeaux monozygotes baptisés Euca et Lyptus, nés les 10 et 11 avril 1999 dans le Queensland (Australie).

Le plus vieux koala : Sarah, morte en 2001 à l'âge de 23 ans, était née en 1978 et avait vécu dans la réserve de koalas de Lone Pine (Queensland, Australie) ; les koalas vivent en moyenne 16 ans en captivité.

La plus vieille réserve de koalas : la réserve de koalas de Lone Pine, où Sarah a vécu, a été créée en 1927 par Claude Reid (Australie) et existe toujours.

Le plus grand insectivore

Le grand gymnure (*Echinosorex gymnurus*) vit en Asie du Sud-Est. Cousin géant du hérisson, il est toutefois pourvu d'une épaisse fourrure et non de piquants. Il mesure 26 à 46 cm de long, avec une queue de 17 à 25 cm, et pèse entre 1 et 2 kg.

MARSUPIAUX

Le caecum le plus long proportionnellement

Le caecum est une sorte de sac qui fait partie du côlon. Chez les herbivores, il contient des bactéries qui participent à la dégradation de la cellulose des végétaux. Au sein du règne animal, c'est le koala (*Phascolarctos cinereus*) qui a le plus long caecum par rapport à la taille de son corps. Il mesure 2 m de long et 10 cm de diamètre, pour un corps de 60 à 85 cm de long.

Le plus de mamelles

Malgré sa taille minuscule, la femelle de *Monodelphis sorex*, un opossum-musaraigne de 11 à 13 cm de long doté d'une queue de 6,5 à 8,5 cm, compte jusqu'à 27 mamelles.

Le marsupial le plus septentrional

L'opossum de Virginie (*Didelphis virginina*) est la seule espèce de marsupial vivant au nord du Mexique. Sa présence a été observée jusque dans le sud-ouest de l'Ontario (Canada).

PRIMATES

Le plus grand primate

Le gorille de plaine oriental (*Gorilla beringei graueri*) vit dans l'est du Congo. Le mâle pèse jusqu'à 163 kg et mesure en moyenne 1,75 m (debout). C'est toutefois un gorille de montagne mâle abattu dans l'est du Congo, le 16 mai 1938, qui détient le record du plus grand spécimen sauvage jamais mesuré, avec 1,95 m.

Le plus grand primate nocturne

L'aye-aye (*Daubentonia madagascariensis*) est un primate de Madagascar ressemblant à un rongeur, cousin des lémuriens. Il est menacé de disparition car considéré comme maléfique. Il pèse 2,7 kg, et le mâle mesure environ 65 cm, dont la moitié pour sa longue queue.

Le plus petit loris

Les loris sont des petits primates nocturnes cousins des lémuriens et des galagos. Le plus petit est le loris paresseux pygmée (*Nycticebus pygmaeus*) qui mesure de 19,5 à 23 cm de long, avec une queue de 1,8 cm en moyenne. Il pèse de 36 à 58 g.

Taille réelle

Le plus petit mammifère

La kitti à nez de porc (*Craseonycteris thonglongyai*), ou chauve-souris bourdon, mesure de 29 à 33 mm de long et vit dans des cavernes en Thaïlande et au Myanmar. Elle figure sur la Liste rouge des espèces menacées de l'IUCN, avec le statut d'espèce « vulnérable ».

Le plus petit mammifère terrestre

La musaraigne étrusque (*Suncus etruscus*) ne dépasse pas la taille d'un pouce humain. Son corps mesure de 36 à 53 mm et sa queue de 24 à 29 mm. Elle ne pèse que entre 1,5 à 2,6 g.

Le plus grand mammifère construisant un nid

Le gorille de l'Ouest mâle (*Gorilla gorilla*) mesure de 1,7 à 1,8 m et pèse entre 136 et 227 kg. Il construit chaque jour un nouveau nid avec des éléments prélevés dans la végétation. Ce nid mesure environ 1 m de diamètre. Certains membres du groupe, plus légers, construisent des nids dans les arbres, et beaucoup fabriquent un nid à part au cours de la journée pour y faire une sieste. Ces constructions sont aussi les plus grands nids construits par des mammifères.

INFO

Le plus grand primate de tous les temps est *Gigantopithecus blacki*. Ce King-Kong éteint il y a 100 000 ans mesurait 3 m de haut et pesait 1,58 t.

Le plus grand marsupial

Il existe 60 espèces de kangourous, le plus gros étant le kangourou roux (*Macropus rufus*), qui vit dans la zone aride du centre de l'Australie. Le mâle mesure 1,8 m de haut et 2,85 m de long, et peut peser jusqu'à 90 kg. Les nouveau-nés sont les **plus gros petits des marsupiaux**. Même s'ils ne pèsent que 0,75 g, tous les marsupiaux naissant prématurément. Il faudrait 36 000 nouveau-nés pour arriver au poids de leur mère. Le **saut le plus long d'un kangourou** a été effectué en Nouvelle-Galles du Sud (Australie) en 1951 par une femelle, avec un bond de 12,8 m.

Glossaire

Chiroptère : ses membres avant se sont transformés en ailes. Il utilise l'écholocation pour se déplacer.

Insectivore : mammifère se nourrissant d'insectes.

Marsupial : a une poche dans laquelle les mamans portent leurs petits.

Primate : a un grand cerveau, des mains et des pieds souples. Les humains en font partie.

Mammifères

Les girafes accouchent debout : les petits font une chute d'environ 1,5 m à la naissance.

RONGEURS

Le 1er rongeur domestiqué
L'élevage du cochon d'Inde ou cobaye *(Cavia porcellus)* a débuté dans les Andes vers 5 000 av. J.-C. Destiné à l'alimentation, il descendait probablement de *Cavia tschudii*, un cobaye sauvage originaire des montagnes du Pérou.

Le rongeur ayant la plus grande longévité
Le rat-taupe nu *(Heterocephalus glaber)* passe sa vie dans les galeries de son terrier souterrain. Cet animal des prairies tropicales sèches d'Afrique de l'Est peut vivre 28 ans.

Le plus petit ongulé

Le corps du chevrotain malais *(Tragulus javanicus)* mesure de 42 à 55 cm de long. Sa hauteur au garrot est de l'ordre de 20 à 25 cm et il pèse entre 1,5 et 2,5 kg. Ce petit ongulé essentiellement nocturne se rencontre rarement.

Le plus petit rongeur volant
L'anomalure nain de Zenker *(Idiurus zenkeri)*, ou écureuil volant de Zenker, est originaire d'Afrique centrale et d'Afrique de l'Est. Sa taille ne dépasse pas 18 cm, représentés pour moitié par sa queue en plumet. Il possède entre les pattes avant et arrière une membrane qui se déploie quand il saute des arbres et lui permet de planer.

Le plus grand rongeur de tous les temps
Josephoartigasia monesi est une espèce fossile qui a vécu il y a 2 millions d'années dans la région côtière de l'actuel Uruguay. Tout ce qu'on connaît de lui, c'est un crâne de 53 cm de long, à partir duquel les scientifiques ont estimé le poids total de l'animal à 1 t.

La plus grande gerboise
Les gerboises sont des rongeurs qui vivent dans le désert et sautent sur leurs pattes arrière comme des kangourous miniatures. *Allactaga major* est une gerboise qui mesure au maximum 18 cm de long (tête et corps) et dont la queue peut atteindre 26 cm. Elle vit essentiellement dans les déserts de Russie, du Kazakhstan, du Turkménistan et d'Ouzbékistan.

Le plus grand mammifère

Les girafes *(Giraffa camelopardalis)* vivent dans la savane sèche et les forêts clairsemées de l'Afrique subsaharienne. Une girafe adulte mâle mesure en moyenne entre 4,6 et 5,5 m de haut.

Le plus grand écureuil
L'écureuil géant d'Inde *(Ratufa indica)* est une espèce endémique des forêts décidues et sempervirentes humides de la péninsule indienne. Il peut atteindre 1 m de long, dont les deux tiers représentés par sa queue touffue.

Le rongeur qui possède le moins de dents
Pseudohydromys ellermani est une musaraigne originaire d'Indonésie et de Papouasie-Nouvelle-Guinée qui a 8 dents – 4 incisives et 4 molaires, et aucune canine ni prémolaire.

Le rongeur qui compte le plus de dents est le grand rat-taupe *(Heliophobius argenteocinereus)*. Originaire d'Afrique centrale et d'Afrique de l'Est, surtout de Tanzanie, du Kenya et de République démocratique du Congo, il a 24 dents pour mastiquer (prémolaires et molaires), plus 4 incisives, soit 28 dents en tout.

Le plus grand rhinocéros

Présent uniquement en Afrique australe, le rhinocéros blanc du Sud *(Ceratotherium simum simum)* peut atteindre 4,2 m de long, avec une hauteur maximale au garrot de 1,45 m et un poids de 3,6 t.

L'éléphant d'Afrique : un mastodonte

L'éléphant d'Afrique *(Loxodonta africana)* n'est pas seulement le **plus grand ongulé,** mais aussi le **plus grand mammifère terrestre**. Il mesure en moyenne de 3 à 3,7 m au garrot et pèse entre 4 et 7 t, soit plus que 100 hommes de taille moyenne. Les plus grands font partie d'un groupe propre au désert du Damaraland (Namibie), dont la population est menacée. Le plus grand jamais pesé est un mâle de 4,42 m au garrot (la hauteur d'un bus londonien à impériale !) tué près de Sesfontein, dans le Damaraland, le 4 avril 1978.

📖 Glossaire

Rongeurs : ordre de mammifères le plus important. On en trouve sur tous les continents, sauf en Antarctique ; ils se caractérisent par deux paires d'incisives à croissance continue (une en haut et une en bas).

Ongulé : mammifère doté de sabots (ongles hypertrophiés et modifiés qui supportent son poids, à la différence des griffes et des ongles d'autres animaux).

ONGULÉS

Le plus petit rhinocéros

Autrefois disséminé dans toute l'Asie du Sud-Est et aujourd'hui confiné à Sumatra, la péninsule Malaise et Bornéo, le rhinocéros de Sumatra *(Dicerorhinus sumatrensis)* mesure au maximum 3,18 m de long (tête et corps), avec une queue de 70 cm et une hauteur au garrot de 1,45 m.

Le plus grand troupeau de cerfs blancs

L'ancien dépôt de l'armée de Seneca, dans le comté de Seneca (New York, USA), abrite un troupeau de 300 cerfs

Le mammifère le plus inclassable

L'oryctérope du Cap *(Orycteropus afer)* a des dents cylindriques (à la différence des autres mammifères) et des griffes (et non des sabots comme les autres ongulés). Il a son propre ordre : les tubulidentés (« à dents en tube »).

Le plus grand cervidé

Un orignal mâle *(Alces alces gigas)* de 2,34 m de haut et dont le poids est estimé à 816 kg a été abattu sur le territoire de Yukon (Canada) en septembre 1897. Le plus petit cervidé est le pudu du Nord *(Pudu mephistophiles)* qui mesure 35 cm au garrot et pèse jusqu'à 6 kg. Il est présent en Colombie, en Équateur et au Pérou.

La race bovine la plus poilue

La race de bœuf domestique *(Bos taurus)* qui possède les poils les plus longs est la Highland, à la base originaire d'Écosse mais exportée ensuite dans le monde entier. Les poils de cette célèbre race peuvent atteindre 35 cm de long – mesure prise sur la frange et les poils des oreilles.

blancs. Ils appartiennent à une espèce baptisée cerf de Virginie *(Odocoileus virginianus)*. Leur pelage blanc provient de l'allèle récessif d'un gène « non albinos » ayant subi une mutation.

Le cerf le plus rare est le cerf de Bawean *(Hyelaphus kuhlii)*, présent uniquement dans la minuscule île indonésienne de Bawean. On pense que sa population compte moins de 250 adultes. Il a été classé parmi les espèces « en danger critique » par l'IUCN.

Le plus grand camélidé

Le dromadaire ou chameau à une bosse *(Camelus dromedarius)* mesure au maximum 3,5 m de long (tête et corps), pour une hauteur maximale au garrot de 2,4 m. Il peut peser 690 kg. Originaire du Moyen-Orient, il n'est aujourd'hui présent à l'état sauvage qu'en Australie et en Espagne, où il a été réintroduit.

Le plus grand cochon sauvage

L'hylochère *(Hylochoerus meinertzhageni)* est un cochon des forêts d'Afrique centrale de 2,1 m de long (tête et corps) pour 1,05 m au garrot et un poids de 275 kg.

Taille réelle

Le plus petit rongeur

La souris pygmée boréale *(Baiomys taylori, ci-dessus)*, qui vit au Mexique et aux États-unis, et la gerboise pygmée tridactyle *(Salpingotulus michaelis)*, qui vit au Pakistan, ont toutes deux un corps de 3,6 cm de long et une queue de 7,2 cm.

COMPARATIF VISUEL RONGEURS/ONGULÉS

Notez bien...
Le plus grand mammifère terrestre (éléphant d'Afrique) est environ 3 millions de fois plus lourd que le plus petit (musaraigne pygmée) !

Éléphant d'Afrique mâle : hauteur 3-3,7 m, poids 4-7 t

Rhinocéros blanc du sud : longueur 4,2 m, poids 3,6 t

Souris pygmée boréale : hauteur 3,6 cm, longueur de la queue 7,2 cm

Capybara : longueur 1,3 m, poids 79 kg

Girafe : hauteur 4,6-5,5 m, poids 1,6 t

Chevrotain malais : longueur 42-55 cm, poids 1,5-2,5 kg

INFO

Cinq ongulés figurent sur la Liste rouge des espèces très menacées établie par le World Wildlife Fund (WWF) : le saola *(Pseudoryx nghetinhensis)*, l'éléphant de Sumatra *(Elephas maximus sumatranus)*, le rhinocéros de Sumatra *(Dicerorhinus sumatrensis)*, le rhinocéros noir *(Diceros bicornis)* et le rhinocéros de Java *(Rhinoceros sondaicus)*.

Oiseaux

Les rapaces nocturnes peuvent faire pivoter leur tête à **270°** de chaque côté.

Le plus grand rapace nocturne

Le grand-duc d'Europe *(Bubo bubo)* affiche une longueur moyenne de 66 à 71 cm, un poids moyen de 1,6 à 4 kg et une envergure de plus de 1,5 m.

Le plus grand pic

Le pic impérial *(Campephilus imperialis)* mesure jusqu'à 60 cm de long. Il était autrefois largement répandu au Mexique mais sa population a rapidement diminué du fait de la destruction massive de son habitat. La dernière observation attestée remonte à 1956, mais les autochtones ont continué à en voir jusque dans le milieu des années 1990. Pour l'IUCN, l'espèce est « en danger critique », voire éteinte.

L'oiseau aux plus longs doigts (par rapport au corps)

Le jacana du Mexique *(Jacana spinosa)*, gros comme un poulet, a 4 doigts d'environ 7 cm. Quand ils sont déployés, ils couvrent 168 cm², ce qui lui permet de marcher sur les nénuphars et autres plantes flottantes.

Le perroquet le plus bruyant

Des chercheurs du zoo de San Diego (Californie, USA) ont enregistré des cris d'une puissance de 135 décibels chez le cacatoès à huppe rouge *(Cacatua moluccensis)*, espèce originaire des Moluques (Indonésie).

Le battement d'ailes le plus rapide

Pendant les piqués de sa parade nuptiale, le colibri à gorge rubis *(Archilocus colubris)* bat des ailes à raison de 200 battements par seconde, contre 90 chez les autres colibris.

Le plus petit cygne

Le plus petit cygne – mais la plus grande espèce d'anatidés d'Amérique du Sud – est le cygne à cou noir *(Cygnus melancoryphus)*. Il peut atteindre 1,24 m de long, pour une envergure de 1,77 m. Le coscoroba blanc *(Coscoroba coscoroba)* est un peu plus petit, mais on considère aujourd'hui qu'il n'est pas parent des vrais cygnes.

L'oiseau le plus petit

Le mâle du colibri d'Helen *(Mellisuga helenae)*, une espèce cubaine, mesure 57 mm, le bec et la queue représentant la moitié de sa taille. Il pèse 1,6 g, soit la limite la plus basse pour les animaux à sang chaud. Les femelles sont un peu plus grosses.

Taille réelle

Le héron le plus rare

La population mondiale du héron impérial *(Ardea insignis)* est estimée à 400 individus, et on pense qu'elle est en déclin. L'espèce figure sur la Liste de l'IUCN des espèces « en danger critique ». Elle est originaire des contreforts est de l'Himalaya (Inde, Myanmar, Bhoutan et peut-être Bangladesh), mais elle est aujourd'hui éteinte au Népal.

Le plus rare martin-pêcheur

Le martin-pêcheur des Gambier *(Todiramphus gambieri)* est confiné à une île de l'archipel des Tuamotu (Polynésie française). En 2013, il ne restait plus que 125 à 135 individus. L'espèce est menacée par les chats et les rats introduits sur l'île et la destruction de leur habitat par les cyclones.

INFO

Les oiseaux sont des cousins des dinosaures. Des Américains projettent de recréer un dinosaure à partir d'ADN de poulet.

Le plus grand toucan

La plus grande espèce de toucan est le toucan toco *(Ramphastos toco)*, qui peut atteindre 876 g pour 65 cm de long – dont le bec énorme représente un tiers. Les mâles sont plus gros que les femelles. L'espèce est originaire du centre et de l'est de l'Amérique du Sud, et surtout du Brésil.

Au bord de l'extinction

Le pic à bec ivoire *(Campephilus principalis)* d'Amérique du Nord est **l'oiseau le plus rare**. Il y a 60 ans, nous disions qu'il était « peut-être même éteint » et qu'il en restait « sans doute moins d'une douzaine en Floride ». Aujourd'hui, notre consultant Karl Shukers estime que l'on a des preuves de sa survie, même si celle-ci est très précaire.

Autruche géante

Le **plus grand oiseau du monde** est le *Struthio camelus camelus*, une sous-espèce de l'autruche d'Afrique. Certains mâles mesurent 2,75 m pour 156,5 kg. Elle ne peut pas voler mais se rattrape en étant l'**oiseau le plus rapide au sol**, avec 72 km/h. Sa foulée, qui peut dépasser 7 m, est comparable à celle du **mammifère terrestre le plus rapide**, le guépard. De plus elle peut attaquer en donnant des coups de pied puissants. Du fait de sa taille, c'est aussi l'oiseau qui pond les **plus petits œufs par rapport au poids du corps** (de 1,4 à 1,5 % de sa masse totale).

La plus grande famille d'oiseaux

La famille des tyrannidés comprend plus de 400 espèces, dont le tyran de Wied (*Myiarchus tyrannulus*, ci-dessus à gauche), le tyran licteur (*Philohydor lictor*, ci-dessous à gauche) et le moucherolle vermillon (*Pyrocephalus rubinus*, ci-dessous). De formes très diverses, ces insectivores vivent en Amérique du Nord, en Amérique centrale et en Amérique du Sud.

L'oiseau le plus rapide en piqué

On pense que le faucon pèlerin (*Falco peregrinus*) – présent sur presque tous les continents – atteint 300 km/h en piqué. Il est l'animal le plus rapide de la planète. Mauvaise nouvelle pour les proies qui sont en dessous…

L'oiseau le plus rapide en vol en palier

Selon des chercheurs français et britanniques travaillant dans la région subantarctique, la vitesse moyenne au sol d'un albatros à tête grise (*Thalassarche chrysostoma*) suivi par satellite a été estimée à 127 km/h ; il l'a maintenue plus de 8 h, lors de son retour vers son nid sur Bird Island (Géorgie du Sud), au milieu d'une tempête.

Taille réelle

L'oiseau le plus aérien

Une fois qu'elle a quitté son nid, la jeune sterne fuligineuse (*Sterna fuscata*) reste dans les air de 3 à 10 ans, le temps d'atteindre sa maturité, en se posant de temps en temps sur l'eau. Une fois adulte, elle revient à terre pour se reproduire.

La plus longue migration d'un oiseau

est celle effectuée par la sterne arctique (*Sterna paradisaea*). Elle niche au nord du cercle polaire arctique, descend vers le sud jusqu'en Antarctique pendant l'hiver boréal puis remonte, soit un voyage d'environ 80 467 km.

Le plus petit oiseau inapte au vol

Présent dans une petite zone de l'Atlantique Sud, le râle atlantis (*Atlantisia rogersi*) pèse 40 g et ne vole pas. Découvert en 1870, cette espèce est à peu près de la taille d'un poussin de 3 jours.

L'apprentissage du vol le plus long par un oiseau

s'observe chez l'albatros hurleur (*Diomedea exulans*) dont les petits n'effectuent leur premier vol qu'à 270-280 jours. Compte tenu de ce très long apprentissage, les adultes ne se reproduisent qu'une fois tous les 2 ans.

Le pigeon le plus cher

Le 18 mai 2013, Leo Heremans (Belgique), éleveur de pigeons, a vendu un pigeon voyageur 310 000 € sur www.pipa.be. Le pigeon baptisé Bolt – du nom du champion jamaïcain d'athlétisme Usain Bolt – sera utilisé comme reproducteur.

Les becs les plus courts

Ce sont les salanganes (petits martinets de la famille des apodidés) qui ont les becs les plus courts par rapport à la longueur de leur corps, en particulier la salangane soyeuse (*Collocalia esculenta*) dont le bec est quasi inexistant.

Les plus longs becs

Le pélican à lunettes (*Pelecanus conspicillatus*) possède le plus long bec, entre 34 et 47 cm de long, mais c'est le colibri porte-épée (*Ensifera ensifera*) qui a le **bec le plus long par rapport à la longueur de son corps**. Le bec de cet oiseau andin présent du Venezuela à la Bolivie mesure 10,2 cm de long, soit plus que la longueur du corps sans la queue.

COMPARATIF VISUEL DE QUELQUES EXTRÊMES

Fauconnet moineau : longueur tête-queue 14-15 cm, poids 35 g

Colibri d'Elena : longueur 57 mm, poids 1,6 g

Albatros hurleur mâle : envergure 3,63 m, poids 5,9-12,7 kg

Condor des Andes : envergure 3,2 m, poids 15 kg

Autruche d'Afrique : hauteur 2,75 m, poids 156,5 kg

Remarquables nids

• **Le nid le plus haut :** le guillemot marbré (*Brachyramphus marmoratus*) niche à 45 m de haut.

• **Le plus grand nid au sol :** le nid du léipoa ocellé (*Leipoa ocellata*) peut contenir jusqu'à 229 m³ de matériaux et peser 300 t.

• **Le nid souterrain le plus long :** le nid du macareux rhinocéros (*Cerorhinca monocerata*) mesure en moyenne de 2 à 3 m de long.

Reptiles & amphibiens

On connaît aujourd'hui plus de **6 000 espèces de lézards**.

Le serpent venimeux le plus lourd

Le crotale diamantin (*Crotalus adamanteus*) pèse de 5,5 à 6,8 kg, avec un record à 15 kg. Les autres prétendants au titre sont le cobra royal (*Ophiophagus hannah*), qui peut atteindre 9 kg, et la vipère du Gabon (*Bitis gabonica*), qui pèse jusqu'à 8,5 kg.

Le lézard le plus rapide

L'iguane noir du Costa Rica (*Ctenosaura similis*) peut atteindre une vitesse au sol de 34,9 km/h.

Le coassement ayant la fréquence la plus élevée

Odorrana tormota est une grenouille de Chine orientale qui produit des coassements d'une fréquence de 128 kHz. Ces ultrasons sont largement au-delà de la portée de l'oreille humaine (qui ne détecte pas les sons d'une fréquence supérieure à 20 kHz). Une telle puissance est nécessaire pour surpasser les basses fréquences du bruit intense que produisent les chutes d'eau près desquelles elle vit et communiquer avec ses semblables.

Le plus grand caïman

Les caïmans sont des crocodiliens apparentés aux alligators. Il en existe 6 espèces, la plus grande étant le caïman noir (*Melanosuchus niger*). Les vieux mâles peuvent mesurer plus de 5 m de long et peser plus de 400 kg. L'espèce vit dans les fleuves et marécages du bassin amazonien.

La plus grosse grenouille

Conraua goliath est une grenouille africaine de 30 cm de long en moyenne, soit la taille d'un lapin. Le plus gros spécimen connu, capturé en avril 1889 au Cameroun, mesurait 87,63 cm de long. Considérée comme « menacée » par l'Union internationale pour la conservation de la nature (UICN), l'espèce vit essentiellement en Afrique centrale.

La plus grande espèce d'iguane

L'iguane vert ou iguane commun (*Iguana iguana*) peut dépasser 2 m de long. On le trouve dans une vaste zone qui va du Brésil et du Paraguay au Mexique et aux Caraïbes. Il fait partie des plus gros lézards d'Amérique. Les iguanes vivent près de l'eau et sont d'excellents nageurs. Ils se nourrissent surtout de feuilles, de fleurs et de fruits.

Le plus grand lézard herbivore

Jim Morrison (le chanteur des Doors) s'était autobaptisé «le roi lézard». En son honneur, une espèce d'iguane éteinte a été nommée *Barbaturex morrisoni*. Elle mesurait presque 2 m de long et vivait dans l'actuelle Birmanie il y a 36 à 40 millions d'années (éocène). Des températures élevées expliquent qu'elle ait évolué vers une taille peu ordinaire.

L'urodèle le plus toxique

Le triton de Californie (*Taricha torosa*) est entièrement toxique :

La grenouille arboricole la plus rare

Ecnomiohyla rabborum a été découverte par les scientifiques en 2005. On ne connaît l'existence que d'un seul spécimen vivant. Il s'agit d'un mâle qui vit au jardin botanique d'Atlanta (Géorgie, USA).

Le saut le plus long d'une grenouille

Lors d'une compétition de saut de grenouilles mentionnée dans notre édition de 1955, un amphibien du nom de Can't Take it avait réalisé le **plus long saut**. Le 17 mai 1953, en Californie (USA), devant 30 000 personnes, il avait fait un bond de 4,73 m. Le record a été battu le 21 mai 1977 par un spécimen de *Ptychadena oxyrhynchus* baptisé Santjie. Engagé dans l'épreuve de triple saut, il a réalisé un bond de 10,30 m (soit la moitié de la longueur d'un terrain de basket).

REPTILES : COMPARATIF VISUEL

Varan-crocodile : longueur 4,75 m

Crocodile marin : longueur 7 m

Tortue géante des Galápagos : longueur 1,35 m

Dragon de Komodo : longueur 3,1 m

Tégu noir et blanc : longueur 1,4 m

Python réticulé : longueur 10 m (le plus long spécimen jamais découvert)

Le plus grand tégu

Le tégu noir et blanc (*Tupinambis merianae*) est originaire de l'est et du centre de l'Amérique du Sud. Il peut atteindre 1,4 m de long et peser 7 kg. Les tégus sont des prédateurs dont les amateurs de reptiles raffolent comme animal de compagnie.

sa peau, ses muscles et son sang contiennent de la tétrodotoxine, neurotoxique mortel 100 fois plus puissant que le cyanure. C'est cette toxine que contient aussi le tétraodon, le **poisson comestible le plus toxique**. Le triton lui-même est immunisé contre les effets de son venin.

Le plus petit crocodilien

Les femelles du caïman nain (*Paleosuchus palpebrosus*) vivant au nord de l'Amérique du Sud excèdent rarement 1,2 m de long, tandis que les mâles ne dépassent généralement pas 1,5 m. Cette espèce est le plus souvent nocturne et solitaire.

La plus petite famille de lézards

La famille des Lanthanotidea compte un seul membre, *Lanthanotus borneensi*. Cet étrange fruit de l'évolution vit uniquement au Sarawak (Bornéo). Les cousins les plus proches de ce lézard sans oreilles externes sont le varan, le monstre de Gila et le lézard perlé, 2 espèces venimeuses.

L'amphisbène au plus grand nombre de pattes

Les amphisbènes sont des squamates souvent sans pattes ressemblant à des vers de terre. Sur les 180 espèces, 4 – du genre *Bipes* et endémiques du Mexique – ont une paire de petites pattes avant dotées de gros pieds griffus placés derrière la tête. On les confond parfois avec des oreilles !

Taille réelle

Le python dont l'aire de répartition est la plus restreinte

Le python de Macklot (*Liasis mackloti savuensis*) se rencontre uniquement sur la minuscule île de Savu (ou Rai Hawu), au sud de Java (Indonésie). Savu est la plus grande des 3 îles de l'archipel, dont la superficie totale n'est que de 460,84 km².

L'espèce de grenouille la plus odorante

Aromobates nocturnus est une grenouille du Venezuela de 6,2 cm de long. Elle fait partie de la famille des grenouilles à flèches empoisonnées (Dendrobatidae) ; toutefois, les sécrétions défensives de sa peau contiennent non pas une toxine mais le même composé que celui présent dans les sécrétions anales des putois.

L'espèce de vertébré la plus puissante

En termes de nombre de watts produits par kilogramme de muscles, l'urodèle géant *Bolitoglossa dofleini* d'Amérique centrale est l'espèce de vertébré la plus puissante. Il peut projeter sa langue avec une puissance de 18 000 watts par kg de muscle. Le tissu élastique de la langue, constitué de collagène, stocke l'énergie avant de la libérer de façon explosive, un peu comme un élastique ou un arc.

INFO

Le corps du varan-crocodile mesure 1,2 m de long, mais sa queue mesure plus du double : elle peut atteindre 2,7 m. Par comparaison, le dragon de Komodo mesure 2,25 m de long.

Le lézard le plus long

Si l'on se réfère à la longueur totale, c'est sans doute l'énorme dragon de Komodo (*Varanus komodoensis*) qui est le plus long. C'est néanmoins le varan-crocodile qui possède la queue la plus impressionnante. Ce varan de Nouvelle-Guinée peut ainsi atteindre une longueur totale de 4,75 m.

Méga Python

Le python réticulé (*Python reticulatus*), que l'on trouve en Indonésie, en Asie du Sud-Est et aux Philippines, est **le plus long serpent du monde**. Un spécimen de 10 m – soit l'envergure de 8 hommes bras tendus – a été découvert en Indonésie en 1912. Les photos ci-contre représentent Si Belang, un python de 6,05 m de long et 60 kg adopté par la famille Toe à Bornéo. Il vit, dort, mange et prend même son bain avec tous ses membres, y compris le petit Karim, âgé de 3 ans. Si Belang ne présente aucun danger pour eux car il considère la famille comme la sienne et leur maison comme son territoire.

 In-crôa-yable

Le plus gros crapaud : le crapaud buffle (*Bufo marinus*), 2,65 kg et 53,9 cm.

Le plus paternel : le crapaud accoucheur (*Alytes obstetricans*) transporte les œufs autour de ses cuisses jusqu'à leur éclosion.

Le plus petit : *Bufo taitanus beiranus*, un crapaud d'Afrique de 2,4 cm de long.

Poissons

Le requin-baleine n'est **pas un requin** et l'étoile de mer n'est **pas une étoile**.

La plus grande espèce de carpe

La carpe siamoise géante (*Catlocarpio siamensis*) est le plus gros cyprinidé (famille des carpes). Les plus longs spécimens mesurés à ce jour – comme celui de 102 kg figurant ci-dessus – atteignent environ 1,80 m de long, avec une longueur record de 3 m pour le plus long d'entre eux.

Le plus grand poisson

En 2008, deux étudiants en paléontologie ont découvert un spécimen de l'espèce fossile marine *Leedsichthys problematicus* dans une argilière de Peterborough (Cambridgeshire, RU). Âgé de 155 millions d'années, il mesurait 22 m de long, soit presque deux fois la taille du requin-baleine, le **plus grand poisson** de la planète (voir p. 42).

Le plus grands poisson d'eau douce

Les plus grands poissons passant leur vie en eau douce ou saumâtre sont des espèces d'Asie du Sud-Est : le poisson-chat géant du Mékong (*Pangasianodon gigas*), vivant surtout dans le bassin du Mékong, et *Pangasius sanitwongsei*, vivant dans celui du Chao Phraya. Ils atteindraient 3 m pour 300 kg. *Arapaima gigas*, d'Amérique du Sud, mesurerait 4,5 m, mais ne pèserait que 200 kg.

Le plus petit poisson

Le plus petit poisson adulte – et par conséquent le plus petit vertébré – est le mâle de *Photocorynus spiniceps* à maturité sexuelle. Il mesure à peine 6,2 mm de long et vit dans la mer des Philippines. Cette espèce de poisson-pêcheur se reproduit par parasitisme sexuel. Le mâle vit en permanence accroché à la femelle, plus grosse que lui, en lui mordant le dos, le ventre ou les flancs, ce qui finit par la rendre hermaphrodite.

Le **plus petit poisson d'eau douce** est le gobie pygmée (*Pandaka pygmaea*), une espèce incolore et presque transparente vivant dans les cours d'eau et les lacs de l'île de Luzon

Taille réelle

Le poisson le plus lent

Le poisson marin le plus lent est l'hippocampe (famille des Syngnathidés), dont il existe un peu plus de 30 espèces. Parmi les plus petites, certaines, comme l'hippocampe nain (*Hippocampus zosterae*, ci-dessus) qui ne dépasse pas 4,2 cm de long, ne se déplace sans doute jamais à plus de 0,016 km/h.

Le plus long poisson osseux

Le plus long poisson osseux, ou « vrai » poisson (classe Pisces, ou Ostéichthyens – voir glossaire ci-dessous) est le régalec (*Regalecus glesne*), ou roi des harengs, présent dans le monde entier. Vers 1885, un spécimen de 7,6 m de long pesant 272 kg a été remonté par des pêcheurs au large de Pemaquid Point (Maine, USA). Le spécimen photographié ici a été trouvé mort au large de Toyon Bay (Californie, USA), le 13 octobre 2013, par le personnel de l'institut marin de Catalina Island. Il mesurait 5,5 m de long.

INFO

Un régalec d'environ 15,2 m a été aperçu en 1963 par des scientifiques alors qu'il nageait au large du New Jersey (USA) !

❌ Envie de mer ? Rendez-vous p. 38.

QUELQUES MASTODONTES À LA LOUPE

Grand requin blanc : longueur 4,5 m, poids 900 kg env.

Taille réelle

Requin-renard : longueur du bout de la tête au bout de la nageoire 9 m, poids 230 kg

Régalec : longueur 7,6 m, poids 270 kg env.

***Photocorynus spiniceps* :** longueur 6,2 mm

Requin-baleine : longueur 12,65 m, poids 15 t env.

Poisson-lune : longueur 3 m, poids 2 t

📖 Glossaire

Chondrichthyens : poissons cartilagineux ; ont un squelette en cartilage – tissu souple mais ferme, moins rigide que l'os.

Ostéichthyens : poissons osseux ; ont un squelette en os. Il en existe environ 28 000 espèces, représentant 96 % de toutes les espèces de poissons. Ils forment aussi la **plus grande classe de vertébrés** (animaux pourvus d'une colonne vertébrale).

GUINNESS WORLD RECORDS

INFO
Les requins-renards utiliseraient leur queue pour réunir puis assommer les poissons dont ils se nourrissent.

La plus longue nageoire

Les trois espèces de requins-renards (famille des Alopiidés) possèdent une immense nageoire caudale (queue) en forme de faux, à peu près aussi longue que le corps lui-même. L'espèce la plus grande et la plus répandue est le requin-renard commun (*Alopias vulpinus*) présent dans les eaux tempérées et tropicales du monde entier. Il mesure 6 m de long, dont 3 m de queue.

(Philippines). Le mâle ne mesure que 7,5-9,9 mm de long pour 4-5 mg.

Le poisson qui vit à la plus haute altitude
La loche tibétaine (famille des Cobitidés) est présente à 5 200 m dans l'Himalaya.

La plus longue migration
De nombreux poissons font de longues migrations annuelles entre leurs zones de pêche. La plus longue distance en ligne droite parcourue par un poisson est de 9 335 km, record établi par un thon rouge de l'Atlantique (*Thunnus thynnus*) marqué au harpon au large de la Basse-Californie (Mexique) en 1958 et pêché à 483 km au sud de Tokyo (Japon) en avril 1963.
La **plus longue migration d'un poisson d'eau douce** est effectuée par l'anguille d'Europe (*Anguilla anguilla*), qui parcourt de 4 800 à 6 400 km en 6 mois environ. Cette espèce passe entre 7 et 15 ans dans les eaux douces d'Europe

avant sa période de reproduction, quand elle se transforme en anguille argentée, avec un museau plus long et des yeux plus grands. Elle entreprend un voyage marathon jusqu'à sa zone de frai, en mer des Sargasses, à l'est de l'Amérique du Nord.

Le poisson le plus toxique
Les espèces animales vénéneuses empoisonnent leurs proies en les mangeant ou en les touchant, tandis que les espèces venimeuses injectent leur venin dans leurs victimes. Les poissons-pierres (famille des Synanceiidés), qui vivent dans les eaux tropicales du bassin indo-pacifique, sont extrêmement venimeux. *Synanceia horrida* a les plus grosses glandes à venin que l'on connaisse chez un poisson. Le contact direct avec les épines de ses nageoires, qui contiennent un neurotoxique puissant, peut être fatal.
Le **poisson le plus vénéneux** est le poisson-ballon (*Tetraodon*), présent en mer Rouge et dans le bassin indo-pacifique, qui produit une toxine mortelle, la tétrodotoxine. Elle est présente dans ses ovaires,

INFO
Il y a plus de poissons dans l'Amazone que dans toute l'Europe.

INFO
Le terme « poisson » est inapproprié : les animaux présentés ici appartiennent à de nombreuses familles différentes.

Le poisson le plus rapide
L'espadon-voilier (*Istiophorus platypterus*) est considéré comme l'espèce de poisson la plus rapide sur courte distance, même si sa vitesse est extrêmement difficile à mesurer pour des raisons pratiques. D'après des essais faits au Fishing Camp de Long Key (Floride, USA), sa vitesse de pointe serait de 109 km/h.

ses œufs, son sang, son foie, ses intestins et, dans une moindre mesure, sa peau. Moins de 0,1 g suffit à tuer un homme en moins de 20 min.

Le poisson d'eau douce le plus féroce
Les piranhas, notamment ceux des genres *Serrasalmus* et *Pygocentrus*, présents dans les grands fleuves d'Amérique du Sud, sont réputés pour leur férocité. Attiré par le sang et le brassage de l'eau, un banc de piranhas peut, en quelques minutes, dépouiller de sa chair un animal tel un cheval, ne laissant que son squelette.

Le poisson osseux le plus lourd

Des scientifiques ont pu mesurer un poisson-lune (*Mola mola*), ou môle, de 1 995 kg et 3 m de long de la pointe d'une nageoire à la pointe de l'autre. Son nom latin, *mola* (meule), fait référence à sa forme. Présent dans tous les océans des zones tropicales et tempérées, il se nourrit de zooplancton, de petits poissons et d'algues. C'est un poisson osseux, à l'inverse des requins et des raies qui sont des poissons cartilagineux.

Attaques du grand requin blanc

Le **plus grand poisson prédateur** est le grand requin blanc (*Carcharodon carcharias*, « à dents aiguisées » en grec). Adulte, il mesure en moyenne 4,3-4,6 m de long pour 900 kg. Même s'il n'existe pas de preuve directe, il pourrait dépasser 6 m de long voire, comme certains le prétendent, aller jusqu'à 10 m. Les photos ci-contre montrent un phoque ayant eu la chance d'échapper aux mâchoires d'un grand blanc. Elles ont été prises en juillet 2013 au large de Seal Island (Afrique du Sud) par le photographe David Jenkins.

⚡ Géant d'eau douce
Dans notre édition de 1955, le plus gros poisson d'eau douce était un béluga (*Acipenser*) découvert dans la Volga. « Mais nous savons qu'il s'agit d'une espèce qui ne vit pas exclusivement en eau douce », explique notre consultant pour les animaux, le Dr Karl Shuker. « Avec ses 3 m de long, le poisson-chat géant du Mékong (voir p. 56) est le plus grand poisson passant toute sa vie en eau douce. »

Crustacés

La caprelle femelle **dévore le mâle** juste après s'être accouplée.

L'animal le plus abondant

Les copépodes, animaux aquatiques présents presque partout, comptent 12 000 espèces et forment des groupes pouvant atteindre 1 trillion (mille milliards) d'individus. La plupart mesurent moins d'1 mm.

Le crustacé qui vit le plus en profondeur

En novembre 1980, des amphipodes vivants ont été découverts à 10 500 m sous l'eau, dans Challenger Deep, **l'endroit le plus profond du globe**, dans la fosse des Mariannes (Pacifique Ouest).

Le plus long voyage effectué par un crabe

En décembre 2006, un crabe de Christophe Colomb (*Planes minutus*) a été découvert échoué mais vivant sur une plage de Bournemouth (RU), à 8 000 km de l'endroit où il vit, c'est-à-dire la mer des Sargasses, à l'est de la Floride (USA). Le crabe de 15 cm aurait effectué ce voyage de 3 mois accroché à des balanes fixées sur une bouée, résistant aux tempêtes, aux prédateurs et aux variations de la température de l'eau.

Le crustacé qui nage le plus vite

Le crabe à sardine (*Polybius henslowii*), qui vit dans la partie est de l'Atlantique, a été chronométré à 1,3 m/s en captivité. Il est probable qu'il nage encore plus vite à l'état sauvage dans son milieu naturel.

Le 1er crustacé venimeux

Xibalbanus (anciennement *Speleonectes*) *tulumensis* se nourrit d'autres crustacés. Ses pattes-mâchoires injectent un cocktail de substances chimiques, notamment une neurotoxine paralysante semblable au venin du serpent à sonnette. La toxine dégrade les tissus corporels qui se liquéfient et peuvent ensuite être aspirés de l'exosquelette de la victime. Ce crustacé aveugle vit dans les grottes sous-marines des Caraïbes, des Canaries et de l'Australie-Occidentale. Ce membre de la classe des rémipèdes est l'un des rares crustacés à produire du venin.

Le plus grand crustacé d'eau douce

L'écrevisse géante de Tasmanie (*Astacopsis gouldi*) est aussi le **plus gros invertébré d'eau douce**. Elle vit dans les petits cours d'eau de Tasmanie (Australie). Elle peut mesurer 80 cm de long et peser 5 kg. La surpêche et la disparition de son habitat ont entraîné son déclin et elle figure aujourd'hui sur la liste des espèces menacées.

La vision des couleurs la plus étendue

Les yeux des stomatopodes, également appelées squilles ou crevettes-mantes, ont 8 types de photorécepteurs de couleur (contre 3 chez l'homme). Ces crustacés qui vivent dans les récifs peuvent distinguer de nombreuses nuances dans l'ultraviolet (complètement invisibles pour l'œil humain). Ils utilisent cette vision très performante pour identifier leurs proies (souvent quasi transparentes) et échapper aux prédateurs.

INFO
Cette photo représente un homard de 1 m de long découvert au large des côtes du Maine (USA), le 17 février 2012. L'animal de 18 kg a été baptisé Rocky avant d'être relâché dans la nature.

Le crustacé marin le plus lourd

Le homard américain, ou homard canadien (*Homarus americanus*), est le crustacé marin le plus lourd. Le 11 février 1977, un spécimen de 20,14 kg et 1,06 m de long, de l'éventail caudal à l'extrémité de sa plus grosse pince, a été pêché au large de la Nouvelle-Écosse (Canada). Il a été vendu au propriétaire d'un restaurant de New York.

COMPARATIF VISUEL

Écrevisse géante de Tasmanie : 80 cm

Crabe de cocotier : 1 m

Crabe-araignée géant du Japon : envergure 3,69 m

Taille réelle

Pinnothère : 6,3 mm

Ligie océanique : 3 cm

Puces d'eau (branchiopodes) : 0,25 mm

Balanus nubilus : 7 cm

📖 Glossaire

Arthropode : animal de l'embranchement des Arthropodes (« pied articulé ») qui comprend les insectes, les arachnides et les crustacés, et qui représente 80 % de toutes les espèces animales.

Crustacé : sous-embranchement d'arthropodes comprenant 67 000 espèces décrites, de *Stygotantulus stocki* de 0,094 mm de long au crabe-araignée géant du Japon (*Macrocheira kaempferi*) et ses 3,69 m d'envergure (voir page de droite, en haut). Les crustacés se distinguent des autres sous-embranchements d'arthropodes par leurs appendices biramés et la forme de leurs larves.

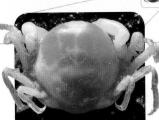

Le plus petit crabe

Les pinnothères *(Pinnotheres pisum)*, ou crabes de l'huître ou encore crabes petits pois, peuvent atteindre 6,3 mm de diamètre. Ils vivent dans la cavité palléale des mollusques bivalves où ils se nourrissent de la nourriture piégée par leur hôte.

La meilleure vision nocturne chez un animal

Gigantocypris, un crustacé marin, vit à plus de 1 000 m de profondeur, où la lumière du soleil est quasiment absente. Même les yeux de ce genre d'ostracode ont une sensibilité à la lumière (valeur f) de 0,25. Par comparaison, la valeur f est de l'ordre de 2,55 chez l'homme. Chaque œil a une paire de réflecteurs paraboliques puissants qui dirigent la lumière (même faible) vers la rétine.

La plus grosse balane

Balanus nubilus est une balane géante qui mesure 12,7 cm de haut et 7 cm de diamètre. Elle vit à 90 m de profondeur et ses plaques latérales peuvent résister à des courants puissants. Sa chair est consommée par des escargots marins qui arrivent à percer sa coquille.

Le plus grand copépode

Pennella balaenopterae, un parasite qui vit sur le dos du rorqual commun *(Balaenoptera physalus)*, peut atteindre 32 cm de long.

Le plus grand cloporte

La ligie océanique *(Ligia oceanica)* peut atteindre 3 cm

Le plus grand crustacé marin

Le crabe-araignée géant du Japon *(Macrocheira kaempferi)*, présent au large de la côte sud-est du Japon, a une envergure de 3,69 m. La photo ci-contre représente "Big Daddy" (du nom d'un célèbre lutteur britannique) qui, avec son envergure de 3,11 m, est le **plus grand crustacé vivant en captivité**. Il a été mesuré au Sea Life de Blackpool (RU), le 8 août 2013.

L'écrevisse la plus rare

Pacifastacus fortis est une espèce menacée originaire du comté de Shasta (Californie, USA), où on le trouve le long de certaines portions du Pit. Il n'est présent que sur 13 km² de la superficie de ce fleuve et sa population disséminée ne compte probablement pas plus de 300 individus au total.

de long. Elle est 2 fois plus longue que large. La vitesse qu'elle atteint quand on la surprend lui a valu le surnom de pou de mer. Cette espèce aquatique respire de l'air et vit sur les côtes rocheuses dans les eaux tempérées.

Le plus petit crustacé

Stygotantulus stocki mesure 0,094 mm, ce qui en fait également le **plus petit arthropode**. C'est un ectoparasite – parasite qui vit à la surface d'un être vivant – de crustacés appelés copépodes harpacticoïdes. Les **plus petits crustacés non parasites** sont les puces d'eau (cladocères) du genre *Alonella*. Ces puces d'eau douce mesurent moins de 0,25 mm.

Le crustacé terrestre le plus rapide

Les crabes-fantômes tropicaux du genre *Ocypode* peuvent se déplacer à 2 m/s – ce qui n'est pas si mal quand on court de travers. Cela équivaut pour un être humain à 324 km/h.

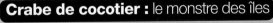

Crabe de cocotier : le monstre des îles

Le **crustacé terrestre le plus grand** (et **le plus lourd**) est le crabe de cocotier *(Birgus latro)*, qui vit sur les îles tropicales et les atolls de la zone indopacifique. Son poids peut atteindre 4,1 kg et son envergure 1 m. Cet espèce de bernard-l'ermite se nourrit de noix de coco en putréfaction et consomme aussi toutes sortes d'aliments. Il a été chassé jusqu'à sa quasi-extinction sur de nombreuses îles des océans Pacifique et Indien, à cause de sa taille et pour ses qualités gustatives. Les jeunes naissent en mer mais retournent à terre, perdant leur aptitude à survivre dans l'eau.

i Bernard-l'ermite

Les pagures, ou bernard-l'ermite (Paguroidea) ne sont pas de vrais crabes (ils possèdent trois et non quatre paires de pattes pour marcher), mais ce sont des crustacés. Comme ils n'ont pas de coquille, ils utilisent celles que d'autres ont abandonnées. Le bernard-l'ermite est l'**animal qui possède le plus de chromosomes** : il en a 127 paires, alors que l'homme n'en a que 23.

Insectes & arachnides

On estime qu'il existe **1,4 milliard d'insectes** en vie pour 1 être humain.

À VOIR EN **3D** AVEC L'APPLI GRATUITE

L'insecte qui bat le plus vite des ailes dans des conditions naturelles est une minuscule mouche du genre *Forcipomyia*, avec 62,76 battements par minute.

L'araignée la plus venimeuse

Les araignées nomades du Brésil du genre *Phoneutria* sont extrêmement venimeuses, en particulier *P. fera*, qui possède le venin neurotoxique le plus violent de toutes les araignées du globe. Il suffit de 0,006 mg pour tuer une souris.

Le plus gros appétit par rapport au poids

La chenille du polyphème d'Amérique (*Antheraea polyphemus*) mange – relativement au poids de son corps – plus que tout autre animal. Elle vit sur les feuilles du chêne, du bouleau, du saule et de l'érable et consomme jusqu'à 86 000 fois son poids au cours des 56 premiers jours de sa vie.

L'insecte le plus rapide sur terre
En 1991, une blatte américaine (*Periplaneta americana*), espèce commune de l'ordre des Dictyoptères, a été chronométrée à 5,4 km/h, soit 50 fois la longueur de son corps par seconde.

La chenille la plus rapide est la larve de la pyrale du houblon (*Pleuroptya ruralis*), qui peut avancer à 1,37 km/h.

L'insecte volant le plus rapide est une libellule australienne (*Austrophlebia costalis*) qui peut effectuer des pointes à 58 km/h. En 1917, une vitesse au sol de 98,6 km a été enregistrée sur 73-82 m.

L'insecte le plus inclassable
La nymphe (forme juvénile) d'une espèce de fulgoridé récemment découverte dans la forêt tropicale humide du sud-est du Surinam ressemble aux nymphes d'au moins 4 familles taxinomiques, mais elle reste impossible à classer.

Le venin d'insecte le plus toxique
Pogonomyrmex maricopa est une espèce venimeuse de fourmi granivore originaire d'Arizona (USA). La DL_{50} de son venin (dose requise pour tuer 50 % des souris à qui on l'inocule) est de 0,12 mg/kg quand il est injecté en intraveineuse.

Taille réelle

L'insecte le plus bruyant
Brevisana brevis, une cigale africaine découverte en 1850, produit un chant dont l'intensité moyenne est de 106,7 décibels à une distance de 50 cm. Le chant joue un rôle essentiel dans la communication et la reproduction des cigales.

Le papillon le plus agressif
Charaxes candiope, un puissant papillon d'Ouganda, se jette littéralement sur les gens qui envahissent son territoire.

La plus longue langue d'insecte

Le plus de mues chez un insecte
Tous les insectes muent plusieurs fois dans leur vie. La thermobie (*Thermobia domestica*), un insecte primitif dépourvu d'ailes largement répandu en Amérique du Nord et dans différentes régions tempérées du globe,

La plus grande fourmi
La reine de *Dorylus fulvus*, fourmi légionnaire d'Afrique du Sud, est aptère (dépourvue d'ailes) et peut atteindre 5 cm de long, soit 2 cm de plus que le mâle de son espèce. Elle possède une couleur brun fauve caractéristique.

Taille réelle

Taille réelle

> **INSECTES, CENTIPÈDES ET ARACHNIDES GÉANTS**

Dorylus fulvus (reine aptère) : longueur 5 cm

Titan : longueur du corps 15 cm

Scolopendre géante : longueur 26 cm

Dynaste Hercule : longueur les cornes comprises 17 cm

Lethocerus americanus (punaise d'eau géante) : longueur 11,5 cm

Supercanne de Chan : longueur 35,5 cm

Mygale de Leblond : envergure 28 cm

peut muer jusqu'à 60 fois. La thermobie mue toute sa vie, alors que la plupart des insectes ne muent qu'au stade juvénile (nymphe ou larve).

L'abeille la plus dangereuse

L'abeille africaine (*Apis mellifera scutella*) n'attaque que quand on la provoque, mais elle ne lâche alors pas ses ennemis. Elle est très agressive et défend son territoire, qui peut atteindre 0,8 km de rayon. Son venin n'est pas plus puissant que celui des autres abeilles, mais elle attaque en nuées et les nombreuses piqûres peuvent être fatales.

Le plus de dards retirés

Le plus de piqûres auxquelles un homme ait survécu s'élève à 2 443. La victime, Johannes

Relleke, a été piquée dans la mine d'étain de Gwaii River (district de Wankie, Zimbabwe puis Rhodésie), le 28 janvier 1962. Tous les dards ont été retirés et comptés.

La piqûre d'insecte la plus douloureuse

En 1983, l'entomologiste Justin O. Schmidt (USA) a publié un index de pénibilité des piqûres d'insectes, basé sur une échelle de 4 points. La plus douloureuse (4) est celle de *Paraponera clavata*, grosse fourmi d'Amérique centrale et du Sud.

Le coléoptère le plus résistant

Le coléoptère le plus difficile à exterminer est le niptus doré (*Niptus hololeucus*). D'après le chercheur Malcolm Burr, pas moins de 1 547 spécimens ont été découverts encore en vie dans une bouteille de caséine restée fermée 12 ans.

Taille réelle

L'araignée la plus rapide

Taille réelle

La tégénaire géante (*Tegenaria gigantea*) est originaire d'Amérique du Nord. Une femelle adulte étudiée lors de tests au Royaume-Uni a atteint 1,90 km/h sur de courtes distances, ce qui équivaut à parcourir 33 fois la longueur de son propre corps en 10 s.

Selon Schmidt, quand elle pique, c'est « comme si on marchait sur des charbons ardents avec un clou de 8 cm dans le talon ».

LES PLUS GRANDS...

Guêpe

Découverte au Pérou, une femelle *Pepsis heros*, guêpe chasseuse d'araignées, faisait 12,15 cm d'envergure et 6,2 cm de long.

Taille réelle

La mite la plus lourde

Endoxyla cinereus est une espèce de mite géante xylophage originaire d'Australie. Le spécimen le plus lourd jamais pesé est une femelle adulte de 31,2 g. Les femelles ont une envergure d'environ 25 cm, soit 2 fois celle des mâles.

Taille réelle

La température la plus basse supportée par un insecte

La chenille velue de l'Arctique (*Gynaephora groenlandica*) vit sous les hautes latitudes de l'Arctique. Elle peut survivre congelée à - 50 °C pendant 10 mois de l'année.

Abeille

Les femelles de l'abeille géante de Wallace (*Chalicodoma pluto*), qui vit sur les îles Moluques

(Indonésie), mesurent 3,9 cm de long. La **plus petite espèce d'abeille** est *Perdita minima*, du sud-ouest des États-Unis ; elle mesure à peine 2 mm de long et ne pèse que 0,333 mg (soit 3 030 abeilles par gramme).

Scorpion

Un spécimen d'*Heterometrus swannerdami* découvert pendant la Seconde Guerre mondiale dans le village de Krishnarajapuram (Inde) mesurait 29,2 cm de long, du bout des pédipalpes (pinces) à l'extrémité de son dard.

Blatte

Une femelle de *Megaloblatta longipennis* conservée par un collectionneur japonais, Akira Yokokura, mesure 9,7 cm de long et 4,5 cm de diamètre.

ATTENTION, RÉALITÉ AUGMENTÉE

3D SUR CETTE PAGE

Taille réelle

La mante religieuse la plus lourde

L'espèce de mante religieuse la plus lourde est *Hierodula membranacea*, mante géante originaire d'Inde, de Birmanie, du Népal et du Sri Lanka. Le spécimen le plus lourd connu à ce jour est une femelle bien nourrie, pesée dans les règles, qui affichait un poids de 9 g – soit approximativement 9 trombones.

La langue d'insecte la plus longue

La langue (ou proboscis) de *Xanthopan morganii praedicta*, papillon de la famille des sphynx originaire de Madagascar, peut atteindre 35 cm de long – plus de 2 fois la longueur totale de son corps. Elle lui permet d'atteindre le nectar caché au fond des fleurs étoilées d'une orchidée baptisée « étoile de Madagascar ».

Taille réelle

Alerte : abeilles en danger

Depuis 2006, de nombreuses populations d'abeilles ont disparu. Ce phénomène (syndrome d'effondrement des colonies d'abeilles) serait dû à un empoisonnement par les pesticides, à la destruction de leur milieu et aux parasites qui se nourrissent de leur sang. La santé des abeilles a un impact sur notre chaîne alimentaire : sans abeilles pour les féconder, c'est jusqu'à la moitié des fruits et légumes qui peuvent disparaître, et avec eux les récoltes de fourrage.

Un manteau d'abeilles

Le « manteau » est une énorme grappe d'abeilles formant une couche protectrice autour de la reine. En portant la reine en médaillon autour du cou, un individu peut inciter un manteau d'abeilles à se former sur son corps. Cette masse ondulante peut atteindre plusieurs kilos, Le **manteau le plus lourd** que l'on connaisse à ce jour pèse 61,2 kg – soit le poids d'un adulte. Le record a été établi par Ruan Lianming (Chine), le 6 mai 2012, dans le comté de Fengxin (province de Jiangxi, Chine). Il a utilisé 56 reines pour attirer environ 621 000 abeilles.

Bzzz...

La **1re utilisation de l'apithérapie** : le médecin grec Galien (129-200) aurait utilisé le miel et le venin d'abeille pour traiter la calvitie.

La **plus grosse ruche** : une ruche de 13 x 1,27 x 0,36 m construite à Barking (Londres, RU), le 18 juin 2011.

Le **plus gros nid de guêpes** : un nid de 3,7 x 1,75 m et environ 5,5 m de circonférence découvert à Waimauku (Nouvelle-Zélande), en avril 1963.

Mollusques & autres

Les pieuvres (octopodes) ne possèdent pas 8 pattes, **mais 2 pattes et 6 bras**.

La pieuvre qui vit le plus profond

Les pieuvres du genre *Grimpotheuthis* vivent à 1 500 m de profondeur. Leur corps de 20 cm est mou et semi-gélatineux, ce qui leur permet de résister à la pression. Elles se déplacent en agitant leurs nageoires, en créant des impulsions avec leurs bras (les membres des pieuvres sont appelés bras et non tentacules) ou en aspirant l'eau à travers leur entonnoir pour se propulser.

La pieuvre la plus bioluminescente

L'ordre des calmars comprend nombre d'espèces bioluminescentes, mais seul *Stauroteuthis syrtensis* éclaire significativement. Il utilise une rangée de structures telles des ventouses, émettant une lumière bleu-vert de 470 nanomètres (longueur d'onde qui se propage bien sous l'eau). Cette lumière attire les proies à sa portée.

La plus petite pieuvre

Avec une envergure moyenne de moins de 5,1 cm, *Octopus arborescens* est la plus petite espèce de pieuvre. On la trouve au Sri Lanka.

Le 1er système nerveux complet

En 2013, des scientifiques ont annoncé qu'un système nerveux avait été découvert dans un fossile de 3 cm de long appartenant à une espèce d'arthropode marin jusque-là inconnue. Cet animal est un ancêtre des chélicérates (araignées, scorpions et limules). Il appartient à un genre éteint, *Alalcomenaeus*, qui a vécu il y a plus de 520 millions d'années (au cambrien) dans les mers du sud-ouest de la Chine.

Le calmar colossal le plus lourd

Le calmar colossal (*Mesonychoteuthis hamiltoni*) est plus petit que le calmar géant, mais il est plus lourd. Un spécimen mâle adulte capturé par des pêcheurs en mer de Ross (Antarctique) en 2007 pesait environ 450 kg.

La méduse la plus rare

Crambione cookii est une méduse australienne rose très venimeuse, qui mesure 50 cm de long. Découverte à Cooktown (Queensland) en 1910, l'espèce avait disparu jusqu'à ce qu'un spécimen soit capturé en 2013, au large de la Sunshine Coast (Queensland), par Puk Scivyer de l'aquarium d'UnterWater World, où cette méduse vit maintenant.

Le plus grand invertébré

Architeuthis dux est un calmar géant de l'Atlantique. Un spécimen échoué dans la baie de Thimble Thick (Terre-Neuve, Canada), le 2 novembre 1878, avait un corps de 6,1 m de long et l'un de ses tentacules atteignait 10,7 m, soit un total de 16,8 m. Sur la photo, un calmar géant capturé en février 1996 en Nouvelle-Zélande.

Le plus grand clam

Le bénitier géant (*Tridacna gigas*) est présent dans les récifs de corail de la région indopacifique. Un spécimen de 1,15 m pesant 333 kg a été pêché au large de l'île d'Ishigaki (Okinawa, Japon), en 1956. Il a été examiné en 1984 par des experts qui ont estimé son poids à 340 kg lorsqu'il était en vie.

Le gastropode le plus venimeux

Les coquillages marins prédateurs appelés cônes (genre *Conus*) sécrètent un venin neurotoxique à action rapide. Plusieurs espèces en produisent assez pour tuer un homme. Le cône géographe (*C. geographus*) de la région indo-pacifique est particulièrement dangereux et ne doit pas être manipulé.

Le plus long bivalve

Les bivalves ont une coquille fermée par une charnière. Le plus long bivalve est *Kuphus polythalamia*, espèce marine qui a une coquille tubulaire. Le plus long spécimen mesurait 1,53 m.

 La vie hors de notre planète est en p. 24.

Pieuvres géantes

La plus grosse pieuvre est la pieuvre géante du Pacifique (*Enteroctopus dofleini*, à droite), dont le plus gros spécimen affichait une envergure de 9,6 m, soit 8 hommes bras tendus ! Malgré leur taille, les pieuvres géantes ne sont pas à l'abri des prédateurs mais, comme la plupart des céphalopodes, elles ont un bon mécanisme de défense : elles projettent un nuage d'encre dans leur sillage en fuyant (*à gauche, en haut*). Ce sont aussi les reines du camouflage ; elles peuvent changer de couleur, voire de texture, pour se fondre dans leur environnement (*à gauche, en bas*).

INFO

Les centipèdes n'ont pas 100 pattes, mais un nombre impair de paires de pattes.

 Attention, venin !

Les pieuvres, les seiches et certains calmars sont venimeux. Heureusement, seul le venin des pieuvres à anneaux bleus est suffisamment puissant pour tuer un homme.

Le plus gros escargot

Un escargot géant africain (*Achatina achatina*) de 900 g a été trouvé en Sierra Leone, en juin 1976. Il mesurait 39,3 cm de long complètement allongé, et sa coquille mesurait 27,3 cm de long. Baptisé Gee Geronimo, il a fini ses jours à Hove (RU).

INFO
Le propriétaire de Gee Geronimo, Chris Hudson (RU), a divorcé car sa femme se plaignait de voir sa maison remplie d'escargots – il y en avait même dans un seau sous leur lit.

Taille réelle

LES PLUS GRANDS...

Centipède
La scolopendre géante (*Scolopendra gigantea*), qui vit en Amérique centrale et du Sud, mesure 26 cm de long. Elle se nourrit de souris, de lézards et de grenouilles. Au Venezuela, certains groupes vivent même pendus tête en bas au plafond de grottes pour attraper les chauves-souris. Elle se sert de mâchoires modifiées pour attraper ses proies et leur inoculer un venin semblable à une piqûre d'insecte pour l'homme, chez qui il peut provoquer œdème et fièvre.

Mille-pattes
Jim Klinger (Coppell, Texas, USA) possède un mille-pattes géant africain (*Archispirostreptus gigas*)

Le plus vieux mollusque
En octobre 2007, à l'université de Bangor (Pays de Galles, RU), des scientifiques ont annoncé que les anneaux de croissance de la coquille d'une praire d'Islande (*Arctica islandica*) lui donnaient un âge de 405 à 410 ans (chiffre depuis porté à 507). L'animal a été tué lors de cette datation.

adulte de 38,7 cm de long et 6,7 cm de circonférence, doté de 256 pattes. La longueur moyenne de ce type de mille-pattes est de 16 à 28 cm.

Limule
Limulus polyphemus est une limule de l'Atlantique qui peut atteindre 60 cm de long. Les limules ressemblent à des crabes mais sont des cousines des arachnides. Leur aspect est resté quasiment le même depuis des millions d'années.

Escargot de mer
Le plus grand gastéropode marin est une conque australienne, *Syrinx*

aruanus. Un spécimen ramassé en 1979 avait une coquille de 77,2 cm de long, pour une circonférence maximum de 1,01 m. Vivant, il pesait environ 18 kg.

Rapport œil-corps
Le vampire des abysses (*Vampyroteuthis infernalis*) a un corps de 28 cm et des yeux de 2,5 cm de diamètre, soit un rapport d'environ 1:11, ce qui équivaudrait chez l'homme à des yeux de la taille de raquettes de ping-pong ! Les calmars ont les plus grands yeux en valeur absolue (*ci-dessous*).

La dernière limace découverte
Les scientifiques connaissaient l'existence de *Triboniophorus aff. graeffei*, limace rose géante de Nouvelle-Galles du Sud (Australie), mais on pensait qu'il s'agissait d'une variante rare de *Triboniophorus graeffei*. En juin 2013, des tests génétiques ont révélé que cette limace, baptisée limace de Kaputar, était une espèce à part entière.

⟩ CÉPHALOPODES, MILLE-PATTES ET MOLLUSQUES : COMPARATIF VISUEL

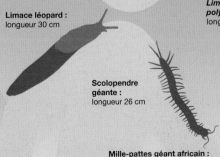

Limace léopard : longueur 30 cm

Limulus polyphemus : longueur 60 cm

Scolopendre géante : longueur 26 cm

Mille-pattes géant africain : longueur 38,7 cm

Escargot géant africain : longueur totale 39,3 cm

Architeuthis dux : peut atteindre 16,8 m de long ; de tous les animaux, c'est celui qui a les plus grands yeux (*ci-dessus*), leur diamètre pouvant atteindre 40 cm.

👁 Calmars hors normes

Le plus petit : *Parateuthis tunicata*, 1,27 cm de long.

Le plus bioluminescent : le calmar luciole (*Watasenia scintillans*) émet des flashs de lumière.

La 1ʳᵉ vidéo d'un calmar géant dans son milieu : juillet 2012, tournée au sud de Tokyo dans le Pacifique.

Le 1ᵉʳ calmar géant capturé : 7 jeunes pêchés au large des côtes de la Nouvelle-Zélande en mars 2002.

Animaux domestiques

Les États-Unis comptent **70 millions** de chiens et **74,1 millions** de chats.

Le plus vieux dragon barbu

Guinness (né le 26 juillet 1997), dragon barbu appartenant à Nik Vernon (RU), avait 16 ans et 129 jours quand il est mort le 2 décembre 2013. Cet animal originaire d'Australie vit en général environ 8 ans à l'état sauvage et 14 ans au maximum en captivité.

La plus grande race d'épagneuls

Le clumber spaniel, qui doit son nom au parc de Clumber à Nottingham (RU), était autrefois très apprécié dans les familles aristocrates et royales. Le standard de la race indique un poids de 39 kg pour une taille de 51 cm. Ce chien fidèle impose quelques contraintes : il perd ses poils à longueur d'année et a tendance à baver et à ronfler.

La plus petite race de caniches

Il existe plusieurs variétés de caniches : grand, moyen, nain et toy. La taille de ce dernier ne dépasse pas 25,4 ou 28 cm au garrot, selon le standard défini par les différentes instances internationales.

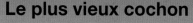

Le plus vieux cochon

Pig Floyd (né le 17 février 1992), cochon nain appartenant à Kris et Tricia Fernandez, de Bâton-Rouge (Louisiane, USA), était officiellement âgé de 21 ans et 166 jours, le 2 août 2013.

Encore plus d'animaux p. 66-67

Le 1er hérisson domestique

Un cousin du hérisson d'Algérie *(Atelerix algirus)* a été domestiqué au cours du IVe siècle avant J.-C. par les Romains. Il était essentiellement élevé pour sa viande et ses piquants mais servait aussi, à l'instar de plusieurs espèces aujourd'hui, d'animal de compagnie. Les races modernes les plus populaires sont *Hemiechinus auritus auritus, H. collaris* (deux races à grandes oreilles) et le hérisson à ventre blanc *(A. albiventris).*

La race de chiens la plus intelligente

Le chien le plus intelligent est le border collie, suivi par le caniche et le berger allemand, selon le professeur Stanley Coren (USA) de l'université de Colombie-Britannique (Canada) et 200 juges professionnels spécialistes des concours d'obéissance. Les plus malins comprennent 250 mots – autant qu'un enfant de 2 ans. En bas du tableau, on trouve le bulldog, le basenji et, tout en queue de peloton, le lévrier afghan.

Le chien de berger le plus cher

Le berger Eddie Thornalley (RU) a acheté Marchup Midge (ci-dessus avec son maître) à l'éleveur et entraîneur Shaun Richards (RU) pour environ 12 000 €, lors d'une vente aux enchères organisée à Skipton (Yorkshire du Nord, RU), le 26 octobre 2012.

ÉNORME !

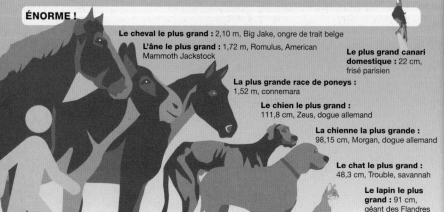

Le cheval le plus grand : 2,10 m, Big Jake, ongre de trait belge

L'âne le plus grand : 1,72 m, Romulus, American Mammoth Jackstock

Le plus grand canari domestique : 22 cm, frisé parisien

La plus grande race de poneys : 1,52 m, connemara

Le chien le plus grand : 111,8 cm, Zeus, dogue allemand

La chienne la plus grande : 98,15 cm, Morgan, dogue allemand

Le chat le plus grand : 48,3 cm, Trouble, savannah

Le lapin le plus grand : 91 cm, géant des Flandres

Des chats au top

Le plus populaire en politique : Socks avait été adopté par Hillary et Bill Clinton (USA), futur couple présidentiel, en 1991. Pendant ses 8 ans à la Maison-Blanche, Sock aurait reçu 75 000 lettres et colis par semaine.

Le plus grand voyageur : En février 1984, Hamlet s'est échappé de sa cage lors d'un vol au départ de Toronto (Canada) et s'est retrouvé coincé derrière un panneau de garniture pendant plus de 7 semaines, parcourant ainsi près de 965 000 km.

Le plus riche : En 1988, Ben Rea (RU) a légué sa fortune de 8,6 millions € à Blackie, le dernier des 15 chats avec qui il avait vécu.

Néron, le gentil lion

George Wombwell (RU, 1777-1850) possédait une ménagerie ambulante très populaire. Elle comptait un lion, Néron, si gentil qu'il refusait d'attaquer des chiens lors des combats organisés par son maître. La tombe de ce dernier se trouve toujours dans le cimetière gothique de Highgate, à Londres, au pied d'une statue du lion Néron, représenté en train de dormir, la tête sur ses pattes.

○ ○ ○

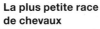

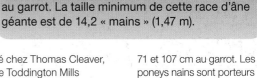

Le chat le plus petit

Lilieput, femelle munchkin de 9 ans, mesurait 13,34 cm au garrot, le 19 juillet 2013. Elle appartient à Christel Young de Napa (Californie, USA). Disparu le 30 janvier 2014 mais toujours dans les mémoires, Colonel Meow (petite photo), détenait le record du **chat à la plus longue fourrure**. Ses poils atteignaient 22,87 cm de long. Il appartenait à Anne Marie Avey (USA).

La plus petite race de chevaux

La plus petite race de chevaux reconnue a été développée en Argentine en 1868. Il s'agit du falabella, cheval miniature dont la taille au garrot est en moyenne de 8 « mains » (81,2 cm). La longueur des membres et du corps sont proportionnels à sa taille, donc petits. La « main » est une unité de mesure qui remonte à l'Antiquité égyptienne.

La plus grande race de chevaux

Le shire est un cheval de trait britannique. Les étalons mesurent 17 « mains » (173 cm), voire davantage à l'âge adulte. C'est un spécimen de cette race de chevaux de travail qui détient le titre de **cheval le plus grand et le plus lourd** de l'histoire. Sampson (rebaptisé Mammouth), ongre shire, mesurait 21,25 « mains » (2,19 m) en 1850 et atteignit 1 524 kg. Mammouth était

L'âne le plus grand

Romulus est un American Mammoth Jackstock qui mesurait 17 « mains » (1,72 m) de haut, le 8 février 2013. Il appartient à Cara et Phil Yellott de Red Oak (Texas, USA). Son frère Remus, également mesuré, affichait 16 « mains » (1,62 m) au garrot. La taille minimum de cette race d'âne géante est de 14,2 « mains » (1,47 m).

né chez Thomas Cleaver, de Toddington Mills (Bedfordshire, RU).

La plus grande race de poneys

Le connemara, poney d'Amérique du Nord, mesure de 13 à 15 « mains » de haut (132-152,4 cm).

La **plus petite race de poneys** est le shetland. On l'utilise pour apprendre aux enfants à monter. Sa taille doit être comprise entre 71 et 107 cm au garrot. Les poneys nains sont porteurs d'une mutation génétique qui peut limiter leur taille, mais le shetland est le plus petit des races pures.

Le chien le plus petit

Vanesa Semler, de Dorado (Porto Rico), a une femelle chihuahua baptisée Milly. Elle mesurait 9,65 cm de haut, le 21 février 2013. Bébé, elle était nourrie avec un compte-gouttes pour collyre ; elle était si petite qu'elle tenait dans une cuillère à café.

Les chiens les plus grands

Zeus (USA, ci-contre à gauche), dogue allemand de Denise Doorlag et de sa famille, d'Otsego (Michigan, USA), mesurait 111,8 cm de haut, le 4 octobre 2011, ce qui fait de lui le **chien le plus grand** de l'histoire. La **chienne la plus grande** est aussi un dogue allemand : Morgan, qui appartient à Dave et Cathy Payne de Melbourne (Ontario, Canada). Elle mesurait 98,15 cm au garrot, le 9 janvier 2013. Les deux chiens se sont rencontrés en octobre 2013.

Les 1ers amis de l'homme

Lorsqu'ils se sont sédentarisés, nos ancêtres ont domestiqué des animaux à des fins pratiques. Ceux-ci leur servaient à se nourrir ou se vêtir et aidaient aux travaux. Les chiens ont été les **1ers à être domestiqués**, vers 13 000 avant J.-C., au Moyen-Orient. Les ossements du **chat domestique le plus ancien**, découverts dans un village néolithique de Chypre aux côtés de ceux de son maître supposé, remontent à 9 500 ans. Les traces des **1ers éléphants domestiques** indiquent qu'ils étaient utilisés comme bêtes de somme il y a au moins 4 000 ans dans la zone couvrant actuellement le Pakistan et l'Inde.

Pour finir...

• **Le chien à la queue la plus longue** : Finnegan, lévrier irlandais de Calgary (Canada), avait une queue de 72,29 cm de long, le 15 août 2013.

• **Le plus gros don de nourriture pour animaux recueilli en une semaine** : Full Stride Media (Pty) Ltd (Afrique du Sud) a collecté 10 009 kg de nourriture pour les associations s'occupant d'animaux, entre les 6 et 13 octobre 2013, à Johannesburg (Afrique du Sud).

Animaux en action

Les animaux n'ont pas à rougir de leurs records face à ceux des hommes...

Le plus de friandises en équilibre sur le museau d'un chien
Malgré son nom, Monkey (« singe » en anglais) est un chien. Le 2 juillet 2013, accompagné de son entraîneur Meghan Fraser (USA), il a fait tenir 26 friandises en équilibre sur son museau, sur le plateau de *Guinness World Records Unleashed,* en Californie (USA).

Le plus de canettes ouvertes par un perroquet
Zac est un perroquet très doué. Le 12 janvier 2012, à San Jose (Californie, USA), il a ouvert 35 canettes uniquement avec son bec. Il a aussi réalisé le **plus de smashs effectués par un perroquet en 1 min**, avec 22 lancés dans un filet spécial, le 30 décembre 2011.

Le saut le plus long par un chat

Alley est un vrai chat volant : il a réussi un bond de 1,82 m, le 27 octobre 2013. L'animal, adopté par Samantha Martin (USA) dans un refuge, fait partie de la troupe du Amazing Acro-Cats, un spectacle que l'on peut voir en tournée.

Le chien le plus rapide sur 30 m en trottinette

Norman, briard de 4 ans plein d'enthousiasme, n'a pas eu besoin d'être beaucoup encouragé par sa maîtresse Karen Cobb (USA) pour parcourir 30 m, en 20,77 s, en trottinette au parc All-Tournament Players de Géorgie (USA), le 12 juillet 2013.

INFO
L'intrépide Norman sait aussi faire du vélo (avec stabilisateurs bien sûr), du skate et du surf.

Le plus gros rongeur employé comme travailleur
Le cricétome des savanes (*Cricetomys gambianus*), ou rat géant, mesure 90 cm de long. Il est utilisé comme renifleur de mines antipersonnel au Mozambique. Il est éduqué pour associer l'odeur des explosifs à une récompense sous forme de friandise et à signaler leur présence en grattant le sol.

GUINNESS WORLD RECORDS

Le manchot le plus haut gradé

Sir Nils Olav II est un manchot royal mâle, mascotte de la Hans Majestet Kongens Garde (garde royale norvégienne) avec le grade de colonel. Il vit au zoo d'Édimbourg (RU), à qui la Norvège a offert son 1er manchot royal en 1913. En 1972, lors d'une visite au zoo, la garde royale norvégienne avait adopté un manchot qu'elle avait baptisé Nils Olav en l'honneur du roi Olaf V. Son successeur (Nils Olaf II) a obtenu le grade de colonel, le 18 août 2005.

Le chien sauveteur le plus rapide

Jack The Black vom Mühlrad, un terre-neuve, est un chien de recherche et de sauvetage entraîné par Hans-Joachim Brückmann (Allemagne). Le 11 juin, il a parcouru 25 m en 1 min et 36,81 s pour ramener l'un des assistants de ce dernier sur le bord du lac de Kaarst (Allemagne).

Le 1er chien détecteur de crises d'hypoglycémie

Le labrador Armstrong a été entraîné, en 2003, par Mark Ruefenacht (USA) pour détecter par l'odorat les modifications chimiques provoquant les crises d'hypoglycémie (baisse du taux de sucre dans le sang). Ces crises peuvent entraîner un coma chez les diabétiques. L'association Dogs4Diabetics a été créée en 2004 suite aux succès d'Armstrong.

À VOIR EN 3D AVEC L'APPLI GRATUITE

INFO

Jiff est apparu dans une vidéo de Katy Perry (*Dark Horse*, 2013) et dans le film *Adventures of Bailey : A Night in Cowtown* (USA, 2013).

3D SUR CETTE PAGE

ATTENTION, RÉALITÉ AUGMENTÉE

Le chien le plus rapide sur 10 m sur les pattes arrière

Jiff, un loulou de Poméranie, a parcouru 10 m en 6,56 s, au TOPS, club canin à Grayslake (Illinois, USA), le 9 septembre 2013. Ce brave toutou a plus d'un tour dans son sac : il est aussi le **plus rapide à parcourir 5 m sur les pattes avant** (petite photo), soit en 7,76 s.

Plantes

Si on fait une entaille sur un arbre, la cicatrice restera au **même niveau** lorsqu'il grandira.

La 1re utilisation d'épices en cuisine

Des graines d'alliaire officinale ont été utilisées il y a 6 150 à 5 800 ans (vers l'an 4000 av. J.-C.). En 2013, des archéologues ont découvert des vestiges de ce condiment dans des fragments de poteries.

Le plus grand anacardier

Un anacardier (*Anacardium occidentale*) ou pommier-cajou, du Rio Grande do Norte (Brésil) couvre environ 7 500 m², pour une circonférence de 500 m. Le rendement pouvant atteindre 80 000 fruits par an, cela représente beaucoup de noix de cajou. Selon certaines estimations, l'arbre aurait 1 000 ans, même si d'autres affirment qu'il a été planté en 1888 par Luiz Inácio de Oliveira, pêcheur local.

Le plus gros tubercule

Le tubercule est un organe souterrain que certaines plantes utilisent comme réserve pour faire face à de mauvaises conditions extérieures au fil des saisons. Le plus gros tubercule est celui de l'arum titan (*Amorphophallus titanum*), qui pèse en moyenne 50 kg. Le spécimen le plus lourd, pesé en 2006 au jardin botanique de l'université de Bonn (Allemagne), affichait 117 kg.

L'arum titan est aussi la **plante la plus odorante** lorsqu'elle est en fleur – ce qui se produit rarement. Elle dégage en effet une odeur de charogne, le but étant d'attirer les silphidés et les sarcophagidés, qui la pollinisent. Elle partage cette caractéristique avec *Rafflesia arnoldii*, la **plus grande fleur** (*page de droite*).

La plus grande prêle

La prêle, véritable fossile vivant, est l'un des plus anciens genres botaniques. C'est le seul membre actuel

Les objets vivants les plus brillants

Pollia condensata est une herbacée du Ghana qui mesure 1 m de haut. Ses baies ressemblent à des boules de Noël et ont une capacité à réfléchir la lumière 30 % supérieure à celle d'un miroir argenté. Aucun matériau biologique connu n'a un tel pouvoir réfléchissant.

La plus grande inflorescence composée

Une inflorescence composée est une grappe de fleurs portée par une tige ramifiée, et non par une seule tige. La plus grande inflorescence de ce type est celle du tallipot (*Corypha umbraculifera*), qui peut compter plusieurs millions de fleurs blanc crème. Ce palmier est originaire de certaines régions d'Inde et du Sri Lanka. L'inflorescence pousse au sommet du tronc et mesure de 6 à 8 m.

Le plus grand nénuphar

Originaire des lacs d'eau douce et des bayous du bassin amazonien, la victoria d'Amazonie (*Victoria amazonica*) a des feuilles flottantes pouvant atteindre 3 m de diamètre. Elle est maintenue en place par une tige immergée de 7 à 8 m. Le réseau d'énormes nervures qui soutiennent la feuille aurait inspiré les concepteurs du Crystal Palace de Londres (RU), construit en 1851.

INFO

Si le poids est bien réparti, une feuille de victoria d'Amazonie peut supporter jusqu'à 45 kg.

de la classe Equisetopsida, largement présente dans les forêts de la fin du mésozoïque pendant plus de 100 millions d'années. La plus grande espèce est la prêle géante du Mexique (*Equisetum myriochaetum*), plante d'aspect primitif qui mesure 7,3 m.

Les plus grosses fleurs de pavot

Le pavot en arbre (*Romneya coulteri*) a des pétales blancs soyeux disposés autour d'étamines jaune d'or. La fleur peut atteindre 13 cm de diamètre. On trouve cette plante dans le sud de la Californie (USA) et le nord du Mexique. C'est une plante ornementale très appréciée.

MÉGAPLANTES : COMPARATIF VISUEL

Séquoia à feuilles d'if : hauteur 115,24 m

Puya raimondii : hauteur 10,7 m

Tallipot : longueur 6-8 m

Raphia : longueur des feuilles 20 m, longueur de la tige 4 m

Rafflesia arnoldii : largeur 91 cm, poids 11 kg

Victoria d'Amazonie : jusqu'à 3 m de large

Raphia vs Victoria

Avant d'être détrôné par le raphia, c'était la victoria d'Amazonie qui détenait le record de **la plus grande feuille**, avec un spécimen de 6,4 m de diamètre mesuré en 1955. Ce nénuphar géant a été baptisé victoria en hommage à la reine Victoria.

Les arbres d'Amazonie

Dans le bassin amazonien et le plateau des Guyanes, en Amérique du Sud, on dénombre environ 16 000 espèces d'arbres, dont 227 (1,4 %) représentent la moitié des arbres d'Amazonie. Les 11 000 espèces les plus rares représentent 0,12 % de la totalité des arbres de la région. Publiée dans *Nature* en 2013, l'étude dont sont extraites ces données estime à 400 milliards le nombre d'arbres vivants peuplant la forêt amazonienne.

La plante à la plus forte densité

Le massif de Wasatch (Utah, USA) abrite un réseau de peupliers faux-trembles (*Populus tremuloïdes*) couvrant 43 ha et d'un poids estimé à 6 000 t, ce qui en fait l'**organisme le plus lourd**. Le système clonal est génétiquement homogène et agit comme un organisme simple, tous les arbres qui

le composent changeant de couleur et perdant leurs feuilles en même temps. Le réseau ressemble à une forêt mais est constitué de plantes issues du système racinaire d'un seul arbre âgé de 80 000 ans.

La plus petite broméliacée

Le représentant le plus connu de la famille des broméliacées est l'ananas. Sa parenté avec la mousse espagnole (*Tillandsia usneoides*) semble improbable. Cette formation

GUINNESS WORLD RECORDS

Insectes assassins

Certaines plantes carnivores utilisent des « insectes assassins » (réduves) pour se nourrir. Ces derniers vivent dans la plante en se nourrissant des insectes qu'elle piège ; la plante absorbe ensuite leurs excréments.

végétale (qui n'est ni une mousse ni espagnole) ressemblant à de la barbe est composée des plus petites broméliacées du monde. Leurs tiges minces, qui portent de minuscules fleurs et feuilles, s'accrochent les unes aux autres, formant des chaînes de fils pouvant atteindre 6 m.

Le plus grand banksia

Les banksias sont des fleurs sauvages australiennes du genre Banksia. Certaines espèces sont aussi grandes que des arbres. Le banksia côtier (*Banksia integrifolia*) et le banksia des rivières (*B. seminuda*) atteignent jusqu'à 30 m.

La plus grande espèce de cycadale

Certaines cycadales ressemblent à des palmiers et sont parfois classées avec eux mais ce sont des gymnospermes (comme les pins). La plus grande est *Lepidozamia hopei*, que l'on trouve dans le Queensland (Australie) et qui peut atteindre 15 m.

La plus grande mousse

Dawsonia superba est une mousse géante de Nouvelle-Zélande qui peut atteindre 60 cm, même si la taille de ses spores ne dépasse pas 0,01 mm.

Taille réelle

La plus grande fleur du monde

Rafflesia arnoldii dégage une odeur caractéristique de charogne (*voir aussi la **plante la plus odorante**, page de gauche*). Et il y a de quoi en prendre plein les narines ! La fleur mesure jusqu'à 91 cm de diamètre pour 11 kg ; ses pétales font 1,9 cm d'épaisseur. Cette fleur rare des jungles d'Asie du Sud-Est est une plante parasite qui pousse sur et à l'intérieur des lianes.

La plus grosse proie d'une plante carnivore

Les plantes carnivores de la famille des Népenthacées (genre Nepenthes) digèrent les plus grosses proies. *N. rajah* et *N. rafflesiana* mangent des grosses grenouilles, des oiseaux et des rats. Ces espèces sont présentes dans les forêts humides d'Asie, à Bornéo, en Indonésie et en Malaisie. Elles se servent de leur couleur, de leur odeur et de leur nectar pour attirer leurs proies, les capturer, les tuer et digérer leurs enzymes, avant d'absorber ce dont elles ont besoin pour se nourrir.

Des graines pour le futur

Inaugurée le 26 février 2006, la Réserve mondiale de semences du Svalbard est une installation souterraine sur l'île norvégienne du Spitzberg. **Plus grande banque de semences**, elle est destinée à stocker des échantillons de graines du monde entier, face aux menaces qui pèsent sur la biodiversité. L'objectif du projet est de rassembler 4,5 millions d'échantillons (soit environ 2 milliards de graines) issus de 100 pays. En 2013, plus de 770 000 échantillons y avaient déjà été déposés. La construction a coûté 8 millions $. L'emplacement – à 130 m de profondeur dans le permafrost d'une montagne– a été jugé le meilleur pour maintenir les graines à 18 °C.

Plantes marines

Celle qui vit le plus en profondeur : une algue découverte à 269 m par Mark et Diane Littler (USA) aux Bahamas en octobre 1984.

Celle qui pousse le plus vite : *Macrocystis pyrifera* s'allonge de 34 cm par jour.

La plus grande colonie clonale : une colonie de posidonies (*Posidonia oceanica*) partageant le même ADN découverte en Méditerranée en 2006 et mesurant 8 km de diamètre.

Le corps humain

La superficie d'un poumon humain équivaut à la **taille d'un court de tennis**.

Les ongles les plus longs sur deux mains

Toutes griffes dehors : Chris Walton, surnommée «The Dutchess» (USA), arbore des ongles de 3,62 m de long à la main gauche et de 3,68 m à la main droite, soit un total de 7,3 m. Les atours unguéaux de Chris ont été mesurés à Londres (RU), le 16 septembre 2013.

INFO
Un ongle humain croît d'environ 3,5 mm par mois. Les ongles des hommes poussent plus vite que ceux des femmes.

Au-delà des limites

Au cours des 60 ans du Guinness World Records, la popularité du chapitre dédié au corps humain n'a jamais failli. C'est la partie du livre que la plupart des lecteurs feuillettent en premier, et nombre des personnalités de ces pages sont devenues des icônes. Retour sur quelques records qui ont bien changé depuis notre première édition en 1955.

Si l'on demandait aux lecteurs de nommer leur détenteur de record préféré, il y a de fortes chances pour qu'ils choisissent quelqu'un du chapitre « Corps humain ». Ce qui n'est guère surprenant avec des héros tels que Robert Wadlow (l'**homme le plus grand de l'histoire**), Lee Redmond (les **ongles de mains les plus longs**) ou encore Robert Earl Hughes (le **tour de poitrine le plus large** et anciennement **homme le plus lourd**). Il faut reconnaître que leurs histoires sont singulières. Qui peut oublier que Wadlow est mort des complications d'une ampoule due à une chaussure mal adaptée ? Ou que Hughes a été enterré dans un cercueil de la taille d'un piano ?

Cette double-page propose une sélection de records de la rubrique « Corps humain » parus dans notre 1re édition et présente les nouveaux détenteurs du titre. Dans certains cas, comme celui de l'**homme le plus grand de tous les temps**, le record n'a pas changé depuis 60 ans ; dans d'autres cas, au contraire, comme celui de la **plus longue chevelure**, la détentrice actuelle surpasse l'ancienne – et de loin…

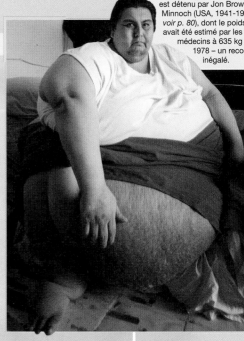

La plus longue moustache
Long de 4,29 m au 4 mars 2010, l'ornement facial de Ram Singh Chauhan (Inde) lui a valu une place dans le GWR pour la plus longue moustache de tous les temps. Ram la fait pousser depuis 1970 et, avec l'aide de son épouse, il l'entretient quotidiennement avec de l'huile de noix de coco et de moutarde.

L'homme le plus lourd du monde
Avec son poids maximum de 560 kg, Manuel Uribe (Mexique, *en photo*) a remporté le titre mondial en 2006 ; il n'est toutefois pas l'**homme le plus lourd de tous les temps**. Ce record est détenu par Jon Brower Minnoch (USA, 1941-1983, *voir p. 80*), dont le poids avait été estimé par les médecins à 635 kg en 1978 – un record inégalé.

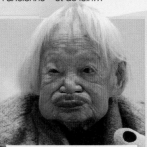

La femme la plus âgée du monde
À la date d'impression de cet ouvrage, Misao Okawa (Japon), 115 ans, est la **femme la plus âgée** – et la personne la plus âgée – vivante sur terre *(voir p. 76)*. Elle n'est cependant pas la **personne la plus âgée de tous les temps** – record détenu par une autre femme, Jeanne Louise Calment (France), décédée le 4 août 1997 à 122 ans et 164 jours.

Le plus d'enfants nés d'une même grossesse (survivants)
Nadya Suleman (USA) a fait la une des journaux du monde entier le 26 janvier 2009 après avoir mis au monde 6 garçons et 2 filles, à Bellflower (Californie, USA). Surnommée Octomom par la presse américaine, Suleman a conçu les bébés par fécondation in vitro (FIV). Sa famille est ainsi passée de 6 à 14 enfants.

2015
1955

Le plus d'enfants	La femme la plus âgée	La moustache la plus longue	L'homme le plus lourd

Les naissances multiples
Notre 1re édition faisait état de témoignages fantaisistes concernant des femmes ayant donné naissance à 36 enfants en une seule grossesse (à droite, Dorothea, qui aurait mis au monde 11 bébés en 1755). Nous sommes toutefois passés à des « cas médicaux plus réalistes » avec les 5 bébés de Dionne – alors l'un des trois cas de quintuplés à survivre – nés le 28 mai 1934.

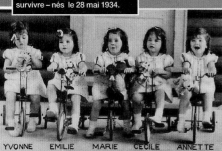

YVONNE EMILIE MARIE CECILE ANNETTE

Les centenaires les plus âgés
La longévité est un sujet qui a toujours prêté à la controverse. « Peu de sujets auront autant été obscurcis par la duperie et le mensonge », écrivions-nous en 1955. La femme la plus âgée alors officiellement recensée « pour qui il existe des preuves circonstanciées » était fille de pasteur : Katherine Plunkett de County Louth (Irlande), qui a vécu 111 ans et 328 jours (1820-1932).

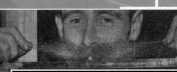

La plus longue moustache
Notre 1re édition mentionnait Mr John Roy de Glasgow (RU), dont la moustache de 41,91 cm était la « plus longue moustache détenue par un membre du "Handlebar Club" britannique ». Roy, qui était fumeur, avait tenté de faire assurer sa moustache contre les risques d'incendie, mais avait renoncé en raison des tarifs prohibitifs.

Le poids lourd le plus lourd
Connu à présent comme l'homme au plus large tour de poitrine (315 cm), Robert Earl Hughes (USA) a fait son entrée dans le GWR en tant qu'**homme le plus lourd du monde**, avec ses 429 kg. Nous avons également mentionné l'« homme le plus lourd de l'histoire de la médecine », Miles Darden (USA, 1799-1857), qui pesait « un peu plus de 453 kg ».

L'homme le plus grand du monde
Dépassant de 81,2 cm l'éditeur en chef du GWR, Craig Glenday, Sultan Kösen (Turquie) s'est emparé du titre de l'homme – et être humain – le plus grand du monde en février 2009. Aujourd'hui, du haut de ses 251 cm, Sultan est l'une des 8 personnes à avoir dépassé 243 cm au cours de ces 60 dernières années.

INFO
Adolescent, Sultan avait été engagé dans l'équipe de basket du Galatasaray (Turquie), mais avait été jugé trop grand pour jouer !

INFO
En 1955, nous avions mentionné un homme qui se prétendait l'être humain le plus grand, avec 289 cm – en réalité, il ne faisait « que » 222 cm lorsqu'il a été mesuré par des médecins !

L'homme et la femme les plus petits du monde
La photo représente le directeur des records GWR, Marco Frigatti, avec les êtres humains actuellement les plus petits. Jyoti Amge (Inde, à droite) faisait 62,8 cm, à Nagpur (Inde), le 16 décembre 2011. À Kathmandu (Népal), le 26 février 2012, Chandra Bahadur Dangi (Népal, à gauche) affichait 54,6 cm. Il est aussi l'**homme le plus petit de tous les temps** à avoir été mesuré officiellement avec des instruments médicaux modernes.

La plus longue chevelure (femme)
Les mèches les plus longues du monde (femme) appartiennent à Xie Qiuping (Chine) et mesurent 5,62 m. Elle fait pousser ses cheveux depuis ses 13 ans, en 1973. « Cela ne me pose aucun problème car j'ai l'habitude, explique-t-elle. Mais il faut de la patience et se tenir droite quand on a une telle chevelure. »

La tessiture vocale la plus étendue
Georgia Brown (Brésil) a un spectre vocal de 8 octaves (du G2 au G10). La tessiture a été vérifiée à l'Aqui Jazz Atelier Music School de São Paulo, le 18 août 2004 – un record inégalé depuis plus d'une décennie !

INFO
Xie voyage avec une assistante chargée de tenir ses cheveux et de l'aider à entretenir ses lourdes tresses.

La plus longue chevelure

La tessiture la plus étendue

L'homme le plus grand

L'homme et la femme les plus petits

Les plus longues tresses
Les « plus longues tresses féminines, affirmons-nous en 1955, appartenaient à une artiste de foire du XIXᵉ siècle nommée Miss Owens et mesuraient 251,4 cm ». Millie Owens, alias la « reine des longs cheveux », gagnait sa vie en exhibant ses tresses et en vendant des cartes postales de sa chevelure.

Le registre vocal le plus étendu
En 1955, la chanteuse ayant la plus large tessiture vocale était Miss Yma Sumac (née Zoila Augusta Emperatriz Chávarri del Castillo, 1922-2008), célèbre soprano péruvienne : « Elle est réputée pour ses 5 octaves, de A# à B. »

Les géants
« La seule mesure acceptable de la taille des géants doit être récente et avoir été effectuée sous supervision médicale impartiale », prévenaient Norris et Ross McWhirter en 1955 avant d'invalider des records tel celui d'Og, roi de Basan, supposé mesurer 9 cubes assyriens (494,03 cm), en raison de la « confusion des unités de mesure » dans la Bible. Ils avaient déclaré Robert Wadlow « homme le plus grand du monde, grâce à des preuves irréfutables ». *Plus de détails p. 81.*

Les nains
Il y a 60 ans, nous décernions à Miss Edith Barlow (ci-dessous, à droite) le titre de « plus petite naine » du Royaume-Uni. Avec ses 55,8 cm, elle devenait par défaut la **plus petite femme du monde**. Seul Walter Boehning, alias Böning (Allemagne, mort en 1955, ci-dessous) était plus petit en mesure absolue et remportait le titre du « plus petit nain » grâce à ses 52 cm (taille supposée). En 1964, il a perdu sa place dans le GWR en raison de l'absence de preuves officielles de sa stature.

Sens & perception

L'œil traite environ **36 000 informations** par heure.

Le lieu de travail le plus bruyant

Le lieu le plus bruyant dans lequel un homme peut travailler pendant une période prolongée n'est autre que le cockpit d'une voiture de F1. Les oreilles du pilote sont soumises à un niveau sonore de 140 dB. C'est la raison pour laquelle tous les pilotes portent des bouchons d'oreille sur mesure.

L'OUÏE

Le son détectable le plus aigu
L'oreille humaine perçoit des sons aigus jusqu'à 20 000 Hz (hertz, ou cycles par seconde), même si ce chiffre diminue avec l'âge. En comparaison, une chauve-souris émet des ultrasons atteignant 90 000 Hz.

Le son le plus grave détectable par l'oreille humaine est de 20 Hz, même si dans des conditions idéales, un jeune individu peut percevoir des fréquences inférieures à 12 Hz. Les ondes infrasons entre 4 et 16 Hz sont inaudibles pour l'homme, mais le corps humain en ressent les vibrations.

L'os le plus petit
L'étrier mesure entre 2,6 et 3,4 mm pour un poids de 2 à 4,3 mg. L'étrier est l'un des trois osselets auditifs de l'oreille moyenne et joue un rôle essentiel dans l'ouïe.

LA VUE

L'objet le plus éloigné visible à l'œil nu
Un sursaut de rayons gamma est le cri primal d'un trou noir. À 14 h 12 (EDT), le 19 mars 2008, le satellite *Swift* de la NASA a détecté un sursaut de rayon gamma dans une galaxie située à 7,5 milliards d'années lumière de notre Terre. De 30 à 40 s plus tard, l'écho optique du sursaut a pu être observé depuis la Terre et enregistré par un télescope robotisé. L'explosion, baptisée GRB 080319B, a été visible à l'œil nu pendant 30 s.

Le muscle le plus actif
Les scientifiques ont estimé que le muscle oculaire humain exécutait plus de 100 000 mouvements par jour. La plupart de ces mouvements ont lieu durant le sommeil et plus particulièrement pendant la phase de rêve.

La vision chromatique la plus sensible
Un œil humain perçoit environ un million de couleurs. L'acuité chromatique dépend de trois types de photorécepteurs appelés cônes, chaque type gérant différentes longueurs d'ondes lumineuses. Le cerveau combine ces signaux pour percevoir la couleur. Gabriele Jordan, neuroscientifique de l'université de Newcastle (RU), a prouvé que certains individus avaient quatre types de cônes, et pouvaient donc percevoir un spectre chromatique plus étendu (99 millions de couleurs exactement). Jordan et son équipe ont conçu un test qui consiste à projeter trois cercles de couleurs nuancées sur un écran. Seule une personne du panel a pu détecter ces cercles (une médecin britannique connue sous le nom de «cDa29»). Celle-ci a donc la vision chromatique la plus sensible jamais mesurée.

La langue la plus précieuse

Le 9 mars 2009, le groupe d'assurances britannique Lloyd's a assuré la langue de Gennaro Pelliccia (RU) pour 10 millions £ (12,1 millions €). Il faut dire que Pelliccia est goûteur de café pour la chaîne Costa Coffee (RU) et sait distinguer plusieurs milliers d'arômes différents.

L'ODORAT

La substance la plus nauséabonde
Deux substances créées en laboratoire : «Who-Me ?» et

Le lieu le plus calme

Le 18 octobre 2012, des essais ont été pratiqués dans la chambre anéchoïque de test des laboratoires Orfield de Minneapolis (Minnesota, USA), où régnait un bruit de fond de 13 dBA (décibels avec pondération A). Le terme «dBA» définit les niveaux sonores audibles par l'oreille humaine – excluant donc les sons extrêmement aigus ou graves.

COMBIEN DE SENS POSSÉDONS-NOUS ?

En principe, on dit que l'homme a cinq sens : la vue, l'ouïe, le goût, le toucher et l'odorat. Si « ressentir » quelque chose signifie aussi « être conscient » de cette chose, alors nous possédons finalement bien plus que les cinq sens « primaires ». Voici quelques exemples pour mieux comprendre :

Température : on peut distinguer le chaud du froid et agir en conséquence.

Douleur : mécanisme grâce auquel le corps sent qu'il a mal.

Équilibre : l'homme ressent les mouvements, la direction et l'accélération du corps.

Kinesthésie : le cortex pariétal du cerveau permet de déceler les mouvements des parties du corps les unes par rapport aux autres. Essayez de toucher votre nez les yeux fermés !

Intéroception : nos sens internes nous alertent lorsque la faim ou la fatigue se font sentir.

Temps : nous en avons la notion.

ⓘ La gamme des décibels

Le volume ou l'intensité d'un son se mesure en décibels (dB). Les décibels sont calculés en fonction d'une échelle logarithmique qui augmente selon un taux défini.

Le silence absolu serait ainsi à 0 dB ; un son 10 fois plus élevé monterait à 10 dB, mais un son 100 fois plus élevé que 0 dB n'afficherait que 20 dB, et un son 1 000 fois supérieur à 0 dB atteindrait à peine les 30 dB.

Ci-contre, quelques exemples de mesures en décibels enregistrées à 10 m de la source.

MESURES EN DÉCIBELS (DB)

Mesures prises à 10 m de distance

dB	Son
150	Réacteur d'avion
114	Sifflement de train
110	Rame de métro
107	Riveteuse pneumatique
89	Scie électrique
64	Intérieur d'une voiture en ville
46	Pratique de piano normale

Le nez le plus précieux

Le 19 mars 2008, Lloyd's a révélé avoir assuré le nez de Ilja Gort (Pays-Bas) pour 5 millions €. Gort, propriétaire du domaine vigneron du Château la Tulipe de la Garde, à Bordeaux (France), a pris une police d'assurance pour protéger son nez, qui est son outil de travail.

«US Government Standard Bathroom Malodor» comptent respectivement 5 et 8 produits chimiques. Utilisée à 2 unités par million, la seconde évoque l'odeur d'excréments humains et a un fort pouvoir répulsif. Cette substance a été conçue pour tester des produits désodorisants.

La substance la plus sucrée

La thaumatine, substance des arilles (appendices de certaines graines) du katemfe *(Thaumatococcus daniellii)*, arbre d'Afrique de l'Ouest, a un pouvoir sucrant 3 250 fois supérieur à celui du sucre, comparaison faite avec une solution de saccharose à 7,5 %.

Taille réelle

La molécule la plus pestilentielle

L'éthyle mercaptan (C_2H_5SH) et le butyle séléno-mercaptan (C_4H_9SeH) sont deux produits chimiques dont les effluves font penser à un cocktail de chou pourri, d'ail, d'oignon, de toast brûlé et d'égouts.

LE GOÛT

La substance la plus amère

Commercialisées sous forme de benzoate et de saccharide, les substances les plus amères sont basées sur un cation appelé dénatonium. Une unité pour 500 millions suffit à ce que les papilles détectent la substance, et une dilution d'une unité pour 100 millions

Cartographie des sens

Cette drôle de figurine est un « homoncule sensoriel ». C'est à cela que l'homme ressemblerait si ses membres étaient proportionnés en fonction des zones du cerveau liées à la perception sensorielle. Conçue d'après une maquette conservée au Muséum d'histoire naturelle de Londres (RU), la figurine montre les parties du corps les plus sensibles au toucher.

laisse un goût amer en bouche.

LE TOUCHER

La partie du corps la plus sensible

Nos doigts présentent la densité en récepteurs tactiles la plus élevée. Les doigts sont si sensibles qu'ils peuvent distinguer deux points de contact éloignés de 2 mm. Ils peuvent aussi détecter un mouvement de 0,02 micron, soit 200 000 de milimètre.

INFO

Inventé par des alchimistes au XVIIᵉ siècle, le terme « homoncule » signifie « personne de petite taille ».

Les lèvres ont de nombreux récepteurs sensoriels. C'est l'une des raisons pour lesquelles les bébés découvrent les objets en les portant à la bouche.

Pour détecter notre univers interne, la langue est extrêmement sensible grâce à une concentration très dense de connexions neurales.

Les doigts ressentent l'environnement en haute définition sensorielle car ils affichent la plus forte densité de récepteurs tactiles. Les récepteurs sensoriels sont encore plus nombreux sur les doigts fins. Les femmes ont donc souvent une sensibilité tactile plus développée que les hommes.

Les mollets sont la partie du corps la moins sensible – le cerveau peut seulement y distinguer des points de contact éloignés de 45 mm, à la différence des doigts où la distance entre ces points est de 2 mm.

Les 100 000 à 200 000 récepteurs sensoriels présents sur chaque plante de pied permettent de stabiliser le corps. Leur efficacité est d'autant plus grande pieds nus.

Le discours des parfums : l'odorat

L'odorat compte pour 80 % dans le goût. C'est le premier sens que l'homme développe. Il est en effet fonctionnel avant la naissance et connaît son apogée dans l'enfance. L'homme peut détecter 10 000 parfums, mais l'exposition prolongée à un parfum donné entraîne une insensibilisation à cette odeur. L'homme est plus sensible aux parfums au printemps et en été, car l'air est plus humide ; l'exercice physique augmente aussi l'humidité des narines, stimulant l'odorat. Les femmes ont un odorat plus développé que celui des hommes, surtout pendant une grossesse.

Les odeurs entrent par les narines, où des poils filtrent poussières et autres particules fines. Au-dessus de la cavité nasale se trouvent 40 millions de récepteurs chargés de détecter les molécules odoriférantes et d'envoyer un message au cerveau. Quand nous mangeons, nous « goûtons » les aliments grâce à ces récepteurs, qui décèlent les arômes dans la bouche.

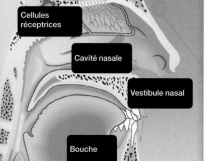

Cellules réceptrices

Cavité nasale

Vestibule nasal

Bouche

Pour finir...

• L'écho le plus long : 1 min et 15 s par Trevor Cox et Allan Kilpatrick (RU), dans une cuve à mazout hors d'usage, à Inchindown (Highland, RU), le 3 juin 2012.

• Le plus rapide pour faire bouillir de l'eau en conduisant de l'électricité via le corps : Slavisa «Biba» Pajkic (Serbie) a fait chauffer 15 cl d'eau (de 25 à 97° C) en 1 min et 22,503 s, à Istanbul (Turquie), le 13 juillet 2013.

○ ○ ○

Les plus âgés

Le nombre des plus de 65 ans devrait **doubler et atteindre 800 millions** en 2025.

Le plus grand rassemblement de centenaires

Le 19 mai 2013, le Regency Jewish Heritage Nursing & Rehabilitation Center de Somerset (New Jersey, USA) a réuni 31 personnes âgées d'au moins 100 ans ; il n'y avait que deux hommes parmi elles. En combinant les âges, on se retrouverait environ à 1100 avant J.-C. lorsque les Phéniciens avaient inventé l'alphabet.

Le sprinter de compétition le plus âgé

Hidekichi Miyazaki (Japon, né le 22 septembre 1910) avait 103 ans et 15 jours lorsqu'il a participé aux International Gold Masters de Kyoto (Japon), le 6 octobre 2013. Inscrit dans le 100 m, il a couvert la distance en 34,10 s, soit 2,67 s de mieux que son meilleur temps précédent.

l'avènement de la télévision, des voitures modernes et des avions. Pour son 120e anniversaire, on lui a demandé comment elle voyait le futur et elle a répondu : « Très bref. »

Parent-enfant (combiné)

L'âge combiné le plus élevé pour un parent et un enfant vivant simultanément est de 215 ans. Il s'agissait de Sarah Knauss (USA, 1880-1999), 119 ans, et sa fille Kathryn Knauss Sullivan (USA, 1903-2005), 96 ans. Knauss était la dauphine de la doyenne de l'humanité et a vécu jusqu'à 119 ans et 97 jours.

Parent adoptif

Frances Ensor Benedict (USA, 1918-2012) avait 83 ans et 324 jours quand elle a adopté Jo Anne Benedict.

Les jumeaux séparés le plus longtemps

Alice Lamb, mère célibataire, a donné naissance à des jumelles, Ann et Elizabeth, à Aldershot (Hampshire, RU), le 28 février 1936. Les jumelles ont été adoptées séparément. Ann a grandi sans savoir qu'elle avait une sœur, Lizzie, qui habite à Portland (Oregon, USA). Elles ont été réunies le 1er mai 2014 après 77 ans et 289 jours.

LES PLUS ÂGÉS...

Personne (de tous les temps)

L'âge le plus élevé officiellement enregistré pour un être humain est de 122 ans et 164 jours. Ce record est détenu par Jeanne Louise Calment (France, 21 février 1875-4 août 1997). Elle a vu deux guerres mondiales et

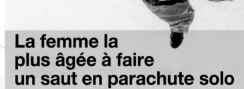

La femme la plus âgée à faire un saut en parachute solo

Dilys Margaret Price (RU, née le 3 juin 1932) a fait un saut en parachute à Langar Airfield (Nottingham, RU), le 13 avril 2013, à 80 ans et 315 jours. L'**homme le plus âgé à avoir sauté seul en parachute** s'appelait Milburn Hart (USA, 1908-2010). Il avait sauté à Washington (USA), le 18 février 2005, à 96 ans et 63 jours.

La personne la plus âgée à pratiquer du base-jumping

Donald Cripps (USA, né le 12 septembre 1929) avait 84 ans et 37 jours lorsqu'il a sauté en parachute du pont New River Gorge, haut de 267 m, près de Fayetteville (Virginie-Occidentale, USA), le 19 octobre 2013. Le base-jumping – saut depuis un point fixe (immeubles, antennes, ponts ou falaises) – est la variante la plus dangereuse du parachutisme en raison de la brièveté de la chute.

Walker (USA), le 5 avril 2002, à Putnam County (Tennessee, USA). À 65 ans et 224 jours, Jo Anne (née le 24 août 1936) est l'**adoptée la plus âgée**.

Top-model

Âgée de 85 ans et 295 jours au 22 avril 2014, Daphne Selfe (RU, née le 1er juillet 1928) est la doyenne des top-models professionnels. En 60 ans de carrière, elle a travaillé pour Dolce & Gabbana et Gap, posé dans *Vogue* et *Marie Claire* et servi de modèle aux photographes David Bailey et Mario Testino.

Acteur oscarisé

Christopher Plummer (RU, né le 13 décembre 1929) avait 82 ans et 65 jours lorsqu'il a remporté en 2012 l'oscar du Meilleur second rôle masculin pour *Beginners* (2010). L'**actrice la plus âgée à**

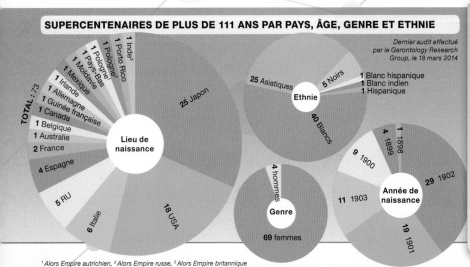

SUPERCENTENAIRES DE PLUS DE 111 ANS PAR PAYS, ÂGE, GENRE ET ETHNIE

Dernier audit effectué par le Gerontology Research Group, le 18 mars 2014

Lieu de naissance

TOTAL : 73
1 Inde[3]
1 Porto Rico
1 Pologne[2]
1 Pays-Bas
1 Mexique
1 Moldavie
1 Irlande
1 Allemagne
1 Guinée française
1 Canada
1 Belgique
1 Australie
2 France
4 Espagne
5 RU
6 Italie
18 USA
25 Japon

Ethnie
25 Asiatiques
5 Noirs
1 Blanc hispanique
1 Blanc indien
1 Hispanique
40 Blancs

Genre
4 hommes
69 femmes

Année de naissance
1 1898
9 1900
4 1900
11 1903
29 1902
19 1901

[1] Alors Empire autrichien, [2] Alors Empire russe, [3] Alors Empire britannique

Mentir sur son âge n'a rien de nouveau

Dans notre 1re édition, nous mettions en garde contre la « tromperie et le mensonge » dans les déclarations d'âge. À partir d'informations fournies par le gouvernement canadien, nous avions ainsi annoncé que l'homme le plus âgé de tous les temps avait 113 ans et s'appelait Pierre Joubert, un bottier québécois (né le 15 juillet 1701, enterré le 18 novembre 1814). Or, une enquête de 1990 a établi que Joubert était en réalité mort à 82 ans, et que la personne enterrée en 1814 était son fils homonyme, né en 1732.

INFO

Depuis 1970, l'espérance de vie dans le monde gagne en moyenne 4 mois chaque année.

Un record *Titanic*

Le survivant du *Titanic* à vivre le plus longtemps s'appelait Mary Wilburn, née Davis (RU, 1883-1987). Elle avait 28 ans au moment du naufrage, en 1912, et a vécu 104 ans et 72 jours.

La personne la plus âgée du monde

Misao Okawa (Japon, née le 5 mars 1898) a eu 116 ans en 2014. Elle vit dans une maison de retraite d'Osaka (Japon) et est devenue la **femme la plus âgée du monde** le 12 janvier 2013 et la **personne la plus âgée du monde** le 12 juin 2013. Elle est aussi la 9e personne la plus âgée de tous les temps.

LES SUPERCENTENAIRES LES PLUS ÂGÉS

Au 14 avril 2014, 74 personnes avaient officiellement dépassé le cap des 111 ans. On estime à 300-450 le nombre de supercentenaires vivants dans le monde.

Qui ?	Né(e) le	Quel âge ?
Misao Okawa (Japon)	5 mars 1898	116 ans et 40 jours
Jeralean Talley (USA)	23 mai 1899	114 ans et 326 jours
Susannah Mushatt Jones (USA)	6 juillet 1899	114 ans et 282 jours
Bernice Madigan (USA)	24 juillet 1899	114 ans et 264 jours
Emma Morano-Martinuzzi (Italie)	29 novembre 1899	114 ans et 136 jours
Anna Henderson (USA)	5 mars 1900	114 ans et 40 jours
Antonia Gerena Rivera (USA)	19 mai 1900	113 ans et 330 jours
Ethel Lang (RU)	27 mai 1900	113 ans et 322 jours
Nabi Tajima (Japon)	4 août 1900	113 ans et 253 jours
Blanche Cobb (USA)	8 sept. 1900	113 ans et 218 jours

Source : Gerontology Research Group

L'homme le plus âgé du monde

Juste avant l'impression de cet ouvrage, nous avons appris le décès d'Arturo Licata (Italie, 2 mai 1902-24 avril 2014), brièvement l'homme le plus âgé du monde, à 111 ans et 357 jours. Son successeur, le docteur Alexander Imich (Pologne/Russie, à présent USA, né le 4 février 1903), a repris le titre avec ses 111 ans et 79 jours. Il est photographié ici chez lui, dans l'Upper West Side à New York.

La distributrice de journaux la plus âgée

Âgée de 88 ans et 346 jours au 27 mars 2014, Beryl Walker (RU, née le 15 avril 1925) distribuait toujours des journaux six matins par semaine à Gloucester (Gloucestershire, RU). Elle fait à présent la tournée du soir.

remporter un oscar est Jessica Tandy (RU, 1909-1994), qui a obtenu en 1990 la statuette de la meilleure actrice à 80 ans et 295 jours pour *Miss Daisy et son chauffeur* (1989).

Distributeur de journaux
Ted Ingram (RU, né le 14 février 1920) a distribué le *Dorset Echo* des années 1940 au 9 novembre 2013, alors qu'il avait 93 ans et 268 jours.

Arbitre de football
Au 14 avril 2013, Peter Pak-Ngo Pang (USA, né en Inde, 4 novembre 1932) arbitrait des matchs adultes à San Jose (Californie, USA), à 80 ans et 161 jours.

Braqueur de banque
Le 23 janvier 2004, J L Hunter Rountree (USA, né 1911), 92 ans, a été condamné à 12 ans et 7 mois de prison pour un braquage de banque (sans arme), au Texas (USA).

La troupe de danse la plus âgée

Les Hip Op-eration Crew (Nouvelle-Zélande) sont des danseurs de hip-hop dont les âges s'échelonnent de 67 à 95 ans, soit une moyenne de 79 ans et 197 jours (au 10 mai 2014). Douze des 23 membres fondateurs, originaires de la petite île de Waiheke (Nouvelle-Zélande), ont entre 80 ans et plus de 90 ans. Ils se sont produits en invités d'honneur à la finale du World Hip Hop Dance Championship 2013, à Las Vegas (Nevada, USA).

Acteur de théâtre
Le 29 novembre 2013, Radu Beligan (Roumanie, né le 14 décembre 1918) jouait toujours sur les planches du Théâtre national de Bucarest (Roumanie), à 94 ans et 350 jours.

Peintre
Alphaeus Philemon Cole (USA, 1876-1988), dont on peut admirer les œuvres à la National Portrait Gallery (RU) et au Brooklyn Museum (USA), a peint et exposé jusqu'à 103 ans. Portraitiste, Cole a débuté sa carrière artistique dans les années 1890 avec ses contemporains Seurat et Signac.

Champion d'échecs
Zoltan Sarosy (Hongrie, né le 23 août 1906) a remporté 3 fois le championnat canadien d'échecs par correspondance (1967, 1972, 1981) et, selon ChessGames.com, il continue de jouer à 107 ans.

Les hommes d'État les plus âgés

Combinant pouvoir politique et longévité, Shimon Peres (*à droite*), 9e président d'Israël, est le **chef d'état le plus âgé du monde**. Né Szymon Perski, à Wiszniew (Pologne, aujourd'hui Vishnyeva, Biélorussie), le 2 août 1923, il a célébré son 90e anniversaire en 2013.

De six mois son cadet, on retrouve le président du Zimbabwe, Robert Mugabe (*à gauche, en haut*), né le 21 février 1924. Le roi d'Arabie saoudite, Abdullah bin Abdulaziz al-Saud (*à gauche, en bas*), est quasiment un an plus jeune que Peres. Né le 1er août 1924, il a déjà survécu à deux de ses princes héritiers.

Les plus longues carrières

Coiffeuse professionnelle : Dorothy McKnight (USA, née le 27 février 1922) de Lake Worth (Floride, USA), depuis le 13 juin 1939.

Pianiste/organiste d'église : Martha Godwin (USA, née le 17 janvier 1927) de Southmont (Caroline du Nord, USA), depuis avril 1940.

Cascadeur : Rocky Taylor (RU, né le 28 février 1945), depuis mars 1961. Il a joué dans *World War Z* (sorti en juin 2013).

○ ○ ○

Le corps en détail

Un adulte est constitué d'environ **7 000 000 000 000 000 000 000 000 000** d'atomes.

L'étirement de globe oculaire le plus long

Kim Goodman (USA) a étiré ses globes oculaires à 12 mm de leurs orbites, à Istanbul (Turquie) le 2 novembre 2007, battant son précédent record de 11 mm, enregistré en 1998. Kim a découvert son talent lorsqu'un masque de hockey l'a frappée par hasard à la tête. Depuis, elle étire ses globes à volonté.

La peau la plus élastique
Garry Turner (RU) peut étirer la peau de son abdomen sur 15,8 cm, en raison d'une pathologie rare appelée syndrome d'Ehlers-Danlos. Cette maladie rend le collagène – qui soutient la peau et détermine son élasticité – défectueux, entraînant, entre autres, un relâchement cutané et une « hypermobilité » des articulations.

La famille poilue la plus nombreuse
Victor «Larry» Gomez, Gabriel «Danny» Ramos Gomez, Luisa Lilia De Lira Aceves et Jesus Manuel Fajardo Aceves (tous Mexique) sont les membres d'une famille de 19 personnes réparties sur 5 générations et souffrant toutes d'une pathologie rare appelée hypertrichose congénitale généralisée, qui se caractérise par une pilosité faciale et corporelle excessive. Les femmes arborent une pellicule de poils légère à moyenne, et le corps des hommes est recouvert à environ 98 % de poils drus – mains et pieds exceptés.

L'adolescente la plus poilue
En 2010, des trichologues (dermatologues spécialisés dans les problèmes capillaires) ont utilisé la méthode Ferriman-Gallwey pour évaluer l'hirsutisme (la pilosité) de Supatra «Nat» Sasuphan (Thaïlande, née le 5 août 2000). Dix zones de son corps ont été notées de 1 à 4 selon la densité de leur pilosité. Nat a reçu la note de 4 pour 4 zones : visage, cou, poitrine et haut du dos.

LES PLUS GRANDS...

Crâne humain
Le plus gros, celui d'un homme, occupait 1 980 cm³. Un crâne moyen a un volume de 950 à 1 800 cm³ selon l'âge et la corpulence.

Les ongles les plus longs sur une main
La longueur totale des 5 ongles de la main gauche de Shridhar Chillal (Inde) atteignait 7,05 m le 4 février 2004. L'ongle de son pouce était le plus long, soit 1,58 m, et celui de son index, le plus court, soit 1,31 m. Chillal ne se coupe plus les ongles des mains depuis 1952.

Mains
Les mains de Robert Wadlow (USA) mesuraient 32,3 cm du poignet au bout du majeur, ce qui n'a rien d'étonnant puisqu'il était l'**homme le plus grand de l'histoire** (voir p. 80-81). Actuellement, l'**homme le plus grand** est Sultan Kösen (Turquie, voir p. 80) et il a les **plus grandes mains du monde**, avec 28,5 cm de long.

Pieds
En dehors des cas d'éléphantiasis, les plus grands pieds

La langue la plus longue

L'appendice lingual de Nick «The Lick» Stoeberl (USA) mesurait 10,10 cm de la pointe aux lèvres closes, lors de son examen à Salinas (Californie, USA), le 27 novembre 2012. Employé de banque et artiste comique, Nick a utilisé sa langue – recouverte de cellophane – pour peindre des œuvres d'art !

Sa compatriote Chanel Tapper détient le record de la langue la plus longue (femme). Son organe mesurait 9,75 cm lors de son examen, en Californie (USA), le 29 septembre 2010.

LES PLUS GRANDS ET LES PLUS PETITS

Robert Wadlow 272,0 cm	
John William Rogan 264,0 cm	
John F. Carroll 263,5 cm	
Väinö Myllyrinne 251,4 cm	
Sultan Kösen 251,0 cm	
Don Koehler 248,9 cm	
Bernard Coyne 248,9 cm	
Zeng Jinlian 248,0 cm	
Patrick Cotter (O'Brien) 246,4 cm	
Brahim Takioullah 246,3 cm	

250 cm — 200 cm — 150 cm — 100 cm — 50 cm

Chandra Bahadur Dangi 54,6 cm	
Gul Mohammed 57,0 cm	
Junrey Balawing 59,9 cm	
Pauline Musters 61,0 cm	
Jyoti Amge 62,8 cm	
Madge Bester 65,0 cm	
Younis Edwan 65,0 cm	
Calvin Phillips 67,0 cm	
Khagendra Thapa Magar 67,08 cm	
Lin Yih-Chih 67,5 cm	

Un poids plume

En 1955, nous avions mentionné un nain de 79 cm qui était « l'homme le plus léger du monde » : « À sa mort, à Glamorgan (pays de Galles), en mars 1754, l'Écossais Hopkin Hopkins pesait 5,44 kg, soit le poids humain le plus léger officiellement enregistré. Durant ses 17 années de vie, Hopkin n'a jamais dépassé 7,7 kg – son poids à 14 ans. »

Depuis, le record, rebaptisé « record de la **personne la plus légère** », ne prend en compte que les adultes de plus de 18 ans, et est détenu par Lucia Xarate (alias Lucia Zarate, Mexique, 1863-1889), qui mesurait 67 cm et dont le poids adulte maximum atteignait 5,9 kg (à 20 ans).

La maladie de Simmonds

Les adultes les plus légers recensés sont ceux souffrant de la maladie de Simmonds (cachexie hypophysaire) insuffisance de la glande pituitaire. Certaines femmes perdent jusqu'à 65 % de leur poids initial, comme Emma Schaller (USA, 1868-1890), qui mesurait 1,57 m pour 20 kg.

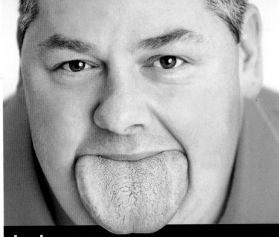

La langue la plus large

À son point le plus large, la langue de Byron Schlenker (USA) mesure 8,3 cm. Trois mesures ont été effectuées à New Hartford (New York, USA), le 30 octobre 2013 – 8,2 cm, 8,4 cm et 8,3 cm. C'est la moyenne des trois qui a défini la valeur finale du record.

ajoute des motifs blancs sur cette couverture noire et des motifs colorés au-dessus des motifs blancs.

María José Cristerna (Mexique) est la **femme la plus tatouée** : son corps était recouvert à 96 % au 8 février 2011.

Piercings (sur une vie)
Elaine Davidson (Brésil/RU) avait subi 4 225 piercings au 8 juin 2006. Elle détient également le record officiel du **plus de piercings effectués en une fois** : 462 piercings, le 4 mai 2000.

appartenaient à Robert Wadlow, qui chaussait du 69, l'équivalent de 47 cm.

Les **plus grands pieds du monde** sont ceux de Brahim Takioullah (Maroc) qui, du haut de ses 246,3 cm, est la deuxième plus grand homme du monde. Mesurés le 24 mai 2011, son pied gauche faisait 38,1 cm et le droit 37,5 cm.

Seins
Annie Hawkins-Turner (USA) a un tour de dos de 109,22 cm et un tour de poitrine de 177,8 cm. Elle porte actuellement un soutien-gorge taille 135 bonnet L mais aurait besoin d'un 125 bonnet V, qui n'existe pas dans le commerce.

Amygdales
Les amygdales palatines (tissus lymphatiques au fond de la bouche) de Justin Werner (USA) mesuraient 5,1 x 2,8 x 2 cm et 4,7 x 2,6 x 2 cm. Elles lui

La plus grande ouverture de bouche

L'ouverture maximale de la bouche se mesure du bord des incisives centrales maxillaires au bord des incisives centrales mandibulaires. J. J. Bittner (USA, *à droite*) peut ouvrir la bouche sur 8,4 cm. Cependant, Francisco Domingo Joaquim «Chiquinho» (Angola, *dans l'encadré*) a la **bouche la plus large**, mesurée 17 cm, le 18 mars 2010 à Rome (Italie).

ont été retirées à l'Excellent Surgery Center de Topeka (Kansas, USA), le 18 janvier 2011.

LE PLUS DE...

Tatouages
Le tatouage est comme une seconde peau pour Lucky Diamond Rich (Australie, né en Nouvelle-Zélande). Il a passé plus de 1 000 h à modifier son corps. Tatoué à 100 %, Lucky a recouvert tous ses tatouages d'encre noire. À présent, il

Rolf Buchholz (Allemagne) a effectué le **plus de piercings en une fois (homme)**, 453, le 5 août 2010. Au 16 décembre 2012, Rolf arborait 516 modifications corporelles, dont des implants sous-cutanés en forme de cornes et des empreintes magnétiques, devenant ainsi la **personne la plus modifiée au monde**.

Chefs-d'œuvre : des coiffures décoiffantes

La famille GWR a accueilli en 2013 un nouveau membre : Alan Edward Labbe (*à droite*), de Waltham (Massachusetts, USA), dont la coiffure – 1,54 m de circonférence au 26 juillet – lui a valu le certificat de la **plus grosse coiffure « afro » (homme)**. Alan rejoint d'autres détenteurs de records capillaires, comme Eric Hahn (USA, *à gauche*), qui possède la **crête iroquoise la plus haute** (68,58 cm, au 14 novembre 2008), et Xie Qiuping (Chine, *à gauche, en bas*), qui a la **plus longue chevelure (femme)** – ses tresses, mesuraient 5,62 m au 8 mai 2004.

 Plus de petits trous

Le plus de piercings...
• Sur un sénior (comptage unique) : «Prince Albert», alias John Lynch (RU), 241, au 17 octobre 2008.
• Sur la langue : Francesco Vacca (USA), 16, au 17 février 2012.
• Sur le visage : Axel Rosales (Argentine), 280, au 17 février 2012.

○ ○ ○

Les corps de l'extrême

Les Koweïtis ont l'**indice de masse corporelle le plus élevé** : 27,5 pour les hommes et 31,4 pour les femmes.

La personne vivante la plus grande

Du haut de ses 251 cm, Sultan Kösen (Turquie) craignait que sa taille ne l'empêche de trouver le grand amour. Pourtant, le 26 octobre 2013, il a trouvé l'âme sœur en épousant Merve Dibo, 175 cm, à Mardin (Turquie).

INFO

Sultan mesure 76 cm de plus que Merve, mais la **plus grande différence de taille pour un couple marié** est de 94,5 cm pour Fabien et Nathalie Pretou (France).

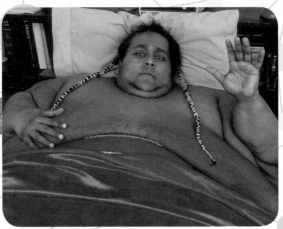

Les jumeaux les plus lourds

Billy Leon (1946–79) et Benny Loyd (1946–2001) McCrary, alias McGuire (tous deux USA), étaient de taille moyenne jusqu'à l'âge de six ans. Mais en novembre 1978, Billy et Benny pesaient respectivement 337 kg et 328 kg. Chacun avait un tour de taille de 2,13 m.

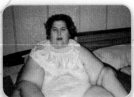
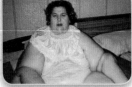

Le plus grand tour de taille

Au plus fort de son poids, Walter Hudson (USA, 1944-1991) pesait 544 kg pour un tour de taille de 302 cm.

La femme la plus lourde de tous les temps

Rosalie Bradford (USA) aurait officiellement pesé au maximum 544 kg en janvier 1987. Même si par la suite, elle a pu réguler son poids avec succès, elle a toujours eu des problèmes de santé liés à sa surcharge pondérale et en est morte en novembre 2006.

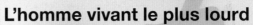

L'homme vivant le plus lourd

En 2006, Manuel Uribe (Mexique) a pesé jusqu'à 560 kg, mais en mars 2012, il était descendu à 444,6 kg. Il reste néanmoins l'homme vivant le plus lourd jamais pesé par GWR.

INFO

GWR a découvert Manuel après son appel à l'aide pour perdre du poids à la télévision mexicaine.

INFO

L'homme le plus lourd de tous les temps s'appelait Jon Brower Minnoch (USA, 1941-1983). Il avait pesé jusqu'à 635 kg.

Le tour de poitrine le plus imposant
Robert Earl Hughes (USA, 1926-1958) avait un tour de poitrine de 315 cm. Dans notre première édition de 1955, il était considéré comme l'**être humain le plus lourd du monde**, avec un poids officiel de 429,6 kg, même s'il était monté à 484 kg peu de temps avant son décès.

À VOIR EN **3D** AVEC L'APPLI GRATUITE

GUINNESS WORLD RECORDS

ATTENTION, RÉALITÉ AUGMENTÉE **3D SUR** CETTE PAGE

La femme la plus petite de tous les temps
Pauline Musters (Pays-Bas), née à Ossendrecht (Pays-Bas) le 26 février 1876, mesurait 30,5 cm. Elle est morte d'une pneumonie doublée d'une méningite, le 1er mars 1895, à New York (USA), à l'âge de 19 ans, et ne mesurait alors que 61 cm.

La femme vivante la plus petite
Jyoti Amge (Inde) mesurait 62,8 cm le 16 décembre 2011 – pour son 18e anniversaire. Elle dépasse l'**homme vivant le plus petit** (et l'**homme le plus petit de tous les temps**), Chandra Bahadur Dangi (Népal), qui mesurait 54,6 cm, le 26 février 2012.

GUINNESS WORLD RECORDS 2013
DISCOVER A WORLD OF NEW RECORDS

L'homme le plus grand de tous les temps

Robert Pershing Wadlow d'Alton (Illinois, USA) était considéré comme l'homme le plus grand du monde dans notre 1re édition, et son record n'a jamais été battu. Pour sa dernière mensuration, le 27 juin 1940, il atteignait 2,72 m. Il est décédé moins d'un mois plus tard, le 15 juillet.

Affaires de famille

Au Sénégal, un foyer moyen compte **8,9 membres** ; en Allemagne, seulement 2,0.

INFO
Dans la Rome antique, le mot *familia* désignait aussi les esclaves de la maison.

L'âge combiné le plus élevé pour une fratrie de neuf membres
Au 24 juin 2013, les neuf frères et sœurs nés de l'union de Francesco Melis et Eleonora Mameli de Perdasdefogu (Italie) totalisaient 828 ans et 45 jours.

La plus grande réunion de famille
Le 12 août 2012, à Saint-Paul-Mont-Penit (Vendée), 4 514 membres de la famille Porteau-Boileve se sont réunis.

La population infantile la plus élevée
Le Niger a la plus grande population d'enfants, puisque 50 % des Nigériens avaient entre 0 et 14 ans en 2012.
La **population infantile la plus faible** se trouve dans deux régions administrées par la Chine : Hong Kong et Macao. En 2012, à peine 12 % des habitants de ces territoires avaient entre 0 et 14 ans.

Le taux de natalité le plus faible
En 2011, l'Allemagne affichait le taux de natalité brut le plus faible – nombre de bébés nés pour 1 000 habitants – avec 8,1 naissances. La même année, l'Allemagne se plaçait au 16e rang des pays les plus peuplés, avec 82,2 millions d'habitants.
En 2011, le Niger était le pays avec le taux de naissances le plus élevé de la planète : 48,2.

Le plus de descendants
Dans les pays polygames, le nombre de descendants peut atteindre des sommets. Chiffres officiels à l'appui, au moment de sa mort, en 1992,

Le plus de jumeaux la même année dans une école

Au total, vingt-quatre paires de jumeaux étaient inscrits en CM2 à l'Highcrest Middle School de Wilmette (Illinois, USA) pour l'année scolaire 2012-2013. Le précédent record est ainsi dépassé de huit paires de jumeaux !

La course à pied en famille

Le **plus de membres de différentes générations d'une même famille à terminer un marathon** est de 8 et il s'agit des Shoji (Japon, ci-dessus) pour le 40e marathon d'Honolulu, à Hawaii (USA), le 9 décembre 2012. La famille Kapral (USA, ci-contre) a établi le **record du nombre de frères et sœurs à courir un marathon (16)**, à Appleton (Wisconsin, USA), le 20 septembre 2009.

Samuel S Mast, originaire de Fryburg (Pennsylvanie, USA), alors âgé de 96 ans, comptait 824 descendants encore en vie : 11 enfants, 97 petits-enfants, 634 arrière-petits-enfants et 82 arrière-arrière-petits-enfants.

Même s'il est impossible de vérifier les chiffres de l'époque, le dernier empereur du Maroc, Moulay Ismail (règne : 1672-1727 ;

né en 1645), aurait conçu jusqu'en 1703 525 fils et 342 filles. Son 700e fils aurait vu le jour en 1721.

La mère la plus prolifique
L'épouse de Feodor Vassilyev (1707-c. 1782), paysan de Shuya (Russie), a donné naissance à 69 enfants, issus de plusieurs grossesses dont 27 multiples : 16 jumeaux, 7 triplés et 4 quadruplés.

Le plus de bébés en une seule grossesse
Geraldine Brodrick (Australie) a accouché de neuf enfants, au Royal Hospital for Women de Sydney (Australie), le 13 juin 1971. Tous les bébés (5 garçons et 4 filles) sont malheureusement morts dans les six jours suivant leur naissance.

LES MARIAGES LES PLUS COÛTEUX

Diana Spencer avec le prince Charles, 1981, 110 millions $

Vanisha Mittal avec Amit Bhatia, 2004, 66 millions $

Kate Middleton avec le prince William, 2011, 34 millions $ (estimation)

Coleen McLoughlin avec Wayne Rooney, 2008, 8 millions $

Chelsea Clinton avec Marc Mezvinsky, 2010, 5 millions $

Liza Minnelli avec David Gest, 2002, 4,2 millions $

Elizabeth Taylor avec Larry Fortensky, 1991, 4 millions $

Heather Mills avec Paul McCartney, 2002, 3,6 millions $

Elizabeth Hurley avec Arun Nayar, 2007, 2,6 millions $

Christina Aguilera avec Jordan Bratman, 2005, 2,2 millions $

Source : Business Insider. Chiffres revus en fonction de l'inflation.

⚡ Jumeaux en cascade

Le 5 février 1955, Gail Taylor (USA), une jumelle (sœur de Dale), a donné naissance à deux jumelles, Janet et Joyce. Adulte, Janet a eu également des jumeaux – Debra et Daniel – et, fait incroyable, Debra a eu, à son tour, des jumeaux, Nathan et Alexander, soit un record de quatre générations de jumeaux.

Les Taylor (ci-dessus) partagent leur record avec la famille Rollings (RU). Les jumelles Elizabeth et Olga ont vu le jour le 3 décembre 1916. Le 20 juillet 1950, leurs nièces Margaret et Maureen Hammond sont venues au monde, et les nièces de celles-ci – Fay et Fiona O'Connor – ont suivi le 26 février 1977. Enfin, les nièces de Fay et Fiona, Kacie et Jessica Fawcett, sont nées le 12 janvier 2002.

La grand-mère la plus âgée (pour la première fois)

Marianne Wallenberg (Allemagne, née le 7 février 1913) avait 95 ans et 81 jours lorsqu'est né son premier petit-fils, Joshua Fritz Wallenberg (Canada), au Sinai Hospital de Toronto (Ontario, Canada), le 29 avril 2008. La jumelle de Joshua, Karina Diana, est née quelques minutes plus tard.

Le 26 janvier 2009, Nadya Suleman (USA) a donné vie à six garçons et deux filles au Kaiser Permanente Medical Center de Bellflower (Californie, USA) – le **plus de bébés nés en une seule grossesse et ayant survécu**. Conçus par fécondation in vitro (FIV), les nourrissons sont nés prématurément de neuf semaines et la maman a subi une césarienne.

Les naissances les plus lourdes

Anna Bates (née Swan, Canada), qui mesurait 241,3 cm, a mis au monde un garçon de 9,98 kg pour 71,12 cm chez elle, à Seville (Ohio, USA), le 19 janvier 1879. Le bébé est mort 11 h après sa naissance.

Donna Simpson (USA) pesait 241 kg quand elle a accouché de Jacqueline, en février 2007, devenant **la femme la plus lourde à mettre au monde un bébé**.

Les naissances les plus légères

Le bébé officiellement le plus léger ayant survécu pesait 260 g à sa naissance et se prénomme Rumaisa Rahman (USA). La petite fille est née à Loyola University Medical Center de Maywood (Illinois, USA), le 19 septembre 2004, au terme d'une gestation d'à peine 25 semaines et 6 jours.

Rumaisa est née avec sa jumelle, Hiba, qui pesait, elle, 580 g. Les deux sœurs détiennent le record des **jumeaux les plus légers**, totalisant un poids de 840 g.

Le plus long intervalle entre la naissance de triplés

Dans le cas de Christine, Catherine et Calvin, enfants de Louise et Robert Jamison (tous USA), nés en 1956, il s'est écoulé 66 h et 50 min entre la naissance du premier et du troisième triplé. Christine est née à 3 h 05 le 2 janvier, Catherine à 10 h 00 le 3 janvier et Calvin à 21 h 55 le 4 janvier.

Peggy Lynn (USA) a mis au monde Hanna, le 11 novembre 1995. Son jumeau, Eric, n'est arrivé que le 2 février 1996 – 84 jours plus tard –, au Geisinger Medical Center de Pennsylvanie (USA), soit le **plus long intervalle entre la naissance de deux jumeaux**.

Les plus grands rassemblements de...

- **Naissances multiples :** 4 002 groupes (3 961 paires de jumeaux, 37 trios de triplés, 4 quartets de quadruplés) se sont retrouvés devant la mairie de Taipei (Taiwan, Chine), le 12 novembre 1999.

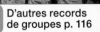

Le mariage le plus long

Herbert Fisher (USA, 1905-2011) et Zelmyra Fisher (USA, 1907-2013) se sont mariés le 13 mai 1924 en Caroline du Nord (USA) et le sont restés pendant 86 ans et 290 jours, jusqu'au décès d'Herbert.

- **Personnes nées par FIV :** 1 232, par le Infertility Fund R.O.C. de Taichung (Taiwan, Chine), le 16 octobre 2011.

- **Personnes prématurées :** 386, par l'Unicef, à Buenos Aires (Argentine), le 30 septembre 2012.

- **Personnes partageant le même anniversaire :** 228 personnes nées un 4 juillet, par Stichting Apenheul (Pays-Bas), à Apeldoorn (Pays-Bas), le 4 juillet 2012.

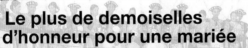

Le plus de demoiselles d'honneur pour une mariée

Nisansala Kumari Ariyasiri (Sri Lanka) avait un cortège de 126 demoiselles d'honneur lors de son mariage avec Nalin Pathirana, à l'Avenra Garden Hotel de Negombo (Colombo, Sri Lanka), le 8 novembre 2013. 700 invités avaient été conviés.

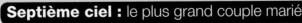

❌ D'autres records de groupes p. 116

Septième ciel : le plus grand couple marié

Le 4 août 2013, Sun Mingming – le **plus grand basketteur en activité du monde** – et la handballeuse Xu Yan (tous deux Chine) se sont dit oui à Pékin (Chine), devenant probablement le **couple marié le plus grand du monde**.

Le 14 novembre 2013, le Guinness World Records a confirmé le record. Les deux époux ont été mesurés par des médecins de l'Oasis Healthcare Centre de Pékin, en présence de juges officiels GWR. Mingming et Yan mesuraient respectivement 236,17 cm et 187,3 cm, soit une taille combinée de 423,47 cm, surpassant donc de 4,37 cm le précédent record.

INFO

Le **plus grand couple marié de tous les temps** était formé par Anna Haining Swan (Canada) et Martin van Buren Bates (USA), dont la taille combinée atteignait 477,52 cm lors de leur mariage à l'église St Martin-in-the-Fields de Trafalgar Square (Londres, RU), le 17 juin 1871. Anna a donné naissance au **bébé le plus lourd du monde** (voir texte plus haut).

La trousse médicale

Au XIVe siècle, l'épidémie de peste noire a décimé près de **200 millions** de personnes.

La corne humaine la plus longue

L'Histoire recense de nombreux cas d'humains dotés de grosses cornes, souvent sur la tête. Madame Dimanche (France) vivait à Paris (France) au début du XIXe siècle et avait une corne de 25 cm de long et 5 cm de diamètre à la base.

Le 1er cas officiel d'hypertrichose congénitale

La pilosité de Petrus Gonzales (Espagne, né en 1537) était due à une hypertrichose lanugineuse congénitale. Éduqué à la cour du roi Henri II, il a épousé une femme qui n'était pas atteinte par cette pathologie.

Le 1er lithopédion officiel

En 1582, une autopsie pratiquée sur Colombe Chatri (France), âgée de 68 ans, a révélé un embryon calcifié (lithopédion, ou « enfant-pierre »). Le fœtus était mort pendant la grossesse et avait été calcifié par l'organisme de la mère pour prévenir une infection des tissus.

Le 1er cas officiel de superfétation

La superfétation est la conception de jumeaux issus de deux cycles menstruels – et potentiellement – de deux pères différents. En 1980, une recherche de paternité gémellaire en Allemagne a entraîné des tests génétiques qui ont établi que le père concerné était à 99,995 % le géniteur putatif du 2e jumeau mais pas du 1er.

La plus grande morgue transitoire

Le physicien Christoph Wilhelm Hufeland (Allemagne, 1762-1836) a conçu des « hôpitaux transitoires » pour éviter d'enterrer des personnes vivantes. Le plus grand centre se trouvait à Munich dans les années 1880 et pouvait accueillir

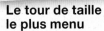

Le tour de taille le plus menu

Ethel Granger (RU, 1905-1982) a naturellement réduit son tour de taille, qui est passé de 56 cm à 33 cm entre 1929 et 1939, grâce à des corsets de plus en plus serrés. La Britannique partage ce record avec l'actrice française Mlle Polaire, alias Émilie Marie Bouchaud (1874-1939).

120 « patients ». Ils étaient reliés à une alarme qui se déclenchait au moindre mouvement.

Le 1er cercueil de sauvetage

Le duc Ferdinand de Brunswick-Wolfenbüttel (Allemagne) souffrait de taphophobie (voir ci-dessous). Avant sa mort, en 1792, il avait commandé un cercueil doté d'une fenêtre,

d'une voie d'aération et d'un couvercle à loquets et non cloué.

Faroppo Lorenzo (Italie) est resté le **plus longtemps volontairement enterré**, du 17 au 26 décembre 1898. Il assistait l'inventeur du cercueil, le comte Michel de Karnice-Karnicki (Russie). Le cercueil incluait une sorte de périscope qui remontait à la surface pour laisser pénétrer l'air dans l'habitacle. Lorenzo déclara que « ça puait drôlement là-dessous ».

La personne la plus légère

Lucia Zarate (alias Xarate, Mexique) pesait 1,1 kg à sa naissance et 2,1 kg à l'âge de 17 ans. En 1884, à 20 ans, elle atteignait 5,9 kg. Née avec une forme de nanisme, Lucia mesurait 67 cm.

La 1re mention officielle d'une femme avec un visage de cochon

D'après des journaux publiés par G J Boekenoogen (Pays-Bas), les légendes de fillettes nées avec un visage de cochon remontent aux années 1630. Un article hollandais remonte même à 1621 et retrace l'histoire d'une fillette qui aurait grandi en mangeant dans une auge et parlé en grognant. Les pamphlets et les ballades qui circulaient aux XVIIe et XVIIIe siècles regorgeaient d'histoires fantastiques du même genre.

TOP 10 DES CAUSES DE MORTALITÉ DANS LE MONDE EN 2011

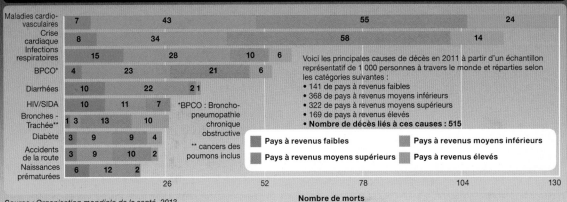

	Pays à revenus faibles	Pays à revenus moyens inférieurs	Pays à revenus moyens supérieurs	Pays à revenus élevés
Maladies cardio-vasculaires	7	43	55	24
Crise cardiaque	8	34	58	14
Infections respiratoires	15	28	10	6
BPCO*	4	23	21	6
Diarrhées	10	22	2	1
HIV/SIDA	10	11	7	
Bronches - Trachée**	1 3	13	10	
Diabète	3	9	9	4
Accidents de la route	3	9	10	2
Naissances prématurées	6	12	2	

Nombre de morts : 26 · 52 · 78 · 104 · 130

Voici les principales causes de décès en 2011 à partir d'un échantillon représentatif de 1 000 personnes à travers le monde et réparties selon les catégories suivantes :
- 141 de pays à revenus faibles
- 368 de pays à revenus moyens inférieurs
- 322 de pays à revenus moyens supérieurs
- 169 de pays à revenus élevés
- **Nombre de décès liés à ces causes : 515**

*BPCO : Broncho-pneumopathie chronique obstructive

** cancers des poumons inclus

Source : Organisation mondiale de la santé, 2013

Glossaire

Hypertrichose : pilosité anormale ; la pathologie peut être congénitale (de naissance). La pilosité peut être évaluée grâce à la méthode de Ferriman-Gallwey (voir p. 78).

Taphophobie : peur d'être enterré vivant. C'était un souci répandu avant que les médecins n'apprennent à détecter les signes de vie chez les personnes donnant l'impression d'être mortes.

Les 1ᵉʳˢ jumeaux siamois asymétriques officiels

Lazarus Colloredo (Italie, né en 1617) est né avec un jumeau parasite sur la poitrine doté d'une tête et de trois membres difformes. Ce jumeau a été considéré comme un être à part entière, puisqu'on l'avait appelé Joannes Baptista. Lazarus est parti en tournée pour exhiber son siamois, qui réagissait aux stimuli, laissant supposer une autonomie fonctionnelle limitée.

évacué 5 000 ascaris en 3 ans, principalement en les vomissant.

Le plus de vers solitaires évacués

Plusieurs ténias peuvent cohabiter dans l'organisme. En 1883, le docteur Aguiel a décrit un patient qui aurait évacué une masse de 1 kg contenant 34,5 m de ténias. Trois ans plus tard, le docteur Garfinkel a vu un paysan

Le 1ᵉʳ bébé à trois têtes

En 1834, les docteurs Raina et Galvagni (tous deux Italie) ont décrit un bébé mort-né à trois têtes. C'est le 1ᵉʳ cas de gémellité siamoise extrême, car l'un des deux cous possédait deux têtes.

La queue humaine la plus longue

Ouvrier d'une plantation, Chandre Oram (Inde) a fait la une des médias, en 2008, avec sa queue de 33 cm. Il y a eu d'autres cas, comme cet adolescent de 12 ans en Indochine française, qui aurait eu une queue de 22,8 cm. En 1901, l'anatomiste Ross Granville Harrison a décrit un bébé né avec une queue de 7,6 cm qu'Harrison examina après son ablation.

Le plus d'ascaris évacués

Les ascaris, vers ronds parasites, vivent dans l'intestin grêle. Ils apparaissent parfois par centaines, mais en 1880, le docteur Fauconneau-Dufresne a rapporté le cas d'un Français qui aurait

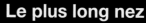

Le plus d'enfants nés de jumeaux siamois non séparés

Chang et Eng Bunker (1811-1874) ont vu le jour en Thaïlande, autrefois Siam – à l'origine du terme « jumeaux siamois ». Les deux hommes ont engendré 21 enfants, dont les descendants ont tenu leur 24ᵉ réunion annuelle à Mount Airy (Caroline du Nord, USA), en 2013.

Le plus long nez

Dans les années 1770, Thomas Wedders (RU) présentait un numéro de cirque où il exhibait un nez mesurant supposément 19 cm de long.

qui avait un ver solitaire de 72,5 m couronné de 12 têtes.

L'épidémie de listériose la plus mortelle

L'épidémie qui a sévi en 1985 en Californie (USA) aurait tué de 47 à 84 personnes. L'infection est due à la listeria, bactérie présente dans le fromage. Même à faible dose, elle entraîne de nombreuses victimes. C'est l'épidémie la plus mortelle liée à une bactérie alimentaire aux États-Unis.

Le nain le plus âgé

Susanna Bokoyni (USA, née en Hongrie) du New Jersey

avait 105 ans lorsqu'elle est morte le 24 août 1984. Née en avril 1879, elle mesurait 101,5 cm et est l'une des deux détentrices du record des nains centenaires avec Anne Clowes (RU), qui est morte le 5 août 1784 à 103 ans et mesurait 114 cm.

Les siamois les plus âgés

Nés le 4 octobre 1877, Giacomo et Giovanni Battista Tocci (Italie) sont décédés à 63 ans. Séparés au-dessus de la taille, ils partageaient l'abdomen, le pelvis et les jambes. Après s'être produits en Europe et aux États-Unis, ils se sont retirés de la vie publique.

Liés par le corps : les siamois

Masha et Dasha Krivoshlyapova (URSS, à gauche) souffraient de *dicephalus tetrabrachius dipus* (deux têtes, quatre bras et deux jambes), une forme très rare de gémellité fusionnée. Elles sont nées le 3 janvier 1950 et, jusqu'à leur mort le 17 avril 2003, étaient les **jumelles siamoises vivantes les plus âgées**. Le titre est ensuite revenu aux jumelles craniopagus (liées à la tête) Lori et Dori Schappell (USA, à droite) nées le 18 septembre 1961. Au 8 mai 2014, elles avaient 52 ans et 232 jours. En 2007, Dori a déclaré être transsexuelle et s'identifie à présent comme homme répondant au nom de George.

INFO

La décision de séparer des siamois ne se prend pas à la légère, et de nombreux jumeaux préfèrent rester liés. En effet, des complications surviennent lorsque les jumeaux partagent des organes vitaux. Dans le cas des Bunker (ci-dessus), leurs foies avaient fusionné. Si aujourd'hui, on pourrait les séparer par une intervention assez simple, ce n'était pas le cas dans les années 1800.

:Recordmania

Mania : mot issu du grec, signifiant « folie » ; passion ou enthousiasme excessifs.

La plus grande collection de cannettes de soda

L'engouement de Davide Andreani (Italie) pour les cannettes de Coca-Cola a débuté à l'âge de 5 ans, lorsqu'il a décidé de collectionner les boîtes de soda étrangères que lui rapportait son père de ses voyages d'affaires en Europe. Au 14 août 2013, l'aficionado du célèbre breuvage possédait 10 558 cannettes différentes provenant de 87 pays !

INFO

La plupart des cannettes ne sont pas décapsulées. Il les vide en les perçant par le fond pour éviter qu'elles n'explosent !

Monsieur Teste-Tout

Alors que nous lancions la 1re édition du *Guinness Book of Records* à Londres, un petit garçon voyait le jour à New York (USA) et allait devenir le champion incontesté des records. Il s'appelle Keith Furman, même si aujourd'hui, il est plus connu sous son nom spirituel : Ashrita.

C'est une pure – et heureuse – coïncidence que celui qui détient le **plus de Guinness World Records** soit né le même mois que notre entreprise. Keith Furman a vu le jour le 16 septembre 1954 et a établi son tout premier record à l'âge de 25 ans. Il a accompli en 36 ans plus d'exploits que la plupart des gens pourraient réaliser en 10 vies entières.

Gérant d'une boutique de produits naturels, Furman a été renommé Ashrita – « protégé de Dieu » en sanskrit – par son maître spirituel Sri Chinmoy (Inde, 1931-2007), qui lui a enseigné l'auto-transcendance et la méditation. Grâce à ses leçons, Ashrita a établi son 1er record en 1979 – 27 000 sauts en extension totale – et ne s'est plus arrêté. Au 1er mai 2014, il détenait 521 records, dont 182 toujours inégalés.

Partez à la découverte de quelques records établis par monsieur Teste-Tout…

Info

Ashrita a établi son 100e record le 24 septembre 2005, **en faisant tourner le plus grand hula-hoop** – 4,8 m de diamètre – 3 fois autour de sa taille, sur le plateau de *Richard & Judy* à Londres (RU).

Ashrita... par lui-même

« La philosophie auto-transcendantale de mon maître – dépasser ses limites et progresser spirituellement, artistiquement et physiquement grâce à la méditation – m'enchante. Lorsqu'on sait se connecter avec sa source intérieure et se montrer réceptif au divin, on peut tout accomplir.

Les tentatives de records font désormais partie de mon voyage spirituel. J'examine en détails le *Guinness World Records* à la recherche de catégories qui me paraissent motivantes et amusantes. De nombreux records intègrent des éléments ludiques, comme le jonglage, la marelle, le monocycle, le bâton sauteur et l'équilibre d'objets sur la tête et le menton. Je prends du plaisir à pratiquer l'activité elle-même et également à suivre mes progrès pour atteindre le but que je me suis fixé. Le plus important n'est pas le record, mais le dépassement de ses limites. »

2003 **Record de temps au marathon en sautant (sans corde à sauter)** : 5 h 55 min 13 s

2006 **Le plus rapide à parcourir 1 mile en faisant tourner une toupie** : 25 min et 13 s

1986 **Le plus de roulades avant consécutives** : 8 341

2007 **La plus longue distance parcourue sous l'eau sur un bâton sauteur** : 512,06 m

2004 **Record de temps du mile (1,6 km) en faisant du hula-hoop** : 14 min 25 s

1997 **La plus longue distance parcourue sur un bâton sauteur** : 37,18 km

| 1979 | 1980 | 1981 | 1982 | 1983 | 1984 | 1985 | 1986 | 1987 | 1988 | 1989 | 1990 | 1991 |

1998 **La plus longue distance parcourue avec une bouteille de lait sur la tête** : 130,3 km

2007 **Le plus rapide à parcourir 1 mile sur un bâton sauteur tout en jonglant avec 3 balles** : 23 min et 28 s

2004 **Le plus rapide à parcourir 8 km sur échasses à ressorts** : 39 min et 56 s

2007 **Le plus de sauts sur échasses à ressorts en 1 min** : 106

1999 **La plus longue distance parcourue en portant une brique de 4,08 kg sans s'arrêter (homme)** : 136,87 km

2010 **Le plus long jonglage de 3 objets sous l'eau** : 1 h, 19 min et 58 s

LES RECORDS PRÉFÉRÉS D'ASHRITA

Ashrita a battu de nombreux records sur les 7 continents, dont celui du mile le plus rapide sur un bâton sauteur en Antarctique et du mile le plus rapide sur un ballon sauteur le long de la Grande Muraille de Chine. Voici ses records les plus mémorables.

Roulades avant consécutives	8 341
Distance avec une bouteille de lait sur la tête	130,3 km
Distance en bâton sauteur au pied du mont Fuji	18,60 km
Sauts sous-marins en bâton sauteur (dans le fleuve Amazone)	3 647 sauts 3 h et 40 min
1 mile en course en sac (contre un yak)	16 min et 41 s
Sauts en extension totale (1er record d'Ashrita)	27 000
Distance avec queue de billard en équilibre (Égypte)	11,3 km
1 mile en poussant une orange avec le nez	22 min et 41 s
8 km sur échasses	39 min et 56 s
5 km en sautant sans corde à sauter	30 min

Légendes

Record établi puis perdu	
Détient toujours le record	

Actualisé au 1er mai 2014

2011 **Le plus de pommes brisées en 1 min** : 40

2011 **Le plus de balles de baseball tenues dans un gant** : 24

2008 **Le plus rapide sur 1 mile sur échasses** : 12 min et 23 s

2009 **Le plus rapide sur 10 m avec une queue de billard en équilibre sur le menton** : 3,02 s

1993 1994 1995 1996 1997 1998 1999 2000 2001 2002 2003 2004 2005 2006 2007 2008 2009 2010 2011 2012 2013 2014

2009 **Le plus rapide sur 1 mile avec un livre en équilibre sur la tête** : 8 min et 27 s

2010 **Le plus long dribble d'une balle de golf avec un club de golf** : 1 h, 20 min et 42 s

2010 **Le plus rapide sur 1 mile avec quelqu'un sur le dos** : 12 min et 47 s

2012 **Le plus long équilibre d'une tronçonneuse sur le menton** : 1 min 25,01 s

2010 **Le plus rapide sur 100 m en sauts de grenouille** : 7 min et 18 s

2012 **Le plus rapide sur 1 mile en jonglant avec 3 objets** : 7 min et 27 s

2012 **Le plus rapide sur 5 km en courant avec des palmes** : 32 min et 3 s

Collections

On estime à 5 millions le **nombre de collectionneurs** de timbres aux États-Unis.

Cornemuses

Daniel Fleming de Cleethorpes (Lincolnshire, RU) possédait 105 cornemuses en état de marche au 24 octobre 2013.

Pièces de monnaie d'une même année

Rahul G. Keshwani (Inde) a 11 111 pièces de 25 paises (pièce retirée de la circulation) de l'année 1989. La collection a été validée le 28 juillet 2013, à Mumbai (Inde).

Livres de cuisine

Sue Jimenez (USA/Canada) avait 2 970 livres de cuisine au 14 juillet 2013, à Albuquerque (Nouveau Mexique, USA).

Calculettes électroniques

Gerhard Wenzel (Allemagne) a facilement dressé l'inventaire

Plats en reproduction

Les répliques en plastique d'aliments sont très répandues dans les restaurants japonais... et au domicile d'Akiko Obata, à Sanbu-gun (Chiba, Japon). Au 24 janvier 2014, la collection d'Obata comptait 8 083 faux plats – plus des porte-clefs, jouets et aimants sur le thème alimentaire.

Boîtes à pizza

Lorsque Scott Wiener (USA) commande une pizza, il est plus intéressé par l'emballage que par le contenu. Au 23 octobre 2013, l'amateur de pizza – qui a même écrit un livre sur sa passion, *Viva La Pizza ! : The Art of the Pizza Box* – avait rassemblé 595 boîtes de 42 pays différents.

Voici les dernières collections ajoutées dans la base de données GWR :

Cartes d'embarquement

Après avoir emprunté 90 compagnies aériennes en 28 ans, João Gilberto Vaz de Brasilia (Brésil) avait 2 558 cartes d'embarquement au 23 janvier 2014. Il fait en moyenne 91,35 vols par an.

Collection *Doctor Who*

Ian O'Brien (RU) avait rassemblé 1 573 objets différents dédiés aux populaires «Seigneurs du Temps», au 6 septembre 2013, chez lui, à Manchester (RU). Il a débuté sa collection en 1974 avec un Dalek jaune (un jouet Louis Marx) puis, pour chaque Noël, il recevait le *Dr Who Annual,* recueil publié annuellement à la gloire de Dr Who. Ian est particulièrement attaché à sa console TARDIS, commercialisée par Dapol, et à un jouet Dalek pour bébé très rare, commercialisé par Selcol.

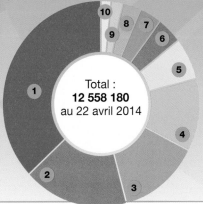

de sa collection grâce aux 4 113 calculatrices qu'il possédait au 7 septembre 2013, à Solingen (Allemagne).

Objets liés à Ganesh

Ram et Lalita Kogata (Inde) ont rassemblé 10 631 objets à la gloire de Ganesh, divinité hindoue représentée avec une tête d'éléphant, au 14 septembre 2013, à Udaipur (Rajasthan, Inde). Le couple possède également la **plus grande collection de statues de Ganesh** : 2 930.

Cartes cadeaux

En 2007, deux frères, Aaron et David Miller (USA/Canada), ont décidé de rendre le shopping avec leur mère plus ludique. Les adolescents ont alors débuté une collection de cartes cadeaux de magasins. Au 30 août 2013, ils en avaient 3 215 différentes.

Objets liés au cheval

Amoureux des chevaux, Edgar Rugeles (Colombie)

TOP 10 DES CATÉGORIES DE COLLECTIONS LES PLUS FOURNIES

 1 : Tabac
4,65 millions d'objets

 2 : Corps humain
2,17 millions d'objets

 3 : Publications
1,65 million d'objets

 4 : Aliments et boissons
1,45 million d'objets

 5 : Vêtements et accessoires
806 698 objets

Total :
12 558 180
au 22 avril 2014

 6 : Loisirs, jeux et hobbies
551 046 objets

 7 : Voyage
459 249 objets

 8 : Papeterie
381 101 objets

 9 : Articles ménagers
237 006 objets

 10 : Animaux
184 946 objets

 Timbres à thèmes...

Peinture : J. M. van der Leeuw (Pays-Bas), 19 284 timbres au 25 mai 2013, à Wageningen (Pays-Bas).

Vie marine : Samhar Moafaq Noori Ahmed (Irak), 2 775 timbres au 16 novembre 2013, à Leeds (Yorkshire, RU).

1er jour d'émission : George Vavvas (Grèce), 7 215 timbres au 6 avril 2013, à Ioannina (Grèce).

Papes : Magnus Andersson (Suède), 1 580 timbres au 16 novembre 2010, à Falun (Suède).

 Glossaire

Bibliophilie : collection de livres

Cagophilie : collection de clés

Cartophilie : collection de cartes de cigarettes ou de chewing-gums

Tégestophilie : collection d'étiquettes de bouteilles de bière

Philatélie : collection de timbres-poste

Timbromania : manie de collectionner des timbres-poste

COLLECTIONS DE PERSONNAGES

	Collection	Nombre	Détenteur du record	Inventaire
	X-Men	15 400	Eric Jaskolka (USA)	28 juin 2012
	James Bond *(voir ci-dessous)*	12 463	Nick Bennett (RU)	21 novembre 2013
	Winnie l'Ourson	10 002	Deb Hoffmann (USA)	14 septembre 2013
	Mickey Mouse	6 726	Janet Esteves (USA)	11 novembre 2013
	Conan le Barbare	4 670	Robert et Patricia Leffler (tous deux USA)	2 avril 2003
	Hello Kitty	4 519	Asako Kanda (Japon)	14 août 2011
	Trolls	2 990	Sherry Groom (USA)	26 octobre 2012
	Donald Duck	2 775	Steffen Gerdes (Danemark)	27 juin 2012
1	Les Simpsons	2 580	Cameron Gibbs (Australie)	20 mars 2008
2	Batman	2 501	Kevin Silva (USA)	25 octobre 2013
	Doctor Who *(voir page ci-contre)*	1 573	Ian O'Brien (RU)	6 septembre 2013
3	Drôles de Dames	1 460	Jack Condon (USA)	6 février 2007
	Superman	1 253	Herbert Chavez (Philippines)	22 février 2012
	Daleks	1 202	Rob Hull (RU)	14 mai 2013
	Harry Potter	807	Jayne Gradel (USA)	13 juin 2013

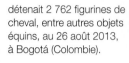

détenait 2 762 figurines de cheval, entre autres objets équins, au 26 août 2013, à Bogotá (Colombie).

Clés
Lisa J. Large de Kansas City (Missouri, USA) possédait 3 604 clés différentes au 20 novembre 2013.

Collection liée à Ozzy Osbourne
Au 18 octobre 2013, Claus Solvig de Rødovre (Danemark) avait acquis 1 811 objets liés à la légende du heavy metal Ozzy Osbourne.

Collection James Bond

Nick Bennett (RU) entretient un lien très étroit avec Bond depuis 1995. Sa collection, qui comptait 12 463 articles au 21 novembre 2013, est à présent rangée dans un entrepôt de Warrington (RU). Elle comprend les chaussures que portait Roger Moore dans *L'Homme au pistolet d'or* (RU, 1974), une poupée 007 unique qui vaut environ 10 000 £ (12 347 €) et un hors-bord de *Vivre et laisser mourir* (RU, 1973).

Les collections : pas d'interdit

Guinness World Records a listé au moins 169 catégories de collection qui attendent encore un record. C'est donc le moment ou jamais de vérifier vos trésors : vous avez peut-être la **plus grande collection...** d'objets liés à *Alice au pays des merveilles*, de chemises hawaïennes, de balles de golf autographiées, d'autographes de footballeurs, de bavoirs, de maillots de baseball, d'objets de basket, d'écharpes de concours de beauté, de jeux pour PC dans leurs boîtes, de boîtes en fer publicitaires, de statues bouddhistes, d'objets liés au chameau, de sucres d'orge, de brosses de nettoyage, d'objets liés au colley, d'objets en crochet... Découvrez comment participer à la p. 5.

Et pour finir...

• Collection *L'Étrange Noël de monsieur Jack* : William Wong (Hong-Kong) a 2 020 objets (18 février 2014).
• **Collection *Star Wars*** : Steve Sansweet (USA) détient 300 000 objets uniques *Star Wars*, en Californie (USA). 92 240 étaient répertoriés au 4 mai 2014.
• **Étiquettes de vêtements** : Paul Brockmann (USA) a rassemblé 4 120 étiquettes (11 mars 2014).

Modélisme

À ses débuts, Airfix vendait des **jouets gonflables** et n'a proposé des maquettes qu'à partir de 1952.

La plus grande sculpture de cure-dents

Michael Smith (USA) a utilisé plus de 3 millions de cure-dents pour créer Alley, un alligator de 4,5 m de long et 132,4 kg lorsqu'il a été mesuré à Prairieville (Louisiane, USA), le 22 mars 2005.

La plus vaste exposition de sculptures en cure-dents

Un orchestre entier miniaturisé – 62 musiciens avec leurs instruments et un chef d'orchestre – a été assemblé par Go Sato (Canada) à partir

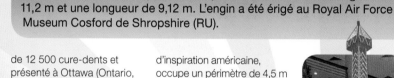

La plus grande maquette d'avion

Pour la série télévisée *Toy Stories* (BBC, 2009), le présentateur James May (RU) a participé à la construction d'une maquette Airfix, réplique grandeur nature d'un Supermarine Spitfire Mk1 avec une envergure de 11,2 m et une longueur de 9,12 m. L'engin a été érigé au Royal Air Force Museum Cosford de Shropshire (RU).

de 12 500 cure-dents et présenté à Ottawa (Ontario, Canada), le 18 juin 2013.

La plus grande maquette en pâte à modeler

Depuis le début des années 1960, Martin et Nigel Langdon (RU) ont passé des milliers d'heures à façonner leur ville idéale. Ils ont utilisé plus de 226 kg de pâte à modeler. La maquette, qui intègre un colisée à la romaine et des gratte-ciel

d'inspiration américaine, occupe un périmètre de 4,5 m de long sur 1,2 m de large. Seuls les troncs d'arbre ne sont pas en pâte à modeler, mais en allumettes peintes.

La plus grande maquette en allumettes

Les « Cathédrales de la mer » représentent une plate-forme pétrolière de la mer du Nord et ont été créées avec 4 075 000 allumettes par David Reynolds (RU) qui a terminé son œuvre en juillet 2009.

La plus haute sculpture en cure-dents

Stan Munro (USA) a érigé une maquette de la tour Burj Khalifa de Dubaï (ÉAU), le **bâtiment le plus haut**. La sculpture de 5,09 m a été mesurée au Phelps Art Center de Phelps (New York, USA), le 22 juin 2013. Munro a eu besoin d'environ 6 mois et de quelque 250 000 cure-dents.

La plus grande collection de maquettes militaires

Francisco Sánchez Abril (Espagne) a débuté sa collection de véhicules militaires miniatures en 1958. En février 2012, il avait réuni 2 815 maquettes différentes provenant de 25 pays.

La plus grande maquette d'aéroport

L'aéroport Knuffingen du Miniatur Wunderland de Hambourg (Allemagne) a été construit au 1:87.

La plus haute maquette en allumettes

Construit par Toufic Daher (Liban), le modèle réduit de la tour Eiffel affiche une hauteur de 6,53 m. La maquette a été dévoilée au City Mall de Beyrouth (Liban), le 11 novembre 2009 pour célébrer le GWR Day.

COMMENT METTRE UN BATEAU EN BOUTEILLE ?

01 Choisir une bouteille dotée d'un goulot assez large et peindre un décor marin à l'intérieur de la bouteille.

02 Fabriquer une coque de bateau avec du bois. Construire tout sauf le mât, les voiles et les supports des voiles (vergues). Bien veiller à ce que l'ensemble passe par le goulot de la bouteille. Peindre la structure.

03 Fabriquer les mâts. Créer une charnière avec du fil de fer à la base de chaque mât – elle servira à replier les voiles. Construire les voiles et les vergues.

04 Percer des trous dans chaque mât et y glisser une longueur de fil. Attacher les mâts et les gréements à la coque ; les étendre sur la longueur de la coque.

05 Glisser le voilier à travers le goulot. Colorer du mastic pour figurer la mer. Quand le mastic prend, le voilier devrait être stable.

06 Tirer le fil qui passe à travers les mâts, de manière qu'ils se redressent grâce aux charnières métalliques.

07 Sécuriser les mâts en appliquant de la colle à leur base. Sceller la bouteille avec un bouchon de liège.

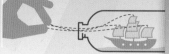

Pietro D'Angelo

Depuis 2008, l'artiste Pietro D'Angelo (Italie) crée des sculptures entièrement faites à la main, chez lui, à partir de trombones. Conçue en 2008, la *Pole Dance* de Pietro est la **plus haute sculpture en trombones**, avec 2,28 m. Chaque sculpture demande à Pietro de 2 à 3 mois de travail et nécessite de 10 000 à 20 000 trombones. L'ingénieux D'Angelo utilisait d'abord des trombones en fer avant de leur préférer des modèles en acier inoxydable spécialement conçus pour lui par une fabrique de trombones.

La plus grande collection de dioramas

Un diorama est la maquette en 3D d'un paysage ou d'un décor détaillé. Nabil Karam (Liban) est à la tête de la plus importante collection. Parmi ses 333 dioramas – recensés à Zouk (Liban), le 17 novembre 2011 –, on retrouve des batailles célèbres, une gare, un aéroport et plusieurs scènes de films.

La maquette de 45,9 m² s'inspire de l'aéroport international de Hambourg et a nécessité 7 ans d'assemblage.

La voiture miniature à réaction la plus rapide

Le Heathland School Rocket Car Club de Hounslow (RU) a conçu Möbius – voiture miniature à réaction qui a atteint 329,84 km/h, le 14 juin 2013.

Le train miniature le plus long

Un train modèle réduit de 282,11 m comptant 31 locomotives et 1 563 wagons a été construit par le Wilmington Railroad Museum Model Railroad Committee. Il a été dévoilé à Wilmington (Caroline du Nord, USA), le 23 avril 2011.

Le Great American Railway est la **plus longue voie ferrée miniature**, avec un parcours de plus de 15,2 km à l'échelle 1:87. Édifiée par Bruce Williams Zaccagnino (USA), c'est la pièce maîtresse du parc d'attraction Northlandz, à Flemington (New Jersey, USA).

Le plus de fusées miniatures lancées simultanément

Le scout Jacob Smith (USA) a lancé 3 130 fusées miniatures en même temps pour commémorer les 100 ans des Boy Scouts of America. Le lancement a eu lieu à College Station (Texas, USA), le 9 octobre 2010.

Le plus petit bateau en bouteille

En 1956, Arthur V Pedlar (RU) a construit un navire dans une fiole en verre mesurant 2,38 cm de long et 0,9 cm de large, avec un goulot d'à peine 0,2 cm. Le galion avait 3 mâts, 5 voiles et 3 drapeaux.

La plus grande exposition de bateaux en bouteille

Au 15 février 2013, Kjell Birkeland (Norvège) avait une flotte de 655 bateaux en bouteille. Ils sont exposés à l'Arendal Bymuseum d'Arendal (Norvège).

Le plus grand bateau en bouteille

Le Nelson's Ship in a Bottle est une réplique à l'échelle du HMS *Victory* à l'intérieur d'une bouteille géante. L'œuvre a été exécutée par Yinka Shonibare MBE (RU) et mesure 4,7 m de long pour 2,8 m de diamètre. La maquette a été dévoilée sur le 4e socle de Trafalgar Square (Londres, RU), en 2010.

La plus grande sculpture de Dalek

Snugburys Ice Cream (RU) fabrique des sculptures de paille depuis plus de 10 ans. En 2013, l'entreprise a édifié un Dalek de 10,6 m de haut. Créée en l'honneur du 50e anniversaire de *Doctor Who*, la sculpture a nécessité 700 h de travail, 6 t de paille et 5 t d'acier.

La maison de poupées de la reine Mary

Construite en 1921-1924 par l'architecte sir Edwin Landseer Lutyens (RU) à 1:12, la maison de poupées de la reine Mary comprend plomberie, électricité et une cave de bouteilles de vrai vin. C'est la **maison de poupées la plus visitée**. Exposée depuis de nombreuses années au château de Windsor (RU), la maquette a attiré plus de 9 millions de visiteurs rien qu'entre 2004 et 2013. Sa bibliothèque miniature contient le **plus d'ouvrages littéraires jamais créés pour une maison de poupées** : les 206 œuvres uniques comprennent un recueil de poésie manuscrit de Rudyard Kipling et *How Watson Learned the Trick*, une histoire spécialement écrite par Conan Doyle.

ℹ Minuscules intérieurs

Les maisons de poupées remontent au xvie siècle. Les premières étaient souvent des répliques de demeures appartenant à de riches familles et n'étaient pas considérées comme des jouets. Le xviiie siècle a vu l'essor des « cabinets de poupées », des maisons miniatures assemblées dans de somptueux meubles. Les maisons de poupées telles que nous les connaissons sont nées à l'époque victorienne.

◦Objets géants…

La **Grande Muraille de Chine** est certes gigantesque, mais elle n'est pas visible de la Lune.

La plus grande affiche

La plus grande affiche est celle de *Boss*, un film de Bollywood sorti en 2013. Il a fallu 30 h pour l'imprimer. Elle mesure 3 234 m², sa longueur excédant celle de 12 courts de tennis. Elle a été réalisée par Team Akshay (Inde) et Macro Art Ltd (RU), et exposée le 3 octobre 2013.

Chariot à hot-dogs
Marcus Daily (USA) a conçu un chariot de 3,72 m de haut qui, malgré ses dimensions, est mobile – long de 7,06 m, il est toutefois difficile à manier. Marcus, qui a établi ce record le 28 octobre 2013, à Union (Missouri, USA), souhaite en faire un restaurant permanent.

Aiguilles à tricoter
En dépit de leur longueur de 3,98 m, des aiguilles fabriquées par Jim Bolin ont été utilisées par Jeanette Huisinga (tous deux USA) pour tricoter un carré de 10 × 10 points, à l'école primaire Monroe de Casey (Illinois, USA), le 20 mai 2013.

Mégaphone
Des membres du public ont été invités à exprimer à voix haute leurs pensées grâce à un mégaphone de 2,43 m de long. L'objet a été fabriqué par Bezoya (Espagne) à Madrid, le 10 octobre 2013.

INFO
La lampe est allumée à l'aide d'une minuterie et son pied sert de banc.

Le plus grand lampadaire

En février 2013, Fredrik et Martin Raddum (tous deux Norvège) ont construit un lampadaire de 9,16 m de haut, à Oslo (Norvège). Son abat-jour, en polyester et fibre de verre, mesure 3,98 m de diamètre. La barre qui le soutient est en acier.

LES PLUS GRANDS…

Enveloppe
L'université Ajmal Khan Tibbiya (Inde) a fabriqué une enveloppe de 17,86 m de long sur 13,10 m de large à Aligarh (Uttar Pradesh), le 3 avril 2013.

Maquette de dent
Une molaire de 8,23 m réalisée par Sensodyne (Mexique) a été exposée au Parque México à Mexico pour promouvoir l'hygiène dentaire.

Lampe à huile
Une lampe à huile d'une capacité de 652,8 l a été commandée par la municipalité d'Almócita (Almería, Espagne), à l'occasion des célébrations du festival de la Nuit des lampes à huile du 11 mai 2013.

Pinceau
L'artiste Sujit Das (Inde) a conçu un pinceau de 8,5 m de long qui pèse 22 kg. Celui-ci a été utilisé au lycée de garçons du gouvernement de Nagaon, à Nagaon (Inde), le 19 juin 2012, pour réaliser les portraits du Mahatma Gandhi, de Bhagat Singh et de Bishnu Prasad Rabha.

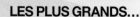

Le plus long club de golf

Karsten Maas (Danemark) a créé un club de golf de 4,37 m de long, avec lequel il a effectué un drive de 165,46 m sur le parcours de Wall (Allemagne), le 30 avril 2013. Karsten, qui organise lui-même ses démonstrations, détenait ce record depuis 2009. Les clubs mesurent généralement de 1,14 à 1,22 m.

La plus longue planche taillée dans un arbre

Daniel Czapiewski (Pologne) a découpé une planche de 46,53 m à Szymbark (Pologne), le 9 juin 2012. Pour en savoir plus sur Daniel Czapiewski, rendez-vous p. 96-97.

UN NOËL XL

La plus grande pochette surprise de Noël : longueur 63 m, diamètre 4 m

La plus grande étoile de Noël : hauteur 31,59 m

Le plus grand sapin de Noël artificiel : hauteur 52 m

La plus grosse boule de Noël : diamètre 4,2 m

Le plus grand sucre d'orge : longueur 11,14 m, diamètre 10,1 cm

Le plus grand santon de la crèche : hauteur 5,3 m, diamètre 3,4 m

La plus grande bougie de Noël : hauteur 3,9 m, largeur 3,1 m

⚡ Grande nouvelle

En 1955, nous avions évoqué l'édition la plus volumineuse d'un journal jamais publiée, à savoir l'édition de 490 pages du *New York Times* du 12 septembre 1954. Celle-ci a été battue par l'édition dominicale du 14 septembre 1987 du *New York Times* : un numéro unique de 1 612 pages. Pesant 5,4 kg, il s'agit aussi du **journal le plus lourd jamais publié.**

ℹ Une échelle gigantesque

Les records d'objets géants exigent en général que les postulants créent une version démesurée d'un objet de dimension classique en en conservant si possible les proportions ainsi que les matériaux. Les directives peuvent varier, mais nous attendons que la version géante soit fonctionnelle : ainsi, un crayon géant doit permettre d'écrire, quelle que soit sa taille !

La plus grosse pince à linge

Karl Josef Biller (Allemagne, *à droite*) a conçu une pince à linge en bois qui fonctionne : évitez d'y mettre les doigts ! Elle mesure 3,5 m de long et 65 cm de haut et a été présentée le 9 septembre 2012, à Regensburg (Allemagne).

projet Choshu d'innovation scientifique de l'université d'Ube (Yamaguchi, Japon), le 27 décembre 2012. La boîte aux lettres ayant été agréée par le service des postes, l'université peut y poster officiellement du courrier.

à Point Pleasant Beach (New Jersey, USA), le 29 octobre 2013.

Bague en argent
Une bague de 91,32 kg composée de 99,99 % d'argent pur a été réalisée par Valentine Diamond (Turquie). Dotée d'un diamètre intérieur de 92 cm, elle a été mesurée à Istanbul (Turquie), le 27 septembre 2013.

Cartes à jouer
Un jeu de cartes de 1,295 x 0,939 m a été inauguré le 12 septembre 2013 par le Viejas Casino & Resort, à Alpine (Californie, USA). Les cartes ont servi à jouer une partie de black-jack sur **la plus grande table de black-jack du monde** – une table fonctionnelle de 206,85 m² –, fabriquée pour célébrer le 21e anniversaire de l'établissement.

Château de sable
Ed Jarrett (USA) est devenu le roi du château (de sable). Il en a bâti un de 11,63 m de haut,

Cuillère en bois
Une cuillère en bois de 17,79 m de long a été réalisée par le Centrul Cultural Mioveni (Roumanie). Elle a été mesurée à Mioveni (Roumanie), le 7 juin 2013.

Avion en papier
Confectionner un avion en papier d'une envergure de 18,21 m est une chose, le faire voler en est une autre. L'Institut de technologie de Braunschweig (Allemagne) y est parvenu le 28 septembre 2013. Lancé d'une plate-forme de 2,47 m de haut, l'avion a volé sur 18 m.

Boîte aux lettres
Une boîte aux lettres de 68,484 m³ a été conçue dans le cadre du

Le plus grand père Noël

Le centre commercial Norte a inauguré un père Noël de 20 m de haut, 7 m de large et 4 m d'épaisseur, à São Paulo (Brésil), le 7 novembre 2013. Selon des estimations, près de 5 millions de clients ont fréquenté le centre commercial au moment de Noël, admirant le géant en Styrofoam® et fibre de verre. Un cadeau posé à côté faisait 4 m de haut.

Le plus grand maillot de football

La société Guinness Nigeria plc a réalisé un maillot pour l'équipe nationale nigériane des Super Eagles. Mesuré à Lagos (Nigeria) le 25 janvier 2013, celui-ci atteignait 73,55 m de large et 89,67 m de long.

INFO
Au Brésil, le père Noël est appelé Papai Noel. Il passe par les fenêtres et dissimule des cadeaux dans les chaussures disposées à cet effet.

Sacré tricot : la plus longue écharpe

Helge Johansen (Norvège) est un habile tricoteur : il est l'heureux créateur de l'**écharpe la plus longue du monde**. Il a fallu 30 ans au Norvégien pour tricoter cette écharpe de 4 565,46 m – aussi longue que 550 bus londoniens à impériale ou que Central Park à Manhattan (New York, USA). Pour qu'elle puisse être mesurée durant le Guinness World Records Day 2013, Helge a déroulé son écharpe – généralement enroulée en boule (*à droite*) – dans un gymnase d'Oslo (Norvège), en la disposant en lacets étroits (*à gauche*).

Et enfin...

- **Le plus grand chapiteau :** 40 473,85 m², installé par la Barrett-Jackson Auction Company, à Scottsdale (Arizona, USA), en janvier 2014.
- **La plus grande pelle :** 4,5 m de haut avec un fer de 95,6 cm de large, fabriquée par Rollins Bulldog Tools, à Harlow (RU), le 27 septembre 2013.
- **Le plus grand drapeau :** 101 978 m², par Moquim Al Hajiri, à Doha (Qatar), le 16 décembre 2013. ○ ○ ○

Grand orchestre

Le mot « orchestre » vient du *grec orcheisthai*, qui signifie « **danser** ».

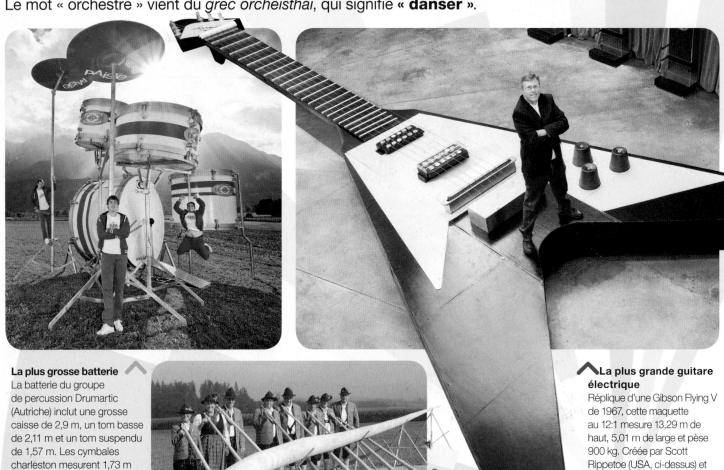

La plus grosse batterie

La batterie du groupe de percussion Drumartic (Autriche) inclut une grosse caisse de 2,9 m, un tom basse de 2,11 m et un tom suspendu de 1,57 m. Les cymbales charleston mesurent 1,73 m de diamètre. L'ensemble est baptisé Big Boom.

La plus grande guitare électrique

Réplique d'une Gibson Flying V de 1967, cette maquette au 12:1 mesure 13,29 m de haut, 5,01 m de large et pèse 900 kg. Créée par Scott Rippetoe (USA, ci-dessus) et des étudiants de l'Academy of Science & Technology de l'Independent School District de Conroe (Texas, USA), elle a été utilisée pour la 1re fois le 6 juin 2000, 7 mois après le début de sa fabrication.

Le plus long cor

Sa réalisation a requis 7 mois. Le Corno vivo Oli mesure 26,46 m pour 92,5 kg. Il a été créé par les Rottumtaler Alphornbläser (Allemagne) à partir d'un sapin de Douglas et a été présenté et mesuré à Bellamont (Allemagne), le 16 septembre 2012.

Le plus gros piano

Construit par Daniel Czapiewski (Pologne, ci-dessous, à gauche), ce piano mesure 2,49 m de large, 6,07 m de long et 1,9 m de haut. Il a été utilisé lors d'un concert dans le village de Szymbark (Pologne), le 30 décembre 2010. Talentueux artiste du bois et ami du GWR, Daniel est décédé le 3 décembre 2013.

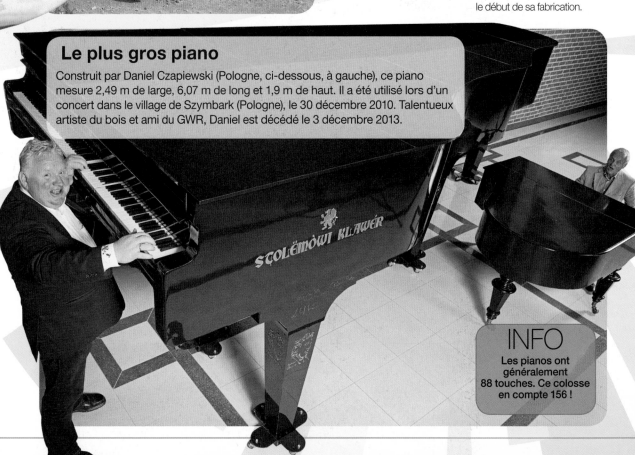

INFO

Les pianos ont généralement 88 touches. Ce colosse en compte 156 !

Le plus gros accordéon

Cet accordéon de 2,53 m de haut, 1,9 m de large et 85 cm de profondeur pèse environ 200 kg. Fabriqué par Giancarlo Francenella (Italie, ci-dessus, avec sa fille Laura), l'instrument porte le nom de Fisarmonica Gigante et a été achevé en 2001.

La batterie avec le plus de pièces

La batterie comptant le plus de pièces, ou éléments individuels, soit 813, appartient au docteur Mark Temperato (USA, ci-dessus). Celles-ci ont été dénombrées à Lakeville (New York, USA), le 21 mars 2013. Il faut plus de 20 h à 4 personnes pour installer cet ensemble colossal, et environ 45 min pour frapper sur toutes ses percussions. Qui dit mieux ?

Le plus gros violon

Créé par les luthiers et archetiers talentueux du Vogtland (Allemagne), ce violon géant atteint 4,27 m de long, une largeur maximale de 1,4 m et il est possible d'en jouer à l'aide d'un archet de 5,2 m.

Le plus gros saxophone

Avec son tuyau de 6,74 m de long et son bec d'un diamètre de 39,1 cm, ce saxophone a été fabriqué par J'Élle Stainer (Brésil) pour la société Below65-4hz.com (Italie), à l'occasion du 200e anniversaire d'Adolphe Sax. Il mesure 2,74 m de haut, pèse 28,6 kg et a été mesuré à Cerveteri (Italie), le 3 août 2013. Ci-dessus, le coordinateur du projet, Gilberto Lopes, est en train de l'essayer.

Plaisirs de bouche

Chaque Américain mange **75 l de popcorn** par an, soit une baignoire !

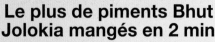

Le plus de crêpes faites en 1 h

Ross McCurdy (USA) a fait seul 1 092 crêpes à Kingston (Washington USA), le 13 août 2013.
Le **plus de crêpes faites en 8 h en équipe** : 76 382, par Batter Blaster (USA), le 9 mai 2009.

Le chemin le plus rapide du grain au four

Neil Unger (Australie) a relevé le défi du « producteur au consommateur ». Le record n'avait pas été battu depuis 1999. Avec son équipe, il a récolté du blé pour produire 13 miches de pain (la « douzaine du boulanger ») en 16 min et 30,83 s. L'exploit a eu lieu à Cawdor (Nouvelle-Galles du Sud, Australie), le 11 janvier 2013.

Le plus rapide pour manger un bol de pâtes

Furious Pete, alias Peter Czerwinski (Canada, photo p. 99), a mangé un bol de pâtes en 41 s, sur le plateau de *Abenteuer Leben* (Kabel eins), à Sankt Peter-Ording (Allemagne), le 13 juillet 2013.

Le plus rapide pour manger un beignet à la confiture sans les mains

Oli White (RU) n'a pas utilisé ses mains et ne s'est pas léché les lèvres en aspirant un beignet à la confiture en 28,75 s, à l'Alexandra Palace de Londres (RU), le 17 août 2013. C'était la 3e fois en un an que le présentateur de GWR YouTube parvenait à battre ce record.

Le plus de bouchées arrachées à des pommes en 1 min tout en jonglant

L'artiste et jongleur Michael Goudeau (USA) a pris 151 bouchées de 3 pommes avec lesquelles il jonglait, en 1 min, sur le plateau de *Guinness World Records Unleashed* à Los Angeles (Californie, USA), le 20 juin 2013.

Le plus de piments Bhut Jolokia mangés en 2 min

Le Bhut Jolokia, ou piment fantôme, atteint environ 1 000 000 sur l'échelle de Scoville (voir ci-dessous). Le 19 juin 2013, Jason McNabb (USA) a mangé 66 g de ces chilis – plus de 13 poivrons entiers –, à Los Angeles (Californie, USA).

LE PLUS DE...

bananes tranchées avec un sabre en 1 min en se balançant sur une corde lâche
Le 3 août 2013, à New York, le recordman vétéran Ashrita Furman (USA) s'est balancé sur une corde lâche alors qu'on lui lançait 36 bananes qu'il a tranché en deux une à une.

INFO
Les chilis fantômes peuvent brûler la peau. Portez toujours des gants pour les manipuler.

Épicez votre vie : l'échelle de Scoville

Le chimiste américain Wilbur Scoville a établi l'échelle qui permet de graduer les piments. En 1912, bien avant les tests de chromatographie liquide à haute pression, il s'est basé uniquement sur le goût. Une graine de piment était dissoute dans une solution alcoolisée additionnée d'eau sucrée jusqu'à ce qu'elle devienne à peine perceptible des dégustateurs. Plus il fallait la dissoudre, plus fort était le taux. Ci-contre quelques taux de l'échelle encore utilisée – même si la technologie a remplacé les goûteurs.

Piment	Taux de Scoville
Peperoncini	100-500
Jalapeño	2 500-5 000
Cayenne	30 000-50 000
Tabasco	
Scotch bonnet	80 000-300 000
Bhut Jolokia	800 000-1,04 million
Naga viper	1,38 million
Carolina reaper (photo à gauche)	1,56 million (le **piment le plus fort**)

Œufforts extrêmes

Le plus rapide pour **casser 10 œufs** : 12,64 s, Mauro Vagnini (Italie), Milan (Italie), le 28 avril 2011.

Le plus de sauts, debout, sur des œufs frais sans les casser : 9, Lan Guangping (Chine), Pékin (Chine), 9 septembre 2013.

Le plus d'œufs tenus dans une main : 27, Silvio Sabba (Italie), Milan (Italie), 19 mai 2013.

INFO

Sabrer une bouteille de champagne était à la mode durant les guerres napoléoniennes. On tient la bouteille à un angle de 20° et, avec un sabre, on fait sauter le col que la pression dans la bouteille envoie voler au loin.

bouteilles de champagne sabrées en 1 min

« Sabrer le champagne » désigne une technique pour ouvrir le champagne ; on tient la bouteille à un certain angle et on fait glisser un sabre le long du goulot pour décapiter la bouteille sous l'effet de la pression. Le 22 novembre 2012, Matthias Eisenhardt (Allemagne) a sabré 42 bouteilles de champagne en 1 min, à Berlin (Allemagne).

Le **plus de bouteilles de champagne sabrées en même temps** : 277, par le Centro Empresarial e Cultural de Garibaldi à Rio Grande do Sul (Brésil), le 5 octobre 2013.

Utilisant la méthode la plus conventionnelle, le chef Gino D'Acampo (Italie) de UK TV a fait sauter le plus de bouchons de champagne en 1 min : 7, le 29 juillet 2013.

de puddings à la crème mangés en 1 min

Le « dévoreur » de compétition Patrick Bertoletti (USA) a avalé 16 puddings crémeux à Los Angeles (USA), le 26 juin 2013.

d'œufs tenus sans les casser sur des montagnes russes

Özgür Tuna a tenu 110 œufs dans un panier, tandis qu'Udo Baron (tous deux Allemagne) indiquait les virages. Ils se trouvaient à Europa-Park, (Rust, Allemagne), le 21 juin 2013.

de hamburgers mangés en 3 min

Takeru Kobayashi (Japon) a mangé 11 hamburgers à Istanbul (Turquie), le 5 juin 2013.

de boules de glace en équilibre sur un cornet

Dimitri Panciera (Italie) a équilibré 85 boules à un festival de la glace à Zoppè di Cadore (Italie), le 21 juillet 2013.

de noix écrasées en s'asseyant en 30 s

Cherry Yoshitake (Japon) a écrasé 48 noix avec ses fesses, au mausolée de Wakamiya Hachimangu à Kawasaki, Kanagawa (Japon), le 15 janvier 2013.

Le plus rapide pour manger 3 éclairs

Furious Pete a avalé 3 éclairs au chocolat en 18,02 s, au Marché de la viande, à Covent Garden, Londres (RU), le 10 juillet 2013. Ce jour-là, il a établi un autre record gastronomique : le plus de **hamburgers mangés en 1 min**, soit 4. Ses fans suivent ses exploits sur YouTube, et ses vidéos ont été vues 115 millions de fois au 1er février 2014.

Le plus rapide pour boire 1 l de jus de citron

Michael Jenkins (USA) a relevé le défi de boire 1 l de jus de citron avec une paille en 54,1 s, à Los Angeles (Californie, USA), le 20 juin 2013, soit 10 s de moins que le deuxième prétendant.

de moutarde avalée en 30 s

Denis Klefenz (Allemagne) a avalé 294 g d'un tube de moutarde allemande Kühne Senf Mittelscharf, le 20 juin 2013.

de noix écrasées à la main en 1 min

Non content d'avoir écrasé 131 noix dans sa main en 60 s le 10 décembre 2012, Ashrita Furman a remporté un autre record : le **plus de noix écrasées contre sa tête en 1 min**, soit 44, le 8 janvier 2013. Les deux records ont été établis à New York (USA).

Gloutonnerie, ou gastronomie à l'excès

Ces records de gloutonnerie (voir ci-contre) ne sont pas comparables à ceux établis par des personnes souffrant de boulimie (désir morbide de manger) ou de polydipsie (soif pathologique). Certains patients atteints de boulimie peuvent passer 15 h par jour à manger, allant jusqu'à consommer 174 kg de nourriture en 6 jours comme Matthew Daking, 12 ans, en 1743... Certaines personnes atteintes de polydipsie ne sauraient, quant à elles, se satisfaire de moins de 54,5 l de liquide par jour.

FAST FOOD : DES DÉVOREURS AUX GRIGNOTEURS DÉLICATS

61,46 s, **pour manger 500 g de sauce à la canneberge**, Erkan Mustafa (RU)

54 s, **pour manger 3 tartelettes**, Robert Edward Lee (Australie)

50,08 s, **pour emballer 5 portions de frites**, Stephanie Celik (RU)

41 s, **pour manger un bol de pâtes**, Furious Peter Czerwinski (Canada)

36,01 s, **pour manger 3 œufs marinés**, Kyle Thomas Moyer (USA)

18,02 s, **pour manger 3 éclairs au chocolat**, Furious Peter Czerwinski (Canada)

9,83 s, **pour manger 1 toast**, Anthony Falzon (Malte)

secondes

 ### Finalement...

• **Le plus de cappuccinos faits en 1 h** : 289 par Suzanne Stagg (Australie), à Hobart (Tasmanie, Australie), le 29 novembre 2013.

• **Le plus de personnes à boire du thé au lait** : 510 personnes à Buxton, Derbyshire (RU), le 24 novembre 2013.

• **Le plus de personnes à manger des cookies** : 1 796, Oreo India à I.I.T., Bombay (Inde), le 22 décembre 2013.

○ ○ ○

Menus XXL

Il y a davantage de **restaurants indiens** à Londres qu'à Bombay et New Delhi réunies.

Le plus grand samoussa

Le 22 juin 2012, chefs et étudiants du Bradford College (West Yorkshire, RU) ont cuisiné un feuilleté indien énorme, pesant 110,8 kg et mesurant 1,35 m de long, 85 cm de large et 29 cm de haut. L'équipe a baptisé son œuvre « la Grosse Bertha ».

LES PLUS GRANDS…

Bol de compote de pomme
Musselman's Apple Sauce (USA) a réalisé un bol de compote de pomme de 324,8 kg au Baltimore Running Festival (Maryland, USA), le 12 octobre 2013.

Cheesecake
Philadelphia Cream Cheese (USA) a créé un cheesecake de 3 129 kg à Lowville (New York, USA), le 21 septembre 2013. Il mesurait 2,29 m de diamètre et 78,7 cm de haut.

Tablette de chewing-gum
La société japonaise Lotte a produit la plus grande tablette de chewing-gum, à Sapporo, Hokkaido (Japon), le 5 octobre 2013. Elle mesurait 1,085 m de long, 29,4 cm de large et 2,9 cm d'épaisseur.

Mousse au chocolat
Une mousse de 225,3 kg – le poids de 3 hommes moyens – a été réalisée pour une bonne cause, à l'Aventura Mall (Floride, USA), le 6 octobre 2012.

Brioche à la cannelle
Pesant l'équivalent de 5 femmes adultes, la plus grande brioche à la cannelle a affiché 276 kg sur la balance et a été réalisée par la Second Floor Bakery de Holland (Michigan, USA), le 4 mai 2013. La brioche mesurait 1,83 m de diamètre et 17,8 cm de haut.

INFO
Cette dinde titanesque est offerte à quiconque peut la manger – seul – en 45 min !

Le plus grand repas de Noël

Ce repas de fête de 9,6 kg pour une personne comprend une dinde, des carottes, navets, brocolis, choux-fleurs, pommes de terre, saucisses feuilletées et 25 choux de Bruxelles. Il était au menu de *The Duck Inn*, à Oakenshaw (RU), le 24 décembre 2013.

La plus grande tour en macarons

Sébastien Laurent (France) a créé une tour de 12 niveaux, 6,7 m de haut, composée de 8 540 macarons, au château de Montjoux, à Thonon-les-Bains (France), le 8 juin 2013.

Gâteau au crabe
Fait de chair de crabe bleu du Maryland, le plus gros gâteau au crabe pesait 136 kg. Il a été réalisé par Handy International Incorporated (USA) à Timonium (Maryland, USA), le 1er septembre 2012.

Brownie
Le 25 janvier 2013, la société australienne de confiseries Darrell Lea a créé un brownie au chocolat avec des noix, de la guimauve et des biscuits de 261,2 kg.

La plus grande pizza en vente

La pizza géante sicilienne de la Big Mama's & Papa's Pizzeria mesure 1,37 x 1,37 m. Vendue en six lieux de Los Angeles (USA), elle est assez grande pour nourrir de 50 à 100 personnes. Cet amuse-bouche coûte 199,99 $ plus les taxes.

INFO
Née à Naples (Italie), la pâte à pizza était à l'origine garnie de tomate, mais pas de fromage.

Recette du big burger

Le Black Bear Casino Resort (USA) partage sa recette du **plus grand hamburger**. Il faut :

- 913,54 kg de bœuf (3,5 vaches)
- 23,8 kg de tomates
- 22,7 kg de laitue
- 27,2 kg d'oignons
- 8,6 kg de cornichons
- 18,1 kg de fromage
- 7,5 kg de bacon

Faites cuire le bœuf 4 h dans une poêle de 4,5 m en utilisant une grue pour retourner le steak. Ajoutez la garniture et servez dans un pain géant !

EST-CE QUE JE PEUX ME RESSERVIR ?

Une baignoire moyenne contient 80 l d'eau. Combien de temps vous serait-il nécessaire pour boire tous ces records ?

 = 25 baignoires

Le plus grand cocktail : 39 746,82 l

Le plus grand bol de soupe : 26 658 l

La plus grande tasse de café : 13 200 l   La plus grande tasse de chocolat chaud : 3331,16 l

Halte au gaspillage !

GWR insiste : les produits utilisés dans les menus XXL doivent être consommés pour éviter le gaspillage. La plupart du temps, la nourriture est partagée entre les participants ou les spectateurs, distribuée à des banques alimentaires, ou vendus au profit d'une œuvre. Si la nourriture n'est pas mangée ou devient avariée en cours de préparation, le record n'est pas homologué.

PORTIONS INCROYABLES

Dans le tableau ci-dessous, vous trouverez les records des plus grosses portions – nourriture ordinaire servie en quantité extraordinaire.

	Quoi	Quantité	Qui	Date
	Pommes de terre au four	1 716,6 kg	Comité Organizador de Fegasur (Pérou)	9 juin 2012
1	Chili con carne	1 097,7 kg	Chris' Dream Chili Team (USA)	15 juin 2013
	Frites	448 kg	Adventure Island (RU)	29 juin 2011
	Boulettes	685 kg	A Chang Meat Dumpling Restaurant (Taïwan)	18 novembre 2012
2	Fish and chips	47,75 kg	Fish and Chips@ LTD (RU)	30 juillet 2012
	Salade de fruits	6 935,88 kg	University of Massachusetts Dining Services (USA)	2 septembre 2013
3	Homard	510,99 kg	International Lobster Festivals, Inc. and San Pedro Fish Markets (USA)	14 septembre 2013
	Moules	4 898 kg	Havfruen Fiskerestaurant (Norvège)	3 août 2012
	Pommes de terre farcies	846,9 kg	Municipality of Ventanilla, Sociedad Peruana Cebiche Más Grande del Mundo, et APRIEG (tous Pérou)	29 septembre 2013
	Pâtisseries	39 550	2023 Metre Barış ve Kardeşlik Böregi (Turquie)	3 juin 2012

Smoothie
Plus de 3 200 bananes ont été utilisées par la Cabot Creamery Cooperative à New York (USA), le 3 mai 2013 pour réaliser un smoothie de 1 514 l – assez pour remplir 16 baignoires !

LE PLUS LONG...

Boudin noir
Fabriqué à Burgos (Espagne), en 2013, alors que la ville était la Capitale de la gastronomie, un boudin noir a été mesuré à 175,7 m pour 211 kg. La *morcilla* a été faite par plus de 450 volontaires selon la recette locale : porc, gras de porc, oignons hachés, riz bahia, lard, sang de porc, épices et sel, dans une enveloppe de tripes.

Gâteau roulé
À compter du 16 avril 2013 et pendant 2 jours, 66 chefs pâtissiers de la Japan's Kai Corporation ont créé un gâteau roulé recouvert de fraises à la crème, de 130,68 m, à Tokyo (Japon).

Cake aux fruits
Un cake aux fruits de 503,34 m – la longueur

de 9 jumbo jets garés aile contre aile – a été fait par la Panaderia Schick au Centro Comercial Managua (Nicaragua), le 17 novembre 2013.

Pain à l'ail
Étienne Thériault (Canada) a créé un pain à l'ail de 16,71 m, à l'école Ola-Léger à Bertrand (Nouveau-Brunswick, Canada), le 6 juillet 2013.

Hot dog
Un hot dog de 203,8 m a été fabriqué par Novex SA à Mariano Roque Alonso (Paraguay), le 15 juillet 2011, soit l'équivalent de 1 132 hot dogs traditionnels !

Glace
Le 18 août 2013, des boules de glace nappées de chocolat fondu et de noix alignées sur 380,97 m ont été servies dans un assortiment de gouttières (propres !), par PGA National Resort & Spa et Luke's Ice Cream, à Palm Beach Gardens (Floride, USA).

La plus grande portion de beignets

MEGA Alma-Ata Shopping & Entertainment Mall, à Almaty (Kazakhstan), a fait frire 667 kg de *baursaks* (pâte à beignet sucrée), le 2 novembre 2013. Un tonneau de bois spécial a été nécessaire pour conserver les beignets.

Fait main : faites pousser votre propre burger

Le professeur Mark Post (à gauche), biologiste vasculaire hollandais à la Maastricht University (Pays-Bas), a dévoilé le premier hamburger produit en laboratoire lors d'un lancement, à Londres, le 5 août 2013. La viande – premier exemple de ce qui pourrait fournir une réponse à la famine, d'après son créateur, et aider à lutter contre le changement climatique – a été cuite dans une poêle et goûtée par deux volontaires.

Résultat d'années de recherche de Post, cette viande était faite en « tricotant » environ 20 000 brins de protéine cultivés à partir de cellules souches de la vache dans son laboratoire. Post et son équipe travaillent pour démontrer que la viande peut se développer dans des boîtes de Petri et pourrait devenir une vraie alternative à la viande de bétail.

 Finalement...

- **La plus grande maison en pain d'épice** : 1 110,1 m³ (volume interne), construite par Traditions Club (USA) le 30 novembre 2013.
- **Le plus grand sachet de chips** : 1 141 kg, par Corkers Crisps (UK) le 13 septembre 2013.
- **Le plus long alignement de sandwiches** : 3 865,7 m de sandwiches tartinés de pâte de chocolat et de noisettes, par Nocilla (ESP) le 1er juin 2013. ○ ○ ○

Postulants surprenants

Pas besoin d'être **Usain Bolt** pour battre un record... heureusement pour ce groupe héroïque !

Silvio Sabba

Titulaire de 48 Guinness World Records – tous obtenus en moins de 3 ans –, Silvio Sabba (Italie) est l'un de nos prétendants les plus sérieux et le roi des records de 1 min. Il est photographié ici en train d'entasser le **plus d'allumettes pour faire une tour** (74), le **plus de dés en utilisant des baguettes** (44) et de fixer le **plus de pinces à linge sur le visage** (51).

28
Nombre de dés empilés par Silvio en 1 min, juste avec la bouche, le 3 juillet 2013.

Simon Elmore

Voici un record qui craint ! Simon Elmore (RU) a mis simultanément 400 pailles dans sa bouche, le 6 août 2009. Et pour se conformer au règlement de *Guinness World Records*, il les a gardées en place pendant au moins 10 s. Malheureusement pour Simon, il n'a pas atteint son objectif à 2 pailles près, mais c'était tout de même suffisant pour décrocher le record.

Gary Duschl

Gary Duschl (USA) a réalisé une chaîne en papiers d'emballage de chewing-gum de 23,9 km – c'est-à-dire presque 230 terrains de football ! Gary relie des emballages de chewing-gum depuis le 11 mars 1965, et depuis mars 2014, il a relié 1 871 538 emballages à l'aide de 3 743 076 liens.

Nathan Dickens

On ne compte plus les comportements bizarres sur le plateau de *Guinness World Records Unleashed* en 2013. Parmi les records établis, on trouve le **plus de cibles atteintes en 2 min par des joueurs de tennis aux yeux bandés** (15), par Nathan Dickens (USA).

Stephen Kish
Un habitué des premières séries de *Officially Amazing*, show télé de la BBC, « Sizzlin' » Stephen Kish (RU) a expédié le **plus de balles de ping-pong dans un verre d'une pinte en 1 min** (6).

Michael Pericoloso

Une autre façon de briser les records : Michael Pericoloso (USA) a remporté son certificat pour le plus grand nombre de règles graduées brisées contre la tête en 1 min (37), sur *Guinness World Records Unleashed*, en juin 2013. Ouille !

John Cassidy
Quand il s'agit de donner forme à des ballons, John Cassidy (USA) laisse ses concurrents plutôt dégonflés. John est le **plus rapide pour créer une sculpture de chien avec un ballon** (6,5 s), a réalisé le **plus de sculptures avec des ballons en 1 min** (13) et **en 1 h** (747).

Pleurer des larmes de lait

Mieux vaut utiliser du lait écrémé – le gras du lait entier a tendance à boucher les conduits lacrymaux !

Brandon Kee

La phrase : « Ne tirez pas avant d'avoir vu le blanc de ses yeux » aurait pu être inventée pour Brandon « Youngblood » Kee (USA), le plus rapide à atteindre cinq cibles en 34,9 s en projetant du lait par ses yeux. Comment y parvient-il ? Il aspire le lait par le nez et le fait sortir par ses canaux lacrymaux… Caramba !

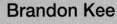

Relevez le défi

Vous avez un don unique ou un talent digne d'un record ? Alors rendez-vous sur notre site **challengers. guinnessworldrecords. com**, où vous pouvez tenter un record particulier et télécharger une vidéo à l'attention de l'un de nos quatre arbitres.

Force peu commune

Le culturiste John Holtum (Danemark) pouvait **arrêter des boulets** tirés sur lui.

global Tony Wise » 15 fois, de 1999 à 2013. Parmi les 9 épreuves figurent celles du tronc dressé, de la tronçonneuse « chaude », de la découpe d'un plongeoir et de l'ascension d'un fût de 18 m. Les championnats se tiennent chaque année à Hayward (Wisconsin, USA).

Le **plus de titres de bûcherons remportés par une femme** est de 9, pour Nancy Zalewski (USA). Elle a obtenu le titre de Lady Jill (de *lumberjill*, « bûcheronne ») en 2003-2004 et 2007-2013. Le titre de « Lady Jill globale » récompense la femme au meilleur score durant la compétition.

Le maximum de poêles enroulées en 1 min

Le 25 juin 2013, Steve Weiner (USA) a enroulé 12 poêles à Los Angeles (Californie, USA). Le **plus de poêles enroulées par une femme** est de 5, un exploit accompli le 14 novembre 2008, à Pékin (Chine) par Aneta Florczyk (Pologne).

Le train tracté le plus rapidement sur 20 m par aspiration d'un bol de riz
En pressant un bol contre ses muscles abdominaux, Zhang Xingquan (Chine) a créé une aspiration suffisante pour tracter un train de 132 t avec à son bord deux conducteurs pesant 150 kg. Il a ainsi parcouru 20 m en 1 min et 18,92 s, à Erenhot (Mongolie-Intérieure, Chine), le 24 juillet 2013.

Le poids le plus lourd soulevé en 1 h avec des arrachés de Kettlebells
Le 23 décembre 2013, Sergey Trifanov (Biélorussie) a soulevé 30 012 kg en effectuant des arrachés de Kettlebells, à l'université de Technologie d'État de Vitebsk (Biélorussie).

Le plus de battes de baseball brisées sur le dos en 1 min
Sur le plateau de *Guinness World Records Unleashed*, à Los Angeles (Californie, USA), le 24 juin 2013, Matt Dopson (USA) a brisé 19 battes de baseball sur son dos.

Le plus de victoires aux championnats du monde des bûcherons
Jason Wynyard (Nouvelle-Zélande) a remporté le titre de « Champion

Le poids le plus lourd soulevé avec des oreilles percées

Le 12 octobre 2013, à Doncaster (South Yorkshire, RU), Johnny Strange (RU) a soulevé un fût de 14,9 kg relié à ses oreilles percées par un crochet. Johnny se produit aux côtés de Daniella D'Ville (à droite), dans le cadre de l'Institution of Human Marvels.

Le plus de pommes écrasées avec le biceps en 1 min

Mama Lou, alias Linsey Lindberg (USA), a écrasé 8 pommes à sa seule force musculaire, à Los Angeles, (Californie, USA), le 26 juin 2013. Ancienne comptable, elle a quitté son emploi pour devenir artiste et fait aujourd'hui exploser des bouteilles d'eau brûlante et déchire des annuaires téléphoniques en deux.

LE POIDS LE PLUS LOURD SOULEVÉ   **AVEC...**

Le nez (fil dentaire) : Christopher Snipp (RU), 11 mai 2013 — **15,8 kg**

La langue : Thomas Blackthorne (RU), 1er août 2008 — **12,5 kg**

4,12 kg
Le front (crochets) : Burnaby Q. Orbax (Canada), 21 juin 2013

14,9 kg
Les oreilles : Johnny Strange (RU), 12 octobre 2013

4,12 kg
Les joues (crochets) : Sweet Pepper Klopek (Canada), 21 juin 2013

63.8 kg
La barbe : Antanas Kontrimas (Lithuanie), 26 juin 2013

32.6 kg
Les tétons : The Baron (Finlande), 19 juillet 2013

67,5 kg
Auriculaires : Kristian Holm (Norvège), 13 novembre 2008

8,67 kg
Les ongles des doigts : Chikka Bhanu Prakash (Inde), 20 novembre 2011

23 kg
Orteils : Guy Phillips (RU), 28 mai 2011

👁 Tracter des véhicules

Le véhicule le plus lourd tracté avec les dents : Igor Zaripov (Russie), un bus à impériale de 12 360 kg, à Londres (RU), le 15 octobre 2012

Le train le plus lourd tracté avec les dents : Velu Rathakrishnan (Malaisie), 2 trains de 260,8 t, à Kuala Lumpur (Malaisie), le 18 octobre 2003

Le véhicule le plus lourd tracté avec les tétons : Sage Werbock (USA), alias The Great Nippulini, un wagon rempli de personnes d'un poids total de 988,5 kg, à Milan (Italie), le 25 mars 2011.

ⓘ Le poids soulevé le plus lourd

« Le poids le plus lourd soulevé par un humain », selon notre parution de 1955, était de 1 965 kg, un exploit d'un Franco-Canadien, Louis Cyr (1863-1912), qui l'a soulevé avec le dos à Chicago en 1896 (poids reposant sur des tréteaux). Cyr avait un tour de poitrine de 153,6 cm et un tour de biceps de 55,8 cm. Aujourd'hui, ce record est de 2 422 kg pour deux voitures (avec leurs conducteurs) sur une plate-forme soulevée avec le dos par Gregg Ernst (Canada), en juillet 1993.

○ ○ ○

INFO

Daniella défie la mort en reposant sur un lit de clous, sur du verre pilé et en charmant des serpents.

LES PLUS LOURDS...

Bateau tracté par une équipe de nageurs

73 personnes réunies par l'association SLRG des maîtres-nageurs de Lucerne (Suisse) a tracté un bateau de 323,2 t, le 14 septembre 2013, à Lucerne (Suisse). Il lui a fallu 4 min et 34,72 s pour le tracter sur 100 m.

George Olesen (Danemark) a battu le record du **bateau le plus lourd tracté par une personne**. Il a ainsi tiré en juin 2000 un ferry de 10 300 t sur 5,1 m, à Göteborg (Suède).

Pneu tournoyant autour du corps

Ayant déjà battu des records avec des cerceaux ordinaires de hula-hoop, Paul Blair (USA) s'est démené avec un pneu pesant 52,9 kg. Paul, dont le nom de scène est Dizzy Hips, a battu son dernier record le 8 septembre 2013.

Pour plus de prouesses, rendez-vous p. 118

Les 16 blocs de béton brisés le plus rapidement sur le corps (femme)

Daniella D'Ville, alias Danielle Martin (RU), a enduré la casse successive de 16 blocs de béton sur son corps pendant 30,40 s avec une masse utilisée par son compagnon de scène Johnny Strange (RU), au Tattoo Jam de Doncaster (South Yorkshire, RU), le 12 octobre 2013. Chaque bloc possède une densité minimale de 650 kg/m³.

Le poids le plus lourd soulevé avec la barbe

Antanas Kontrimas (Lituanie) a utilisé sa barbe pour soulever 63,8 kg – poids de Gupse Özay'ın, présentatrice de *Rekorlar Dünyası* –, à Istanbul (Turquie), le 26 juin 2013. Il battait ainsi pour la dixième fois consécutive son record, établi pour la première fois en 2000 en soulevant 55,7 kg.

Véhicule tracté lors d'un bras de fer

Kevin Fast (Canada) a défié un camion lors d'un tournoi de bras de fer – et a gagné ! Le coude posé sur une table dans la position du bras de fer, le détenteur de multiples records a tracté un camion de 11 060 kg, à Cobourg (Ontario, Canada), le 26 avril 2013. Il détient également les records de l'**avion le plus lourd tiré par un homme** (un Boeing C-17 Globemaster de 188,83 t), et de la **maison la plus lourde tirée par un homme** (35,9 t). Il a aussi battu un nouveau record de lancer de tronc (voir p. 112).

Palanche transportée sur 10 m

La palanche est une barre en métal portée sur les épaules avec des poids de part et d'autre. Patrik Baboumian (Allemagne, né en Iran) a ainsi transporté un poids de 555 kg, à Toronto (Ontario, Canada), le 8 septembre 2013.

Le poids le plus lourd soulevé avec les tétons

The Baron (Finlande) est coutumier des numéros au cours desquels il côtoie étroitement forets, crochets et clous, mais aussi le feu. Il a soulevé 32,6 kg avec ses tétons, au Bush Hall de Londres (RU), le 19 juillet 2013.

Poids soulevé avec un collier de serrage fixé à l'oreille

Rakesh Kumar (Inde) a utilisé un collier de serrage pour soulever 82,6 kg, à Istanbul (Turquie), le 25 juillet 2013.

Véhicule tracté avec les oreilles (femme)

Le 20 juin 2013, Asha Rani (Inde) a utilisé ses oreilles pour tracter une camionnette de 1 700 kg, à Leicestershire (RU). En août 2012, elle avait déjà tracté un bus à plate-forme de 12 101 kg – le **véhicule le plus lourd tiré par une femme avec ses cheveux** – sur 17,2 m.

Roi de la gym : haltérophile d'endurance

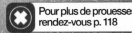

En mars 2014, Eamonn Keane (Irlande) détenait 22 records d'haltérophilie d'endurance. Le plus récent, à Louisburgh (Irlande), le 16 octobre 2013, consistait à soulever le **plus de kilos en 1 min avec des écartés couchés** (les haltères sont tenues dans chaque main sur un banc horizontal puis ramenées sur la poitrine), soit 2 160 kg. Son plus ancien record toujours en vigueur date de 2003 : le **poids le plus lourd soulevé en 1 h en développé-couché** : 138 480 kg, prouesse résultant de 1 280 répétitions avec 90,7 kg et de 493 répétitions avec 45,3 kg.

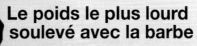

Pour finir...

• Le **véhicule le plus lourd tracté sur 100 pieds (femme)** : Lia Grimanis (Canada) a tracté une cabine de camion de 8 083 kg, à Toronto (Ontario, Canada), le 12 décembre 2013.

• Le **poids le plus lourd soulevé en 1 min par des développés au sol avec des kettlebells** : Anatoly Ezhov (Biélorussie) a soulevé 4 080 kg, soit 170 répétitions avec des kettlebells de 24 kg, à Zurich (Suisse), le 27 février 2014.

Souplesse extrême

En général, **les femmes sont plus souples** que les hommes du même âge.

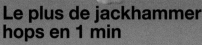

La mise en boîte la plus rapide (hommes)

M. Yogi Laser, alias Kenneth Greenaway (USA), n'a eu besoin que de 5,35 s pour entrer dans une boîte de 50,8 x 50,8 x 44,4 cm, en Californie (USA), le 27 juin 2013. **La « mise en boîte » d'une femme la plus rapide** – dans un volume de 52 x 45 x 45 cm – est de 4,78 s, par Skye Broberg (Nouvelle-Zélande), le 15 septembre 2011.

L'évasion la plus rapide d'une camisole

Sofia Romero (RU) s'est libérée d'une camisole de force Posey réglementaire en 4,69 s, au centre de loisirs Aylestone de Leicester (RU), le 9 juin 2011.

L'évasion la plus rapide d'une camisole et de chaînes en étant suspendu a duré 10,6 s. L'exploit a été accompli par Lucas Wilson (Canada) au lycée catholique Holy Trinity de Simcoe (Ontario, Canada), le 8 juin 2012.

Wilson a aussi accompli l'**évasion la plus rapide d'une camisole sous l'eau** – 23,16 s –, au lycée St Patrick de Yellowknife (Territoires du Nord-Ouest, Canada), le 5 octobre 2013.

La plus grande danse du ventre simultanée

Danone Canarias (Espagne) a organisé une danse du ventre incluant 842 participants, sur la plage de Las Canteras (Las Palmas, Grande Canarie, Espagne), le 29 mai 2011.

YOGA

La plus longue chaîne
696 étudiants de la CK School of Practical Knowledge (Inde) ont formé une chaîne en pratiquant le yoga, à Cuddalore (Inde), le 30 janvier 2013. Ils ont exécuté 5 postures dont la tête de vache (Gomukhasana), l'enfant (Balasana), le demi-lotus (Padmasana) et la posture confortable (Sukhasana).

Le plus long marathon de yoga (femmes)
En 32 h, Yasmin Fudakowska-Gow (Canada) a exécuté 1 008 postures de yoga, au Centre holistique Om West de Québec (Canada), les 2 et 3 août 2010.
Le plus long marathon de yoga (hommes) a duré 29 h et 4 min, une prouesse de Michael Schwab (Autriche) accomplie à Vienne (Autriche), les 26 et 27 septembre 2009.

ACROBATIES

Le plus long flip arrière
Lukas Steiner (Autriche) a exécuté un flip arrière de 4,26 m, à Milan (Italie), le 28 avril 2011.

Le plus de jackhammer hops en 1 min

Bryan Nguyen (USA) a exécuté 49 jackhammer hops – un mouvement de base de la breakdance – en 1 min, sur le plateau de *Guinness World Records Unleashed*, à Los Angeles (Californie, USA), le 19 juin 2013. Selon les règles, la main doit quitter le sol à chaque bond.

Il a également réalisé le **plus long saut de mains (homme)**. Parti debout, il a accompli un saut de 2,55 m, a atterri sur les mains et a adopté la position du poirier, qu'il a conservée 5 s. Il a effectué cet exploit à Mittweida (Allemagne), le 10 novembre 2011.

La posture de Marinelli tenue le plus longtemps

Cette posture extrêmement exigeante consiste à soutenir le corps contorsionné vers l'arrière en tenant un poteau avec la bouche. Tsatsral Erdenebileg (Mongolie) l'a conservée durant 4 min et 17 s, sur le plateau de *Rekorlar Dünyası*, à Istanbul (Turquie), le 17 juillet 2013.

LE PLUS GRAND RASSEMBLEMENT POUR UNE ACTIVITÉ

La plus grande séance d'aérobic : 50 420 participants, 15 août 2011

Le plus grand cours de yoga : 29 973 élèves, 19 novembre 2005

Le plus grand cours de danse : 9 223 participants, 30 avril 2010

Le plus grand cours de zumba : 6 671 participants, 15 septembre 2012

 = 1 000 participants

Le plus grand cours de pilates : 3 486 participants, 2 juin 2013

Le plus grand limbo : 1 208 enfants, 1er octobre 2011

📖 Glossaire

Parkour : cette discipline consiste à se déplacer rapidement dans un environnement urbain, en accomplissant des acrobaties – sauts, escalades, saltos – pour franchir des obstacles. Elle est née en France, où David Belle et Sébastien Foucan l'ont popularisée. Les adeptes du parkour sont appelés traceurs, car ils tracent leur voie à travers l'environnement.

INFO

Le gymnaste George Eyser (USA) a obtenu 6 médailles aux JO de 1904, malgré sa jambe de bois.

 Différence de souplesse

Les bébés ont davantage de cartilage souple que d'os. Avec le temps, celui-ci durcit, se transforment en os – les adultes sont donc beaucoup moins souples que les bébés.

Le plus long tir de flèche avec les pieds

Le 20 juin 2013, Nancy Siefker (USA) a tiré une flèche avec les pieds dans une cible située à 6,09 m, sur le plateau de *Guinness World Records Unleashed*, à Los Angeles (Californie, USA). Suivant les consignes, la cible ne devait pas excéder 30 cm de diamètre. Nancy, artiste de cirque, a atteint une cible de 13,9 cm de diamètre seulement.

Le 24 mai 2010, Chase Armitage (RU) a exécuté le **plus long flip arrière depuis un mur**, soit 3,48 m, durant l'émission *Zheng Da Zong Yi – Guinness World Records Special*, à Pékin (Chine).

Le plus de flips arrière en appui contre un mur en 1 min est de 29. Ce record a été établi par Miguel Marquez (Espagne), lors de la même émission, le 19 juin 2009.

Le plus de sauts circulaires face à un mur en 1 min
Pour faire un saut circulaire, il ne faut utiliser que les mains et effectuer une rotation du corps à 360° face à un mur. Le 24 mars 2010, Aung Zaw Oo (USA) a réalisé 11 sauts circulaires, à Rome (Italie).

Le plus long flip/saut périlleux avant
Hasit Savani (RU) a effectué un flip avant de 6 m, au Talacre Community Sports Centre de Londres (RU), le 15 février 2012.

Le plus de roulades avant-flip avant en 1 min
Mathew Kaye (RU) a effectué 17 roulades avant-flip avant en 1 min, au Parkour Park de Chineham (Hampshire, RU), le 8 septembre 2010. Le même jour, il a également réalisé le **plus de squats pistolets sur un mât d'échafaudage**, soit 29. Un squat pistolet est un squat effectué sur une jambe. Mathew pratique le parkour dans le clip de *Charlie Brown* de Coldplay (2011).

Le plus de cerceaux de hula hoop lancés simultanément autour de la taille (équipe)

Marawa the Amazing (Australie) et ses Majorettes ont intégré le *Guinness World Records* en faisant tourner 264 cerceaux de hula hoop simultanément, au Shaftesbury Theatre de Londres (RU), le 14 novembre 2013, lors du Guinness World Records Day. *Pour d'autres exploits de Marawa, rendez-vous p. 112.*

La personne la plus âgée à faire un flip arrière
Walter Liesner (Allemagne, né le 14 janvier 1913) avait 94 ans et 268 jours lorsqu'il a exécuté un flip arrière dans une piscine, à Wetzlar (Allemagne), le 9 octobre 2007. Cet ancien professeur de gymnastique à temps partiel est devenu un héros local à 17 ans lorsqu'il a effectué un appui renversé sur la rambarde du haut du clocher de l'église de Wetzlar, à 42 m du sol.

Question d'articulations : l'extrême souplesse

L'extrême souplesse de certaines personnes est souvent considérée comme une capacité à se désarticuler. Pour décrire une souplesse inhabituelle, certains spécialistes parlent plutôt d'hyperlaxité. Une telle souplesse permet d'améliorer les performances des danseurs et des gymnastes, mais elle peut aussi provoquer un déboîtement des articulations, des douleurs dorsales et des lésions des tissus mous. L'hyperlaxité peut néanmoins être utile pour les contorsionnistes tels que Zlata, alias Julia Gunthel (Allemagne, *à gauche*), la **personne la plus rapide à faire éclater 3 ballons avec le dos** (12 s), et Daniel Browning Smith (USA, *à droite*), qui a été le **plus rapide à enfiler une camisole fermée** (2 min et 8 s), le 16 août 1999.

✋ Évasion de menottes

L'évasion la plus rapide de menottes sous l'eau : 3,425 s, Thomas Blacke (USA), 25 octobre 2011.

L'évasion la plus rapide de menottes à double verrouillage : 1,59 s, Chad Netherland (USA), 8 janvier 2011.

Le plus d'évasions de menottes en 1 h : 627, Zdeněk Bradáč (Rép. tchèque), 12 février 2010.

○ ○ ○

« Cirque » vient du latin signifiant « **cercle** », enceinte pour les spectacles.

Le plus de bulles de savon dans une grande bulle

Andy Lin, alias Kuo-Sheng Lin (Taïwan), a soufflé 152 bulles de savon dans une plus grande bulle, au World Trade Center de Taipei (Taipei chinois), le 23 décembre 2011. Le 17 avril 2012, il a également réalisé le **plus de rebonds d'une bulle de savon**, avec 195 rebonds consécutifs.

La plus longue distance avec une tondeuse en équilibre sur le menton
Chayne Hultgren, surnommé « The Space Cowboy » (Australie), détenteur de multiples records, a parcouru 28,4 m avec une tondeuse éteinte sur le menton, à Sydney (Australie), le 4 novembre 2013. Il a aussi établi le record de projections d'un chapeau des pieds à la tête sur un monocycle en 1 min, soit 10, à Londres (RU), le 28 septembre 2012.

La plus grande distance sur une corde lâche en monocycle
Les « slacklines » sont moins tendues que les cordes raides. Pourtant, le « monocycliste de l'extrême » allemand Lutz Eichholz en a parcouru une sur 15,66 m, à Pékin (Chine), le 9 septembre 2013.

La hauteur maximale par un boulet humain
The Bullet, surnom de David Smith Junior (USA), a été propulsé verticalement à 26 m, le 8 juillet 2013, à California City (Californie, USA). Il a aussi parcouru la **plus longue distance d'un boulet humain**, soit 59,05 m, à Milan (Italie), le 10 mars 2011. La pratique du boulet humain remonte au 2 avril 1877, date à laquelle Rosa Richter (RU), baptisée Zazel,

L'objet le plus lourd pour jongler

Le 17 juillet 2013, le culturiste Hercules (Ukraine), de son vrai nom Denys Ilchenko, a jonglé avec 3 pneus de 26,98 kg, à Nairn (Highlands, Écosse, RU). Les pneus sont restés en l'air 32,43 s au cours de son 3e essai.

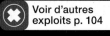 Voir d'autres exploits p. 104

est devenue le **1er boulet humain**. Elle avait alors 14 ans et avait été propulsée à 6 m, à l'aquarium de Westminster (Londres, RU).

La plus grosse bulle de savon flottant librement
Le 11 janvier 2013, à Londres (RU), Sam Heath, dit SamSam BubbleMan (RU), a créé une bulle de 3,3 m³ dans un espace intérieur pour *Officially Amazing* (Lion TV).

Le plus de figures au poi en 1 min
Le poi est l'art de balancer des poids attachés à des matériaux selon différentes figures. Joe Dickinson (RU) a réalisé

Le plus de pommes dans la bouche et tronçonnées en 1 min

Le 12 octobre 2013, Johnny Strange (RU) a tronçonné 8 pommes tenues dans sa bouche en 1 min, au Tattoo Jam de Doncaster (South Yorkshire, RU). Avec l'aide de Daniella D'Ville (voir page de droite), il a également établi le record du **plus de pommes tenues dans la bouche puis tronçonnées en deux en 1 min**, soit 12.

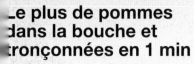

LES PLUS GRANDS NUMÉROS D'ANIMAUX DE CIRQUE

Lions : 40, Alfred Schneider (RU), Bertram Mills Circus, Londres (RU), 1925

Lions et tigres mélangés : 43, Clyde Beatty (USA), 1938

Ours polaires : 60-70, Willy Hagenbeck (Allemagne), Circus Paul Busch, Berlin (Allemagne), 1904

 Animaux de cirque

Comme le suggère le graphique de gauche, *Guinness World Records* répertorie depuis longtemps divers records impliquant des animaux de cirque. Aujourd'hui, les cirques sont beaucoup plus soucieux de leur bien-être et beaucoup ont banni les numéros avec des animaux. Par ailleurs, nous n'enregistrons plus de records avec des animaux de cirque si nous ne sommes pas sûrs à 100 % qu'ils sont bien traités.

 Jeff Dunham

Le ventriloque et humoriste Jeff Dunham (USA) a vendu le **plus de billets d'un spectacle de comédie en tournée**. Lors de sa tournée pour *Spark of Insanity*, présenté dans 386 salles du monde entier, du 13 septembre 2007 au 21 août 2010, il a vendu 1 981 720 billets, ce qui le mettait sans doute de bonne humeur lorsqu'il se rendait à sa banque.

Le plus d'épées avalées sous l'eau

Chayne Hultgren (Australie), surnommé « The Space Cowboy », a avalé 3 épées sous l'eau, à l'Olympic Park Aquatic Centre de Sydney (Australie), le 14 novembre 2013.

74 figures à trois temps en 1 min, à la Secret Garden Party de Cambridgeshire (RU), le 22 juillet 2012.

La plus jeune personne à effectuer un quadruple saut périlleux
Michael Martini (Italie, né le 17 novembre 1999) a exécuté un quadruple saut périlleux, à 13 ans et 196 jours, au Circo Orfei de Massafra (Italie), le 1er juin 2013. Michael est un artiste professionnel, sans quoi le GWR n'aurait pas enregistré sa performance, car il avait moins de 16 ans.

JONGLERIE

L'échange de tenues le plus rapide par un duo de jongleurs
Le 8 janvier 2014, Matt Baker et Joe Ricci (tous deux USA) ont échangé leur tenue en 2 min et 52 s, au Jiangsu (Chine). Le 1er janvier 2012, les deux hommes ont

aussi effectué 13 relèves en bondissant l'un au-dessus de l'autre, soit le **plus de relèves totales en jonglant avec 3 objets durant 1 min**.

La distance maximale sur une corde lâche en jonglant avec 3 objets
Carson Firth (USA) a parcouru une corde lâche tout en jonglant, sur la distance de 8,65 m, en Floride (USA) le 9 août 2013.

Le plus de rotations d'une épée en équilibre sur une dague

La spécialiste de cirque Daniella D'Ville, pseudo de Danielle Martin (RU), a battu un nouveau record en faisant tourner 9 fois en 1 min une épée en équilibre sur une dague, au Tattoo Jam de Doncaster, le 12 octobre 2013.

Le plus de pastèques coupées sur le ventre sur un lit de clous

Le 12 octobre 2013, au Tattoo Jam de Doncaster, 10 pastèques ont été coupées sur le ventre de Daniella D'Ville alors qu'elle était allongée sur un lit de clous.

Le **plus de pastèques coupées sur le ventre en 1 min** (sans clous) est de 48. Bipin Larkin les a coupées sur Ashrita Furman (USA tous deux), à Jamaica (New York, USA), le 30 novembre 2012.

Le plus de saisies de suite en jonglant avec une hache
Après avoir démontré l'efficacité de ses haches en coupant du bois, Max Winfrey (USA) a jonglé avec 3 d'entre elles, en les rattrapant 163 fois, à Winter Garden (Floride, USA), le 7 juin 2013.

Le plus d'objets utilisés pour jongler en ayant avalé une épée
The Space Cowboy a jonglé avec 5 balles après avoir avalé une épée, à Londres (RU), le 14 septembre 2012. Luther Bangert (USA) a égalé cet exploit, à Iowa City (USA), le 7 juillet 2013. Il a

La plus longue carrière de Monsieur Loyal

Au 20 mars 2014, Norman Barrett (RU) avait endossé le rôle de Monsieur Loyal pendant 56 ans. Il n'a pas eu besoin de s'enfuir pour travailler dans un cirque : son père en possédait un. Né le 20 décembre 1935, il avait 12 ans lors de sa 1re représentation.

conservé les balles en l'air 11,72 s contre 6,5 s pour The Space Cowboy.

Le plus de saisies en jonglant sur un mât de cirque en 1 min
Le 21 juin 2013, à Europa Park (Rust, Allemagne), Isabelle Noël (Allemagne), artiste et professeur des arts du cirque, s'est tenue sur un mât de 49 m en réalisant 179 saisies.

Cirque du Soleil : circus maximus

Le Cirque du Soleil, basé à Montréal, dont Guy Laliberté (Canada) est le confondateur et dirigeant, est la **plus grande entreprise de cirque**, avec 19 productions mondiales en tournée et sur place. Détenteur de records (voir à droite), il représente un chiffre d'affaires annuel de plus de 1 milliard de $ et 5 000 employés. Malgré une concurrence et des marchés devenus plus rudes, Laliberté a séjourné pour 35 millions $ sur la Station spatiale internationale en 2009 – il est l'un des 7 visiteurs à avoir effectué, depuis 2001, le **plus onéreux voyage touristique**.

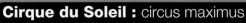

Le Cirque du Soleil présente...
Le plus de personnes sur des échasses à de multiples endroits : 1 908, le 16 juin 2009
Le plus gros système d'élévation hydraulique sous l'eau : en 1999, Handling Specialty Manufacturing (Canada) a construit une scène de 339 m² dans une piscine de 5,6 millions de litres d'eau pour le Cirque du Soleil.
Le 50 m sur échasses le plus rapide : Carlos Rodriguez Diaz (Cuba), en 1 min et 30 s, en Floride (USA), le 16 juin 2009

Jeux d'intérieur

Un Rubik's Cube 3 x 3 présente **43 252 003 274 489 856 000** combinaisons.

Le plus de joueurs de parties de flipper simultanées

Le 16 mai 2013, 100 personnes se sont réunies au First Canadian Place, à Toronto (Canada), pour jouer au flipper. Cet événement gratuit, organisé dans le cadre du festival Stratford, servait à promouvoir le spectacle *Tommy* de l'Avon's Theatre, comédie musicale comportant une chanson sur le flipper.

La plus grande pyramide de gobelets en 30 min

Le 22 février 2012, Uri, Jonathan, Daniel et Oded Ish-Shalom (tous USA) ont créé une pyramide composée de 652 gobelets en 30 min, à Jérusalem (Israël).

L'empilage *(sport stacking)* le plus rapide

Le 24 mars 2013, William Polly (USA) a réalisé en individuel un cycle Stack en 5,59 s, aux championnats américains de *sport stacking* de la WSSA (Maryland, USA).

Park de Tribeca, à Jakarta (Indonésie) pour jouer à Crazy Birds.

Le plus long marathon de jeu de société

Brett Carow et Sam Hennemann (tous deux USA) ont joué 116 parties consécutives de Strat-O-Matic Baseball, durant 61 h et 2 min, à New York (USA), du 7 au 9 juin 2012.

ÉCHECS

L'échiquier monté le plus vite

Ray Butler (USA) a installé un échiquier en 41,87 s, à Las Vegas (USA), le 18 septembre 2013. L'**installation la plus rapide d'un échiquier par 2 personnes** a duré 41,24 s. Record établi le 27 novembre 2013 par Tyler Eichman et John Walker (tous deux USA), à Oconto, Wisconsin (USA).

Le plus long marathon d'échecs

Du 17 au 19 décembre 2010, Daniel Häußler et Philipp Bergner (tous deux Allemagne) ont joué aux échecs 40 h et 20 min, à Ostfildern (Allemagne).

Le plus de joueurs participant simultanément à un jeu de société

Le 16 juin 2013, la société Dokter Toy (Indonésie) a réuni 1 239 personnes dans le Central

Le plus d'adversaires simultanés au Scrabble

Chris May (Australie) a remporté 25 des 28 parties de Scrabble qu'il a disputées simultanément chez Oxford University Press, à Oxford (RU), le 11 juin 2013. Alors classé 9e joueur mondial, il a eu besoin de plus de 4 h pour terminer toutes les parties.

Häußler a gagné 191 parties, Bergner 114. Il y a eu 50 nuls.

Le plus de parties d'échecs disputées au même endroit

Le 24 décembre 2010, l'autorité sportive du Gujarat (Inde) a organisé 20 480 parties simultanées sur le terrain de sport de l'université du Gujarat, à Ahmedabad (Inde).

Le plus grand échiquier

Le 27 mai 2009, le Medicine Hat Chess Club

d'Alberta (Canada) a présenté un échiquier de 5,89 m de côté. Le roi mesurait 1,19 m de haut et 37,4 cm de largeur à la base.

DOMINOS

Le plus de dominos renversés par une personne

Liu Yang (Chine) a disposé, puis renversé sans assistance 321 197 dominos, au golf de CITIC Guoan Grand Epoch City, à Pékin (Chine), le 31 décembre 2011.

La plus grande piscine à balles

Le 30 octobre 2013, la piscine de l'hôtel Kerry de Pudong (Shanghai) a été vidée avant d'être remplie d'un million de balles vertes et roses dans le cadre du mois de la prévention du cancer du sein. Les balles, qui occupaient 315,6 m², ont ensuite été vendues pour financer une association caritative.

LA CHUTE DES PUISSANTS : LE PLUS DE DOMINOS RENVERSÉS PAR UN GROUPE

■ = 15 000 dominos

1 605 757
Pays-Bas
1998

2 472 480
Pays-Bas
1999

2 751 518
Chine
1999

3 407 535
Chine
2000

3 847 295
Pays-Bas
2002

4 345 027
Pays-Bas
2008

3 992 397
Pays-Bas
2004

4 491 863
Pays-Bas
2009

4 002 136
Pays-Bas
2005

4 079 381
Pays-Bas
2006

INFO

Le plus grand nombre de dominos renversés par un groupe a été atteint le 13 novembre 2009, lors du Domino Day 2009, intitulé *The World in Domino – The Show with the Flow*. Les dominos ont été disposés par 89 bâtisseurs, au centre d'exposition WTC de Leeuwarden (Pays-Bas).

La plus haute structure en dominos

Une tour de 6,02 m de haut composée de 11 465 dominos a été réalisée puis renversée par l'équipe Domino Team d'Yspertal (Autriche), le 3 novembre 2013. Marcel Pürrer (en photo) fait partie de l'équipe de 4 personnes qui a construit la tour.

INFO
La tour constitue l'élément final d'un ensemble de 100 101 dominos installés par 44 personnes en 4 jours.

Le plus de Rubik's Cube résolus en 1 an lors de compétitions

En 2012, Sébastien Auroux (Allemagne) a reconstitué 2 033 Rubik's Cubes lors de compétitions officielles de la World Cube Association. Cela équivaut à 5,5 cubes résolus dans ce cadre par jour et exclut ceux résolus officieusement.

RECORD DE RUBIK'S CUBES RÉSOLUS EN 1 AN

Nom	Résolus	Tentatives	Année
Sébastien Auroux (Allemagne)	2 033	2 122	2012
François Courtès (France)	1 651	1 780	2013
Zoé de Moffarts (Belgique)	1 518	1 575	2012
Arnaud van Galen (Pays-Bas)	1 481	1 568	2012
Erik Akkersdijk (Pays-Bas)	1 477	1 609	2010
Jan Bentlage (Allemagne)	1 452	1 517	2012
Bence Barát (Hongrie)	1 349	1 392	2010
Clément Gallet (France)	1 213	1 249	2011
Tim Reynolds (USA)	1 205	1 281	2012
Laura Ohrndorf (Allemagne)	1 193	1 295	2013

Source : World Cube Association, 31 décembre 2013

Le plus long mur de dominos
Sinners Domino Entertainment (Allemagne) détient de multiples records d'installation et de chute de dominos. Le 6 juillet 2012, au lycée Wolfgang Ernst de Büdingen (Allemagne), elle a installé – puis renversé – un mur de 30 m de long composé de 31 405 dominos. Le même jour, elle a battu le record du **plus de dominos renversés disposés en pyramide**, soit 13 486.

Le 23 octobre 2012, à Kefenrod (Allemagne), la Sinners a battu le record du **plus de dominos renversés en 30 s**, soit 60.

Six mois plus tard, le 12 juillet 2013, la société a battu le record du **plus de dominos renversés à partir d'une spirale**, soit 55 555.

Le plus de dominos empilés ou renversés en 1 min
Le 7 août 2010, Gemma Hansen (RU) a disposé et renversé 75 dominos à Minehead (RU). Le 7 août 2011, Andy James (RU) a disposé 39 dominos en une seule pile, le **plus de dominos empilés en 1 min**. Paul Lusher (RU) a égalé ce record le 4 septembre 2011.

La vitesse de résolution la plus rapide de la World Cube Association

2 x 2 : Christian Kaserer (Italie), 0,69 s

3 x 3 : Mats Valk (Pays-Bas), 5,55 s

4 x 4 : Feliks Zemdegs (Australie), 24,66 s

5 x 5 : Feliks Zemdegs (Australie), 50,50 s

6 x 6 : Kevin Hays (USA), 1 min et 40,86 s

7 x 7 : Bence Barát (Hongrie), 2 min et 40,11 s

Megaminx : Simon Westlund (Suède), 42,28 s

Square-1 : Andrea Santambrogio (Italie), 7,41 s

Pyraminx : Oscar Roth Andersen (Danemark), 1,36 s

Skewb : Brandon Hamish (USA), 2,19 s

Rubik's Clock : Sam Zhixiao Wang (Chine), 5,27 s

Validé au 26 février 2014

Les rois du gobelet : *sport stacking*

La 8e édition de l'événement STACK UP ! de la World Sport Stacking Association (USA) a eu lieu le 14 novembre 2013. Plus de 500 000 personnes ont alors établi le record du **plus grand nombre de pratiquant de *sport stacking* à plusieurs endroits**. Les concurrents utilisent des gobelets spécifiques disposés le plus vite possible selon certaines séquences puis défaits, souvent trop rapidement pour un observateur non avisé. Les 555 932 joueurs appartenaient à 2 631 écoles et organisations de 29 pays. Ce sport améliorerait la coordination de la main et de l'œil et accroîtrait ainsi la dextérité.

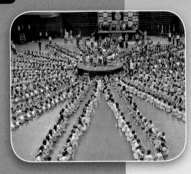

Passe-temps coûteux

Un coût record...
Voiture miniature : camionnette de livraison W. E. Boyce 1930, 35 728 $.

Jouet Mickey Mouse : réveil moto Mickey Mouse, 83 466 $.

Jouet soldat : prototype de G.I Joe de 1963, 200 000 $.

Poupée : poupée française de 1914 par Albert Marque, 263 000 $.

Jeux d'extérieur

Le skateboard a été **interdit en Norvège** de 1978 à 1989 en raison d'un taux élevé d'accidents.

Le plus de skieurs nautiques tractés par un bateau

Le 27 janvier 2012, 145 skieurs nautiques ont été tractés par un bateau au club de ski nautique du Horsehead à Strahan (Tasmanie, Australie).

SAUT À L'ÉLASTIQUE

Le beignet trempé de la plus haute altitude
Ron Jones (USA) a trempé un beignet dans une tasse de café de 8,89 cm de diamètre en sautant à l'élastique d'une hauteur de 60,55 m, à California City (Californie, USA), le 7 juillet 2013.

Le plongeon dans l'eau le plus haut
Raymond Woodcock (RU) avait 72 ans lorsqu'il a sauté à l'élastique de 115,9 m de haut, d'une grue à Chepstow (RU), le 18 août 2013.

Le 100 m le plus rapide sur des rollers à talons hauts

Marawa Ibrahim (Australie) a patiné sur 100 m, en 26,10 s, au Regent's Park de Londres (RU), le 21 août 2013, avec ses rollers sur-mesure comportant des talons de 13 cm. Marawa the Amazing (« la surprenante ») dirige une troupe de majorettes qui se produit au Royaume-Uni.

Le plus de sauts en 1 h
Le 16 septembre 2011, Mike Heard (Nouvelle-Zélande) a effectué 80 sauts sous le Harbour Bridge d'Auckland avec une corde de 9,5 m.
Le **plus de sauts en 24 h** est de 105, prouesse accomplie par Kevin Scott Huntly (Afrique du Sud), au pont de Bloukrans, sur la route des Jardins (Afrique du Sud), le 8 mai 2011. Il lui a fallu 7 h et 42 min, soit 4,5 sauts par minute en moyenne, avec une corde de 40 m.

FRISBEE

L'échange le plus rapide sur 20 m
Le 6 mai 2012, Tim, Daniel, Lindsey et Elyse Habenicht, ainsi que Cliff West (tous USA) ont effectué cet échange en 8,74 s, à College Station (Texas, USA).

Le plus long lancer rattrapé par un chien
À Thorhild (Alberta, Canada), le 14 octobre 2012, Robert McLeod (Canada) a lancé un frisbee à son chien Davy Whippet à 122,5 m.
Beibei, un border collie, est un autre champion de frisbee. Avec sa maîtresse, Liu Haiwang (Chine), il a rattrapé le **plus de frisbees en 3 min sur 10 m**, soit 18 frisbees, à Pékin (Chine), le 7 septembre 2013.

Le plus long lancer à atteindre sa cible
Brodie Smith (USA) a placé un frisbee dans un panier de basket à 45,7 m, au parc de Patterson, à Austin (Texas, USA), le 3 décembre 2013. Il ne devait pas toucher le panneau.

Le plus de canettes touchées en 1 min
Robert McLeod (Canada) a touché 28 canettes au club Edgemont World Health de Calgary (Canada), le 28 janvier 2012. Il a aussi accompli le **plus long lancer, avec course et rattrapage sur patins à glace**, soit 73,2 m, le 24 février 2013, et réalisé le **plus long vol d'un frisbee lancé sur patins à glace**, soit 12,03 s, à Edmonton (Canada), le 23 février 2013.

INFO
L'habileté et l'excellente coordination de Marawa au hula hoop lui ont permis d'accéder à la demi-finale de *Britain's Got Talent* en 2011.

BÂTON SAUTEUR

Le mile le plus rapide en dribblant avec un ballon
Le 9 août 2013, Ashrita Furman (USA) a parcouru un mile en bâton sauteur, en dribblant avec un ballon de basket, en 23 min et 2,91 s, à New York (USA). Il détient 8 records de bâton sauteur, dont celui du **mile le plus rapide**, en 12 min et 16 s, le 24 juillet 2001.

Le plus de lancers de troncs en 3 min
Kevin Fast (Canada) a lancé 14 troncs à Quinte West (Ontario, Canada), le 7 septembre 2013. Il bat des records depuis longtemps et en détient 8 pour des tours de force.

BÂTON SAUTEUR : REBONDIR DANS LE LIVRE DES RECORDS

Mile le plus rapide : 12 min et 16 s, Ashrita Furman (USA), 24 juillet 2001

Le plus de ballons éclatés en 1 min : 57, Mark Aldridge (RU), 1er avril 2010

Le plus de saltos avant consécutifs : 5, Jake Gartland (USA), 28 juillet 2011

Le plus de saltos arrière consécutifs : 17, Fred Grzybowski (USA), 19 décembre 2013

La plus grande distance sous l'eau : 512,06 m, Ashrita Furman (USA), 1er août 2007

Chaussez vos patins

La traversée des États-Unis en rollers la plus rapide : Russell "Rusty" Moncrief (USA), en 69 jours, 8 h et 45 min, le 15 mars 2002.

La traversée la plus rapide de la longueur du RU en rollers : Damian Magee (RU), en 9 jours, 5 h et 23 min, du 19 au 28 juin 1992.

La plus haute pyramide humaine en rollers : NSA Roller Gymnastics Team (USA), 4 étages, Pennsylvanie (USA), 1985.

Le plus long trajet en jetpack à eau

Le 8 novembre 2013, la présentatrice de TV Pollyanna Woodward (RU) a décollé de la marina de Gozo (Malte), grâce à un jetpack qui absorbe de l'eau puis la projette sous pression, permettant de se propulser. Elle a battu un record en parcourant 36,45 km en 4 h et 45 min.

Sauts consécutifs

James Roumeliotis (USA) a exécuté 70 271 sauts consécutifs, sans s'arrêter ni tomber, au Pogopalooza 10, à New York (USA), le 26 juillet 2013.

James avait précédemment réalisé le **plus de rebonds au cours d'un marathon de bâtons sauteurs**, en effectuant 206 864 sauts. Il a ainsi sauté 20 h et 13 min, au Pogopalooza 8 (Californie, USA), le 29 juillet 2011. Il a déclaré : « Mes mollets me

tuent. Mes chevilles sont gonflées. Je ne sens plus mes mains, surtout mon pouce droit. »

ROLLER

Le plus long saut en avant

Jeff Dupont (USA) a effectué un saut de 6,18 m sans utiliser de rampe, au centre sportif et de loisirs Willamalane de Springfield (Oregon, USA), le 12 février 2012.

Le plus haut salto avant avec un bâton sauteur

Biff Hutchison (USA) a fait un saut de 2,49 m, à Tompkins Square Park, New York (USA), le 27 juillet 2013. Le lendemain, il a établi le **saut le plus haut avec un bâton sauteur**, soit 2,93 m.

Le plus de spins avec 2 personnes

Le 10 décembre 2012, Liu Jiangshan a exécuté 17 rotations consécutives à

La plus longue descente en rappel cumulée en 1 h (équipe de 10)

Au cours d'une cascade organisée par ECCO Shoes (Allemagne), 10 personnes en talons hauts ont descendu en rappel l'hôtel Park Inn de Berlin (Allemagne), haut de 103,4 m, pendant 1 h, le 6 juillet 2013. 32 descentes se sont succédé, pour une distance cumulée de 3,3 km.

360° sur des rollers en étant accrochée à Wang Chenyu et Yang Liangliang (tous Chine), à Pékin (Chine).

FRONDE

Le plus long tir

La plus grande distance atteinte en projetant un objet au lance-pierre est de 477,10 m, avec un lance-pierre de 1,27 m de long et une fléchette de 62 g, exploit accompli par David Engvall (USA), au lac Baldwin (Californie, USA), le 13 septembre 1992.

Le plus de canettes touchées en 1 min

Michael McClure (USA) a touché 13 canettes avec des balles en métal à 10 m, à l'aide d'un lance-pierre, durant le tournoi de fronde de la côte est d'Alverton (Pennsylvanie, USA), le 8 juin 2013.

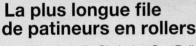

La plus longue file de patineurs en rollers

La station de radio Clyde 1 et ScotRail (tous deux RU) ont réuni 254 participants pour former une file de Rollers, à Glasgow (RU), le 8 septembre 2013. Ils avaient à leur tête Diane Knox-Campbell, DJ de Clyde 1.

Frisbee : histoire de tarte

Dans la Grèce antique, le disque était déjà utilisé (à droite), et un disque en argile découvert dans l'Utah (USA) laisse à penser qu'il était aussi en usage chez les Amérindiens. Dans les années 1870, dans le Connecticut (USA), un boulanger du nom de Russell Frisbie gravait le mot « Frisbie's pies » sur le fond de ses moules ronds et légers. Les étudiants voisins de Yale jouaient à lancer et à rattraper ces moules, en s'écriant « Frisbie ». En Californie, la société Wham-O donna ce nom à ses disques en plastique, en modifia l'orthographe et breveta le Frisbee. Plus de 100 millions de Frisbees ont été fabriqués à ce jour, mais la boulangerie a fermé en 1958.

INFO

Le VTT est devenu sport olympique en 1996. Le BMX a suivi en 2008.

Le saviez-vous ?

À la fin des années 1990, le corps des Marines des États-Unis a utilisé des skateboards au cours d'exercices militaires urbains, afin de détecter des fils déclencheurs et des snipers.

Figures sur roue

La **figure ollie en skateboard** doit son nom à son inventeur, Alan «Ollie» Gelfand.

Le plus long drift d'un véhicule

Au cours d'un drift, le pilote contrôle un véhicule lors d'un dérapage prolongé sur la roue arrière. Le 11 mai 2013, Johan Schwartz (USA) a exécuté un drift sur 84,13 km, au BMW Performance Center de Spartanburg (Caroline du Sud, USA).

Le 1er double looping en voiture

Le 16 juin 2012, Gary Hoptrough (RU) a maîtrisé le «Deadly 720» en réalisant 2 loopings de 360° et 8 m de diamètre, dans une buggy Rage R180, au stade Moses Mabhida de Durban (Afrique du Sud), durant l'émission *Top Gear Live*.

Le plus long wheeling latéral individuel d'un quad

Le 30 octobre 2012, Daniel Adams (USA) a éxécuté un wheeling (cascade) sur roues latérales sur 27,17 km, près de Grantsville (Utah, USA).

Le plus long saut sur rampe d'un véhicule utilitaire

Le 22 février 2013, Tanner Godfrey (USA) a fait un saut sur rampe de 32,08 m dans un véhicule utilitaire, à l'hôtel Eureka Casino de Mesquite (Nevada, USA).

VÉLO

Le plus de sauts à 180° en 1 min

Daniel Rall (Allemagne) a exécuté 43 sauts à 180° en 1 min, au stade Comtech d'Aspach (Allemagne), le 13 juillet 2013.

Le plus haut dénivelé

Wayne Mahomet (RU) a franchi un dénivelé de 4,1 m à vélo, à la foire agricole de Dounby (Orcades, RU), le 8 août 2013.

Le slalom le plus rapide entre 10 obstacles (yeux bandés)

Le 23 juillet 2013, Juan Ruiz (Mexique) a contourné 10 obstacles placés au hasard, sur un slalom de 20 m, en 25,43 s, sur le plateau de *Guinness World Records – Rekorlar Dünyası*, à Istanbul (Turquie). Aveugle de naissance, il a utilisé l'écholocation.

Les 100 miles les plus rapides

Ian Cammish (RU) a parcouru 100 miles (161 km) à vélo en 3 h, 11 min et 11 s, le 10 août 1993.

Le **record féminin de vitesse sur 100 miles** est de 3 h, 49 min et 42 s, par Pauline Strong (RU), le 18 octobre 1991.

Le plus long wheeling sur roue avant, pieds hors pédales

Sur le plateau de la *Guinness Rekord TV* de Liljeholmshallen, à Stockholm (Suède), le 6 octobre 2001, Andreas Lindqvist (Suède) a parcouru 316 m en effectuant un wheeling sur roue avant, sans que ses pieds touchent les pédales de son vélo.

Lors de l'émission, il a aussi réussi le **wheeling sur roue avant le plus long en temps à vélo, sans que ses pieds ne touchent les pédales**, en restant en suspension 2 min et 20 s.

Le plus de méga spins en 30 s en BMX

Un méga spin en BMX consiste à se tenir sur un support externe, en tenant le guidon, puis, une fois la roue avant levée, à incliner la roue arrière pour que le vélo tourne. Le 19 juillet 2013, le professionnel Takahiro Ikeda (Japon) a effectué ainsi 45 tours en 30 s, à Kōtō (Tokyo, Japon).

MOTO

Le plus long backflip sur une mini moto

Le 9 octobre 2012, à Barcelone (Espagne), Ricardo Piedras (Espagne) a fait un saut de 14,74 m avec salto arrière sur une mini moto.

Le plus long wheeling d'une chargeuse

Le 28 juillet 2012, Jake R. Hatch (USA) a effectué un wheeling de 21,88 m de long sur une chargeuse Bobcat «skid steer», sur les terrains de rodéo de Taylor (Arizona, USA).

Le plus long saut de moto hors-route sur rampe

Le plus long saut sur rampe d'une moto hors-route est de 90,69 m. Il a été exécuté par Alex Harvill (USA), au complexe des sports mécaniques de Horn Rapids, à West Richland (Washington, USA), le 6 juillet 2013. Celui-ci a atteint 154 km/h à l'approche de la rampe de décollage.

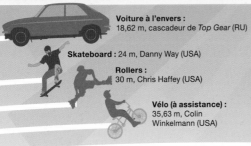

LES PLUS LONGUES CASCADES : LE PLUS LONG SAUT D'UNE RAMPE...

Voiture à l'envers :
18,62 m, cascadeur de *Top Gear* (RU)

Skateboard : 24 m, Danny Way (USA)

Rollers :
30 m, Chris Haffey (USA)

Vélo (à assistance) :
35,63 m, Colin Winkelmann (USA)

Monster truck :
65,43 m, Dan Runte (USA)

Voiture :
81,9 m, Travis Pastrana (USA)

Moto : 106,98 m, Robbie Maddison (USA)

INFO

Le film *Drive* (USA), de 2011, interprété par Ryan Gosling, a été réalisé par Nicolas Winding Refn, qui n'a jamais eu son permis de conduire.

0 m

La plus courte distance de freinage d'un véhicule sur glace

Le 8 janvier 2013, la société Fulda Reifen – marque de pneus de Goodyear Dunlop Tires Allemagne – a établi une distance de freinage de 48,132 m avec une voiture conduite à 48,5 km/h sur le lac gelé Schwatka près de Whitehorse (Yukon, Canada).

Le plus long stoppie

La plus grande distance parcourue en effectuant un stoppie (wheeling sur roue arrière ou avant) à moto est de 402,42 m. Jesse Toler (USA) a accompli cet exploit au Charlotte Diesel Super Show organisé sur le circuit ZMAX Dragway (Caroline du Nord, USA), le 5 octobre 2012.

Le plus de rotations «switchback zero» en 1 min

Pour accomplir cette figure, le pilote doit être assis à l'envers sur sa moto (« switchback zero »), sans la toucher avec les mains, et lui faire faire une rotation de 360°. Le 22 août 2013, le pilote Mark Van Driel (RU) a effectué 13 rotations de ce type en 1 min, sur le plateau de *Officially Amazing* à Mildenhall (Suffolk, RU).

Le plus de marches gravies à vélo

Krystian Herba (Pologne) a gravi les 2 754 marches du Centre mondial des finances de Shanghai (Chine) à vélo, le 17 mars 2013. Il l'a fait en 1 h, 21 min et 53 s, sans toucher les murs ni poser les pieds à terre.

SKATEBOARD

Le 110 m haies le plus rapide avec des hippy jumps

Un hippy jump consiste à sauter au-dessus d'un obstacle pendant que le skateboard passe au-dessous. Steffen Köster (Allemagne) a franchi de cette manière un 110 m haies en 29,98 s, à Rust (Allemagne), le 19 juin 2013.

Le slalom le plus rapide entre 100 cônes

Le 16 août 2013, Jānis Kuzmins (Lettonie) a slalomé avec sa planche entre 100 cônes, en 19,41 s, sur le plateau de *CCTV Guinness World Records Special,* à l'École expérimentale Asie-Pacifique de l'université de pédagogie de Pékin (Chine).

La plus longue distance en 24 h

Andrew Andras (USA) a parcouru 431,33 km en 24 h, sur son skateboard, sur le circuit de Homestead-Miami à Homestead (Floride, USA), les 7-8 janvier 2013.

À la même date et au même endroit, Colleen Pelech (USA) a parcouru la **plus longue distance en skateboard en 24 h (femme)**, soit 269,08 km.

Le 400 m haies le plus rapide à vélo

Le 26 août 2013, à Linz (Autriche), le cycliste Thomas Öhler (Autriche) a bouclé un 400 m haies à vélo en 44,62 s.

Le plus de ollies à 180° en 1 min

Eric Carlin (USA) a accompli 25 ollies à 180° en 60 s, à Mount Laurel (New Jersey, USA), le 2 juillet 2013.

Le stationary manual le plus long

Le 11 mai 2013, Brendon Davis (USA) est resté immobile sur un jeu de roues 19 min et 39,56 s, dans la boutique de skateboard Society de San Carlos (Californie, USA).

Le plus de shove-it

Le 5 septembre 2013, Gabriel Pena (USA) a fait 33 shove-it (rotation à 180° ou plus), en 30 s, à Houston (Texas, USA).

Le wheeling sur glace le plus rapide à moto

Le 27 janvier 2013, Ryan Suchanek (USA) a exécuté un wheeling à 174,6 km/h sur le lac Koshkonong gelé (Wisconsin, USA). Il a ainsi battu de 21,7 km/h son propre record mondial. Sa vitesse a été mesurée sur une distance de 100 m.

INFO

Ryan Suchanek (ci-contre, à gauche) conduisait une Kawasaki ZX10R de 2005 dotée de pneus cloutés pour une meilleure traction sur la glace.

Prouesses de monstres : *Bigfoot*

S'il a accompli le **plus long saut sur rampe pour un monster truck**, soit 65,43 m, le *Bigfoot 18* n'est pas le plus gros *Bigfoot*. Construit en 1986, *Bigfoot 5* est le **plus gros monster truck**. Il atteint 4,7 m de haut, pèse 17 t et ses pneus mesurent 3 m de haut. Le concepteur des *Bigfoot*, Bob Chandler (USA), a commencé à en construire en 1975 pour promouvoir son centre d'entretien de 4x4 situé dans le Missouri (USA).

📖 Glossaire

Burly : figure de BMX.

Quarter pipe : rampe utilisée dans la compétition de rue de BMX, identique à une rampe en U (half-pipe) réduite à un seul mur.

Super street : un cycliste casse son BMX à l'atterrissage et tente tout de même de réaliser une figure.

Tweaked : position contorsionnée de l'auteur d'une figure.

○ ○ ○

Participation de masse

Le rassemblement de 9 768 pompiers en octobre 2011 équivaut à presque 4 fois la population des îles Malouines.

La plus forte clameur de foule

La clameur des fans des Seattle Seahawks (USA) a atteint 137,6 dB (A), au CenturyLink Stadium de Seattle (Washington, USA), le 2 décembre 2013, lors d'un match contre les New Orleans Saints. Le terme « dB(A) » désigne les niveaux de décibels perceptibles par l'oreille humaine – à l'exclusion des aigus et basses extrêmes.

LES PLUS GRANDS...

Entraînement DAE
Les défibrillateurs automatisés externes (DAE) diagnostiquent et traitent les maladies cardiaques. Une formation a été organisée pour 2 109 personnes par AED4all.com, Anne-Marie Willems et René Verlaak (tous Pays-Bas), à Nijmegen (Pays-Bas), le 29 mai 2013.

Leçon de pâtisserie
Beaucoup de pâte a été pétrie par 426 étudiants du Green Grin Club Limited, Grin Kitchen Limited et l'école secondaire de Ma On Shan Tsung Tsin (tous Hong Kong) à Hong Kong (Chine), le 7 septembre 2013.

Barbecue
Quelle quantité d'aliments a été nécessaire pour un barbecue de 45 252 personnes ? La liste des ingrédients utilisés par l'État de Nuevo León (Mexique) comprenait 15,5 t de bœuf angus, 18 t d'oignons et 15 t de tortillas de maïs, le tout agrémenté de 16 t de sauce. Il a eu lieu dans le parc Fundidora de Monterrey (Mexique), le 18 août 2013.

Marche pieds nus
La National Service Scheme Cell de l'université d'Acharya Nagarjuna (Inde) a rassemblé 7 050 personnes pour une marche sans chaussures, à Guntur (Andhra Pradesh, Inde), le 12 décembre 2012.

La plus grande course hippique

La Fédération de Mongolie de sport équestre et d'entraîneurs a enregistré 4 249 chevaux pour une course de 18 km, à Khui Doloon Khudag, Oulan-Bator (Mongolie), le 10 août 2013. Le plus jeune cavalier avait 7 ans et le plus âgé 79.

Rassemblement de docteurs clowns
Les docteurs clowns adoucissent le séjour des enfants malades dans les hôpitaux. Le 30 janvier 2013, un groupe de 153 clowns a fêté le 20e anniversaire du travail des docteurs clowns de la Fondation Theodora, dont le siège social est à Berne (Suisse).

Le plus grand rassemblement de personnes habillées en pingouins

L'hôpital pour enfants Richard House a rassemblé 325 énormes pingouins qui se sont dandinés à Wood Wharf, Londres (RU), le jour du Guinness World Records : le 13 novembre 2013.

LES PLUS GRANDS RASSEMBLEMENTS

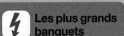

La plus grande manifestation religieuse : 30 millions de personnes, Inde, 2013

Les plus grandes funérailles : 15 millions, Inde, 1969

La plus grande foule venue voir le Pape : 4 millions, Philippines, 1995

Le plus grand rallye contre la guerre : 3 millions, Italie, 2003

Le plus grand rassemblement de Sikhs : 3,5 millions, Inde, 1999

⚡ Les plus grands banquets

Voici un des premiers exemples de record de participation de masse de notre édition de 1962 : « Le traiteur Lyons a organisé le plus grand banquet à Olympia, à Londres, le 8 août 1925. 6 600 invités étaient assis le long de 8 km de tables, servies par 1 360 serveuses relayant 700 cuisiniers et porteurs. C'était à l'occcasion d'une levée de fonds par les francs-maçons pour élever un monument aux morts. »

LES PLUS GRANDS RASSEMBLEMENTS DE PERSONNES HABILLÉES EN...

	Catégorie	Nombre	Organisateur/ Événement	Lieu	Date
1	Mahatma Gandhi	2 955	Sowdambikaa Groupe d'écoles	Tiruchirappalli, Inde	11 oct. 2013
	avec de fausses moustaches	2 268	Cité de Fairfield & Fairfield Comité RAGBRAI	Fairfield, Iowa, USA	26 juill. 2013
2	sorcières	1 607	La Bruixa d'Or	Sort, Lleida, Espagne	16 nov. 2013
3	personnages de *Star Trek*	1 063	Media 10 Ltd	ExCeL, Londres, RU	20 oct. 2012
4	saint Patrick	882	Saint Brigid's National School	Castleknock, Dublin, Irlande	14 mars 2013
	fées	871	St Giles Hospice	Lichfield, Staffordshire, RU	22 juin 2013
	Superman	867	Escapade, Kendal Calling	Lowther Deer Park, Cumbria, RU	27 juill. 2013
	pyjama une pièce	752	Henry Allen Onesie Angels	StadiumMK, Milton Keynes, RU	2 nov. 2013
	infirmières	691	Dubai Health Authority	Dubai, ÉAU	24 janv. 2014
	arbres	516	Ośrodek Kultury Leśnej w Gołuchówie	Gołuchów, Pologne	30 sept. 2013
	vaches	470	Chick-fil-A	George Mason University, Virginie, USA	2 juill. 2013
	moines	463	Ardfert Central National School	Ardfert, County Kerry, Irlande	11 mai 2013
	costumes Disney	361	Walsgrave Church of England Primary School	Coventry, RU	12 juill. 2013

Le plus de gens chantant des chants de Noël

La Waukesha Downtown Business Association (USA) a rassemblé 1 822 chanteurs de chants de Noël, à Waukesha (Wisconsin, USA), le 22 novembre 2013.

Sur un seul lit

54 personnes se sont entassées sur un lit à l'initiative du fabricant de meubles Xilinmen à Pékin (Chine), le 7 septembre 2013.

À faire des bulles de chewing-gum

La Lester B Pearson Public School à Aurora (Canada) a convié 544 personnes à faire des bulles de chewing-gum, le 6 juin 2013.

À gonfler des ballons

2 639 ballons ont été gonflés lors d'un événement organisé par Bayer Yakuhin (Japon) le 14 janvier 2014, à Osaka (Japon).

À peindre des immeubles en même temps

Le 18 mai 2013, un fabricant de peinture slovène, Helios, a mis 1 272 peintres au travail sur 9 chantiers.

Le plus de personnes à *twerker*

Le 25 septembre 2013, Charlie Weisman, arbitre du GWR, a observé 358 personnes en train de *twerker* à New York (USA). L'événement était organisé par l'artiste hip-hop Big Freedia (USA).

LE PLUS DE GENS...

Sur le même tambour

We Will Rock You de Queen est le morceau choisi par 263 personnes jouant sur un tambour de 10 m de diamètre et de 1,6 m de haut. Organisé par PLAY (Pologne), l'événement a eu lieu à Przystanek Woodstock, Kostrzyn nad Odra (Pologne), le 2 août 2013.

À chanter simultanément un hymne national

121 653 employés de la société Sahara India Pariwar ont chanté l'hymne national indien, à Lucknow (Inde), le 6 mai 2013.

Le plus de zombies réunis

9 592 morts-vivants ont effectué la marche des zombies du New Jersey à Asbury Park (New Jersey, USA), le 5 octobre 2013. Ils se sont efforcés de reprendre le record au Zombie Pub Crawl de Minneapolis (USA).

Pèlerinage hindou : festival Kumbh Mela

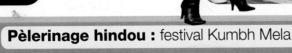

Entre 80 et 100 millions de personnes ont participé aux 55 jours du festival Kumbh Mela, qui a commencé à Allahabad (Inde), en janvier 2013. Ce festival hindou qui consiste à se baigner dans une rivière sacrée est organisé tous les 3 ans. 2013 marquait une édition particulière du festival : le Maha Kumbh Mela qui a lieu tous les 144 ans. La ville – plus que toute la population du Royaume-Uni – s'est préparée pour l'assaut avec 14 hôpitaux temporaires, 243 médecins de garde, environ 30 000 policiers et forces de sécurité en service, et 40 000 toilettes. Le coût a été d'environ 129 millions £. On espérait que le festival rapporterait 1,3 milliard £.

Finalement...

• Le plus de personnes à secouer des cocktails : 1 710, Diageo (RU), le 18 septembre 2013.

• Le plus de personnes à faire éclater des bombes de table : 743, Grey Court School (RU), le 17 juillet 2013.

• La plus longue chaîne de high five : 695 personnes, école primaire Saint-François-d'Assise et Calwell High School (Australie), le 27 septembre 2013.

Il faut souffrir pour être fort

En raison d'une mutation génétique, les **roux** sont plus sensibles à la douleur.

Le plus long contact corporel avec la glace

Wim Hof (Pays-Bas) a passé 1 h, 53 min et 2 s immergé dans la glace, à Naarden (Pays-Bas), le 18 octobre 2013. En matière de températures inférieures à zéro, Wim a régulièrement fait ses preuves : il a détenu ce record à 16 reprises par le passé.

Le plus long contact corporel avec de la neige
Oleksiy Gutsulyak (Ukraine) est resté 60 min et 8 s en contact étroit avec de la neige, au parc Kyrylo Tryliovski, de Kolomyia (Ukraine), le 25 janvier 2013.

L'apnée volontaire la plus longue (homme)
Stig Severinsen (Danemark) a retenu sa respiration sous l'eau pendant 22 min, à la London School of Diving (Londres, RU), le 3 mai 2012. Le record féminin d'apnée est détenu par Karoline Mariechen Meyer (Brésil), qui a retenu sa respiration 18 min et 32,59 s, à la piscine Racer Academia de Florianópolis (Brésil), le 10 juillet 2009.

INFO

Tommy est connu pour avoir une poigne extraordinaire, au point qu'une technique pour courber le métal porte son nom !

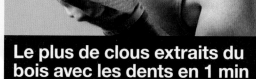

Le plus de clous extraits du bois avec les dents en 1 min

En 60 s, Tommy Heslep (USA) a arraché 16 clous d'un morceau de bois en se servant uniquement de ses dents, sur le plateau de *Guinness World Records Unleashed*, à Los Angeles (Californie, USA), le 19 juin 2013. La pression exercée pour retirer chaque clou était de près de 135 kg.

Le corps enflammé le plus longtemps (sans oxygène)
Le 27 mars 2011, Jayson Dumenigo (USA) a battu, à Santa Clarita (Californie, USA), le record du corps entièrement enflammé le plus longtemps sans apport d'oxygène, soit 5 min et 25 s.

Le plus grand nombre de personnes enflammées entièrement et simultanément s'élève à 21, au cours d'un événement organisé par Ted Batchelor et Hotcards.com (tous deux USA), au Hotcards Burn de Cleveland (Ohio, USA), le 19 octobre 2013.

Le plus rapide à franchir 10 portes verrouillées en feu est Chris Roseboro (USA), en 12,84 s, sur le plateau de *Guinness World Records*

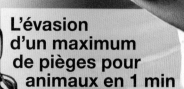

L'évasion d'un maximum de pièges pour animaux en 1 min

Le 12 octobre 2013, Johnny Strange (RU) s'est libéré de 6 pièges anciens pour animaux, au Tattoo Jam, sur le champ de courses de Doncaster (South Yorkshire, RU). Tous les pièges servaient à capturer des lapins. Il s'agit d'un des 6 records du GWR que cet artiste de foire détient à ce jour.

LES PLUS GRANDES DISTANCES SUR TAPIS DE COURSE EN...

- **1 semaine (femme)** : 833,05 km, Sharon Gayter (RU), 14-21 décembre 2011
- **1 semaine (homme)** : 822,31 km, Pierre-Michael Micaletti (France), 13-19 mai 2012
- **48 h (homme)** : 405,22 km, Tony Mangan (Irlande), 22-24 août 2008
- **48 h (femme)** : 309,8 km, Martina Schmit (Autriche), 10-12 mars 2006
- **24 h (homme)** : 257,88 km, Suresh Joachim (Australie), 28-29 novembre 2004
- **24 h (femme)** : 247,2 km, Edit Bérces (Hongrie), 8-9 mars 2004
- **12 h (homme)** : 123,4 km, Eusébio Bochons (Suisse/Espagne), 7 décembre 2013
- **12 h (femme)** : 96,8 km, Theresa Dugwell (Canada), 2 mars 2013

⚡ La durée des records

Les performances humaines en matière d'endurance athlétique paraissent aujourd'hui bien établies, mais certains individus continuent de les dépasser. En 1998, Rory Coleman (RU) avait réalisé le **meilleur temps pour parcourir 100 miles sur un tapis de course (homme)**, soit 23 h et 43 min. En 2003, Andrew Rivett (RU) a parcouru la même distance en 7 h de moins (16 h, 23 min et 16 s). Le record actuel, détenu par Suresh Joachim (Australie), est de 13 h, 42 min et 33 s, soit près de 10 h de moins que le record de 1998 !

INFO

William Staub a inventé le tapis de course domestique dans les années 1960. Il portait alors le nom de PaceMaster.

ⓘ La menace du moulin

Les moulins mis en route par la marche étaient des engins de torture dans les prisons britanniques. L'ingénieur William Cubitt (RU) les y introduisit vers 1818, pour fournir de l'énergie, moudre le maïs et punir les prisonniers. Ils ont été interdits en 1898.

Unleashed, à California City (Californie), USA, le 7 juillet 2013.

Le plus de clous insérés dans le nez en 30 s
Burnaby Q. Orbax (Canada) a inséré 12 clous un par un dans son nez, puis les a ressortis en 30 s, à Londres (Royaume-Uni), le 22 juin 2013. Chaque clou mesurait 10 cm.

Le véhicule le plus lourd tiré avec un crochet dans la cavité nasale et la bouche
Le 5 juin 2013, durant l'émission *Rekorlar Dünyası*, à Istanbul (Turquie), Ryan Stock (Canada) a tiré une Volkswagen Coccinelle de 983 kg – avec 2 femmes à l'intérieur – avec un crochet dans sa cavité nasale sortant par sa bouche.

LE PLUS DE...

Flèches cassées avec le cou en 1 min
Le 27 juin 2013, à Los Angeles (Californie), l'amateur de fitness Michael Gillette (USA) a cassé 12 flèches en plaçant l'extrémité pointue de chacune contre sa gorge – dans le creux sus-sternal – et en pressant l'autre extrémité contre un mur.

Carreaux de céramique cassés avec la tête en 1 min durant un flip avant
En 60 s, Michael Gonzalez (USA) a cassé 43 carreaux de céramique avec sa tête, en exécutant un flip avant, sur le plateau de *Guinness World Records Unleashed*, à Los Angeles (Californie, USA), le 2 juillet 2013.

Blocs de béton brisés en 1 min (homme)
Le 17 novembre 2012, Ali Bahçetepe (Turquie) a brisé 1 175 blocs de béton à la main, sur la place Cumhuriyet Meydanı de Datça (Turquie).

Ali a également brisé le **plus de blocs de béton en 30 s** (683) et le **plus de blocs de béton empilés brisés** (36).

Blocs de glace brisés par un bélier humain
Ugur Öztürk (Turquie) a cassé 14 blocs de glace avec la tête durant l'émission *Rekorlar Dünyası*, à Istanbul (Turquie), le 26 juin 2013.

Le plus de noix de coco écrasées avec le coude en 1 min
Le 24 juin 2013, Jeffrey James Lippold (USA), acteur et expert en arts martiaux, a brisé 21 noix de coco avec le coude en 1 min, sur le plateau de *Guinness World Records Unleashed*, à Los Angeles (Californie, USA).

INFO
Il y avait 3 000 clous sur la planche posée sur la poitrine de Jon, et la planche pesait 56 kg.

Le plus de sauts à la corde sur une planche de clous posée sur une personne
S'allonger sur un lit de clous n'étant pas un défi suffisant, Amy Bruney a sauté 117 fois sur une planche cloutée posée sur son époux Jon Bruney (tous deux USA), sur le plateau de *Guinness World Records Unleashed*, à Los Angeles (Californie, USA), le 25 juin 2013.

Planches de pin cassées avec le coude en 1 min
Le 13 mars 2013, Mohammad Rashid (Pakistan) a cassé 68 planches de pin en 1 min, au Festival de la jeunesse du Punjab, à Lahore (Pakistan). Le même jour, au cours du même événement, 1 450 personnes ont également battu le record du **plus de participants à un bras de fer**.

Le 15 février 2014, au Stade national de hockey de Lahore, tentant peut-être d'établir des records moins douloureux, les organisateurs du festival ont créé le **plus grand drapeau humain**, comptant 28 957 participants.

Inégalable : Paddy Doyle
Pour ce qui est de repousser les limites physiques de son corps, Paddy Doyle (RU) s'y connaît. Cet homme résistant et tenace établit et bat des records d'endurance pour le GWR depuis des années – son plus ancien record date de 1989 (le **plus de pompes en 12 h** : 19 325) ! Depuis, il a également effectué le **plus de rounds de compétition en full-contact** (6 324) et le **plus de pompes sur le dos des mains en 1 h en portant un poids de 40 livres anglaises** (663). L'encadré de droite présente d'autres exploits de Paddy Doyle.

Paddy Doyle assure
Le plus de sauts en étoile en 1 min avec un poids de 100 livres anglaises : 33, le 10 novembre 2013

Le plus de steps en 1 min avec un poids de 100 livres anglaises : 31, le 17 août 2013

Le semi-marathon de course de fond le plus rapide avec un poids de 100 livres anglaises : 4 h 18 min, le 22 juin 2013

Le plus de squats thrusts en 1 min avec un poids de 40 livres anglaises : 21, le 28 mars 2011

Monde moderne

La plus grande collection de souvenirs des présidents américains

Le 14 octobre 2013, Ronald Wade (USA) possédait 6 960 souvenirs des différents présidents des États-Unis. Ronald a débuté sa collection à 10 ans avec un badge. Après ses études, il a travaillé comme coursier à la Maison-Blanche sous la présidence de Richard Nixon (1969-1974).
Il a aussi donné de nombreux objets à la bibliothèque Bush de Dallas et a fait construire une réplique du bureau ovale dans sa maison de Longview (Texas, USA).

INFO

Le site de la Maison-Blanche a été choisi par le premier président des États-Unis, George Washington, en 1791. Son successeur, John Adams, fut le premier à y vivre en 1800.

Les plus riches

Même en dépensant 1 million $ par jour, l'**homme le plus riche** mettrait 200 ans à dilapider son argent !

Rencontrez les magnats du pétrole, les nababs de la distribution et les rois de la technologie, tous membres du club des plus riches au Guinness World Records. Ces 16 hommes (oui, tous des hommes, presque tous Américains, sauf quatre) ont détenu le record de la personne la plus riche au cours des 60 dernières années.

« **Les débonnaires peuvent hériter de la Terre, mais pas de ses droits miniers** », a dit Jean Paul Getty (USA), magnat du pétrole qui a été l'homme le plus riche du monde pendant 7 des 60 dernières années. Dans le pétrole, il n'était pas seul : un quart de ces milliardaires doivent leurs fortunes à leur mainmise sur les ressources naturelles.

Le pétrole n'est plus roi. Les récents membres du club des milliardaires ont basé leurs fortunes sur le commerce de biens moins tangibles, tels que les logiciels et les médias, ou sur leur capacité à comprendre les marchés boursiers.

Dans l'absolu, l'homme le plus riche depuis notre première édition en 1955 est Bill Gates (USA). Corrigée de l'inflation, sa fortune bâtie grâce à Microsoft a atteint le montant quasi inconcevable de 120 milliards $ en 2000. Elle a bénéficié de la bulle Internet qui, aux États-Unis, a fait plus que doubler les titres du NASDAQ au cours de l'année précédant le 10 mars 2000. Hélas, les bonnes choses ont une fin et la roue de la fortune a brisé de nombreuses sociétés similaires. À peine 12 mois plus tard, la plupart des entreprises Internet du NASDAQ avaient fermé.

Bill Gates a tenu bon. Fin 2001, sa fortune atteignait 77,8 milliards $.

Le roi Bhumibol Adulyadej

L'une des fortunes les plus sûres est celle qu'on acquiert dès sa naissance. Avec un patrimoine de 30 milliards $, le roi de Thaïlande, Bhumibol Adulyadej, est le **monarque le plus riche**. Il est ici avec le sultan de Brunei (à gauche), Haji Hassanal Bolkiah, le deuxième monarque le plus fortuné, avec près de 20 milliards $. Que sont quelques milliards entre deux amis royaux ?

INFO
La carte de visite d'Alphonse Gabriel "Al" Capone portait la mention « négociant en mobilier d'occasion ».

Al Capone

Notre édition de 1960 avançait que le gangster de Chicago Al Capone (USA, 1899-1947) avait enregistré le revenu brut le **plus élevé réalisé en un an** par un simple citoyen. Corrigé de l'inflation, celui-ci a atteint en 1927 1,41 milliard $, grâce à des activités variées : « vente illégale d'alcool et de produit de distillation clandestine » ainsi que « des courses de lévriers, les dancings… et le vice ».

INFO
La fortune de J. T. Williamson n'a jamais figuré explicitement dans le 1er *Guinness Book of Records*. Il était simplement dit qu'elle « dépassait toutes les autres fortunes individuelles ».

INFO
Guinness World Records a été publié tous les ans depuis 1955, sauf en 1957, 1959 et 1963. Le record de la **personne la plus riche** figure dans chaque édition.

100 md $
90 md $
80 md $
70 md $
60 md $
50 md $
40 md $
30 md $
20 md $
10 md $

1955   1960   1965   1970   1975

LA LISTE RICHE DU GWR : LES GRANDS NOMS, 1955–2015

John Thoburn Williamson
(Canada, 1907-1958)
Records : 1955-1956
Secteur : mines, fondateur de la mine de diamant Williamson
Maximum : 60 m $
Corrigé : 514 m $

Jean Paul Getty
(USA, 1892-1976)
Records : 1958, 1960-1961, 1964-1967
Secteur : pétrole, développé sur l'empire de son père, George Franklin Getty
Maximum : 3 md $
Corrigé : 22,2 md $

Haroldson Lafayette Hunt
(USA, 1889-1974)
Record : 1962
Secteur : pétrole, au Texas après avoir géré une plantation de coton
Maximum : 2 md $
Corrigé : 15,2 md $

Howard Hughes
(USA, 1905-1976)
Record : 1968-1971
Secteur : hérite de l'entreprise de son père, passe à l'aviation et à la production de films
Maximum : 1,37 md $
Corrigé : 9 md $

Daniel K. Ludwig
(USA, 1897-1992)
Records : 1972-1977, 1979-1981
Secteur : expéditions, pétrole, banque, bétail, assurance, immobilier, hôtels
Maximum : 3 md $
Corrigé : 16,5 md $

John D. MacArthur
(USA, 1897-1978)
Record : 1978
Secteur : assurance (avec son épouse Catherine), immobilier, surtout en Floride (USA)
Maximum : 1,72 md $
Corrigé : 6 md $

Forrest Mars, Sr
(USA, 1904-1999)
Records : 1982-1983
Secteur : alimentaire, avec l'entreprise de confiseries de son père, qu'il a quittée en 1969
Maximum : 1 md $
Corrigé : 12,3 md $

David Packard
(USA, 1912-1996)
Records : 1984-1985
Secteur : informatique et technologies de l'information, a fondé Hewlett-Packard avec Bill Hewlett en 1939
Maximum : 1,8 md $

Fortune corrigée estimée en 2014 par rapport à l'indice des prix à la consommation

LES 10 PERSONNALITÉS LES PLUS RICHES EN 2014

Parmi les **personnes les plus riches** des 60 dernières années, seules trois figurent dans le top 10 actuel.

Nom	Montant	Secteur	Âge
Bill Gates (USA)	75,9 md $	Logiciels	58
Carlos Slim Helú (Mexique)	71 md $	Télécoms	73
Amancio Ortega (Espagne)	62,7 md $	Textiles	77
Warren Buffett (USA)	58,6 md $	Investissement	83
Ingvar Kamprad (Suède)	51,9 md $	Distribution	87
Charles Koch (USA)	46,9 md $	Ingénierie	78
David Koch (USA)			73
Larry Ellison (USA)	43 md $	Logiciels	69
Christy Walton (USA)	36,9 md $	Distribution	59
Sheldon Adelson (USA)	35,4 md $	Casinos	80

Fortunes moyennes tirées de : bloomberg.com, celebritynetworth.com, citywire.co.uk, forbes.com, londonlovesbusiness.com et nationaljournal.com

INFO

Si Bill Gates valait toujours 120 milliards $, sa fortune serait supérieure au PIB de 134 pays sur les 192 dans le monde.

Légende

Chaque barre représente la valeur en dollars de chaque personne pour une année donnée. Les barres sont à l'échelle ; elles montrent sur la base de la valeur réelle de la fortune à l'époque et le montant corrigé de l'inflation.

Corrigé de l'inflation ———
Réel ———

Qui veut devenir quadrillionnaire ?

En juin 2013, Christopher Reynolds (USA) est devenu le **1er billiardaire** et le **1er quadrillionnaire** lorsqu'une erreur (temporaire) de sa banque déboucha sur un montant de 92 233 720 368 547 800 $ sur son compte PayPal. Lorsqu'on lui demanda ce qu'il aurait fait avec tant d'argent, il répondit : « J'aurais probablement remboursé la dette nationale. » Il aurait pu se le permettre, et bien plus, puisque ce montant était 1 200 fois supérieur au PIB de tous les pays du monde cumulé !

1980   1985   1990   1995   2000   2005   2010

Gordon Getty
(USA, né en 1933)
Record : 1986
Secteur : empire pétrolier paternel, vente controversée à Texaco pour 10 md $ en 1984
Maximum : 4,1 md $
Corrigé : 9,06 md $

Sam Walton
(USA, 1918-1992)
Records : 1987-1988
Secteur : empire de la distribution basé sur la chaîne de magasins Walmart, fondée en 1962
Maximum : 21 md $
Corrigé : 42,4 md $

Yoshiaki Tsutsumi
(Japon, né en 1934)
Records : 1989-1992
Secteur : développe et étend l'empire immobilier créé par son père
Maximum : 21 md $
Corrigé : 38,9 md $

S. Robson Walton
(USA, né en 1944)
Record : 1993
Secteur : président de Walmart (plus grand distributeur généraliste en 2013 fondé en 1962 par Sam Walton)
Maximum : 10 md $
Corrigé : 15,9 md $

John Werner Kluge
(Allemagne, 1914-2010)
Record : 1994
Secteur : surtout médias, dont télé, radio et publicité
Maximum : 8,1 md $
Corrigé : 12,5 md $

Warren Buffett
(USA, né en 1930)
Records : 1995-1996, 2009
Secteur : investissement dans diverses entreprises dans le monde
Maximum : 62 md $
Corrigé : 66,1 md $

Bill Gates
(USA, né en 1955)
Records : 1997-2008, 2010, 2014
Secteur : développement de logiciels, fondateur de Microsoft
Maximum : 90 md $
Corrigé : 120 md $

Carlos Slim Helú
(Mexique, né en 1940)
Records : 2011-2013
Secteur : télécoms, puis bourse, investissement et affaires en général
Maximum : 74 md $
Corrigé : 74 md $

Le monde en guerre

Depuis **1495**, le monde n'a pas connu de périodes de plus de 25 ans sans guerre.

Le pays le moins paisible

Créé par l'Institute for Economics and Peace, le Global Peace Index classe des pays en fonction de la sécurité de leurs habitants, l'étendue des conflits et le degré de militarisation. L'indice est basé sur une échelle de 1 à 5, où 1 représente la paix. En 2013, l'Afghanistan était le pays le moins paisible (3,440), la Somalie arrive 2ᵉ et la Syrie 3ᵉ.

Le pays le plus paisible
En 2013, l'Islande était 1ʳᵉ du Global Peace Index (voir ci-dessus) avec un score de 1,162. Le Danemark était 2ᵉ et la Nouvelle-Zélande 3ᵉ.

Le plus gros budget de défense
En 2012, les États-Unis consacraient à la défense 645,7 milliards $.

Le pays le moins sûr en matière d'armes nucléaires

En 2012, l'Economist Intelligence Unit et la Nuclear Threat Initiative (organisation non gouvernementale) ont annoncé que sur les 32 nations disposant de plus de 1 kg de matières nucléaires militaires, la Corée du Nord est la moins sûre. D'après des sources officielles, Kim Jong-Un, 31 ans, est le **plus jeune chef d'État ayant le contrôle d'armes nucléaires**.

En 2012, ces sources établissaient l'Australie comme le pays le **plus sécurisé en matière d'armes nucléaires**.

La plus longue guerre civile moderne

Au Myanmar, la guerre civile a commencé peu de temps après que le pays a pris son indépendance du Royaume-Uni, le 4 janvier 1948. Elle se poursuit encore aujourd'hui. De petits groupes armés sont actifs à l'ouest et, d'après Amnesty International, des conflits ont débuté dans l'État d'Arakan en juin 2012 et durent encore.

Le plus grand camp de réfugiés

D'après l'association humanitaire et caritative Cooperative for Assistance and Relief Everywhere (CARE), le camp de réfugiés Dadaab (Kenya), est le plus grand du monde. Le 29 avril 2013, il comptait 423 496 individus inscrits, soit 5 fois plus que sa capacité d'origine. La plupart des réfugiés sont originaires de la Somalie voisine.

Le plus de décès de civils dans une guerre civile non déclarée
Lors d'un conflit, connaître le nombre de décès est difficile. Le 24 juillet 2013, les Nations unies ont estimé que 100 000 personnes sont mortes en Syrie depuis le début des hostilités en mars 2011. Le 24 septembre 2013, la France a fait savoir à l'Assemblée générale de l'ONU que 120 000 individus sont morts en Syrie. En octobre, l'observatoire syrien des droits de l'homme, basé au Royaume-Uni, a également fait état de 120 000 victimes.

Le conflit (actuel) le plus mortel pour des enfants
Publié en novembre 2013 par l'Oxford Research Groupe, le rapport « Stolen Futures » (de mars 2011 à août 2013) estime que la guerre civile en Syrie aurait fait 11 420 victimes de moins de 17 ans, dont plus de 112 ont subi des tortures, 389 ont été tués par des tireurs isolés et 764 ont été exécutés sommairement.

LES BILANS LES PLUS ÉLEVÉS DES CONFLITS DEPUIS 1955

††††††††††††††††††††††††††††††
Deuxième Guerre du Congo 2,5-5,4 millions, 1998-2003

††††††††
Guerre du Vietnam 800 000-3,8 millions, 1955-1975

†††††††††† **Guerre civile du Nigéria** 1-3 millions, 1967-1970

††††††††† **Guerre d'Afghanistan** 960 000-1,6 million, 1979-1989

†††††††††† **Guerre Iran-Irak** env. 1 million, 1980-1988

††††††††† **Seconde Guerre civile soudanaise** env. 1 million, 1983-2005

††††††††† **Guerre civile du Mozambique** 900 000-1 million, 1975-1994

††††††††† **Guerre civile rwandaise** 800 000-1 million, 1990-1993

†††††††† **Première Guerre du Congo** 800 000, 1996-1997

†††††† **Guerre d'Indépendance de l'Érythrée** 570 000, 1961-1991

LÉGENDE :
† x1 = 100 000 morts
†††††††††
= estimation la plus faible
†††††††††
= estimation la plus haute

INFO

Lors de la Première Guerre mondiale, la longévité moyenne des soldats dans les tranchées était de 6 semaines.

 Des guerres qui n'ont rien de civil

Près de 25 millions de personnes ont trouvé la mort lors de guerres civiles depuis la fin du dernier conflit mondial en 1945.

Victimes de guerre

Le 1ᵉʳ *Guinness Book of Records* a été publié 10 ans à peine après la fin de la Seconde Guerre mondiale. Dans cette édition, ce conflit figurait comme la **guerre la plus sanglante**, avec près de 56,4 millions de victimes. En proportion, la population de la Pologne est celle qui a le plus souffert, avec 6 028 000 (soit 17,2 %) tués pour 35 100 000 d'habitants. Cela témoigne de l'ampleur des pertes humaines qui constituent toujours le **bilan de guerre le plus lourd**.

Le plus d'attaques terroristes par pays

Publiée en mai 2013 par l'US National Consortium for the Study of Terrorism and Responses to Terrorism, l'enquête « Country Reports on Terrorism 2012 » désigne le Pakistan comme le pays ayant subi le plus d'attaques terroristes en 2012. Il a fait l'objet de 1 404 attaques pendant ces 12 mois, avec 1 848 victimes et 3 643 blessés. L'Irak arrive 2e et l'Afghanistan 3e.

Le nombre d'enfants syriens réfugiés s'élève à 1 million (le **plus d'enfants réfugiés**), âgés pour la plupart de moins de 11 ans.

Le plus de réfugiés par pays d'origine

En janvier 2013, d'après l'UNHCR, l'agence des Nations unies pour les réfugiés, 2 585 605 réfugiés avaient fui l'Afghanistan, ce qui représente le **plus de réfugiés pour un pays**.

Le **pays avec la plus grande population de réfugiés** est le Pakistan. En janvier 2013, il abritait 1 638 456 individus – presque tous originaires d'Afghanistan.

La plus grande force de maintien de la paix (une opération)

Une mission de maintien de la paix de la force de protection de l'ONU (FORPRONU) a été déployée en ex-Yougoslavie, de février 1992 à mars 1995. En septembre 1994, elle mobilisait 39 922 militaires, dont une « force de réaction rapide ».

Actuellement, les Nations unies mènent 15 opérations de maintien de la paix dans le monde, avec une mission politique spéciale en Afghanistan. La **plus grande force de maintien de la paix déployée sur une opération (actuel)** est la mission de stabilisation en République démocratique du Congo. Sur les 26 024 personnes des Nations unies présentes sur place, 19 557 appartenaient à des troupes militaires.

Le score le plus faible au classement de la liberté de la presse

Sur la base de données en matière de mortalité, violence, censure, indépendance des médias et d'autres facteurs, la dictature africaine d'Érythrée est désignée comme le pays dont la presse est la moins libre, d'après le classement de la liberté de la presse 2013.

Au 19 décembre 2013, d'après le Comité de protection des journalistes, la Syrie était le pays le plus dangereux pour les médias (année actuelle) avec 21 journalistes tués en 2013. 52 journalistes ont été abattus en 2013 dans le monde

Les plus grandes forces spéciales

Les forces spéciales sont des unités militaires formées à des missions particulières. La Corée du Nord dispose des plus grandes forces spéciales, avec 60 000 opérants et 130 000 individus aux compétences similaires selon des responsables militaires américains.

pour un mobile « confirmé », c'est-à-dire lors d'un meurtre commis en représailles de leur travail, lors de tirs croisés, de combats ou de missions dangereuses, comme la couverture de manifestations.

Le 1er chef d'État reconnu coupable de crimes de guerre

Basé à La Haye (Pays-Bas), le Tribunal international spécial pour la Sierra Leone a reconnu l'ancien président du Libéria (Afrique), Charles Taylor, coupable de 11 crimes. Parmi eux, le viol, le meurtre et l'utilisation d'enfants soldats pendant la guerre civile de Sierra Leone entre 1991 et 2002, au cours de laquelle 50 000 personnes sont mortes. Il a été condamné à 50 ans de prison en mai 2012 pour avoir aidé les rebelles à commettre ces atrocités.

Le plus grand appel à l'aide d'urgence

Le 7 juin 2013, les Nations unies ont lancé un appel afin de récolter 5 milliards $ d'aide humanitaire pour la Syrie. L'objectif était d'aider plus de 10 millions de personnes avant la fin de l'année. D'après les Nations unies, 4 millions d'enfants ont besoin d'aide humanitaire suite à 3 ans de conflit. La guerre a obligé plus de 6 millions d'individus à quitter leur foyer et 2 millions ont fui le pays.

 Matériel militaire ?
Rendez-vous p. 194

Mort télécommandée : attaques de drones

Les drones sont des véhicules aériens contrôlés à distance, armés et sans pilote. D'après des organismes non gouvernementaux et des sources du gouvernement pakistanais citées par Amnesty International dans son rapport « Serais-je la prochaine ? » sur les attaques de drones américains au Pakistan, les États-Unis ont lancé de 330 à 374 attaques dans ce pays entre 2004 et septembre 2013. Une autre estimation de l'institut de politique publique New America Foundation place ce chiffre à 364 frappes de drones américains au Pakistan en juillet 2013. Il s'agit des **attaques de drones les plus nombreuses**.

Mener une guerre

La guerre la plus courte : entre la Grande-Bretagne et Zanzibar (appartenant aujourd'hui à la Tanzanie) ; de 9 h à 9 h 45, le 27 août 1896

La plus longue guerre internationale continue : la guerre de Trente ans (1618-1648), entre différents pays européens ; s'est terminée par la paix avec la Westphalie

Le plus lourd bilan d'une guerre civile : la guerre civile russe (1917-1922), avec la mort de 1,5 million de soldats et plus de 8 millions de civils ○ ○ ○

Lieux sensibles

L'espérance de vie moyenne en 1955 était de 48 ans, contre 67,2 ans aujourd'hui.

Le plus de meurtres par pays

Le Brésil a connu 47 106 meurtres en 2012, soit 24,5 homicides pour 100 000 habitants. En novembre 2012, des manifestants inquiets par ces chiffres se sont réunis devant le Congrès brésilien. Plus de 900 briques rouge sang étaient posées au sol pour représenter chaque victime enregistrée au cours d'une semaine habituelle.

L'endroit le plus dangereux à survoler en avion

Le rapport annuel 2012 de l'International Air Transport Association désignait l'Afrique comme l'endroit le plus dangereux à survoler, avec un risque 9 fois supérieur à la moyenne mondiale. En 2011, l'Afrique a enregistré un taux de 3,27 avions détruits ou disparus pour 1 million de vols. Cela s'explique par une flotte d'avions à turbopropulseurs vieillissante et un contrôle du trafic aérien inadapté.

Le pays au taux de pauvreté le plus élevé

Malgré sa croissance, l'Inde rassemble 41,01 % de la population pauvre du monde. La Chine est en 2e position avec 22,12 %. Selon le département des Affaires économiques et sociales de l'ONU, un pauvre « gagne moins de 1,25 $ par jour ».

Les routes les plus mortelles

Selon un rapport de 2013 de l'Organisation mondiale pour la santé, la République dominicaine avait enregistré un taux de 41,7 morts de la route pour 100 000 individus en 2010, le taux le plus élevé pour un pays de plus de 1 million d'habitants. Dans le monde, 1,24 million de personnes sont décédées sur les routes en 2010.

Le plus faible PIB par tête

Le produit intérieur brut (PIB) mesure tous les biens et services produits par une nation en un an et est indiqué en valeur par habitant. En 2012, la Banque mondiale estimait le PIB de la République démocratique du Congo à 422 $, alors que le Luxembourg affichait le PIB le plus élevé, avec 91 388 $.

Le plus de meurtres par habitant

Si le Brésil enregistre le plus de meurtres dans l'absolu (voir plus haut), le record par personne est détenu par le Honduras. Ce pays d'Amérique centrale compte 82,1 meurtres pour 100 000 personnes, d'après *The Economist*.

Le plus de prisonniers par habitant

D'après l'International Centre for Prison Studies, les États-Unis recensaient en 2011 2 239 751 individus incarcérés et un taux de 716 prisonniers pour 100 000 habitants, soit le plus de détenus par personne. En comparaison, le micro-État de Saint-Marin n'a que 2 prisonniers, soit 6 pour 100 000 habitants.

Le plus de morsures de serpents fatales par pays

L'Inde fait état d'un nombre d'accidents mortels par morsure de serpent supérieur à tout autre pays, avec 81 000 « envenimations » par an. Selon les estimations prudentes de *The Global Burden of Snakebite* (2008), 11 000 d'entre elles peuvent être fatales.

La plus grande menace toxique mondiale

D'après un rapport publié en 2010 par l'institut Blacksmith (USA), 10 millions d'individus sont menacés d'intoxication au plomb. Les autres polluants les plus toxiques sont, dans l'ordre, le mercure, le chrome, l'arsenic, les pesticides et les substances radioactives. Ils peuvent provoquer des handicaps mentaux et physiques, des cancers, voire la mort.

> ## GLOBAL PEACE INDEX : LES PAYS LES MOINS PAISIBLES

En 2013, le Global Peace Index a évalué 162 nations sur une échelle de 1 à 5 (1 étant le plus paisible) en s'appuyant sur 22 paramètres allant des dépenses militaires aux relations avec les pays voisins et au taux de population carcérale.

Russie **3 060**
Irak **3 245**
Afghanistan **3 440**
Syrie **3 393**
Corée du Nord **3 044**
Soudan **3 242**
Pakistan **3 106**
République centrafricaine **3 031**
Somalie **3 394**
Rép. démocratique du Congo **3 085**

Comparaisons nationales

Taux de mortalité le plus élevé : Ukraine, avec 16,2 décès pour 1 000 habitants en projection pour 2010-2015.

Taux de cancers le plus élevé : Hongrie, avec 316 décès pour 100 000 habitants en 2009.

Taux de décès par maladies cardiaques le plus élevé : Ukraine, avec 1 070,5 décès pour 100 000 habitants en 2011.

Taux d'obésité le plus élevé : État insulaire de Nauru dans le Pacifique Sud, avec 71,1 % de la population en 2008.

Source : Institute for Economics and Peace

La grande ville la plus polluée

Un rapport de l'OMS en 2011 mesurait la pollution de l'air par la masse de particules inférieures à 10 microns de diamètre par m³ d'air (PM$_{10}$). Ahwaz (Iran) était le principal contrevenant avec un PM$_{10}$ de 372 microgrammes par m³.

La pire pollution de l'air

En 2011, l'Organisation mondiale de la santé a indiqué que l'air en Mongolie présentait un niveau annuel de 279 microgrammes de PM$_{10}$ par m³ (voir glossaire). De nombreuses usines du pays fonctionnent au charbon et beaucoup de gens vivent dans des *gers*, yourtes en feutre tissé chauffées par des poêles. Voir plus haut pour la **grande ville la plus polluée**.

Sur une note plus légère, le rapport de l'OMS donne une moyenne annuelle de 3 microgrammes de PM$_{10}$ pour

la ville de Whitehorse (Yukon, Canada), ce qui en fait la **ville la moins polluée**.

La pire pollution terrestre

En novembre 1994, des milliers de tonnes de pétrole brut se sont déversés à travers la toundra virginale arctique de la République des Komis, près d'Oussinsk. La quantité de pétrole perdu est estimée entre 14 000 et 200 000 t. La superficie totale contaminée s'étendait à 21,1 millions de m², soit l'équivalent du Salvador. Le coût de cet accident a été évalué à plus de 311 milliards de roubles (11 md $).

Le pays le plus malheureux

Selon une enquête menée en 2013 auprès de 156 pays par le Sustainable Development Solutions Network des

Nations unies, les citoyens du Togo (Afrique de l'Ouest) sont les plus malheureux avec un score de 2,936/10. L'enquête portait sur des paramètres tels que la qualité et la durée de vie, la santé mentale et la liberté individuelle. Le Danemark se trouve à l'autre bout du classement avec un score de 7,693, ce qui en fait le **pays le plus heureux**.

La plus forte densité de tornades

Les Pays-Bas recensent une tornade pour 1 991 km² contre une pour 8 187 km² aux États-Unis.

Le plus de décès dus à des catastrophes naturelles

Le Centre for Research on the Epidemiology of Disasters (Belgique) a publié en 2013 un rapport sur les accidents mortels dus à des catastrophes telles que séismes, inondations et ouragans. On dénombre le plus de décès, 2 385, aux Philippines. La Chine est 2e avec 802 victimes. En décembre 2012, près de 2 000 personnes ont été tuées aux Philippines par le seul typhon Bopha.

Le plus de vols par habitant

En 2013, *The Economist* affirmait que la Belgique recensait 1 714 vols pour 100 000 habitants sur une population de 10,8 millions de personnes. Ce nombre inclut un hold-up audacieux qui a eu lieu le 18 février 2013, lorsque des véhicules aux couleurs de la police ont été utilisés pour dérober 50 millions $ de diamants dans un avion, à l'aéroport de Bruxelles, sans tirer le moindre coup de feu.

Le plus d'attaques de requins

Avec 238 attaques enregistrées, la plage de New Smyrna (Floride, USA) est connue comme la capitale mondiale des attaques de requins, même si la plupart des victimes ont été mordues par de jeunes squales affamés. Ici, des surfeurs non loin d'un requin (photo prise en 2008 par Kem McNair après une journée de surf).

INFO

D'après les experts, New Smyrna doit sa réputation de "banquet pour requins" au grand nombre de personnes qui s'aventurent dans l'eau malgré la présence fréquente de squales.

État de danger

Dans notre première édition : « Sur la base de données pour la décennie 1940-1950, la région du monde où le taux de meurtres moyen annuel est le plus élevé est la Géorgie (USA), avec 167,3 meurtres pour 1 million d'individus. » En 2012, ce nombre est tombé à 59 pour 1 million d'habitants, d'après le FBI. L'actuel détenteur du record par individu est le Honduras (voir texte principal).

Info importante : journalistes en danger

Le pays le plus dangereux pour les journalistes est l'Irak, avec 153 tués depuis 1992. 1 014 journalistes ont été tués dans le monde d'après le Comité pour la Protection des Journalistes (CPJ). L'impunité aggrave le problème lorsque les gouvernements n'enquêtent délibérément pas sur les meurtres parce qu'ils ne souhaitent pas que des abus de pouvoir et des violations des droits de l'Homme soient révélés. Le 2e pays le plus dangereux est les Philippines, où 73 journalistes ont perdu la vie depuis 1992.

Glossaire

PM$_{10}$: utilisé pour évaluer l'ampleur de la pollution de l'air, il désigne les particules inférieures à 10 micromètres de diamètre. (Le point à la fin de cette phrase mesure près de 1 000 micromètres.) À cette dimension, les particules telles que la poussière, les sels et les produits issus des processus industriels sont assez petites pour s'infiltrer au plus profond des poumons et provoquer des maladies, telles que l'asthme et le cancer du poumon.

Voyages & tourisme

Mexico s'enfonce dans les eaux **10 cm par an**, soit 10 fois plus vite que Venise.

La station de ski la plus au nord

La station de ski Tromsø Alpinsenter se situe à Kroken (Norvège), à plus de 300 km à l'intérieur du cercle arctique. La station possède 2 tire-fesses, un tire-fesses de 500 m pour enfants et 4 pistes de difficulté variable, dont la plus longue s'étend sur 2 km.

Les plus fortes recettes touristiques

En 2011, les recettes mondiales du tourisme ont atteint 1 billion $ pour la première fois de l'histoire, d'après l'Organisation mondiale du tourisme. Cependant, en 2012, les exportations totales du tourisme international ont de nouveau progressé pour atteindre 1,3 billion $.

Les plus fortes dépenses touristiques (pays)

En 2012, les Chinois ont consacré 102 milliards $ au tourisme, soit 37 % de plus qu'en 2011 et 8 fois les 13 milliards $ dépensés en 2000. Les touristes allemands ont dépensé le 2e plus gros budget international (83,8 milliards $) et les États-Unis le 3e, avec 83,5 milliards $.

Les plus forts gains issus du tourisme

D'après l'OMT, le tourisme aux États-Unis s'élevait à 126,2 milliards $ en 2012 et représentait à lui seul 8,5 % des recettes touristiques internationales. L'Espagne arrive en 2e position, avec 56 milliards $ et la France en 3e, avec 54 milliards $.

Le plus d'arrivées de touristes internationaux en un an

En 2012, d'après un rapport de l'OMT, le nombre d'arrivées de touristes internationaux s'est élevé à 1,035 milliard d'individus.

D'après la même source, le **pays le plus populaire** est la France, avec 83 millions d'arrivées internationales. Elle représente à peine plus de

La région touristique à la plus forte croissance

La fréquentation touristique en Asie et dans le Pacifique a progressé de 7 % en 2012, soit 15 millions de touristes internationaux de plus qu'en 2011. Parmi les régions asiatiques visitées, l'Asie du Sud-Est connaît la plus forte croissance, soit une fréquentation en hausse de 9 % par rapport à 2011 et une hausse de 16 % en valeur absolue en 2011 pour la Thaïlande. La région connaît une progression record pour la 2e année consécutive d'après l'OMT.

Le plus grand bateau résidentiel

Inauguré en 2002, le bateau de croisière *The World* inclut 165 habitations, dont 106 appartements, 19 studios et 40 ateliers. Tandis qu'il navigue en permanence autour du monde, ses résidents peuvent mener leur vie professionnelle, vivre et se détendre à bord. Le séjour moyen dure de 3 à 4 mois et le nombre d'occupants moyen est de 150 résidents (la moyenne d'âge est de 65 ans).

8 % du marché touristique mondial. Ses concurrents les plus proches sont les États-Unis (67 millions de visiteurs) et la Chine (57,7 millions).

L'Europe reste la **région touristique la plus visitée**, avec 534,3 millions d'arrivées en 2012 d'après l'OMT. L'Asie et le Pacifique la suivent avec 233,6 millions d'arrivées. L'Amérique du Nord et du Sud arrivent en 3e place avec 163,1 millions de visiteurs.

Le plus de continents visités en une journée

Gunnar Garfors (Norvège) et Adrian Butterworth (RU) ont visité 5 continents en une journée, en empruntant des moyens de transport réguliers entre

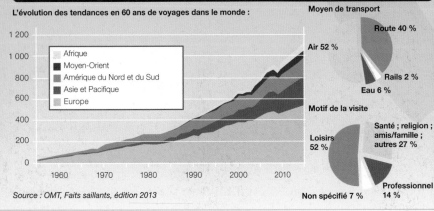

THE WORLD

 Pour des séjours épiques, voir p. 156

PROMENEURS DU MONDE : TOURISME INTERNATIONAL

L'évolution des tendances en 60 ans de voyages dans le monde :

Arrivées de touristes internationaux (en millions)

- Afrique
- Moyen-Orient
- Amérique du Nord et du Sud
- Asie et Pacifique
- Europe

1 200 / 1 000 / 800 / 600 / 400 / 200 / 0

1960 1970 1980 1990 2000 2010

Source : OMT, Faits saillants, édition 2013

Moyen de transport

- Route 40 %
- Air 52 %
- Rails 2 %
- Eau 6 %

Motif de la visite

- Loisirs 52 %
- Santé ; religion ; amis/famille ; autres 27 %
- Professionnel 14 %
- Non spécifié 7 %

Plus ça change...

La Chine a dépassé les États-Unis en matière de dépenses touristiques. Au fil des années, Londres et Paris se sont disputé l'honneur d'être la ville la plus visitée. Depuis longtemps, un seul pays tient la tête du classement des pays les plus populaires auprès des touristes : la France. En 1999, elle a accueilli 73 millions de visiteurs. En 2012, 83 millions de touristes ont choisi la France pour la richesse de son patrimoine culturel, sa magnifique campagne, ses plages, ses stations de ski, sa gastronomie ou encore ses châteaux et cathédrales, et pour Paris, la « Ville Lumière ».

INFO

On estime que seul 1/1 000 sur 1 % de la population mondiale a visité l'Antarctique.

Édifice imposant

Tous les 7 ans, la tour Eiffel est repeinte. En tout, 60 t de peinture sont nécessaires pour recouvrir sa surface de 250 000 m².

La plus grande marina

D'après le recensement de 2010, la Marina del Rey, à Los Angeles County (Californie, USA), est la plus grande en nombre d'habitants, avec 8 866 individus. Elle abrite aussi 6 500 bateaux. Cependant, la Dubaï Marina, ville couplée à un canal de 3 km de long, à Dubaï (ÉAU), a été inaugurée en 2003 et abritera 120 000 personnes. La date de fin des travaux est prévue pour 2015.

l'est d'Istanbul en Turquie (Asie), Casablanca au Maroc (Afrique), Paris en France (Europe), Punta Cana en République dominicaine (Amérique du Nord) et Caracas au Venezuela (Amérique du Sud), le 18 mai 2012. Le voyage a duré 28 h et 25 min, mais les fuseaux horaires ont permis à Garfors et Butterworth, réalisateur de film, de passer la douane de chaque pays le même jour.

Le plus de capitales visitées en 24 h en transports réguliers

Sarah Warwick et Lucy Warwick (RU) ont visité Londres, Paris, Bruxelles, Prague, Vienne et Bratislava, les 24 et 25 septembre 2013.

Le plus de visites internationales par un président américain

Deux présidents américains ont visité chacun 74 nations pendant leur mandat : Bill Clinton, dont les voyages ont débuté les 3 et 4 avril 1993, à Vancouver (Canada), lors d'un sommet avec le président Eltsine (Russie) et une rencontre avec le Premier ministre canadien Brian Mulroney. Il a effectué son dernier déplacement au Royaume-Uni du 12 au 14 décembre 2000, pour rencontrer Tony Blair et Élisabeth II. Clinton a effectué 133 voyages.

George W. Bush a visité 74 nations en 140 voyages pendant ses deux mandats. Le premier, le 16 février 2001, avait pour destination San Cristóbal (Mexique), où il a rencontré le président Fox. Son dernier déplacement était à Kaboul (Afghanistan), du 14 au 15 décembre 2008, pour rencontrer le président Karzai

La galerie d'art la plus visitée

Le musée du Louvre (Paris, France) a attiré 9 720 260 visiteurs en 2012. Situé dans le palais du Louvre, sur la rive droite de la Seine, le musée a ouvert ses portes en 1793. En 1989, la pyramide de verre controversée conçue par l'architecte I. M. Pei a été installée dans la cour principale *(ci-dessous)*.

D'après *The Economist*, la Tate Modern de Londres (RU) reste la **galerie d'art moderne la plus visitée**. En 2012, elle a attiré 5 300 000 amateurs d'art.

La ville la plus touristique

D'après le Global Destination Cities Index de MasterCard, la ville qui a attiré le plus de touristes en 2012 était Londres (RU), avec 16,9 millions de visiteurs internationaux. Ceux-ci ont dépensé 21,1 milliards $, soit 10,3 % de plus qu'en 2011. Le fait d'avoir accueilli les JO de 2012 a sans doute contribué à la notoriété de la ville.

et rendre visite aux militaires américains.

Le plus grand parc national

Le parc national du Nord-Est du Groenland couvre 972 000 km², de la terre de Liverpool, au sud, à l'île la plus au nord, Oodaaq, au large de la terre de Peary. Fondé en 1974 et agrandi en 1988, le parc est en grande partie recouvert de glace et abrite une flore et une faune variées (ours polaires, bœufs musqués et rapaces).

Le plus vieux parc national est celui de Yellowstone (USA). Ulysse S. Grant lui a accordé son statut en 1872, en déclarant qu'il serait toujours « dédié et réservé en tant que parc public ou espace de loisirs voué à la satisfaction et au bonheur des gens ». Il s'étend sur 8 980 km², essentiellement dans le Wyoming.

Résister à l'eau : Venise en péril

La ville italienne historique de Venise, classée au patrimoine mondial de l'Unesco, connaît un risque croissant d'affaissement et de graves inondations de sa lagune et des canaux. En 2002, un procédé a été mis en place pour contrôler l'afflux d'eau de la mer Adriatique dans la lagune. Appelé projet Mose, il prévoit la construction de 78 digues d'acier géantes à travers trois goulets d'eau de la lagune, et de couler des vannes pivotantes de 300 t *(voir à gauche, en bas)*, de 27 m de large chacune, dans d'énormes bases de béton au fond de la mer. C'est le **plus grand projet de préservation d'un site touristique**.

La dernière frontière

Le 1er touriste de l'espace : l'homme d'affaires Dennis Tito (USA), à bord de l'*International Space Station*, du 28 avril au 6 mai 2001.

La 1re touriste de l'espace : Anousheh Ansari (Irlande), à bord de l'*ISS*, du 18 au 29 septembre 2006.

Le plus de séjours dans l'espace par un touriste : Charles Simonyi (USA, né en Hongrie) a embarqué pour son 1er voyage à bord de l'*ISS* le 7 avril 2007 ; il a réalisé son 2e voyage à 60 ans, le 26 mars 2009.

Navigation

En 1 an, un conteneur moyen parcourt l'équivalent d'un trajet vers **la Lune et la moitié du retour**.

La plus grande capacité de levage pour un bateau

Les navires à moteur *Fairplayer* et *Javelin*, exploités par Jumbo Shipping (Rotterdam, Pays-Bas), sont des méganavires de classe J. Équipés de deux mâts de charge Huisman capable de soulever chacun une charge de 900 t, ils affichent une capacité de levage maximale de 1 800 t.

La route maritime la plus chargée

Le pas de Calais, partie la plus étroite de la Manche entre le Royaume-Uni et le continent européen, voit passer chaque jour de 500 à 600 navires.

Le 1er navire porte-conteneurs

L'utilisation de conteneurs embarqués sur les navires (souvent sur des lignes maritimes courtes) a commencé au xxe siècle. La conteneurisation a débuté dans les années 1950. L'un des 1ers navires à en transporter était l'ancien pétrolier *Ideal X*, modifié par Sea-Land Service (USA) en 1955. La taille des conteneurs standard a été adoptée dans les années 1960, parallèlement à l'introduction de bateaux spécifiques. La capacité d'un conteneur se mesure en EVP (équivalent vingt pieds) sur la base du volume d'un conteneur standard de 6,1 m de long.

Le plus grand armateur de porte-conteneurs

Mærsk (Danemark) exploite plus de 600 navires, soit 3,4

La route commerciale océanique la plus chargée

7,52 millions de conteneurs ont été acheminés d'Amérique du Nord vers l'Asie en 2012, contre 14,42 millions dans le sens opposé. Cette route a vu passer 21,94 millions de conteneurs.

millions de conteneurs qui se déplacent chaque année. Selon la société, elle accoste chaque année à 35 000 ports et a transporté 8,4 milliards de bananes en 2012.

Le plus gros bateau

Le pétrolier *Mont* (anciennement *Jahre Viking*, *Happy Giant* et *Seawise Giant*) affichait un port en lourd de 564 763 t (622 544 t). Il mesurait 458,45 m de long et 68,8 m de large pour un tirant d'eau de 24,61 m. En 2010, il est devenu le **plus gros bateau démantelé**.

La plus rapide construction de bateau

Lors de la Seconde Guerre mondiale, le programme de construction navale de Kaiser's yard, à Portland

Le plus long porte-conteneurs

Les navires de classe triple E Mærsk (Danemark) mesurent 400 m de long. Le principal, *Mærsk Mc-Kinney Møller*, a été lancé à Geoje (Corée du Sud), le 24 février 2013. Vingt ont été commandés. Chaque navire contient autant d'acier que 8 tours Eiffel. Si on les empilait à Times Square (New York, USA), ils dépasseraient les panneaux d'affichage et la plupart des bâtiments. Chaque navire est assez grand pour y garer 36 000 voitures ou 863 millions de boîtes de conserve.

LES PLUS GROS BATEAUX

À titre de comparaison : la tour Eiffel, 324 m de haut

Le plus grand yacht privé : *Azzam*, propriété du cheik Khalifa bin Zayed Al Nahyan (ÉAU), 180 m (prix : environ 390 millions £)

Le plus grand navire de passagers : Royal Caribbean International classe Oasis, 362 m, PL (port en lourd) 15 000 t

Le plus gros pétrolier : Daewoo Shipbuilding & Marine Engineering classe T1, 379 m, PL 441 585 t

Le plus long navire porte-conteneurs : Mærsk Triple classe E, 400 m, PL 196 000 t

Le plus gros bateau : *Mont*, 458,45 m, PL 564 763 t

ℹ Construire des maquettes de gros bateaux

Pour les amateurs de bateaux en quête d'un Mærsk dans leur vie, LEGO® a créé une version miniature du navire triple classe E (voir le **plus long navire porte-conteneurs**). Il se compose de 1 519 pièces et mesure 21 cm de haut, 65 cm de long et 9 cm de large.

👁 Port en lourd (PL)

Le plus grand pétrolier actuel : *Hellespont Alhambra*, Daewoo Shipbuilding & Marine Engineering (Corée), 11 juin 2001, 441 585 t

Le plus grand vraquier : *Vale Beijing* (décembre 2011) et *Vale Qingdao* (juin 2012), STX Offshore & Shipbuilding (Corée), 404 389 t

Le plus grand vraquier sec : *Berge Stahl*, Bergesen (Norvège), 1986, 364 767 t

Le plus grand navire poseur de pipeline : *Solitaire*, Allseas Group (Pays-Bas), 1998, 127 435 t

Le plus grand port en volume de chargement

Le port de Shanghai a fait circuler plus de 736 millions t de chargement en 2012, soit plus de 32 millions de conteneurs. Ses quais s'étendent sur environ 20 km, avec 125 postes d'amarrage pour les navires-porte-conteneurs.

(Oregon, USA), a bâti des navires de 10 000 t en 4 jours, 15 h et 30 min. La quille du *Robert E. Peary* fut posée le 8 novembre 1942, les travaux débutèrent le 12 novembre et le navire fut opérationnel le 15. La préfabrication accéléra le processus.

Le plus grand constructeur de navires

Hyundai Heavy Industries (Corée) représenterait 15 % de la production navale totale. D'après le rapport d'une agence de presse sud-coréenne en février 2014, la baisse des prix des navires a entraîné un repli de 86 % des bénéfices du géant en 2013, soit 146,3 milliards de wons sud-coréens (136 millions $). En janvier 2014, la société a commencé à travailler sur un porte-conteneurs d'une capacité de 19 000 EVP.

Le plus grand mât de charge en mer

Le *Seven Borealis* possède à son bord un mât de charge construit par Huisman (Pays-Bas), capable de soulever des charges allant jusqu'à 5 000 t. Il s'élève à une hauteur record de 150 m au-dessus du pont, tandis que d'autres mâts peuvent soulever des poids plus lourds. Cette structure tourne autour d'un support de 11 m de diamètre. Le bateau est exploité depuis 2012.

Le plus grand navire de transport à pont ouvert

Exploité par Dockwise (Pays-Bas), le semi-submersible *Dockwise Vanguard* mesure 275 m de long et a un plat pont de 70 x 275 m. Il peut transporter 110 000 t. Son pont s'immerge à 16 m. Il supporte des chargements tels que des plates-formes pétrolières et gazières en flottant sous leur poids.

INFO
En 1992, 29 000 canards en plastique jaunes et autres jouets sont tombés d'un navire-porte-conteneurs dans le Pacifique.

Le navire de charge nucléaire le plus puissant

Le *Sevmorput*, un navire russe, est le plus puissant, mais aussi le dernier navire de charge nucléaire sur les 4 fabriqués initialement. L'énergie nucléaire a été peu adoptée dans le transport. Le *Sevmorput* lui-même devait être démantelé jusqu'à ce que sa restauration, prévue jusqu'en 2016, soit annoncée en décembre 2013.

ÉPAVES

La plus profonde
Le *Rio Grande* était un forceur de blocus allemand de la Seconde Guerre qui échappait à ses ennemis pour livrer des chargements. En janvier 1944, il fut coulé par les Américains, puis découvert en 1996 par Blue Water Recoveries (RU) à une profondeur de 5 762 m.

Le navire marchand britannique *Gairsoppa* fut une autre victime de la Seconde Guerre mondiale. Il fit l'objet du **plus profond sauvetage de chargement d'une épave**. Coulé par un sous-marin allemand, il tomba à une profondeur de 4 700 m. Odyssey Marine Exploration (USA) découvrit l'épave en 2011 et en retira 47,9 t d'argent en juillet 2013.

La plus grande
L'*Energy Determination*, transporteur de pétrole d'un port en lourd de 321 186 t, se brisa dans le détroit d'Hormuz, dans le golfe Persique, le 12 décembre 1979. Le navire ne transportait aucun chargement, mais sa coque valait 58 millions $.

La plus vieille
Un bateau à mât simple, découvert en 1912, s'était échoué à Uluburun près de Kaş, dans le sud de la Turquie, au XIVe siècle avant J.-C.

Le plus long canal maritime

Depuis son ouverture, le 17 novembre 1869, le canal de Suez permet aux navires de passer de la mer Rouge à la Méditerranée sans contourner l'Afrique. Après 10 ans de construction, le canal mesure 162,2 km de long, pour une largeur comprise entre 300 et 365 m.

En mouvement : une hélice qui tourne

INFO
Le *Emma Mærsk* peut transporter près de 528 millions de bananes en un voyage, soit une pour chaque habitant d'Europe ou d'Amérique du Nord.

Le *Emma Mærsk* a été lancé en 2006 et possède la **plus grande hélice**. Fabriquée par Mecklenburger Metallguss GmbH (Allemagne), cette hélice d'une seule pièce pèse 130 t. Dotée de 6 pales, elle mesure 9,6 m de diamètre. En raison de sa taille, l'alliage de métal dans lequel elle a été fabriquée a nécessité deux semaines de refroidissement après coulage. Les pales sont actionnées par un moteur à deux temps Wärtsilä-Sulzer RTA96C de 14 cylindres, le **plus gros moteur diesel**. En février 2013, tandis que le bateau entrait dans le canal de Suez, une inondation de la salle des moteurs l'a mis hors service quelques mois.

📖 Glossaire

Port en lourd : poids total qu'un navire peut transporter, équipage, passagers, fournitures, etc.

Jauge brute : espace total à l'intérieur d'un bateau (ce n'est pas une mesure de poids).

Déplacement : poids d'eau déplacé par un bateau lorsqu'il flotte avec des citernes de carburant et des réserves pleines. C'est le poids réel du bateau, car un corps flottant déplace son propre poids en eau.

Jeux de hasard

En 2013, 39,7 millions d'individus ont parié **9,4 milliards $** à Las Vegas.

La plus forte somme perdue par habitant dans le cadre de paris

D'après l'organisme international de paris H2 Gambling Capital, un Australien moyen âgé d'au moins 17 ans a perdu 775 £ en 2010. Près de 70 % des Australiens auraient participé à des paris.

La meilleure série gagnante

En décembre 1992, le joueur de poker gréco-américain Archie Karas débarqua à Las Vegas (USA) avec 50 $ en poche. Début 1995, il avait transformé cette somme en 40 millions $ en jouant au billard, au poker et aux dés. C'est la plus grande suite de gains, connue dans le monde du jeu sous le nom de « The Run ». L'amour de Karas pour les dés et, plus tard, le baccara causa sa perte : mi-1995, il avait perdu sa fortune.

Le 1er bookmaker

Harry Ogden (RU) serait le 1er à avoir enregistré un bénéfice en tant que bookmaker. Il travaillait à Newmarket Heath, dans le Suffolk (RU), au milieu des années 1790. Avant cela, ceux qui souhaitaient parier sur les courses de chevaux le faisaient entre eux. Ogden a été le 1er à prendre en compte tout le terrain et à proposer différentes cotes pour les chevaux, en calculant ses chances de gain afin d'obtenir un bénéfice.

Le 1er bookmaker offshore

Victor Chandler, qui officie sous le nom de BetVictor, a déménagé son activité offshore entre 1997 et 1999 pour échapper aux taxes sur le jeu au Royaume-Uni. L'entreprise est installée à Gibraltar, où celles-ci sont nulles. Beaucoup d'autres bookmakers sont désormais présents sur le « rocher ».

Le plus gros gain à un match de poker télévisé

Tom Dwan (USA) a remporté 0,6 million £ en une main, lors d'un match de poker télévisé contre son compatriote Phil Ivey. La compétition a eu lieu lors du Full Tilt Poker's Million Dollar Cash Game filmé à Londres (RU), en septembre 2009. Les 2 joueurs ont obtenu une quinte flush (5 cartes successives de la même couleur), mais le 3-4-5-6-7 de Dwan a battu le 1-2-3-4-5 de Ivey.

Le plus gros gain aux courses hippiques

Le propriétaire écossais de chevaux de course Harry Findlay a empoché 1,85 million £ lors du 1er week-end férié britannique de mai 2007. Findlay avait parié 140 000 £ auprès de la société de paris mutuels RaceO. Il a fini avec 16 vainqueurs, dont 2 paris combinés (« accumulators ») sur 8 chevaux (un pari multiple très risqué qui ne paie que si tous les chevaux gagnent).

Le parieur aux courses au plus grand succès

William Benter (USA) gagne près de 10 millions $ par an

La plus grande machine attrape-peluches

« Santa Claw » est une machine attrape-peluches de 5,1 x 2,4 x 3,6 m exploitée via Internet sur le site thesantaclaw.com, entre le 3 janvier et mai 2011. Près de 100 000 joueurs ont tenté leur chance et plus de 4 000 cadeaux ont été attrapés. Les gagnants ont reçu leurs prix par courrier.

Le plus gros gain de loterie offert à une association caritative

En juillet 2010, Allen et Violet Large (Canada) ont gagné 11,2 millions de $CAN à la loterie lotto 6/49. Ils ont offert 98 % de cette somme à des associations locales, dont la Croix-Rouge, et aux hôpitaux où Violet avait été traitée contre son cancer.

TOP 10 DES PLUS GRANDES PERTES AU JEU PAR ADULTE (PAR AN)

En termes absolus, les populations de grands pays tels que les États-Unis ou la Chine ont naturellement perdu plus d'argent en paris que les plus petits pays. (Macao, en Chine, est la plus grande ville de jeux par revenus. Plus de 38 milliards $ ont été générés par ses casinos et autres services de jeux en 2012.) Comparés à la population générale, les plus gros perdants au jeu sont les plus petits pays :

Source : H2 Gambling Capital, 2011 ; tous les chiffres sont donnés en dollars.

- 1000$
- 500$
- 0$

| Espagne : 389 $ | Grèce : 391 $ | Norvège : 416 $ | Hong Kong : 468 $ | Italie : 481 $ | Finlande : 514 $ | Canada : 528 $ | Irlande : 547 $ | Singapour : 1 093 $ | Australie : 1 199 $ |

INFO

Les chances de toucher le gros lot dans une loterie 6/49 (c'est-à-dire de tomber sur les 6 bons numéros sur 49) sont de 1 sur 13 983 816.

Glossaire

Jackpot : prix maximum ; son nom vient d'une forme de poker dans laquelle la mise est cumulée jusqu'à ce qu'un joueur ouvre avec une paire de valets ou un meilleur jeu.

Bingo & Slots FRIENDZY

Le 1er jeu Facebook à offrir des récompenses financières

Le 7 août 2012, la société de jeu en ligne britannique Gamesys a lancé le 1er jeu Facebook avec des récompenses en argent. Intitulé *Bingo Friendzy*, il inclut 90 minijeux. Seuls les utilisateurs Facebook de plus de 18 ans ont légalement le droit d'y jouer.

en pariant sur 2 pistes à Hong Kong (Chine). Physicien de formation, Benter a conçu un programme informatique prenant en compte plus de 100 chiffres (nombre des chevaux, jockeys, entraîneurs, pistes et conditions de course) pour déterminer les chances de victoire de chacun.

Le plus long lancer au craps

Le 23 mai 2009, au Borgata Hotel Casino d'Atlantic City (New Jersey, USA), Patricia Demauro (USA) a lancé la paire de dés 154 fois avant qu'un 7 ne mette fin à sa suite de victoires. Il lui aura fallu 4 h et 18 min, portant ses chances à 1 560 milliards contre 1.

Le plus grand tournoi de machines à sous

3 001 joueurs ont participé à un tournoi de machines à sous organisé par Bally Technologies (USA), au Mohegan Sun, à Uncasville (Connecticut, USA), le 27 avril 2013.

Le plus de prix de loteries attribués en 1 an

Pronósticos para la Asistencia Pública (Mexique) a décerné 97 909 447 prix en 2008, à travers 8 jeux.

La plus grande victoire dans un tournoi de poker

Antonio Esfandiari (USA, né en Iran) a remporté 18 346 673 $ au tournoi des World Series of Poker (WSOP2012), à Las Vegas (Nevada, USA), le 3 juillet 2012.

Le plus grand tournoi de poker en ligne

PokerStars (RU) a organisé un tournoi de poker en ligne avec 225 000 participants, le 16 juin 2013. Chaque joueur a payé 60 pences, pour un premier prix de 15 000 £.

Le plus de membres d'une famille gagnant à la loterie nationale

En septembre 2012, l'adolescent Tord Oksnes est devenu le

Le plus gros lot à la loterie nationale

Le 30 mars 2012, le jackpot de la loterie américaine Mega Millions a atteint une valeur en rente de 656 millions $, soit 474 millions comptant. Les 3 gagnants non identifiés (tous USA) se sont partagé la somme.

3e membre de sa famille à gagner le jackpot de la loterie nationale norvégienne avec 12,2 millions de couronnes. Trois ans plus tôt, Hege Jeanette, sa sœur, avait remporté 8,2 millions de couronnes. Encore 3 ans auparavant, c'est Leif, leur père, qui avait encaissé 8,4 millions de couronnes.

Le plus gros gain Tote

Steve Whiteley (RU), 61 ans, a remporté 1 445 671,71 £ lors d'un pari combiné Tote Jackpot de 2 £. Il avait prédit avec succès le vainqueur de 6 courses lors de la rencontre d'Exeter (RU), le 8 mars 2011. Il a déclaré : « Je suis ingénieur chauffagiste ; enfin, je l'étais. »

Gagnants à la loterie : comment dépensent-ils leurs gains ?

Source : Camelot Group

En mars 2012, la **plus grande loterie nationale** (*voir légendes de la loterie, à droite*) avait fait 3 000 millionnaires, qui ont remporté chacun en moyenne 2,8 millions £. Comment ont-ils dépensé leurs gains ?

Immobilier : 3,3 milliards £

Investissements : 2,1 milliards £

Avenir (notamment épargne pour les enfants) : 1,6 milliard £

Voitures : 463 millions £

Vacances de rêve : 21 millions £

Légendes de la loterie

Le plus gros gain pour une loterie : El Gordo (« Le Gros »), en Espagne, est une loterie annuelle qui, en 2013, avait un gain total de 2,6 milliards €.

Le plus gros gain à la loterie : 314,9 millions $ par Andrew « Jack » Whittaker Jr (USA), dans un jackpot Powerball, le 24 décembre 2002.

La plus grande loterie nationale : la loterie nationale britannique avait vendu 95 milliards £ de tickets, au 31 mars 2013.

Faux & contrefaçons

En 1496, le jeune **Michel-Ange** a produit un faux d'une « ancienne » statue de Cupidon.

Les faux journaux les plus coûteux

En 1983, le magazine *Stern* a payé près de 5 millions $ pour 62 journaux intimes attribués à Hitler, à la tête de l'Allemagne pendant la Seconde Guerre. L'expert Kenneth W. Rendell (USA) a démontré qu'il s'agissait de faux. L'auteur, Konrad Kujau (Allemagne), a été emprisonné 3 ans et 6 mois, de même que Gerd Heidemann (Allemagne, ci-dessus), l'homme qui aurait « découvert » les exemplaires.

L'escroquerie artistique la plus lucrative par une femme

Le 16 septembre 2013, Glafira Rosales (Mexique) a plaidé coupable à New York (USA) de 9 chefs d'accusation de fraude. Elle faisait partie d'un système qui a vendu plus de 60 fausses œuvres d'art abstrait et impressionniste attribuées à un artiste sino-américain de 73 ans, Pei-Shen Qian. L'escroquerie de plus de 80 millions $ inclut des copies de Mark Rothko et Jackson Pollock.

Le faussaire le plus prolifique de l'œuvre de Shakespeare

En 1794-1795, des manuscrits attribués à Shakespeare (1564-1616) sont apparus à Londres (RU), dont un poème d'amour à sa femme, une

La plus grande collection de faux chefs-d'œuvre

L'artiste Christophe Petyt (France) possède plus de 2 500 copies des œuvres les plus connues dans le monde. Son entreprise, L'Art du Faux, emploie des artistes très talentueux pour copier des chefs-d'œuvre, ensuite identifiés comme reproductions et commercialisés.

La fraude viticole la plus lucrative

Le 16 octobre 2013, deux marchands de vins italiens soupçonnés d'avoir falsifié au moins 400 bouteilles de bourgogne romanée-conti ont été arrêtés. Leur pratique aurait permis aux fraudeurs d'empocher 2,75 millions $.

Le faussaire d'art le plus prolifique

Lors de son procès, en 1979, Thomas Keating (RU, 1917-1984) a estimé sa production de faux à plus de 2 000 œuvres. Pendant 25 ans, il a reproduit les œuvres de 121 artistes.

Les plus gros gains professionnels pour un faussaire

Han van Meegeren (Pays-Bas, 1889-1947) est souvent cité comme le faussaire d'art au plus grand succès et à la plus grande influence. Les estimations de ses gains fluctuent. En 1943, il avait gagné l'équivalent de 25 à 30 millions $ et possédait 500 millions $ en investissements immobiliers. Il imitait surtout Johannes Vermeer et Pieter de Hooch.

La plus grande réussite pour un faussaire de matériel de défense

Le 2 mai 2013, James McCormick (RU) a été condamné à une peine de 10 ans pour la vente de prétendus détecteurs d'explosifs et de drogue. En réalité, il s'agissait de détecteurs de balles de golf trafiqués. Il les vendait près de 40 000 $ pièce, soit un total estimé à 77 millions $.

lettre d'Elizabeth Iʳᵉ, des versions corrigées de ses œuvres et deux nouvelles pièces. Il s'agissait de contrefaçons de William Henry Ireland (RU). L'une des pièces, *Vortigern and Rowena*, fut jouée en 1796.

La plus grande fraude au distributeur

En mai 2013, des cybercriminels ont dérobé 45 millions $ en piratant une base de données de cartes de crédit prépayées via un système appelé « PIN cashing » (utilisation frauduleuse d'une carte) ou *carding*. Sept Américains ont été arrêtés et accusés d'avoir modifié les plafonds de retrait, créant des codes d'accès et faisant appel à des complices pour transmettre les données en ligne aux chefs

CONFONDRE LES FAUSSAIRES

Les Suisses possèdent les billets de banque les plus sécurisés (voir à droite). Parmi les dispositifs de sécurité :

10 $ Banque du Guinness World Records *Dix dollars* **10 $**

01 777 700 555

- Encre à couleur changeante lorsqu'elle est observée sous un angle différent
- Bande holographique
- Filigrane, visible à la lumière
- Nombres cachés, visibles à la lumière
- Lignes très fines – difficiles à reproduire
- Impressions en relief
- Fil de sécurité incrusté dans le billet
- Microcaractères – difficiles à reproduire
- Fabriqué à partir de plastique polymère ; change de couleur lorsqu'on l'incline

⚡ Plastifiés

En 2006, nous écrivions que les billets en francs suisses étaient les **billets les plus sécurisés**. Le billet de 1 000 francs comportait 14 éléments de sécurité, dont des microcaractères, de l'encre fluorescente et du braille. Plusieurs pays, dont l'Australie, le Canada et Brunei, ont renoncé aux billets en papier au profit du film plastique. Ces derniers sont quatre fois plus durables que les billets traditionnels. En moyenne, la durée de vie d'un billet d'un dollar américain est de 18 mois avant d'être usagé.

INFO

830 millions de billets britanniques (soit une valeur de 11,4 milliards £) ont dû être détruits en 2013 en raison de leur mauvais état.

ⓘ Agents des finances

Les services secrets américains, chargés de faire respecter la loi, ont initialement été fondés à la fin de la guerre de Sécession (1861-1865) pour lutter contre la fausse monnaie.

La plus grande fraude aux bitcoins

Conçus en 2008, les bitcoins sont un système monétaire virtuel basé sur des valeurs numériques. En novembre 2013, leur valeur avait bondi à 1 000 $ par bitcoin. Cette monnaie a déjà subi des replis dus à des escroqueries, la pire étant celle du Bitcoin Savings and Trust. Jusqu'à sa fermeture en 2012, le fonds d'épargne aurait perdu l'équivalent de 5,6 millions $.

des « équipes de cashing » qui vidaient les distributeurs.

La plus forte amende pour une fraude hypothécaire

Le 19 novembre 2013, JP Morgan Chase, principale banque américaine, a conclu un accord avec le ministère de la Justice américain. Il inclut une amende de 13 milliards $, soit l'accord de règlement civil le plus élevé avec une entreprise après la vente et la fraude de titres adossés à des créances hypothécaires résidentielles.

La plus forte amende pour fraude pharmaceutique

En juillet 2012, GlaxoSmithKline (RU) a reçu une amende de 1,9 milliard $ après avoir reconnu la plus grande fraude à la santé. De 1997 à 2004, l'entreprise aurait soudoyé des médecins pour qu'ils prescrivent des traitements non agréés et fait la promotion de médicaments dont l'usage n'a pas été approuvé.

La plus grande fraude d'orfèvre

En 1896, le musée du Louvre de Paris (France) a exposé un énorme casque en or pesant plus de 800 g, la « tiare de Saïtapharnès », datant probablement de la fin du III e ou du II e siècle avant J.-C. Le Louvre a acquis l'objet pour 200 000 francs-or, mais il fut prouvé plus tard qu'il s'agissait d'un faux fabriqué par le joaillier Israël Rouchomovsky (Russie).

La plus grande fausse armée

Avant d'envahir l'Europe par la Normandie, le 6 juin 1944, les forces alliées avaient inventé une ruse pour tromper l'ennemi. L'opération Bodyguard fit croire que deux armées à terre, dont l'une d'un million d'hommes, menaçaient le Pas-de-Calais. Nombre de troupes allemandes restèrent dans le Pas-de-Calais au lieu d'aller en Normandie, ce qui permit de sauver des vies alliées le Jour J.

La plus grande fraude par un seul trader

Le 24 janvier 2008, la Société Générale a fait état de 4,9 milliards € de pertes à la suite de placements effectués par l'un de ses employés. Le trader Jérôme Kerviel (France) a été placé sous surveillance policière et a reconnu avoir dissimulé ses activités à ses supérieurs. Il a été condamné à 5 ans de prison, dont 2 ans avec sursis. En 2010, il a publié son autobiographie *L'Engrenage : mémoires d'un trader*, dans laquelle il affirme que ses employeurs étaient au courant de son activité.

La plus longue période sous une fausse identité

En 1914, l'éditeur de journaux Anton Ekström (Suède) a fait une dépression après le décès de sa femme et la perte de sa fortune. Prenant le nom de Magnusson, il a vécu

en ermite dans la campagne. En 1955, au bout de 41 ans, son existence a été révélée et il a retrouvé ses enfants abasourdis.

Le coût annuel le plus élevé de cybercriminalité

Identités volées, comptes bancaires et e-mails piratés sont autant de formes de cybercriminalité. Le rapport Norton de 2013 évalue le coût annuel de la cybercriminalité pour les consommateurs à 113 milliards $ ou 298 $ par victime (plus de 1 million de victimes chaque jour), soit une toutes les 3 s.

Pour de vraies œuvres, voir p. 170

Signes inquiétants : le faux interprète

Le 10 décembre 2013 a eu lieu une cérémonie en mémoire de Nelson Mandela dans le stade FNB (95 000 places) à Soweto (Afrique du Sud). Les dirigeants et les dignitaires de plus de 100 pays et près de 60 000 Sud-Africains y assistèrent. Tandis que le président Barack Obama (USA) et le président Jacob Zuma (Afrique du Sud) s'exprimaient, l'interprète officiel en langue des signes se tenait à leur côté et effectuait des signes. Ces derniers ont plus tard été qualifiés par les spécialistes de gestes enfantins qui n'appartenaient à aucune des 11 langues officielles du pays, ni à aucun des gestes faciaux. D'après un expert international, cet homme, appelé Thamsanqa Jantjie, avait déjà fait semblant d'interpréter un événement militaire en 2012.

Arrangements financiers

La plus longue peine de prison pour fraude : 141 078 ans pour Chamoy Thipyaso (Thaïlande) et sept associés, en 1989, pour avoir dérobé les économies de 16 000 Thaïlandais.

La plus grande contrefaçon de billets de banque : l'opération Bernhard du III e Reich, au cours de la Seconde Guerre, a produit près de 9 millions de billets britanniques contrefaits pour une valeur de 130 millions £.

Argent & économie

1 616 tonnes d'or ont été recyclées en 2012, pour **15 milliards £**.

Le plus grand écart entre les genres

D'après le Global Gender Gap Index 2013 du Forum économique mondial, le Yémen présente un écart entre les genres supérieur à tout autre pays. Cet écart se fonde sur 4 indicateurs : la participation et les opportunités économiques, le niveau d'études, la santé et la survie, et la participation à la vie politique. Le Yémen affiche un score de 0,5128 (1 étant le meilleur score). Le **pays au plus faible écart entre les genres** est l'Islande, avec 0,8731. L'Allemagne a obtenu 0,75 et la France 0,70 (45ᵉ position).

La marque à la croissance la plus rapide

La valeur de Facebook a progressé de 43 % pour atteindre la 52ᵉ place du classement Interbrand 2013. C'est le seul réseau social dans le Top 100 des meilleures marques. Sa base d'utilisateurs a augmenté de 26 %, soit 1,19 milliard d'utilisateurs actifs mensuels. Les utilisateurs mobiles sont en hausse de 51 %, soit 751 millions d'individus entre début et septembre 2013.

La plus grande agence de pub

En juillet 2013, Publicis (France) et Omnicom (USA) ont annoncé leur fusion et créé le groupe Publicis Omnicom, qui aurait réalisé 23 milliards $ de recettes s'il avait existé en 2012.

WPP a annoncé des recettes de 16,8 milliards $ pendant la même période.

La plus grande liberté économique

Avec 89,3 (sur 100), Hong Kong (Chine) bénéficie de la plus grande liberté économique d'après l'indice de la liberté économique, publié par la Heritage Foundation. La liberté économique mesure le droit des travailleurs à décider de leur travail, la consommation, les investissements et la propriété.

La plus forte croissance économique

En 2002, la Sierra Leone a mis fin à une décennie de guerre civile et a connu une

La société la plus inégale

D'après les données de 2009 (les plus récentes) de la Banque mondiale, l'Afrique du Sud a l'économie dont les disparités de revenus entre les plus riches et les plus pauvres sont les plus marquées. **Le pays à la distribution des revenus la plus équitable** est la Slovaquie.

INFO

Grands donateurs : la fondation Bill and Melinda Gates a donné 28 milliards $ depuis sa création en 1997.

Le revenu annuel d'un P-DG le plus élevé

John H. Hammergren (USA), directeur général de l'entreprise pharmaceutique McKesson, a reçu 131,19 millions $ en 2012. 1,66 million relevait du salaire, 4,65 millions d'un bonus, 112,12 millions de stock-options et les 12,76 millions restants de revenus « autres ».

croissance assez rapide compte tenu de la pauvreté de ses habitants. Le PIB a augmenté de 15,2 % en 2011-2012. Cependant, ses citoyens ont l'**espérance de vie la plus courte**, 45 ans.

En 2011, le Soudan du Sud a pris son indépendance après une longue guerre civile. Ce pays en éveil a connu **la plus faible croissance économique**, avec un repli de 55,8 % en 2011-2012. Le Soudan a réalisé la 2ᵉ plus faible croissance à -10,1 %.

L'économie la plus innovante

En juillet 2013, la Suisse réalisait un score de 66,59 selon l'indice mondial de l'innovation annuel publié par l'université Cornell, l'école

Le plus riche magnat des médias

L'ancien maire de New York, Michael Bloomberg (USA), est le plus riche magnat des médias. Son empire, Bloomberg LP, qui comprend la société d'informations financières Bloomberg, vaut 27 milliards $, d'après le classement *Forbes* des milliardaires de mars 2013.

CLASSEMENT ÉCONOMIQUE : LES PLUS IMPORTANTS PIB

Source : worldbank.org

USA 16,24 billions $
Chine 8,22 billions $
Japon 5,95 billions $
Allemagne 3,42 billions $
France 2,61 billions $
Royaume-Uni 2,47 billions $
Brésil 2,25 billions $
Russie 2,01 billions $
Italie 2,01 billions $
Inde 1,84 billion $

INFO

Le PIB des États-Unis s'élève à 16,24 billions $. Combien de temps faudrait-il pour compter cette somme en billets de 1 $? Les compteurs (humains) les plus rapides peuvent traiter 200 billets en 1 min. À raison de 12 000 billets/h, il leur faudrait plus de 154 000 ans pour compter 16,24 billions de billets !

Personnalités fortunées

La personne la plus riche (de tous les temps) : John D. Rockefeller (USA, 1839-1937), 189 milliards $ en valeur corrigée en 2013.

La personne la plus riche (actuellement) : Bill Gates (USA), 75,9 milliards $, en février 2014.

L'investisseur le plus riche : Warren Buffett (USA), 58,6 milliards $ en février 2014.

La femme la plus riche : Christy Walton (USA), 36,9 milliards $ en février 2014.

La marque la plus valorisée

D'après le classement 2013 des 100 marques mondiales les plus valorisées d'Interbrand, Apple vaut 98,31 milliards $, soit 28 % de plus que l'an passé. Ce record met fin à 13 ans de domination de Coca-Cola, passé à la 3ᵉ place après Google. Il y a 72 millions d'ordinateurs Mac dans le monde et 9 millions d'iPhone 5s et 5c ont été vendus dès la semaine de lancement. En 2013, l'App Store a franchi la barre des 50 milliards de téléchargements en à peine 5 ans.

de commerce INSEAD et l'Organisation mondiale de la propriété intellectuelle. Des domaines tels que les institutions, les infrastructures, la recherche, le marché et les entreprises, la créativité et la technologie sont évalués.

Le plus grand budget de...
- **la défense :** d'après *The Economist*, l'Iraq a consacré 11,3 % de son PIB à la défense en 2012.
- **la santé :** les chiffres de la Banque mondiale en 2011 placent le Liberia en tête des dépenses de santé avec 19,5 % de son PIB.
- **l'éducation :** en 2012, le Lesotho a placé 13 % de son PIB dans l'éducation d'après les données de *The Economist*.

Les plus grandes dépenses budgétaires

Les États-Unis ont dépensé 3,53 milliards $ en 2012, sans compter près de 2,3 milliards $ de prestations sociales. Le pays représente plus de 15 % des dépenses budgétaires dans le monde et **les plus fortes recettes publiques,** évaluées à 2,44 milliards $ en 2012. Cela exclut les contributions sociales d'environ 1 milliard $.

Le coût de la vie le plus élevé

D'après une enquête de décembre 2012 menée par the Economist Intelligence Unit, le Japon est le pays au coût de la vie le plus élevé pour les cadres expatriés et leurs familles. Les prix des produits de qualité comparable à ceux en magasins à New York (USA) servent de référence, les États-Unis ayant un score de 100. Le Japon affiche un score de 152, suivi de l'Australie (137). **Le pays au coût de la vie le plus faible** est le Pakistan, avec une note de 44.

La pire récession moderne

Le repli économique actuel de la Grèce a été plus violent que dans tout autre pays développé depuis la Seconde Guerre mondiale. En 2013, l'économie a reculé de 23 à 25 % contre 20 % en 2012. Le taux de chômage a progressé de 25 à 27 % et le chômage des jeunes a bondi de 50 à 60 %.

La plus grande faillite municipale

Le 18 juillet 2013, Detroit (Michigan, USA) a connu la plus importante faillite, avec un endettement estimé entre 18 et 20 milliards $. Jusqu'à 40 % de l'éclairage des rues ne fonctionne pas dans cette ville qui abrite plus de 150 000 bâtiments abandonnés. L'ancienne usine de voitures Packard *(ci-dessus)*, 325 160 m², est devenue la **plus grande usine abandonnée**. Fermé depuis 1956, Packard produisait 75 % des voitures dans le monde à Detroit, surnommé « The Motor City ».

 Gorgées onéreuses

Témoin de l'évolution de nos habitudes de consommation depuis 1955, la **bouteille de vin la plus chère** était à l'époque un Feinste Trockenbeerenauslese de 1949 évalué à 10 €. Avec l'inflation, il coûterait aujourd'hui 190 €. Les vins les plus coûteux disponibles actuellement se vendent à 40 000 €, soit 180 fois plus que la valeur d'origine !

Vaisseau *Enterprise* : transactions en altitude

Le cosmonaute Pavel Vinogradov (Russie) était dans la Station spatiale internationale, en orbite à 419 km d'altitude au-dessus de la Terre, lorsqu'il a effectué la **transaction financière à la plus haute altitude**, le paiement d'impôts fonciers de 616 roubles, le 22 avril 2013. L'argent a été transféré au service fédéral des impôts de Russie. C'était la première fois que quelqu'un payait ses impôts (ou toute autre facture) depuis l'espace !

Produit mondial brut

Le total des produits intérieurs bruts (PIB) de tous les pays donne le « produit mondial brut ». En d'autres termes, il s'agit de la valeur de tous les biens et services dans le monde. Il y a 60 ans, ce chiffre s'élevait à 5,43 billions $ (soit 1 966 $ par personne). En 2014, il est estimé à 72,21 billions $ (ou 10 316 $ par personne). L'économie d'aujourd'hui est plus de 13 fois supérieure à celle de 1955.

Internet

En 2015, **44 %** des gens disposeront d'une connexion à Internet chez eux.

INFO

Le Trekker de Google a contribué à la collecte d'images pour les zones Street View les plus au sud (ci-contre). Trekker est un sac à dos doté d'une caméra de 19 kg posée sur un mât. Ses 15 lentilles d'angles différents et ses images ont permis d'obtenir un panorama à 360°.

La vidéo publicitaire la plus vue en ligne

Au 1er mai 2014, « Dove Real Beauty Sketches » a été visionné 134 265 061 fois (en 25 langues, dans plus de 110 pays) et partagé 4 517 422 fois. La vidéo a été mise en ligne le 14 avril 2013. Les données ont été collectées par Unruly pour son classement Viral Video Chart.

Le site Google Street View le plus au sud

Le 17 juillet 2012, Google a publié des photos du pôle Sud sur Street View, son service d'images en perspective terrestre. Street View permet notamment de voir en Antarctique des colonies de manchots, la cabane d'Ernest Shackleton et celle d'approvisionnement de Robert Falcon Scott. Les utilisateurs peuvent diriger leur curseur à l'intérieur et visiter virtuellement ces symboles de l'exploration.

Le 1er canular Google

Le 1er avril 2000, Google a publié « MentalPlex ». Ce canular invitait les utilisateurs du moteur de recherche à regarder un GIF animé sur sa page d'accueil en pensant à ce qu'ils voulaient chercher sur Internet. Parmi les canulars suivants, l'annonce par Google en 2007 de Google TiSP (Toilet Internet Service Provider).

La 1re webcam

En 1991, les informaticiens de l'université de Cambridge (RU) ont installé une caméra et un ordinateur pour surveiller le niveau de leur cafetière sans quitter leur bureau. Le système a été amélioré en novembre 1993 et connecté à Internet. Les images en direct de leur cafetière ont été retransmises jusqu'en 2000.

La plus large bande passante entre la Terre et la Lune

D'une vitesse de téléchargement de 622 mégabits par seconde, une connexion lunaire bilatérale par laser a été établie entre un vaisseau en orbite autour de la Lune et la Terre: elle permet de transférer 1 gigaoctet en 5 min. En octobre 2013, la NASA et le MIT (USA) ont effectué des tests, en envoyant une vidéo HD entre la Lune et la Terre en 7 s.

Le sujet le plus « aimé » sur Facebook

Le 30 novembre 2013, Paul Walker (USA, ci-contre, à gauche), vedette de *Fast & Furious*, est décédé dans un accident de voiture en Californie (USA). Son ami Vin Diesel, alias Mark Vincent (USA, ci-contre, à droite) a posté la photo ci-dessous sur Facebook. Le 7 mai 2014, celle-ci remportait 6 817 898 « likes ». Le précédent détenteur du record était une photo de 2012 sur la page de Barack Obama. Il y embrassait son épouse après avoir remporté un 2e mandat à la présidence américaine. Au 7 mai 2014, elle comptait 4 433 487 « likes ».

Le plus de mentions d'une marque sur Twitter en 24 h

Pocky, un biscuit enrobé au chocolat, a été mentionné 3 710 044 fois sur Twitter le 11 novembre 2013. Cet en-cas d'Ezaki Glico Co, Ltd (Japon) a donc été cité 4 294 fois par seconde. Tout a été inclus dans le décompte, des émoticônes (smileys) aux retweets.

CE QUI SE PASSE EN 1 MIN SUR INTERNET

email
204 millions d'e-mails envoyés

flickr
20 millions de photos vues

Google
2 millions de recherches

facebook
1,8 million de « likes »

skype
1,4 million de connexions par minute

twitter
278 000 tweets

YouTube
3 jours de vidéos téléchargées

tumblr.
20 000 nouvelles photos

iTunes
15 000 pistes téléchargées

Pinterest
11 000 utilisateurs actifs

Source : Intel et qmee.com, 2013

Spam par e-mail

Quiconque a déjà utilisé des e-mails a reçu des spams (messages non sollicités). Des milliards de messages nuisibles sont envoyés chaque jour. Avant que ce phénomène ait un nom, Gary Thuerk (USA) avait envoyé le plus vieux spam le 3 mai 1978. Son message était assez innocent et invitait les 397 comptes de messagerie du réseau ARPAnet du département américain de la Défense à assister à une démonstration de produits.

INFO

Tim Berners-Lee a eu l'idée du 1er navigateur hypertexte, devenu le World Wide Web, en mars 1989. À l'occasion de son 25e anniversaire, en 2014, Berners-Lee a réclamé une déclaration des droits pour que le web reste libre et ouvert. « Nos droits sont transgressés… de toutes parts et nous risquons de nous y habituer… il faut que les gens se battent pour le web. »

appartenaient à Ross Ulbricht (USA), accusé d'être à la tête de The Silk Road, un site de vente en ligne de drogues.

Le câble de communication sous-marin le plus au nord

Situé en Norvège, à une latitude de 78,22°N, Longyearbyen est le point d'arrivée du système de câbles sous-marins du Svalbard, qui offre une connexion à Internet par fibre optique au territoire norvégien. Ce système à deux câbles s'étend sur 2 714 km de long et offre un accès rapide aux données par le biais de Svalsat, au Svalbard. C'est l'une des deux seules stations terrestres situées de manière

Le message le plus retweeté sur Twitter

Le selfie ci-dessus, organisé par Ellen DeGeneres (USA), présentatrice des Oscars en 2014, a été retweeté plus de 1 million de fois en 1 h après avoir été twitté lors de la nuit des Oscars, le 3 mars 2014. Souriante aux côtés de célébrités telles que Bradley Cooper, Jennifer Lawrence, Brad Pitt, Kevin Spacey et Meryl Streep, De Generes a écrit : « Si seulement le bras de Bradley était plus long. C'est la meilleure photo du monde. #oscars. » Le 5 mai 2014, le message avait été retweeté 3 428 897 fois.

Le 1er Instagram spatial

« De retour dans l'ISS, la vie est belle », a écrit Steve Swanson (USA) depuis la *Station spatiale internationale* le 7 avril 2014, habillé d'un tee-shirt de la série de science-fiction *Firefly* (USA, 2002).

L'**image la plus « likée »** sur Instagram (incrustée) montre l'acteur Will Smith (USA) et Justin Bieber (Canada) elle a été postée en août 2013. « Moi et mon oncle Will » ajouta la pop-star sous l'image. Elle a été « likée » plus de 1,5 million de fois.

Le plus grand recensement Internet par un botnet

Un botnet (réseau de zombies) se compose de nombreux ordinateurs reliés pour effectuer des tâches. En 2012, un pirate anonyme a détourné 420 000 appareils protégés par des mots de passe par défaut et les a utilisés pour établir une cartographie illégale d'Internet, en particulier des appareils non sécurisés. Son programme s'appelait Carna Botnet.

La plus grande saisie de monnaie virtuelle

Le 25 octobre 2013, le FBI a déclaré avoir saisi 144 000 bitcoins d'une valeur de près de 28,5 millions $. Ces bitcoins (une monnaie qui existe seulement en ligne)

Le plus rapide à réunir 1 million d'abonnés sur Twitter

Le 11 avril 2014, Twitter frétillait en apprenant que Robert Downey Jr (USA) avait rejoint le site d'un « Parle-moi, Twitter » (@robertdowneyjr). En un jour, la star a attiré 1 017 322 fans, mais reste toujours derrière l'**acteur le plus suivi sur Twitter**, Ashton Kutcher (USA ; @aplusk) qui comptait 16 022 147 abonnés le 6 mai 2014.

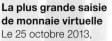

Pour plus de techniques, rendez-vous p. 206-207

optimale pour télécharger les données des 14 satellites en orbite polaire.

Le plus de billets vidéo personnels quotidiens consécutifs sur YouTube

Au 6 mai 2014, Charles Trippy (USA) avait posté 1 831 billets vidéo sans omettre un seul jour sur sa chaîne YouTube « Internet

Killed Television ». En avril 2014, il rapporta sa séparation d'avec sa femme, la blogueuse vidéo Alli.

La propriété la plus chère vendue lors d'une enchère en ligne

Le 19 février 2013, un terrain sur le secteur de la Burj Khalifa à Dubaï s'est vendu pour 94 176 000 dirhams des Émirats arabes unis (25 634 707 $) chez Emirates Auction (ÉAU).

Le plus d'abonnés à YouTube

Au 6 mai 2014, « PewDiePie », alias Felix Arvid Ulf Kjellberg (Suède), rassemblait 26 540 250 abonnés, fans de ses vidéos sur les jeux vidéo.

INFO
Robert Downey Jr possède aussi un compte Facebook « liké » par 16 373 295 fans au 7 mai 2014.

Éteindre et rallumer : réinitialiser le Net

Sept experts (dont Moussa Guebre, Burkina Faso, à gauche, en haut) forment le **1er groupe international capable de réinitialiser le web** ou au moins certains éléments en cas de catastrophe majeure. Il constitue le support d'un système de sécurité appelé DNSSEC, qui ajoute une signature numérique aux noms de site Internet. Ce système participe à la lutte visant à empêcher les pirates de rediriger les internautes vers de faux sites. Si une catastrophe mettait fin à DNSSEC, 5 des 7 détenteurs de clés dans le monde seraient convoqués dans un lieu sécurisé aux États-Unis pour résoudre la situation. Chaque membre de l'équipe a une carte magnétique délivrant 1/5e de la clé de réinitialisation.

Glossaire

DNS : serveur de noms de domaine. Il gère la navigation sur Internet en transformant les noms utilisés par les sites Internet en suites de chiffres comprises par les ordinateurs.

DNSSEC : extensions de sécurité de noms de domaine. Ce protocole assure que nos navigateurs ne sont pas renvoyés vers de faux sites par un code malveillant.

Crowdsourcing

Un braqueur a fait appel au *crowdsourcing* pour engager des ouvriers vêtus de la même manière, afin de faciliter sa fuite.

The hat! Shoot the hat!!

La plus forte somme pour une BD sur Kickstarter

N'ayant pas les moyens de faire réimprimer *The Order of the Stick*, le graphiste Rich Burlew (USA) s'est adressé à ses fans. Près de 15 000 personnes avaient promis 1 254 120 $ à la clôture du projet, le 21 février 2012.

La 1re occurrence du terme « crowdsourcing »
En 2005, le journaliste Jeff Howe (USA) a inventé le terme « crowdsourcing » en rédigeant un article sur la façon dont Internet permettait d'externaliser certaines tâches auprès du grand public, ou *crowd*, « foule ».

L'article est paru en juin 2006, dans *Wired*.

La plus grande plate-forme de financement participatif
Depuis le lancement de Kickstarter, le 28 avril 2009, jusqu'au 4 mars 2014, 5,7 millions de personnes ont promis 1 001 567 335 $. Grâce à ce soutien, 57 171 projets ont atteint leurs objectifs de financement.

La 1re conception participative d'un véhicule militaire
Fabriqué par Local Motors et la US Defense Advanced Research Projects Agency (DARPA), le XC2V FLYPMode se base sur les idées de

Le 1er design de voiture collaboratif

Le *Rally Fighter*, véhicule tout-terrain fabriqué par Local Motors (USA), constitue l'aboutissement des 35 000 modèles fournis par 2 900 personnes dans plus de 100 pays. La voiture a fait ses débuts au Specialty Equipment Market Association Show de Las Vegas (Nevada, USA), le 3 novembre 2009.

Pour plus de records auto, allez p. 186.

La plus forte somme réunie pour un projet Kickstarter

La Pebble (USA) est une montre personnalisable connectée à Internet qui émet des alertes de messagerie et d'e-mails et propose des applications sportives. Les promesses ont atteint 10 266 845 $ le 19 mai 2012, soit 10 fois son objectif.

conception de plus de 150 personnes. Remplaçant du Humvee, le prototype a été présenté au président Obama en 2011.

Le plus haut classement pour un album au financement participatif
Theatre is Evil, d'Amanda Palmer et du Grand Theft Orchestra (USA, *en haut, à droite*), s'est classé au top 10 du *Billboard* 200 à sa sortie en septembre 2012, le classement le plus haut pour une publication musicale financée de manière participative.

Le projet Kickstarter qui a atteint le plus vite 1 million $
Le 27 octobre 2013, « Reaper Miniatures Bones II » (USA), projet visant à financer le développement d'une gamme de figurines, a atteint à 1 million $ de promesses en 2 h, 41 min et 51 s.

La plus forte somme promise sur Kickstarter pour une photo

Le 1er juillet 2013, Planetary Resources (USA) a récolté plus de 1,5 million $ pour le projet « A Space Telescope for Everyone ». Celui-ci a pour but de lancer un télescope accessible au public pouvant prendre des photos dans l'espace, ou permettre aux gens d'afficher la leur au-dessus de la Terre.

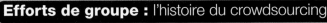

Efforts de groupe : l'histoire du crowdsourcing

Le *crowdsourcing* n'a rien de nouveau. Dans les années 1850, au Royaume-Uni, l'*Oxford English Dictionary* (*à gauche*) reçut 6 millions de suggestions lorsqu'il sollicita le public pour le choix des entrées. De son côté, la colonne Nelson (*à gauche, en bas*), construite en 1843, fut partiellement financée par les souscriptions du public. En 1567, la reine Élisabeth Ire a exploité avec succès le financement participatif afin d'agrandir la Marine, en initiant la première loterie nationale. Les compétitions peuvent aussi être considérées comme du *crowdsourcing* : le prix Longitude, dans les années 1700, cherchait à déterminer la longitude d'un navire en mer, problème résolu en 1756 par John Harrison (*à droite*).

Qu'est-ce que Kickstarter ?

Lancé le 28 avril 2009, Kickstarter a été fondé par Perry Chen, Yancey Strickler et Charles Adler (tous USA), à New York (USA). Le concept permet aux investisseurs de promettre de l'argent pour le financement de projets créatifs en échange de récompenses. Les fonds ne sont remis que si l'objectif de financement est atteint.

○ ○ ○

Le projet musical au plus grand financement participatif

Amanda Palmer (USA) a monté un projet Kickstarter pour financer son album. Son objectif était de réunir 100 000 $. Le 1er juin 2012, à la clôture du projet, les promesses s'élevaient à 1 192 793 $. Il s'agit du plus grand succès pour un projet musical au financement participatif.

LE PLUS D'ARGENT POUR UN PROJET KICKSTARTER EN...

Art
Le Marina Abramovic Institute, centre éducatif et de performances artistiques de New York (USA), voulait réunir 600 000 $.

Danse
Le 25 novembre 2013, STREB Extreme Action (USA) a dépassé son objectif de 45 000 $ en réunissant 45 512 $.

FORCES est décrit comme un spectacle théâtral centré sur « l'action ».

Mode
Jake Bronstein (USA) est tellement sûr que son sweat à capuche dure toute la vie qu'il offre 10 ans de garantie. Le 21 avril 2013, les promesses ont dépassé ses objectifs de financement, atteignant 1 053 830 $.

Gastronomie
Le Sansaire Circulator de Scott Heimendinger (USA) est conçu pour les amateurs de cuisine. Il utilise le principe de la cuisson sous vide, avec un contrôle des températures. Le 6 septembre 2013, les promesses atteignaient 823 003 $.

Interactivité
Planet Money (USA) emmène l'acheteur dans un voyage à travers la création d'un tee-shirt. Chaque vêtement a un code-barres associé à une page Internet réunissant les photos de ceux qui l'ont fabriqué, des producteurs de coton aux ouvriers de l'usine. Le 14 mai 2013, il s'élevait des promesses à 590 807 $.

Théâtre
Le 24 septembre 2012, Tim O'Connor (USA) a récolté 175 395 $ afin d'améliorer le matériel sonore et visuel du Catlow Theater de Barrington (Illinois, USA).

Le projet scénique au plus grand financement participatif

Bien que l'histoire du tueur en série Patrick Bateman soit un thème de comédie musicale inhabituel, *American Psycho* a démarré à Londres (RU) en décembre 2013 et met en vedette Matt Smith, ancienne star de *Doctor Who*. Le producteur Jesse Singer, d'Act 4 Entertainment (USA), a financé cette production grâce aux promesses, qui s'élevaient à 154 929 $ en mai 2013.

La console de jeu vidéo au plus grand financement participatif

Le 9 août 2012, l'appel de Kickstarter pour soutenir OUYA (USA) a rassemblé 8 596 474 $. Cette console de 8e génération à 99 £ utilise le système d'exploitation Android. Branchée sur une télé moderne standard, elle permet de jouer à des jeux gratuits.

Le projet au plus grand financement participatif

Le financement de *Star Citizen*, jeu vidéo d'aventures, d'affaires et de combat dans l'espace, a atteint la plus importante somme jamais récoltée grâce au *crowdsourcing*. Le 4 mars 2014, Cloud Imperium Games (USA) a réuni 39 680 576 $ via l'appel diffusé sur son site Internet. Chris Roberts a conçu le jeu, dont la sortie est prévue en 2015.

> ### CATÉGORIES KICKSTARTER DONT LES PROJETS ONT LE PLUS DE SUCCÈS

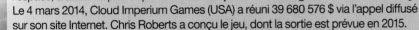

Catégorie	Total	Financés	Non financés
Musique	94,20 millions $	15 011	12 208
Film & Vidéo	163,95 millions $	13 096	19 594
Art	30,24 millions $	5 613	6 101
Édition	40,42 millions $	5 125	10 756
Théâtre	19,69 millions $	3 556	1 974
Jeux	189,97 millions $	2 948	5 435
Design	125,13 millions $	2 537	4 040
Gastronomie	30,69 millions $	2 089	3 121
Bande dessinée	22,96 millions $	1 762	1 814

Source : kickstarter.com, 4 mars 2014

Les plus financés sur Kickstarter...

- **Livre d'art** : *Masters of Anatomy* (Canada), 532 614 $, 20 novembre 2013.
- **Livre pour enfants** : *Hello Ruby*, Linda Liukas (USA), 380 747 $, 22 février 2014.
- **Fiction** : *The Warden and the Wolf King*, Andrew Peterson (USA), 118 188 $, 31 octobre 2013.
- **Poésie** : *A Bruise on Light* par Shane Koyczan (Canada), 91 154 $, 26 février 2014.

Expéditions

Chaque continent possède un **pôle d'inaccessibilité** : son point le plus éloigné d'un océan.

La 1re vidéo panoramique à 360° au sommet de l'Everest

La 1re vidéo panoramique sphérique à 360° du sommet de l'Everest a été réalisée en mai 2013 à l'aide d'une caméra mise au point par 360Heros, à l'occasion du documentaire qu'Everest Media Productions a consacré à l'alpiniste Apa Sherpa (Népal). Celui-ci a réalisé le **plus d'ascensions du mont Everest**, soit 21 fois entre 1990 et 2011. Il a également été consultant sur le tournage.

Des caméras fixées sur un support
La H3PRO6 avec impression 3D a été conçue par Michael Kintner (USA), directeur général de 360Heros. Sur l'Everest, elle réunissait 6 caméras GoPro. Un logiciel a ensuite permis la réalisation du film.

Le mode « petite planète »
Le panorama peut être visualisé sous forme de vidéo 3D interactive, mais aussi en mode « petite planète », ou « mini planète », permettant une projection sphérique ou « stéréographique ».

INFO
Au Népal, l'Everest est appelé *Sagarmatha* (« front du ciel »), et au Tibet, *Chomolungma* (« mère déesse du monde »).

Pôle Nord

L'océan au pôle Nord atteint plus de **4 000 m de profondeur**.

La 1re expédition au pôle Nord à bord d'un véhicule motorisé

Le 1er mars 2013, l'équipe russe de la Marine Live-Ice Automobile Expedition (MLAE) composée de Sergey Isayev, Nikolay Kozlov, Afanasy Makovnev, Vladimir Obikhod, Alexey Shkrabkin et Andrey Vankov et menée par Vasily Elagin a quitté l'île Golomyanny (Russie) à bord de deux véhicules tout-terrain 6 x 6 équipés de pneus basse pression. Elle est arrivée au pôle Nord le 6 avril, a poursuivi sa route jusqu'au littoral canadien qu'elle a atteint le 30 avril, après avoir parcouru environ 4 000 km en 60 jours.

Le plus d'expéditions polaires réalisées par une personne

Richard Weber (Canada) a accompli 8 expéditions polaires. Il a rallié le pôle Nord 6 fois, entre le 2 mai 1986 et le 14 avril 2010, et le pôle Sud 2 fois, entre le 7 janvier 2009 et le 29 décembre 2011.

La 1re expédition en solitaire au pôle Nord

À 4 h 45 (GMT), le 1er mai 1978, l'explorateur et alpiniste Naomi Uemura (Japon) est devenu la 1re personne à avoir atteint le pôle Nord au terme d'un trek en solitaire de 770 km sur la mer de glace arctique. Il est parti le 7 mars 1978 du Cape Edward sur l'île d'Ellesmere (nord du Canada). Il bénéficiait de l'aide

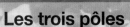

Les trois pôles

Erling Kagge (Norvège) est la **1re personne à avoir atteint les trois pôles**. Il est parvenu au pôle Nord le 8 mai 1990, au pôle Sud le 7 janvier 1993, et a gravi l'Everest le 8 mai 1994. Johan Ernst Nilson (Suède, sur la photographie), lui, a escaladé l'Everest en mai 2007. Le 22 juin 2011, il est parti du pôle Nord, à 90° de latitude Nord, pour rejoindre le continent à pied, puis a gagné le pôle Sud le 19 janvier 2012. Il est la **1re personne à avoir rallié les trois pôles, en effectuant un trek du pôle Nord jusqu'à la côte.**

de chiens et était réapprovisionné.

1re personne aux deux pôles (sans aide ni assistance)

D'origine polonaise, Marek Kamin'ski (USA) est allé du cap Columbia au pôle Nord, le 23 mai 1995, et de l'île Berkner au pôle Sud, le 27 décembre 1995. Il a accompli ces deux voyages sans aucune assistance.

LE PLUS RAPIDE...

Voyage terrestre au pôle Nord

Le 21 mars 2005, Tom Avery et George Wells (tous deux RU), Matty McNair et Hugh Dale-Harris (tous deux Canada), Andrew Gerber (Afrique du Sud) et 16 huskies ont quitté Cap Columbia sur l'île d'Ellesmere (Canada). Ils sont parvenus au pôle Nord 36 jours, 22 h et 11 min plus tard, le 26 avril 2005. Leur but était de réitérer l'expédition contestée de l'explorateur Robert Peary (USA) en 1909.

Trek à skis au pôle Nord par une équipe féminine

Catharine Hartley et Fiona

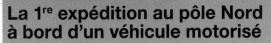

Thornewill (toutes deux RU) ont mis 55 jours pour rallier à skis le pôle Nord (en étant réapprovisionnées en cours de route), entre le 11 mars et le 5 mai 2001. Elles sont parties de l'île de Ward Hunt à Nunavut (Canada).

Trek au pôle Nord

David J. P. Pierce Jones (RU), Richard Weber et Tessum Weber (tous deux Canada) et Howard Fairbanks (Afrique du Sud) ont gagné le pôle en 41 jours, 18 h et 52 min. Partis le 3 mars 2010, à 82°58'02" de latitude Nord et à 77°23'3" de longitude Ouest, ils ont été récupérés le 14 avril 2010 à 90° de latitude Nord.

Trek en solo au pôle Nord (sans aide ni assistance)

Børge Ousland (Norvège) a mis 52 jours à skis pour aller du cap Arkticheskiy, sur l'archipel russe

La femme la plus jeune parvenue à skis au pôle Nord (sans aide ni assistance)

Amelia Darley (née Russell, RU, le 29 août 1982) avait 27 ans et 239 jours, quand elle a atteint le pôle Nord le 25 avril 2010. Son expédition de 780 km a débuté à Cape Discovery, dans l'anse McClintock, sur l'île de Ward Hunt (Canada). Elle l'a effectuée avec son compagnon Dan Darley (RU).

de Severnaya Zemlya (Fédération de Russie) jusqu'au pôle Nord sans assistance, du 2 mars au 23 avril 1994. Il est ainsi devenu la **1re personne à avoir accompli un trek en solo sans aide et sans assistance au pôle Nord.**

Le **trek le plus rapide au pôle Nord par une femme (sans aide)** a été réalisé par Cecilie Skog (Norvège). Elle a quitté l'île de Ward Hunt avec Rolf Bae et Per Henry Borch (tous deux Norvège) le 6 mars 2006 et est parvenue au pôle 48 jours et 22 h plus tard.

Marathon sur chaque continent et au pôle Nord (homme)

Du 26 février au 9 avril 2013, Ziyad Tariq Rahim (Pakistan) a couru un marathon sur chaque continent et un au pôle Nord en 41 jours, 20 h, 38 min et 58 s.

> ### ℹ Les « trois pôles »
>
> Les aventuriers considèrent que la Terre a trois pôles : les pôles Nord et Sud, et l'Everest. Ce dernier est considéré comme un « pôle » en raison de son inaccessibilité relative.

Le pôle Nord magnétique : à la différence du pôle nord géographique, ce n'est pas un point fixe. Il bouge d'environ 60 km chaque année, entraîné par les fluctuations du champ magnétique de la Terre. C'est le « nord » que les boussoles indiquent.

Canada

Le pôle Nord géographique : aussi appelé le « vrai pôle Nord », il se trouve à 90° de latitude Nord. Toutes les lignes de longitude y convergent.

Groenland

Archipel de Svalbard

Norvège

« Cette station météo portable nous permettait de mesurer la vitesse du vent, la température, la pression atmosphérique et l'humidité. Elle nous aidait à prévoir la météo. »

« Nos pagaies en carbone étaient légères mais robustes. Leur bord tranchant nous a permis de fendre les fines couches de glace et nous frayer un passage. »

« Ce GPS simple et ordinaire est léger et consomme moins d'énergie que les GPS avec des cartes en couleurs. Dans l'océan Arctique, celles-ci sont inutiles : il n'y a rien à repérer. »

« Les lunettes de ski protègent les yeux et une partie du visage. Les verres jaunes et rouges augmentent le contraste et améliorent la visibilité par temps couvert et dans le brouillard. »

« Une jupe imperméable recouvre le cockpit et empêche l'eau d'entrer quand le vent est fort et les vagues hautes. »

« Ces gants imperméables sont indispensables pour supporter le vent et le froid. »

« Bizarrement, nous avons cassé toutes nos cuillères en plastique et nous avons dû en fabriquer avec ce que nous avions. »

« Les combinaisons imperméables en Gore-Tex® permettaient de pagayer dans de meilleures conditions dans les eaux glacées de l'Arctique. »

« Un traîneau aurait été plus facile à tirer qu'un kayak sur la mer de glace de l'océan Arctique. Mais nous devions traverser de grandes étendues d'eau pour gagner la terre et continuer notre progression le long des fjords. »

« Ce type de réchaud de camping est simple et solide, juste ce qu'il faut dans l'océan Arctique. Il était à ce point vital que nous en avions un de rechange. »

LES TROIS PÔLES

La 1ʳᵉ femme ayant atteint les trois pôles
Tina Sjögren (Suède) a atteint le pôle Nord le 29 mai 2002, avec son mari Thomas, gravi l'Everest le 26 mai 1999, et rallié le pôle Sud le 1ᵉʳ février 2002. Ils forment le **couple parvenu le plus vite aux deux pôles sans aide.**

La 1ʳᵉ personne à avoir atteint les trois pôles sans avoir utilisé d'oxygène sur l'Everest
En mars 2014, Antoine de Choudens (France) était la seule personne à avoir atteint les trois pôles sans et sans oxygène supplémentaire. Il a accompli cet exploit du 25 avril 1996 au 10 janvier 1999.

Le plus rapide à avoir atteint les trois pôles
Adrian Hayes (RU) a mis 1 an et 217 jours pour atteindre les trois extrémités du globe. Il a escaladé l'Everest le 25 mai 2006, rejoint le pôle Nord le 25 avril 2007 (depuis l'île de Ward Hunt, Canada), avant de rallier le pôle Sud, en passant par l'anse d'Hercule (ouest de l'Antarctique), le 28 décembre 2007.
La **femme qui a atteint le plus vite les trois pôles** est Cecilie Skog (Norvège). Elle y est parvenue en 1 an et 336 jours. Elle a gravi l'Everest le 23 mai 2004, a gagné le pôle Sud le 27 décembre 2005, puis le pôle Nord le 24 avril 2006.

Le voyage terrestre au pôle Nord le plus rapide (sans aide ni assistance)

En 1895, Fridtjof Nansen et Hjalmar Johansen (tous deux Norvège) ont failli atteindre le pôle Nord, mais ont rebroussé chemin à 86°14' de latitude Nord. En 2012, Audun Tholfsen (Norvège) et Timo Palo (Estonie) — à droite — ont entrepris ce qui aurait dû être le voyage de retour de Nansen. Ils ont quitté le pôle Nord le 23 avril 2012. Avec des skis et des kayaks, mais sans aide et sans réapprovisionnement, ils ont parcouru 1 150 km, bravant la glace flottante et des ours polaires curieux, pour gagner l'île Phippsøya (archipel de Svalbard, Norvège) en 55 jours. Ils sont parvenus à Longyearbyen (Svalbard), le 3 juillet, après avoir couvert 1 620 km.

Pôle Sud

Environ **90 % de la glace terrestre** se trouve en Antarctique.

Le trek le plus rapide au pôle Sud par une équipe (sans aide)

Mads Agerup (ci-dessus), Christian Eide (le photographe, reflété), Morten Andvig et Rune Midtgaard (tous Norvège) sont allés du point de départ de Messner, sur la plate-forme de Filchner, au pôle Sud, en 24 jours, 8 h et 57 min, du 2 décembre au 26 décembre 2008.

La 1re expédition ayant atteint le pôle Sud
Partie de la baie des Baleines (plate-forme de Ross, Antarctique), une équipe norvégienne de 5 hommes menée par le capitaine Roald Amundsen a atteint le pôle Sud le 14 décembre 1911, après 53 jours de voyage en traîneau à chiens.

2011 est l'**année qui a connu le plus d'expéditions en Antarctique pour atteindre le pôle Sud**. La plupart ont été entreprises en l'honneur du centenaire de la compétition qui a opposé le capitaine Robert Scott (RU) à Roald Amundsen. Près de 500 personnes ont participé ou contribué aux diverses tentatives.

Robert Swan OBE (RU) est la **1re personne à avoir marché jusqu'aux deux pôles**. À la tête de l'expédition « Dans les traces de Scott » qui a réuni 3 hommes, il a atteint le pôle Sud le 11 janvier 1986, puis le pôle Nord le 14 mai 1989 à la tête, cette fois, de l'expédition « Icewalk » composée de 8 hommes.

Le 1er voyage en solo au pôle Sud
Le 7 janvier 1993, Erling Kagge (Norvège) est devenu la 1re personne à avoir atteint le pôle Sud en solitaire et sans assistance. Parti de l'île de Berkner, il a parcouru 1 400 km en 50 jours.

La **1re femme à avoir atteint le pôle Sud en solitaire (sans assistance)** est Liv Arnesen (Norvège). Partie de l'anse d'Hercule, le 4 novembre 1994, elle est arrivée au pôle 50 jours plus tard, le 24 décembre.

Le voyage terrestre le plus rapide jusqu'au pôle Sud
Partis de Patriot Hills (Antarctique), le 18 décembre 2011, Jason De Carteret et Kieron Bradley (tous deux RU) sont arrivés à destination 1 jour, 15 h et 54 min plus tard.

Le plus long parcours à skis par une équipe (sans aide)

Partis de l'anse d'Hercule, James Castrission et Justin Jones (tous deux Australie, ci-dessus à gauche et à droite) ont parcouru à skis 2 270 km en 89 jours pour aller au pôle Sud et en revenir. Ils ont franchi la ligne d'arrivée le 27 janvier 2012 avec Aleksander Gamme (Norvège, au centre) qui avait effectué le trek en solitaire (voir ci-contre).

La plus jeune personne à avoir marché jusqu'au pôle Sud

Lewis Clarke (RU, né le 18 novembre 1997) avait 16 ans et 61 jours quand il a atteint le pôle Sud, le 18 janvier 2014. Avec le guide Carl Alvey (âgé de 30 ans), il a parcouru à skis 1 123,61 km sans aide depuis l'anse d'Hercule sur la plate-forme de Ronne. Les deux hommes ont été réapprovisionnés 3 fois.

Ils ont parcouru 1 114 km à bord de leur véhicule polaire Thomson Reuters à la vitesse moyenne de 27,9 km/h, soit la **vitesse moyenne la plus élevée pour rallier le pôle Sud par voie terrestre**.

Le trek le plus rapide au pôle Sud (sans aide ni assistance)
Ray Zahab, Kevin Vallely et Richard Weber (tous Canada) ont mis 33 jours, 23 h et 30 min pour atteindre le pôle Sud le 7 janvier 2009. Ils sont partis de l'anse d'Hercule, à l'extrémité sud-ouest de la plate-forme de Ronne.

La plus longue distance parcourue à skis en solo (sans aide)
Aleksander Gamme (Norvège) a parcouru à skis 2 270 km dans l'Antarctique et terminé son périple le 25 janvier 2012 (heure locale). Parti de l'anse

La 1re personne ayant rallié le pôle Sud à vélo (sans aide ni assistance)

Le 16 décembre 2013, Maria Leijerstam (RU) a quitté la base Novo (Antarctique) de l'armée de l'air russe sur un tricycle couché. Elle a mis 10 jours, 14 h et 56 min pour arriver au pôle Sud, malgré une blessure au genou.

Il est encore trop tôt pour désigner la **1re personne à avoir gagné le plus vite le pôle Sud à vélo**. Il y a eu deux expéditions durant l'hiver 2013-2014, mais les preuves nécessaires à l'homologation du record doivent être réunies.

Plate-forme de Ronne-Filchner : la 2ᵉ plus grande plate-forme de l'Antarctique couvre 30 000 km².

Anse d'Hercule : située à l'extrémité sud-ouest de la plate-forme de Ronne, elle est fréquemment choisie comme point de départ pour les treks dans l'Antarctique.

Plate-forme de Ross : Représentant 472 000 km², il s'agit de l'endroit navigable le plus au Sud de la Terre.

Pôle Sud : il est situé à 90° de latitude Sud. La glace y est épaisse de 2 800 m. Il existe aussi un pôle Sud magnétique évoluant en fonction du champ magnétique de la Terre. Actuellement, il se trouve dans l'océan austral, à près de 2 825 km du pôle sud géographique.

« L'Antarctique étant sous un trou d'ozone, il y a donc très peu ou pas de protection naturelle contre les rayons ultraviolets du soleil. Sans ces lunettes de ski, je serai vite devenue aveugle. »

« Ces gants sont doublés d'une couche de laine polaire et d'une couche de duvet qui protègent les doigts contre le froid et le vent. »

« Quand le froid était extrême, il fallait que mon visage soit couvert en permanence. Ce masque est très ingénieux car il permet de respirer librement sans perdre trop de chaleur. »

« Ce blouson très léger offre une protection efficace contre le vent. Il m'a gardée au chaud quand je skiais. Ses poches profondes bien placées me permettaient d'avoir facilement accès à ce dont j'avais besoin. »

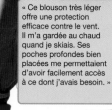

« Ces plats préparés spécialement pour moi étaient riches en glucides et matières grasses pour me donner de l'énergie. Une fois cuits, ils sont lyophilisés afin d'être plus légers et simples à transporter. Pour les manger, je n'avais qu'à ajouter de l'eau chaude et attendre quelques minutes. »

« J'ai placé ces deux traîneaux en plastique renforcé, légers et résistants, l'un derrière l'autre, pour les tirer. Tout mon équipement était dessus. »

« Ces chaussures ont été confectionnées à la main en Norvège d'après un modèle traditionnel. L'extérieur est en toile et en cuir, l'intérieur en laine pressée est doublé de laine polaire. »

INFO

L'Antarctique est plus vaste que le continent européen (et plus vaste que les États-Unis), et fait presque 2 fois la taille de l'Australie.

d'Hercule, il a gagné le pôle Sud, puis est revenu à 1 km de son point de départ. Là, il a attendu 2 jours pour franchir la ligne d'arrivée avec deux autres skieurs – James Castrission et Justin Jones (tous deux Australie) – qui avaient suivi le même itinéraire.

Le 27 janvier 2012, les 3 hommes ont rallié l'anse d'Hercule. Ils ont voyagé sans être ravitaillés, sans motoneige, cerfs-volants ni autre moyen d'assistance, effectuant ainsi le **1ᵉʳ aller-retour à skis au pôle Sud (sans assistance).**

Le plus d'expéditions au pôle Sud

Hannah McKeand (RU) est allée 6 fois au pôle Sud entre le 4 novembre 2004 et le 9 janvier 2013. C'est la **femme qui a accompli le voyage en solo le plus rapide au pôle Sud** en 39 jours, 9 h et 33 min, du 19 novembre au 28 décembre 2006 (sans aide ni assistance).

La 1ʳᵉ femme à traverser l'Antarctique en solo

En novembre 2011, Felicity Aston (RU) est allée à skis de la plate-forme de Ross au pôle Sud, puis a traversé l'Antarctique jusqu'à l'anse d'Hercule, sur la plate-forme de Ronne, où elle est arrivée 59 jours plus tard, le 23 janvier 2012. Elle a parcouru 1 744 km en tirant deux traîneaux chargés de 85 kg de provisions à des températures inférieures à – 40° C. Elle a été ravitaillée en chemin.

La plus jeune personne à avoir traversé l'Antarctique (avec assistance et aidée par le vent)

Teodor Johansen (Norvège, né le 14 août 1991) a traversé l'Antarctique à l'âge de 20 ans et 151 jours. Il est parti du glacier Axel Heiberg le 26 novembre 2011, a atteint le pôle Sud le 18 décembre 2011 et a terminé son trek dans l'anse d'Hercule le 12 janvier 2012. Il a parcouru 1 665 km.

Le 1ᵉʳ tour du monde terrestre en passant par les deux pôles

Le 2 septembre 1979, sir Ranulph Fiennes (RU) – que Norris McWhirter, fondateur du GWR, a désigné en 1984 comme le plus grand explorateur vivant – a quitté, avec Charles Burton (RU), Greenwich à Londres (RU). Les deux hommes ont atteint le pôle Sud le 15 décembre 1980, le pôle Nord le 10 avril 1982, puis sont rentrés à Greenwich le 29 août 1982, après un périple de 56 000 km.

« Après une journée de ski, j'aimais bien me mettre sous la tente, ôter mes chaussures et glisser mes pieds dans mes chaussons en duvet. Ils étaient chauds et confortables. J'ai souvent dormi avec ! »

« Cette pelle était un élément essentiel de mon équipement. À la fin de chaque journée, je devais creuser la neige pour planter ma tente et la protéger contre les vents violents. Le matin, il fallait que j'ôte la neige qui s'était accumulée durant la nuit. »

« Les crevasses dissimulées par une fine couche de glace constituent les principaux dangers dans l'Antarctique. Les skis, surtout les longs, permettent une meilleure répartition du poids du skieur, et réduisent pour ce dernier le risque de glisser dans une crevasse. »

L'Everest

Il a fallu **16 tentatives** avant de conquérir la plus haute montagne du monde.

Le 1er astronaute au sommet de l'Everest

Le 20 mai 2009, l'ancien astronaute de la NASA Scott Parazynski (USA) a gravi l'Everest, devenant la 1re personne à être allée dans l'espace et à avoir escaladé le plus haut pic. Selon la NASA, ayant pris part à cinq missions spatiales, il a passé plus de 1 380 h dans l'espace. Il a laissé au sommet de l'Everest un petit bout de roche lunaire ramassé par l'équipage d'*Apollo 11*.

à 73 ans et 180 jours, devenant ainsi la **femme la plus âgée à avoir gravi l'Everest**.

La descente de l'Everest à ski la plus rapide
Le 7 octobre 2000, le moniteur de ski Davo Karničar (Slovénie) a mis 5 h pour descendre à ski du sommet de l'Everest jusqu'à son camp de base (situé à 5 350 m d'altitude). Il lui avait fallu un mois pour gravir la montagne. Il avait en effet dû s'arrêter à plusieurs reprises pour s'habituer aux changements d'altitude.

Les 1ers jumeaux au sommet de l'Everest

Le 23 mai 2010, Damián et Willie Benegas (tous deux Argentine, naturalisés USA) sont devenus les 1ers jumeaux à avoir escaladé l'Everest.
Ils sont partis du col sud, entre l'Everest et le Lhotse (le 4e plus haut pic du monde, culminant à 8 516 m), en territoire népalais.

Le plus d'ascensions de l'Everest (par une femme)
Lakpa Sherpa (Népal) a gravi les 8 848 m de l'Everest pour la 6e fois le 11 mai 2006, avec son mari Gheorghe « George » Dijmarescu (Roumanie/USA) qui, lui, escaladait le sommet pour la 8e fois. Pour connaître le **record de conquêtes de l'Everest**, reportez-vous à la p. 142.

Le plus de personnes sur l'Everest le même jour
Le 19 mai 2012, 243 alpinistes ont gravi l'Everest en un seul jour.
L'**année qui compte le plus d'ascensions** est 2013, avec 658 ascensions. En 2007, année du précédent record, il y en avait eu 623.
Le 18 avril 2014, une avalanche près d'un camp de base de l'Everest a tué 16 alpinistes népalais. Il s'agit du **plus grand nombre de morts sur l'Everest en une journée**.

Le plus long séjour au sommet de l'Everest
En mai 1999, Babu Chhiri Sherpa (Népal) est resté 21 h au sommet, sans utiliser de bouteille d'oxygène.

L'homme le plus âgé à avoir gravi l'Everest
Le 23 mai 2013, Yuichiro Miura (Japon, né le 12 octobre 1932) a atteint le sommet de l'Everest, à 80 ans et 223 jours. C'était la 3e fois qu'il établissait ce record. Il avait déjà escaladé le pic le plus élevé de la Terre en 2003 et 2008. Cet exploit a aussi fait de lui l'**homme le plus âgé à avoir gravi un sommet de plus de 8 000 m**.
Tamae Watanabe (Japon, né le 21 novembre 1938) a escaladé l'Everest pour la 2e fois le 19 mai 2012,

La plus jeune femme à avoir gravi l'Everest (versant sud)

Ngim Chhamji Sherpa (Népal, née le 14 novembre 1995) a escaladé le versant népalais du sommet le 19 mai 2012, à 16 ans et 187 jours, avec son père Dendi Sherpa (Népal). C'était la **1re fois qu'un père et sa fille gravissaient l'Everest ensemble**. Le 22 mai 2003, Mingkipa Sherpa (Népal, née en 1987) est devenue, à 15 ans, la **plus jeune femme à avoir escaladé le versant nord** (Tibet) du pic.

L'ascension la plus rapide de l'Everest (par le versant sud)
Le 21 mai 2004, Pemba Dorje Sherpa (Népal) a gravi le sommet en partant de son camp de base en 8 h et 10 min.

LES PREMIERS...

Ascension de l'Everest
Le 29 mai 1953, à 11 h 30, Edmund Percival Hillary (Nouvelle-Zélande) et Tenzing Norgay (Inde/Tibet) ont été les 1ers à atteindre le sommet de l'Everest. Le colonel Henry Cecil John Hunt (devenu plus tard général de brigade honoraire) était à la tête de l'expédition. Hillary fut anobli par Élisabeth II et Norgay reçut la médaille de saint Georges.

Le 16 mai 1975, Junko Tabei (Japon) est devenue la **1re femme à avoir gravi l'Everest**.

Ascension de l'Everest sans oxygène
Le 8 mai 1978, Reinhold Messner (Italie) et Peter Habeler (Autriche) ont réussi la 1re ascension de l'Everest sans oxygène. Cet exploit est considéré par certains puristes comme la première véritable ascension du sommet. Surmonter les effets de l'altitude (en raison de la raréfaction de l'oxygène) constitue le plus grand défi pour les alpinistes.
Le 20 août 1980, Messner est aussi devenu

La 1re femme à gravir 2 fois l'Everest en une seule saison

Chhurim Dolma Sherpa (Népal) a atteint 2 fois le sommet de l'Everest en une seule saison. Elle l'a escaladé du côté népalais le 12 mai 2011, puis a réédité cet exploit 7 jours plus tard, à la tête de la même expédition.

Le match de cricket à la plus haute altitude

L'Everest Test 2009 (RU) a été disputé à 5 164 m au-dessus du niveau de la mer sur le plateau Gorak Shep, près de l'Everest, le 21 avril 2009. Il a réuni 2 équipes de 15 joueurs, 3 arbitres qualifiés, 4 médecins, 2 journalistes et 10 spectateurs. L'équipe Hillary a vaincu celle de Tenzing.

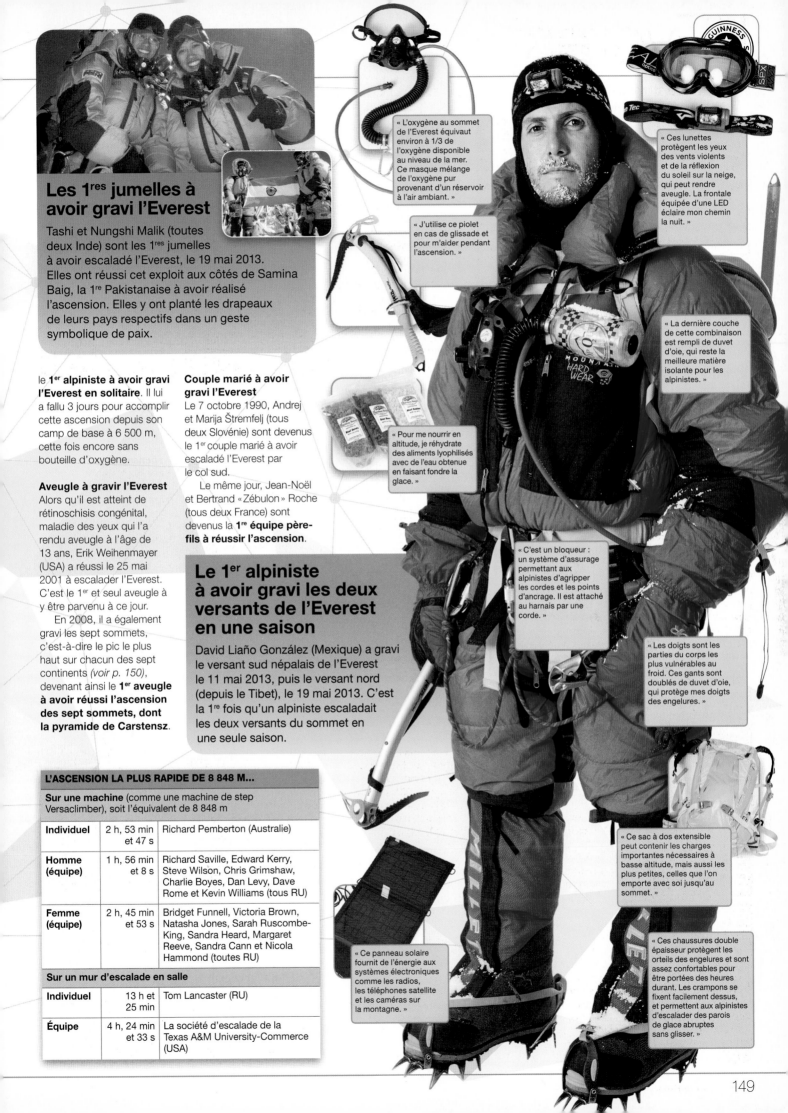

Les 1res jumelles à avoir gravi l'Everest

Tashi et Nungshi Malik (toutes deux Inde) sont les 1res jumelles à avoir escaladé l'Everest, le 19 mai 2013. Elles ont réussi cet exploit aux côtés de Samina Baig, la 1re Pakistanaise à avoir réalisé l'ascension. Elles y ont planté les drapeaux de leurs pays respectifs dans un geste symbolique de paix.

le **1er alpiniste à avoir gravi l'Everest en solitaire**. Il lui a fallu 3 jours pour accomplir cette ascension depuis son camp de base à 6 500 m, cette fois encore sans bouteille d'oxygène.

Aveugle à gravir l'Everest

Alors qu'il est atteint de rétinoschisis congénital, maladie des yeux qui l'a rendu aveugle à l'âge de 13 ans, Erik Weihenmayer (USA) a réussi le 25 mai 2001 à escalader l'Everest. C'est le 1er et seul aveugle à y être parvenu à ce jour.

En 2008, il a également gravi les sept sommets, c'est-à-dire le pic le plus haut sur chacun des sept continents (voir p. 150), devenant ainsi le **1er aveugle à avoir réussi l'ascension des sept sommets, dont la pyramide de Carstensz.**

Couple marié à avoir gravi l'Everest

Le 7 octobre 1990, Andrej et Marija Štremfelj (tous deux Slovénie) sont devenus le 1er couple marié à avoir escaladé l'Everest par le col sud.

Le même jour, Jean-Noël et Bertrand « Zébulon » Roche (tous deux France) sont devenus la **1re équipe père-fils à réussir l'ascension.**

Le 1er alpiniste à avoir gravi les deux versants de l'Everest en une saison

David Liaño González (Mexique) a gravi le versant sud népalais de l'Everest le 11 mai 2013, puis le versant nord (depuis le Tibet), le 19 mai 2013. C'est la 1re fois qu'un alpiniste escaladait les deux versants du sommet en une seule saison.

« L'oxygène au sommet de l'Everest équivaut environ à 1/3 de l'oxygène disponible au niveau de la mer. Ce masque mélange de l'oxygène pur provenant d'un réservoir à l'air ambiant. »

« J'utilise ce piolet en cas de glissade et pour m'aider pendant l'ascension. »

« Ces lunettes protègent les yeux des vents violents et de la réflexion du soleil sur la neige, qui peut rendre aveugle. La frontale équipée d'une LED éclaire mon chemin la nuit. »

« La dernière couche de cette combinaison est rempli de duvet d'oie, qui reste la meilleure matière isolante pour les alpinistes. »

« Pour me nourrir en altitude, je réhydrate des aliments lyophilisés avec de l'eau obtenue en faisant fondre la glace. »

« C'est un bloqueur : un système d'assurage permettant aux alpinistes d'agripper les cordes et les points d'ancrage. Il est attaché au harnais par une corde. »

« Les doigts sont les parties du corps les plus vulnérables au froid. Ces gants sont doublés de duvet d'oie, qui protège mes doigts des engelures. »

« Ce sac à dos extensible peut contenir les charges importantes nécessaires à basse altitude, mais aussi les plus petites, celles que l'on emporte avec soi jusqu'au sommet. »

« Ce panneau solaire fournit de l'énergie aux systèmes électroniques comme les radios, les téléphones satellite et les caméras sur la montagne. »

« Ces chaussures double épaisseur protègent les orteils des engelures et sont assez confortables pour être portées des heures durant. Les crampons se fixent facilement dessus, et permettent aux alpinistes d'escalader des parois de glace abruptes sans glisser. »

L'ASCENSION LA PLUS RAPIDE DE 8 848 M...

Sur une machine (comme une machine de step Versaclimber), soit l'équivalent de 8 848 m

Individuel	2 h, 53 min et 47 s	Richard Pemberton (Australie)
Homme (équipe)	1 h, 56 min et 8 s	Richard Saville, Edward Kerry, Steve Wilson, Chris Grimshaw, Charlie Boyes, Dan Levy, Dave Rome et Kevin Williams (tous RU)
Femme (équipe)	2 h, 45 min et 53 s	Bridget Funnell, Victoria Brown, Natasha Jones, Sarah Ruscombe-King, Sandra Heard, Margaret Reeve, Sandra Cann et Nicola Hammond (toutes RU)
Sur un mur d'escalade en salle		
Individuel	13 h et 25 min	Tom Lancaster (RU)
Équipe	4 h, 24 min et 33 s	La société d'escalade de la Texas A&M University-Commerce (USA)

Alpinisme

La hauteur cumulée des sept sommets équivaut à **113 tours Eiffel**.

La 1re ascension du Nanga Parbat par l'arête de Mazeno

En 1953, Hermann Buhl (Autriche) est devenu le **1er alpiniste à avoir gravi le Nanga Parbat**, le 9e plus haut sommet du monde, culminant à 8 125 m d'altitude dans l'Himalaya. Il a fallu attendre le 15 juillet 2012 pour que Sandy Allan et Rick Allen (tous deux RU) l'escaladent en passant par l'arête de Mazeno, itinéraire ouest-sud-ouest difficile, considéré comme le plus grand défi pour les alpinistes.

LES PREMIÈRES...

Personne à gravir les sept sommets
Les plus hauts pics des sept continents, ou « sept sommets », sont classés selon 2 listes. La liste de Bass inclut le mont Kosciuszko (Nouvelle-Galles du Sud, Australie), et celle de Messner, plus difficile, considère que le plus haut sommet d'Océanie est Puncak Jaya (Indonésie). Patrick Morrow (Canada) a achevé l'ascension de tous les sommets de la liste de Messner le 5 août 1986, avec le Puncak Jaya.

Femme à avoir gravi les sept sommets
Le 28 juin 1992, après avoir réussi l'ascension du Puncak Jaya, Junko Tabei (Japon) est devenue la 1re femme à avoir escaladé tous les sommets de la liste de Messner. Elle est aussi la **1re femme à avoir atteint le sommet de l'Everest**, le 16 mai 1975.

Vanessa O'Brien (USA) a mis 295 jours pour gravir les sommets des listes de Messner et de Bass, effectuant **l'ascension la plus rapide des sept sommets (femme)**. Elle commença par l'Everest, le 19 mai 2012, et termina par le Kilimandjaro, le 10 mars 2013.

Personne à avoir gravi tous les sommets de plus de 8 000 m
Reinhold Messner (Italie) a entrepris de gravir chacun des 14 sommets de plus de 8 000 m en juin 1970. Il y est parvenu, en terminant par celui de Lhotse, à la frontière entre le Népal et le Tibet, le 16 octobre 1986. Près de 30 ans plus tard, le 25 avril 2014, seuls 32 alpinistes avaient réalisé cet exploit, ce qui montre bien sa difficulté.

Femme à avoir gravi tous les sommets de plus de 8 000 m
Le 17 mai 2010, Edurne Pasaban Lizarribar (Espagne) est devenue la 1re alpiniste à avoir gravi les 14 sommets de plus de 8 000 m (record non contesté), en escalant le Shisha Pangma au Tibet. Un mois plus tôt, Oh Eun-Sun (Corée) avait revendiqué ce titre, mais son ascension d'un sommet est contestée.

La 1re ascension du Puncak Jaya

Heinrich Harrer (Autriche), Philip Temple, Russell Kippax (tous deux Nouvelle-Zélande) et Albertus Huizenga (Pays-Bas) ont été les 1ers à gravir les 4 884 m du Puncak Jaya (Indonésie), le 13 février 1962. Le pic est considéré comme le plus difficile des sept sommets à escalader.

Le 23 août 2011, Gerlinde Kaltenbrunner (Autriche) est devenue la **1re femme à avoir gravi tous les sommets de plus de 8 000 m sans oxygène**.

Personne à avoir accompli le grand chelem des explorateurs
Pour réaliser le grand chelem des explorateurs, il faut gravir les sept sommets, les 14 montagnes de plus de 8 000 m et atteindre à pied les pôles Nord et Sud. Park Young-Seok (Corée) y est parvenu le 30 avril 2005 en ralliant le pôle Nord.

Il avait commencé par gravir l'Everest le 16 mai 1993. Il est mort en octobre 2011 sur l'Annapurna, qui passe pour être la **montagne la plus meurtrière**.

Ascension du K2
Le 31 juillet 1954, Achille Compagnoni et Lino Lacedelli (tous deux Italie) ont gravi le K2. Avec ses 8 611 m, c'est le **2e plus haut sommet**. Il est situé dans la chaîne de montagnes du Karakoram, à la frontière entre le Pakistan et la Chine.

Le 23 juin 1986, Wanda Rutkiewicz (Pologne) est devenue la **1re femme à avoir atteint le sommet du K2**.

Andreï Mariev et Vadim Popovich (tous deux Russie) sont les **1ers à avoir gravi le K2 par le flanc ouest**, le 21 août 2007, après 10 semaines d'une ascension

Le plus rapide à escalader les sept sommets des 2 listes

Vernon Tejas (USA) a gravi les sommets des listes de Bass et de Messner, en commençant par le massif Vinson, le 18 janvier 2010, et en terminant par le mont McKinley (Denali), le 31 mai 2010. Cet alpiniste passionné de musique a aussi joué de la guitare au sommet de chaque pic, ainsi qu'aux pôles Nord et Sud.

exténuante. Faisant partie de l'expédition menée par Viktor Kozlov (Russie), ils ont escaladé ce versant redoutable et atteint le sommet sans bouteille d'oxygène.

Ascension du Kangchenjunga
George Band et Joe Brown (tous deux RU) ont escaladé le 3e plus haut sommet (8 586 m), le 25 mai 1955.

La 1re femme à avoir gravi le flanc sud de l'Annapurna

Wanda Rutkiewicz (Pologne) a atteint le sommet de l'Annapurna (8 091 m) en escaladant son flanc sud situé dans l'Himalaya (Népal), le 22 octobre 1991. Elle est aussi la 1re femme à avoir gravi le K2, le 23 juin 1986.

LES SEPT SOMMETS

La définition des « sept sommets les plus hauts » est contestée. Certains alpinistes incluent le mont Kosciuszko (Australie) à la place de la pyramide de Carstensz. D'autres placent l'Elbrouz en Asie, considérant ainsi que le mont Blanc est le plus haut sommet d'Europe.

Continent	Montagne	Lieu	Hauteur	1re ascension
Afrique	Kilimandjaro	Tanzanie	5 895 m	6 octobre 1889
Antarctique	Massif Vinson	Antarctique	4 892 m	18 déc. 1966
Asie	Everest	Népal/Chine	8 848 m	29 mai 1953
Australasie	Puncak Jaya (Carstensz)	Indonésie	4 884 m	13 février 1962
Europe	Elbrouz	Russie	5 642 m	27 juillet 1874
Amér. du Nord	McKinley (Denali)	USA	6 194 m	7 juin 1913
Amér. du Sud	Aconcagua	Argentine	6 962 m	14 janvier 1897

Source : www.8000ers.com

INFO
Kim Chang-Ho a escaladé l'Everest en partant du niveau de la mer dans la baie du Bengale.

« Un casque : pour protéger sa tête en cas de chute de roche ou de glace. »

« Des lunettes : pour protéger les yeux du soleil et du vent. »

« Des gants : pour se protéger du froid. »

« Un piolet : pour grimper sur la glace. »

« Une corde : pour être assuré en cas de chute et descendre en rappel. »

« Un harnais : pour s'attacher à la corde. »

« Des mousquetons : pour des raisons de sécurité et pour s'attacher à la corde durant l'ascension. »

« Un pantalon et une veste imperméables et isolants. »

« Des crampons en acier, essentiels pour que les chaussures adhèrent à la glace. »

« Des chaussures imperméables et permettant une bonne isolation. »

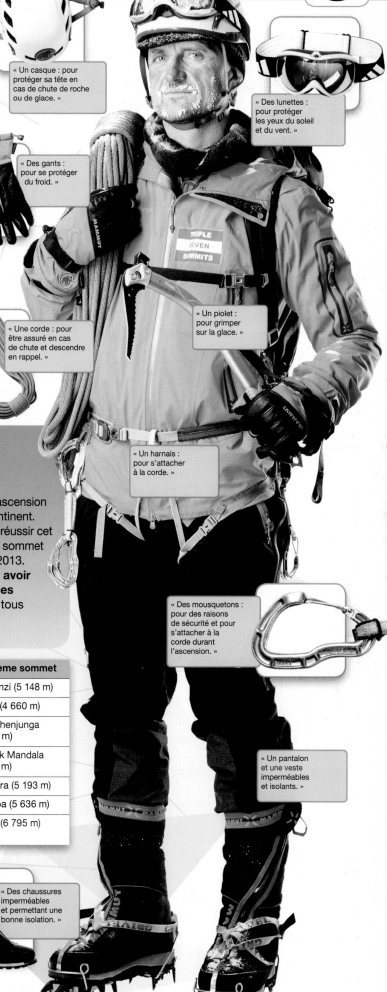

L'ascension la plus rapide des sommets de plus de 8 000 m

Kim Chang-Ho (Corée) a mis 7 ans et 310 jours pour gravir les 14 sommets de plus de 8 000 m. Il a débuté par l'ascension du Nanga Parbat, le 14 juillet 2005, et a terminé par celle de l'Everest le 20 mai 2013. Il a atteint tous les sommets sans oxygène.

La **1re femme à avoir gravi le Kangchenjunga** est Ginette Harrison (RU). Elle a escaladé le versant nord-ouest le 18 mai 1998.

LES PLUS ÂGÉS...

À escalader les sept sommets (liste de Messner)
Homme : Takao Arayama (Japon, né le 4 octobre 1935) a gravi, le 18 février 2010, le Kilimandjaro (Tanzanie), dernier des sept sommets, à 74 ans et 138 jours.
Femme : Carol Masheter (USA, née le 10 octobre 1946) a gravi, le 12 juillet 2012, le dernier des sept sommets de la liste de Messner, la pyramide de Carstensz, à 65 ans et 276 jours. Elle a escaladé le pic Kosciuszko le 17 mars 2012, devenant la **femme la plus âgée à avoir gravi les sommets de la liste de Bass.**

À avoir gravi les sept sommets (liste de Bass)
Ramón Blanco (Espagne, né le 30 avril 1933) a escaladé le dernier pic de la liste de Bass le 29 décembre 2003, à 70 ans et 244 jours.

À escalader un sommet de 8 000 m sans bouteille d'oxygène
Seules 5 personnes de plus de 65 ans ont gravi un pic de 8 000 m sans oxygène. L'alpiniste le plus âgé était Boris Korshunov (Russie, né le 31 août 1935), qui a gravi le Cho Oyu, le 2 octobre 2007, à 72 ans et 32 jours. Sa performance a été contestée par certains,

et le détenteur du record est finalement Carlos Soria (Espagne, né le 5 février 1939). Celui-ci avait 71 ans et 238 jours quand il a gravi le Manaslu, le 1er octobre 2010.

Le 1er alpiniste à avoir réussi le « Triple Seven Summits »

Le « Triple Seven Summits » désigne l'ascension des trois plus hauts pics de chaque continent. Christian Stangl (Autriche) a été le 1er à réussir cet exploit, en terminant par le 3e plus haut sommet d'Europe, le mont Shkhara, le 23 août 2013.

Il est aussi devenu le **1er alpiniste à avoir gravi les sept deuxièmes et troisièmes plus hauts sommets**, ayant escaladé tous les deuxièmes pics les plus hauts au 15 janvier 2013.

Continent	Deuxième sommet	Troisième sommet
Afrique	Batian (5 199 m)	Mawenzi (5 148 m)
Antarctique	Tyree (4 852 m)	Shinn (4 660 m)
Asie	K2 (8 611 m)	Kangchenjunga (8 586 m)
Australasie	Sumantri (4 870 m)	Puncak Mandala (4 758 m)
Europe	Dykh-tau (5 205 m)	Shkhara (5 193 m)
Amér. du Nord	Logan (5 959 m)	Orizaba (5 636 m)
Amér. du Sud	Ojos del Salado (6 893 m)	Pissis (6 795 m)

Traversées maritimes

En septembre 2013, **340 traversées d'océan à la rame** avaient été réalisées.

Le plus jeune rameur ayant traversé un océan

Eoin Hartwright (RU, né le 17 janvier 1997) avait 16 ans et 340 jours quand il a quitté La Gomera (Canaries, Espagne) pour traverser l'Atlantique à la rame d'est en ouest. L'équipe, également constituée de Simon Hartwright (son oncle), Matthew Collier et Tom Alden, a atteint Antigua à bord du *Trilogy Extra* le 4 février 2013, après un peu moins de 44 jours en mer.

La transatlantique à la voile en solitaire la plus rapide

Francis Joyon (France) a mis 5 jours, 2 h et 56 min pour aller de New York (USA) en Cornouailles (RU), où il est arrivé le 16 juin 2013 après un voyage de 2 880 milles marins (5 333 km). Il a aussi effectué le **tour du monde à la voile en solitaire le plus rapide**, en 57 jours, 13 h et 34 min, en 2008, parcourant 21 600 milles marins (38 900 km).

La traversée de l'océan Indien d'est en ouest la plus rapide

Maxime Chaya (Liban), Livar Nysted (Danemark) et Stuart Kershaw (RU) ont mis 57 jours, 15 h et 49 min pour aller à la rame de Geraldton (Australie)

La 1re personne à traverser à la rame deux océans en 1 an

Livar Nysted (Danemark) a traversé l'Atlantique d'est en ouest avec sept autres rameurs depuis Grande-Canarie (Canaries) jusqu'à La Barbade, du 17 janvier au 22 février 2013. Après quelques mois de repos, il est parti d'Australie le 9 juin pour traverser l'océan Indien d'est en ouest avec deux autres rameurs. Il est arrivé à l'île Maurice le 5 août 2013. Il aura passé 93 jours et 4 h en mer.

La 1re navigation en solitaire de Cadix à San Salvador

Suivant la même route que Christophe Colomb, route appelée pour cette raison « La Route de la découverte », Armel Le Cléac'h (France) est allé de Cadix (Espagne) à San Salvador (Bahamas), en 6 jours, 23 h et 42 min, à bord de son trimaran *Banque Populaire 7* de 31,4 m. Il a parcouru 3 884 milles marins (7 193,17 km) du 23 au 30 janvier 2014, à une vitesse moyenne de 23,16 nœuds (42,89 km/h).

Les 26 et 27 janvier, durant son voyage, ce navigateur chevronné a aussi parcouru la **plus longue distance à la voile en solitaire en 24 h**, soit 682,85 milles marins (1 264,64 km).

Le plus long parcours sur l'océan en jet-ski sans assistance

Du 11 au 13 septembre 2013, Frederico Rezende (Portugal) a effectué en 48 h et 55 min un trajet de 963 km en jet-ski sur l'Atlantique, entre les villes portugaises de Lisbonne et de Funchal. Étant le seul pilote, il n'a pas dormi.

à l'île Maurice, à bord du *tRIO*, du 9 juin au 5 août 2013. C'est la **1re équipe de 3 rameurs à traverser un océan**.

La 1re personne à avoir traversé le Pacifique d'ouest en est en solitaire

Sarah Outen (RU) s'est rendue de Choshi (Japon) à Adak (Alaska, USA), à bord de l'*Happy Socks*, en 149 jours et 13 h, du 27 avril au 23 septembre 2013.

Avant cela, à 23 ans et 310 jours, Outen (née le 26 mai 1985) était devenue la **plus jeune rameuse à avoir traversé l'océan Indien d'est en ouest en solitaire**. Elle avait réalisé cet exploit entre le 1er avril et le 3 août 2009.

La plus longue distance en solitaire à la rame sans escale sur l'Atlantique (femme)

Janice Jakait (Allemagne) a parcouru 5 705 km en ligne droite d'est en ouest du Portugal à La Barbade, du 23 novembre 2011 au 21 février 2012. C'est donc la **1re femme à avoir traversé en solitaire l'Atlantique d'est en ouest pour aller du continent européen aux Antilles**, exploit inégalé en avril 2014.

Le plus jeune tandem ayant traversé un océan à la rame

Les Britanniques Jamie Sparks (né le 11 janvier 1992) et Luke Birch (né le 4 juillet 1992) ont quitté La Gomera (Espagne) le 4 décembre 2013 à bord du *Maple Leaf* dans le cadre du Talisker Whisky Atlantic Challenge. Âgés respectivement de 21 ans et 327 jours et 21 ans et 153 jours, ils ont parcouru 4 722,6 km en 54 jours, 5 h et 56 min pour atteindre le port anglais d'Antigua, le 27 janvier 2014.

La plus jeune à avoir traversé seule un océan à la rame

Le 14 mars 2010, Katie Spotz (USA, née le 18 avril 1987) a traversé l'Atlantique à la rame d'est en ouest en 70 jours. Le 3 janvier 2010, elle est partie du Sénégal pour rejoindre la Guyane, à 22 ans et 260 jours.

Tommy Tippetts (RU, né le 26 mars 1989) avait 22 ans et 301 jours quand il a traversé l'Atlantique d'est en ouest, du 21 janvier au 12 avril 2012, devenant le **plus jeune rameur à avoir accompli la traversée d'un océan en solitaire**.

Le tour du monde en monocoque en solitaire (class40)

Le 4 avril 2013, Guo Chuan (Chine, *ci-dessus, à gauche*) a terminé son tour du monde à la voile, au bout de 137 jours, 20 h et 1 min. En 2005-2006, il était le 1er Chinois à participer à la Clipper Round the World Yacht Race, créée par sir Robin Knox-Johnston (RU, *ci-dessus, à droite, avec Frank Chambers du GWR*). Sir Robin a été le 1er à faire le **tour du monde à la voile en solitaire sans escale**, en terminant seul la Golden Globe Race le 22 avril 1969.

« Une balise de repérage montre la progression du bateau et transmet ces données aux membres de l'équipage restés à terre. »

« Le chapeau de soleil doit protéger la nuque. C'est vital quand les températures dépassent 40 °C. »

« Un gilet de sauvetage avec un écran de protection, un sifflet et une bande réfléchissante, conçu pour garder la tête du rameur hors de l'eau si ce dernier perd connaissance. »

« Les fusées de détresse blanches sont utilisées pour éviter une collision et les rouges pour demander de l'aide. »

« Le harnais de sécurité maintient le rameur attaché à son bateau en permanence. »

La 1re traversée de la mer de Tasman en kayak

James Castrission et Justin Jones (tous deux Australie) ont traversé la mer de Tasman dans leur *Lot 41*. Partis de Foster (Victoria, Australie) le 13 novembre 2007, ils ont parcouru 3 318 km en 62 jours et atteint New Plymouth (Nouvelle-Zélande) le 13 janvier 2008.

« Conçues pour l'océan, les rames sont le seul moyen de faire avancer le bateau. »

MER DE TASMAN

La 1re traversée à la rame en solo

Du 6 février au 10 avril 1977, Colin Quincey (Nouvelle-Zélande) a traversé la mer de Tasman, étendue d'eau d'environ 2 000 km de large appelée localement « The Ditch », à bord du *Tasman Trespasser*. Il a mis 63 jours et 7 h pour rallier Marcus Beach (Queensland, Australie) depuis Hokianga (Nouvelle-Zélande).

La 1re personne à avoir traversé la mer de Tasman d'ouest en est (depuis le continent) est Shaun Quincey (Nouvelle-Zélande), fils de Colin. Il a effectué ce périple à bord du *Tasman Trespasser 2*. Parti de Nouvelle-Galles du Sud (Australie) le 20 janvier 2010, il est arrivé à Ninety Mile Beach (Nouvelle-Zélande) le 14 mars 2010 après 53 jours.

La 1re équipe de rameurs à la traverser d'est en ouest

Steven Gates, Andrew Johnson, Kerry Tozer et Sally Macready (tous Australie) ont ramé de Hokianga (Nouvelle-Zélande) à Sydney (Australie) du 29 novembre au 30 décembre 2007.

La 1re équipe à effectuer le parcours d'ouest en est était celle de Nigel Cherrie, Martin Berka, James Blake et Andrew McCowan (tous Nouvelle-Zélande). Ils sont allés de Sydney à la baie des Îles, du 26 novembre 2011 au 16 janvier 2012.

« Le téléphone satellite sert avant tout à assurer notre sécurité. Il permet aussi d'avoir des nouvelles de chez soi et de parler à ceux que nous aimons. »

« Les défenses sont utilisées uniquement dans le port. On ne les emporte pas en mer. Elles protègent la coque du bateau quand il est amarré. »

« L'eau dessalée est chauffée avec un réchaud Jetboil. Elle sert à réhydrater les aliments lyophilisés et à se préparer une bonne tasse de thé ! »

Le plus d'océans traversés par un rameur

Simon Chalk (RU, né le 12 septembre 1972) a effectué 8 traversées : celle de l'Atlantique d'est en ouest au sein d'une équipe de 2 rameurs (1997), de 5 rameurs (2007-2008), de 6 rameurs (2013), de 8 rameurs (2012 et 2014) et de 14 rameurs (2011), et celle d'est en ouest de l'océan Indien en solitaire en 2003 (devenant le **plus jeune rameur à l'avoir accomplie**), puis en équipe de 8 rameurs en 2009.

« Le lance-amarre n'est employé qu'en cas de tentative de sauvetage, lorsqu'un homme est passé par-dessus bord. »

Endurance

Nous pouvons survivre environ 2 mois sans manger, mais seulement 5 jours **sans boire**.

Le véhicule à propulsion humaine le plus rapide (individuel)

Sebastiaan Bowier (Pays-Bas) a atteint 133,78 km/h sur son vélo couché aérodynamique *VeloX3* lors du World Human Powered Speed Challenge, près de Battle Mountain (Nevada, USA), le 14 septembre 2013. Sur la photo, il est à gauche, avec son coéquipier Wil Baselmans.

Le véhicule à propulsion humaine le plus rapide (équipe)

Le 14 septembre 2013, Tom Amick et Phil Plath (tous deux USA) ont atteint 117,61 km/h avec leur vélo couché aérodynamique *Glowworm*, sur une route plate, à l'occasion du World Human Powered Speed Challenge, près de Battle Mountain (Nevada, USA).

Le tour du monde à vélo le plus rapide (femmes)

Juliana Buhring (Allemagne) a fait le tour du monde en 152 jours et 1 h, parcourant 29 069 km. Son voyage a

Le plus long parcours en barefoot (24 h)

Peter Wayne Botha (Nouvelle-Zélande, né en Afrique du Sud) a couvert 211,51 km en barefoot, du 5 au 6 octobre 2013, lors de la 16ᵉ course Sri Chinmoy de 24 h, à Auckland (Nouvelle-Zélande). Il a réalisé les **100 km en barefoot les plus rapides**, en 8 h, 49 min et 42 s.

(Maryland, USA). Il était piloté par Sébastien Brisebois et Joël Brunet (tous deux Canada) de l'École de technologie supérieure de l'université de Québec (Canada).

Le plus de pays visités à vélo en 7 jours

Du 29 avril au 5 mai 2013, Glen Burmeister (RU) a traversé 11 pays à vélo, de Břeclav (République tchèque) à Shkodër (Albanie). Il est passé par l'Autriche, la Slovaquie, la Hongrie, la Slovénie, la Croatie, la Roumanie, la Serbie, la Bosnie-Herzégovine et le Monténégro.

Le plus long vol dans un véhicule à propulsion humaine

Kanellos Kanellopoulos (Grèce) a maintenu son *Daedalus 88* dans les airs en pédalant 3 h, 54 min et 59 s, le 23 avril 1988. Il a parcouru 115,11 km pour aller d'Heraklion (Crète) à

Le sous-marin à propulsion humaine le plus rapide

En juin 2007, le sous-marin biplace à hélice *OMER 5* a atteint 8,035 nœuds (14,9 km/h) au 9ᵉ championnat international de courses de sous-marins, au David Taylor Model Basin de Bethesda

débuté le 23 juillet et s'est terminé le 22 décembre 2012, sur la Piazza Plebiscito, à Naples (Italie).

Santorin (Grèce). Une rafale de vent a malheureusement cassé la queue de son avion avant qu'il ait atteint le rivage.

LE PLUS LONG VOYAGE…

À vélo (individuel)

Le professeur itinérant Walter Stolle (Rép. tchèque) a parcouru, en pédalant, 646 960 km, entre le 24 janvier 1959 et le 12 décembre 1976.

Le plus long parcours à la nage en apnée sous la glace

Le 16 avril 2013, Stig Åvall Severinsen (Danemark) a parcouru 152 m en apnée sous la glace du lac Qorlortoq, sur l'île Ammassalik (Groenland), avec palmes et combinaison. Le lendemain, il a réalisé la **plongée en apnée sous la glace sans palmes et sans combinaison la plus profonde**, soit 76 m.

La plus longue marche sur des pétales de fleurs

Du 2 au 27 janvier 2013, 1 128 moines bouddhistes ont parcouru 448,4 km et traversé 8 provinces de Thaïlande, en foulant des pétales de soucis. Cette marche faisait partie du second pèlerinage Dhammachai Dhutanga afin de célébrer le début de 2013.

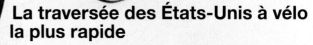

La traversée des États-Unis à vélo la plus rapide

Pendant la Race Across America de 2013, Christoph Strasser (Autriche) a traversé les États-Unis à vélo en 7 jours, 22 h et 11 min. Arrivé le 19 juin, il est aussi le 1ᵉʳ à être allé d'une côte des États-Unis à l'autre en moins de 8 jours.

L'ascension d'El Capitan la plus rapide (femmes)

Mayan Smith-Gobat (Nouvelle-Zélande, *ci-dessus*) et Libby Sauter (USA) ont gravi le « nez » d'El Capitan dans le Yosemite National Park (Californie, USA), le 29 septembre 2013. Elles ont mis 5 h et 39 min pour réussir l'ascension, battant le record précédent de près de 2 h.

Parti de Romford (Essex, RU), il a traversé 159 pays.

Avec des béquilles
Du 21 mars au 27 juillet 2011, Guy Amalfitano (France) a parcouru 4 004 km avec des béquilles. Il est allé de Salies-de-Béarn au centre hospitalier d'Orthez.

Avec des skis à roulettes
Du 11 mai au 5 juillet 2012, César Baena (Venezuela) a parcouru 2 246,21 km à skis à roulettes, de Stockholm (Suède) à Oslo (Norvège).

Avec des rollers en ligne
Khoo Swee Chiow (Singapour) a couvert 6 088 km chaussé de rollers en ligne. Parti d'Hanoï (Vietnam) le 20 octobre 2007, il est arrivé à Singapour le 21 janvier 2008.

À la nage
Martin Strel (Slovénie) a parcouru le fleuve Amazone à la nage, soit 5 268 km, en passant par le Pérou et le Brésil, du 1er février au 8 avril 2007.

En marchant à reculons
À ce jour, Plennie L. Wingo (USA) est le plus grand amateur de marche à reculons. Du 5 avril 1931 au 24 octobre 1932, il a parcouru 12 875 km, soit 24,89 km par jour, pour se rendre de Santa Monica (Californie, USA) à Istanbul (Turquie).

Le véhicule à propulsion humaine le plus rapide (femmes)

Le 15 septembre 2010, Barbara Buatois (France) a atteint 121,81 km/h sur son vélo couché aérodynamique *Varna Tempest*. Elle a accompli cette prouesse sur une route plate, à l'occasion du World Human Powered Speed Challenge, près de Battle Mountain (Nevada, USA).

« J'ai utilisé ces vieilles jumelles durant 20 à 30 ans. Bien que de petite taille, elles permettaient de voir un passage dans les montagnes ou les ravins, et aussi de repérer où il y avait des tirs et des bombardements. »

« J'ai porté ces lunettes de soleil en Afrique. Les camions soulevaient des nuages de poussière sur les routes. J'ai aussi porté des lentilles, qui étaient vraiment précieuses. »

« C'était mon plus grand trésor et une nécessité. Face aux dangers, à la mort et aux combats, je brandissais ma Bible. »

Le plus long voyage en tant que pèlerin

Du 25 décembre 1969 au 24 avril 2013, Arthur Blessitt (USA) a parcouru 64 752 km à pied. Sa mission l'a mené sur 7 continents, y compris l'Antarctique, et lui a fait traverser 321 pays, archipels et territoires, en portant une croix en bois de 3,7 m de haut et en prêchant la Bible.

« J'utilise ce sac banane depuis 20 ans. J'y mets ma Bible miniature et, parfois, mon passeport et des provisions. C'est comme un petit sac à dos. »

« Tous ces ustensiles, ainsi qu'une salière et un poivrier, tenaient dans un étui en plastique. Même si j'avais les mains sales et si la nourriture était infecte, je pouvais manger. »

« Je ne me sépare jamais de mon couteau suisse. Je le mets dans ma "banane" avec son ouvre-boîte, son décapsuleur, un nécessaire de couture, du papier, un stylo, une loupe, une scie, une clé anglaise, des ciseaux, un tournevis et une pierre à aiguiser. »

« Ma gourde, utilisée pour la dernière fois dans le Darién, entre le Panamá et la Colombie, en 1978. Je ne suis jamais tombé malade en buvant de l'eau de source. C'est Jésus qui en a voulu ainsi. J'en suis très ému… »

« Votre passeport doit être au sec, à l'abri des regards et des doigts sales : dans certaines régions reculées, la police des frontières exige un pot-de-vin pour le rendre. Étonnamment, ce sont les plus petits pays qui mettent le plus de tampons ! »

« En 1969, il n'y avait que des chaussures de travail – c'était bien avant l'avènement des chaussures de marche. J'ai appris à marcher avec des souliers ayant une pointure de plus que la mienne, sinon j'aurais dû faire des trous sur les côtés pour mes orteils. Le matin, je serrais bien les lacets et le soir je les desserrais, car mes pieds avaient gonflé. »

« C'est une roue pour ma croix. Elle m'a servi en Afrique du Sud de 1985 à 1986 et en Chine, en 1987. Ma croix s'use sur les cailloux et les pavés. Sans cette roue, je devrais la remplacer toutes les 2 ou 3 semaines. »

Voyages épiques

Dans notre vie, nous marchons l'équivalent de **4 fois** le tour de la Terre.

La plus jeune personne à faire le tour du monde en avion

Du 2 mai au 29 juin 2013, Jack Wiegand (USA, né le 22 juin 1992) a fait le tour du monde à bord du Mooney M20R Ovation. Il a effectué 22 arrêts et couvert environ 38 600 km de route. Il avait 21 ans et 7 jours quand il est arrivé à Fresno (Californie, USA), sa destination finale.

PAR LES AIRS

Le tour du monde le plus rapide en ULM
Colin Bodill (RU) a réussi cet exploit en 99 jours, à bord de son Mainair Blade 912 Flexwing, en même temps que Jennifer Murray (RU) qui, à bord d'un Robinson R44, est devenue la **femme ayant accompli le tour du monde le plus rapide en hélicoptère**. Ils ont parcouru 35 000 km pour arriver, le 6 septembre 2000, à l'aérodrome Brooklands de Weybridge (Surrey, RU), d'où ils étaient partis le 31 mai 2000.

La plus longue distance...
• **En avion ultra-léger :** Roberto Bisa et Antonio Forato (tous deux Italie) d'ASD Riding the Skies ont effectué un vol de 20 126 km pour relier Cassola (Italie) à Southport (Queensland, Australie), entre les 8 et 31 octobre 2013.

• **En kite-surf en 24 h :** Le 26 février 2012, Rimas Kinka (Lituanie) a parcouru 645,6 km au large de la côte d'Islamorada (Floride, USA).

• **En kite-surf (femme) :** Le 1er mars 2014, Anke Brandt (Allemagne) a parcouru 250,32 km pour

est détenu par Saloo Choudhury et sa femme Neena Choudhury (tous deux Inde). Partis de Delhi (Inde), le 9 septembre 1989, à bord d'une "Contessa Classic" Hindustan de 1989, ils y sont revenus le 17 novembre 1989, après un voyage de 69 jours, 19 h et 5 min.

La plus longue distance...
• **Pieds nus :** Du 30 mai au 5 septembre 2013, Michael Essing (Allemagne) a fait 1 488,09 km en marchant pieds nus. Il est allé de Flensburg (Allemagne) à Efringen-Kirchen (Allemagne).
• **En voiture :** Du 16 octobre 1984 au 3 avril 2013, Emil et Liliana Schmid (tous deux Suisse) ont parcouru

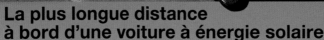

La plus longue distance à bord d'une voiture à énergie solaire

Une équipe du SolarCar Projekt Hochschule Bochum (Allemagne) a parcouru 29 753 km en 168 jours à bord d'un véhicule électrique. Le 26 octobre 2011, elle est partie d'Adélaïde (Australie) pour arriver à Mount Barker (Australie), le 15 décembre 2012. Huit jours ont été nécessaires pour recharger la SolarCar qui, le reste du temps, a été exposée dans des lieux divers, notamment des universités. Il a fallu la transporter d'un continent à un autre.

aller d'Amwaj Marina à Al Dar Island (Bahreïn).

PAR VOIE TERRESTRE

Le tour du monde le plus rapide en voiture
Le record du premier et du plus rapide tour du monde en voiture par un homme et une femme sur les six continents, selon les règles en vigueur de 1989 à 1991 pour un trajet dépassant la longueur de l'équateur (40 075 km),

La plus longue distance sur un scooter 50 cm³

Théodore Rezvoy et Evgeniy Stoyanov (tous deux Ukraine) ont parcouru 14 434 km sur des scooters Honda Zoomer de 50 cm³. Partis d'Odessa (Ukraine), le 11 juillet 2013, ils sont arrivés à Oulan-Oude (Russie), le 11 septembre 2013. Ils ont amélioré leur record de 2010 de près de 2 000 km.

677 281 km à bord de leur Toyota Land Cruiser.

• **À bord d'un véhicule électrique non solaire :** Duane Leffel (USA) a réalisé un trajet de 5 688,68 km pour aller de Charleston (Caroline du Sud) à Laguna Hills (Californie, USA), du 4 juillet au 24 août 2013.

• **À moto dans un seul pays :** Buck Perley (USA) et Amy Mathieson (RU) ont accompli un trajet de 33 357,15 km en Chine, du 19 juillet au 11 décembre 2013.

• **À cyclomoteur :** Du 14 juillet au 4 septembre 2012, Danny Halmo (Canada) a parcouru 6 721 km au Canada. Parti de la baie des Anglais (Vancouver, Colombie-

LA PLUS LONGUE DISTANCE...			
Véhicule	**Distance**	**Champions**	**Dates**
Bus	87 367 km	Hughie Thompson, John Weston et Richard Steel (tous RU)	6 novembre 1988-3 décembre 1989
De pompiers	50 957 km	Stephen Moore (RU)	18 juillet 2010-10 avril 2011
Aéroglisseur	8 000 km	British Trans-African Hovercraft Expedition, menée par David Smithers (RU)	15 octobre 1969-3 janvier 1970
Moto	735 000 km	Emilio Scotto (Argentine)	17 janvier 1985-2 avril 1995
Quad	56 239 km	Valerio De Simoni, Kristopher « Ted » Davant et James Kenyon (tous Australie)	10 août 2010-22 octobre 2011
Skate-board	12 159 km	Rob Thomson (Nouvelle-Zélande)	24 juin 2007-28 sept. 2008
Tandem	38 143 km	Phil et Louise Shambrook (RU)	17 déc. 1994-1er oct. 1997
Tracteur	21 199 km	Vasilii Hazkevich (Russie)	25 avril-6 août 2005
Fauteuil	40 075 km	Rick Hansen (Canada)	21 mars 1985-22 mai 1987

Britannique), il est arrivé à Halifax (Nouvelle-Écosse).

• **En pousse-pousse :** Du 26 avril au 19 mai 2010, Tim Moss (RU) a parcouru 1 377,96 km d'Aviemore à West Molesey (RU).

SUR L'EAU

La 1re personne à gagner la Floride à la nage depuis Cuba sans se protéger des requins
Diana Nyad (USA, née le 22 août 1949) est allée de La Havane (Cuba) à Key West (Floride, USA) en 52 h 54 min et 18,6 s. Partie le 31 août 2013, elle est arrivée le 2 septembre 2013, à l'âge de 64 ans et 11 jours.

La plus longue distance...
• **À la nage sans pauses (homme) :** Martin Strel (Slovénie) a mis 84 h et 10 min pour parcourir 504,5 km sur le Danube. Il est allé ainsi de Melk (Autriche) à Paks (Hongrie), du 3 au 6 juillet 2001. Il était escorté de 4 kayakistes, un bateau de sauvetage et 6 véhicules routiers.

• **À la rame en 24 h en équipe (hommes) :** Du 14 au 15 juin 2013, les rameurs Ansgar John Brenninkmeijer, Gert Jan Keizer, Oscar Dinkelaar, Jacques Klok, Jeroen van Renesse et Hans-Jan Rijbering (tous Pays-Bas) ont parcouru 295,2 km en remontant et en descendant l'Amstel (Pays-Bas).

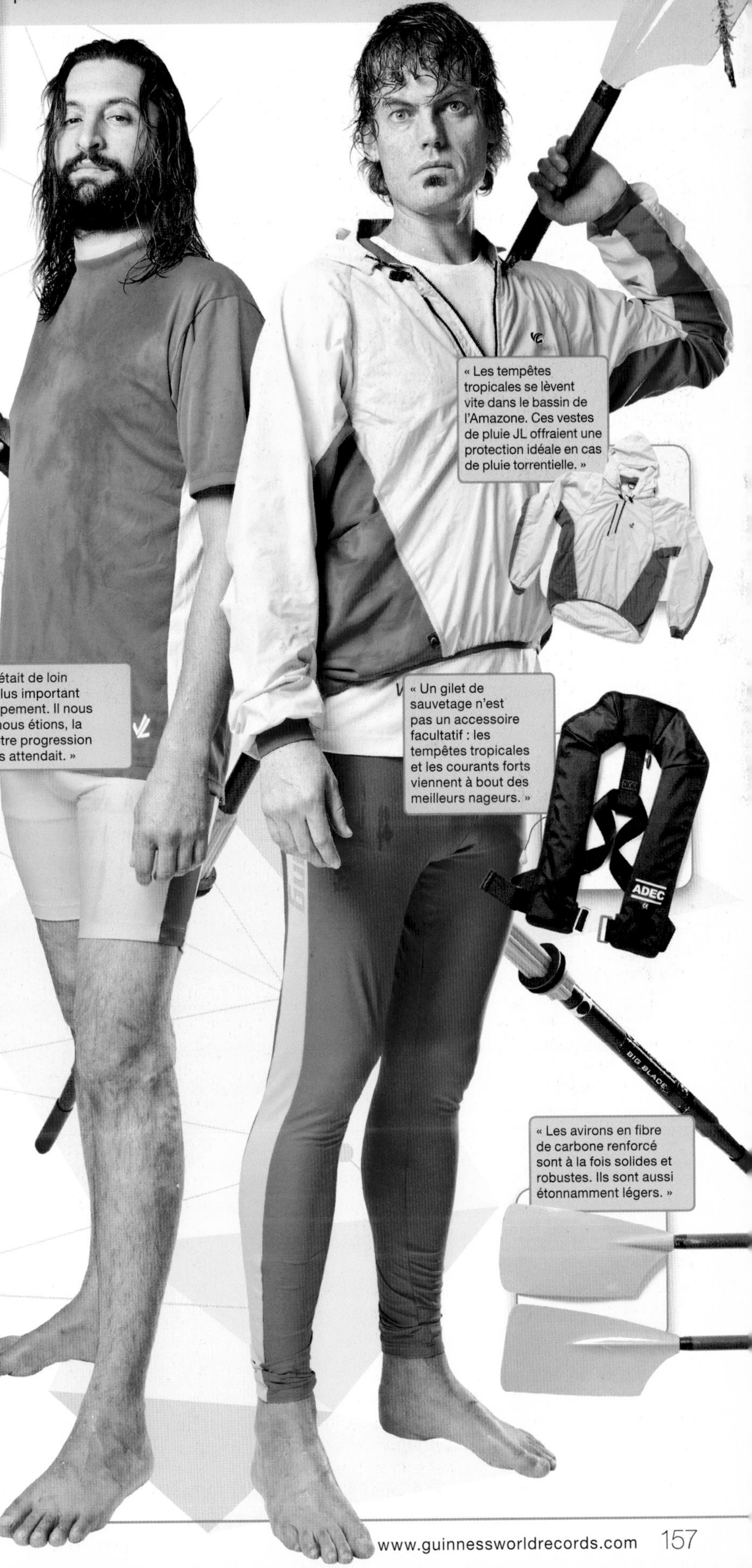

La plus longue distance à moto électrique

Dans le cadre du Meneghina Express – projet destiné à la recherche sur la nutrition et le développement durable dans le monde –, Nicola Colombo et Valerio Fumagalli (tous deux Italie) ont couvert 12 379 km sur des motos électriques. Partis de Shanghai (Chine) le 10 juin 2013, ils sont arrivés à Milan (Italie) le 23 juillet 2013.

La 1re traversée à la rame de la partie navigable de l'Amazone

Partis de Nauta (Pérou), le 13 septembre 2013, Anton Wright (RU, ci-dessous, à gauche) et Dr Mark de Rond (Pays-Bas, ci-dessous, à droite) ont descendu l'Amazone à la rame jusqu'à Macapá (Brésil), où ils sont arrivés le 14 octobre 2013. Ils ont couvert plus de 3 200 km dans leur Woodvale Pairs-class en contreplaqué renforcé par de la fibre de verre et de la résine.

« Les tempêtes tropicales se lèvent vite dans le bassin de l'Amazone. Ces vestes de pluie JL offraient une protection idéale en cas de pluie torrentielle. »

« Il est indispensable de porter un chapeau quand on rame sur l'Amazone pour éviter les insolations et pour se protéger du soleil brûlant. »

« Notre GPS était de loin l'élément le plus important de notre équipement. Il nous indiquait où nous étions, la vitesse de notre progression et ce qui nous attendait. »

« Un gilet de sauvetage n'est pas un accessoire facultatif : les tempêtes tropicales et les courants forts viennent à bout des meilleurs nageurs. »

« Les avirons en fibre de carbone renforcé sont à la fois solides et robustes. Ils sont aussi étonnamment légers. »

Les 10 musées les plus visités ont totalisé **52,9 millions d'entrées** en 2012.

L'héroïne de films d'action aux plus fortes recettes

Le succès phénoménal des deux premiers volets de la saga *Hunger Games* (USA, 2012 et 2013) a fait du personnage de Katniss Everdeen – incarné par Jennifer Lawrence (USA) – l'héroïne de film d'action la plus prospère. Ses films ont atteint 1,55 milliard $ de recettes dans le monde. *Hunger Games, l'embrasement* est le **film post-apocalyptique qui a enregistré le plus de recettes** : 424 668 047 $ aux États-Unis et 864 565 663 $ dans le monde.

INFO
Selon le classement Forbes 2013, Jennifer Lawrence occupe la 2e position sur la liste des actrices les plus influentes, derrière Angelina Jolie (USA).

60 ans à l'écran

L'industrie du film a vu une véritable débauche de technologie au cours des six dernières décennies mais en quoi cela a-t-il influencé notre attrait pour le cinéma ? Nous rendons-nous davantage dans les salles ? Un aussi grand nombre de films sortent-ils ? Et les nouvelles sorties ont-elles autant de succès si l'on tient compte de l'inflation ?

Tous les chiffres sont exprimés en dollars.

Au cours des 60 dernières années, tout a changé à l'écran et rien n'a vraiment changé. En 1955, *Autant en emporte le vent* était le film qui avait engrangé les recettes les plus importantes de tous les temps (USA, 1939). Si l'on tient compte de l'inflation, cela sera probablement encore le cas fin 2015.

Les salles de cinéma américaines rapportaient l'équivalent de 10,68 milliards $ en 1954 et de 10,90 milliards $ en 2012. Cela signifie t-il que le cinéma est aussi populaire qu'auparavant ? On estime que les salles de cinéma américaines ont vendu environ 2, 5 milliards de billets en 1955

contre 1,3 milliard en 2012. Si la plupart des gens vont moins souvent au cinéma qu'en 1955, le succès des superproductions – avec leur budget vertigineux et leurs innovations techniques – montre que le public est prêt à débourser davantage.

L'essor d'une technologie vidéo abordable a également contribué à augmenter le nombre total de films produits dans le monde chaque année, créant des industries locales telles Nollywood au Nigéria, aujourd'hui à l'origine de plus de 1 000 films par an et faisant reculer les États-Unis à la 3ᵉ place dans le classement des pays les plus prolifiques sur le plan cinématographique.

NOMBRE DE LONGS MÉTRAGES QUI SORTENT PAR AN DANS LE MONDE

On observe une augmentation régulière du nombre de films qui sortent chaque année. Il est passé de 1 904 en 1955 à 10 048 en 2013. L'accessibilité à la technologie cinématographique haut de gamme a permis une augmentation rapide au cours des 10 dernières années.

12000 / 10000 / 8000 / 6000 / 4000 / 2000 / 0

Cléopâtre (USA, 1963) **Le film le plus coûteux (en données corrigées) :** 306,86 millions $ actuels

Le record de 3 248 sorties en 1968 est resté inégalé jusqu'en 1990

PRIX MOYEN D'UN BILLET AUX ÉTATS-UNIS

Les prix ont augmenté insidieusement, comme on pouvait s'y attendre, mais si l'on tient compte de l'inflation (indiquée dans la couleur la plus claire) on note de grandes variations au fil des ans avec un record en 1971. Il s'agit bien sûr uniquement du prix de la place sans compter le parking, le pop-corn, les boissons, les lunettes 3D…

10 $ / 9 $ / 8 $ / 7 $ / 6 $ / 5 $ / 4 $ / 3 $ / 2 $ / 1 $ / 0 $

Le prix moyen du billet a atteint 9,35 $ en 1971 (donnée actualisée)

Docteur Jivago (USA, 1965) **Le 1ᵉʳ film à remporter 5 Golden Globes :** meilleurs film, réalisateur, acteur, scénario et musique de film. Obtenir 5 GoldenGlobes est aussi un record, partagé avec 4 autres films.

NOMBRE D'ENTRÉES AU CINÉMA (USA)

Quant au nombre d'entrées, il a connu une évolution en dents de scie. Avec l'augmentation du prix du billet, le nombre de sorties au cinéma a chuté, atteignant son point le plus bas au début des années 1970. L'avènement des blockbusters et des multiplexes a renversé la tendance, sans permettre retrouver le niveau glorieux des années 1940 et 1950.

3000000000 / 2500000000 / 2000000000 / 1500000000 / 1000000000 / 500000000 / 0

Les Dents de la mer (USA, 1975) **Le 1ᵉʳ blockbuster :** le 1ᵉʳ film à rapporter 100 millions $ au box-office

709 millions d'entrées en 1971 : un fiasco

Hollywood a connu son âge d'or en 1947 avec 4,7 milliards d'entrées. En 1964, en raison de l'essor de la télé, le chiffre avait chuté à moins de 1 milliard.

RECETTES AU BOX-OFFICE (USA)

L'argent gagné par les salles de cinéma a atteint un pic en 2003, avec des recettes de 12,06 milliards en valeur corrigée.

12000000000 de dollars / 10000000000 de dollars / 8000000000 de dollars / 6000000000 de dollars / 4000000000 de dollars / 2000000000 de dollars

Le record de 11,98 milliards $ en valeur corrigée atteint en 1956 est resté inégalé jusqu'en 2002

2001, L'Odyssée de l'espace (USA/RU, 1968) **Le plus gros budget de film pour des effets spéciaux :** le grand classique de Stanley Kubrick a vu 60% de son budget investi dans les effets spéciaux.

Les blockbusters avant 1955

Ci-dessous se trouve la liste des films ayant engrangé les recettes les plus élevées depuis 1955. Seuls deux d'entre eux datent d'avant 1955 : *Autant en emporte le vent* (1939) et *Blanche Neige et les sept nains* (1937). Si on ajuste le prix actuel du billet, le 1ᵉʳ demeure numéro 1, avec une recette de 3,44 milliards $.

LE TOP 10 DES FILMS AU COURS DES 60 DERNIÈRES ANNÉES

1955 / 1960 / 1965 / 1970

1956

Les Dix Commandements
Position : 6
Billets vendus : 262 millions
Recettes corrigées : 2,187 milliards $
Épopée biblique avec Charlton Heston dans le rôle de Moïse, chargé de libérer les esclaves juifs

1961

Les 101 Dalmatiens
Position : 10
Billets vendus : 199,8 millions
Recettes corrigées : 1,003 milliard $
Une portée de dalmatiens doit être sauvée avant d'être victime de Cruella d'Enfer

1965

Docteur Jivago
Position : 7
Billets vendus : 2482 millions
Recettes corrigées : 2,073 milliards $
Un médecin-poète vit une histoire d'amour sur fond de révolution bolchevique

1965

La Mélodie du bonheur
Position : 4
Billets vendus : 283,3 millions
Recettes corrigées : 2,366 milliards $
Les collines retentissent des cris des enfants et de leur nurse fuyant l'Autriche occupée par les nazis

1973

L'Exorciste
Position : 9
Billets vendus : 214,9 millions
Recettes corrigées : 1,794 milliard $
Exorcisme d'une jeune fille possédée par une entité démoniaque

Classement fondé sur le nombre de billets vendus, le prix des places et les recettes au box-office

L'industrie du cinéma la plus prolifique

L'Inde continue à produire le plus de films avec 1 255 sorties en 2011 contre 819 aux États-Unis. En mai 2013, pour le 100e anniversaire de Bollywood – Vijay Krishna Acharya (Inde) a sorti *Dhoom 3*, le **film de Bollywood aux plus fortes recettes**, soit 88 millions $.

GUINNESS WORLD RECORDS

INFO

Les Américains ont préféré aller au cinéma en 2011 plutôt que de se rendre dans des parcs à thème ou d'assister à des événements sportifs. La même année, l'Inde a enregistré 2 fois plus d'entrées que les États-Unis.

E.T. l'extraterrestre (USA, 1982) **Le plus de week-ends n° 1** : le film le mieux placé durant 16 week-ends (non consécutifs), vu par 161 millions de personnes aux États-Unis

Bernard et Bianca au pays des kangourous (USA, 1990) **Le 1er long métrage entièrement numérique** tourné avec un système d'encre mis au point par Disney et Pixar (USA)

En 1990, on a compté 3482 sorties. Chiffre inégalé jusqu'en 1999.

Les sorties ont dépassé le nombre de 4000 ; 1041 étant d'origine indienne.

Avatar (USA, 2009) **Le 1er film à atteindre 2 milliards $ de recettes.** Chiffre atteint le week-end du 29-31 janvier 2010

INFO

En 2013, la somme moyenne dépensée au cinéma aux États-Unis était de 20 $ par personne dont 8,12 $ pour la place.

True Lies (USA, 1994) **Le 1er film au budget de 100 millions $.** James Cameron place la barre très haut. Le retour sur investissement est de 378 millions $.

INFO

Ce sont les Japonais qui paient le plus cher leur billet de cinéma, à savoir l'équivalent de 22 $ en 2013.

La saga Twilight : L'Éclipse (USA, 2010) **Le film sorti dans le plus de salles :** projeté dans 4 468 salles aux États-Unis, le 30 juin

Tron (USA, 1982) **Le 1er film d'envergure à utiliser des images de synthèse.** Les producteurs très désireux d'augmenter les parts d'audience découvrent les avantages de l'image de synthèse

Le nombre d'entrées a culminé à 1,6 milliard en 2002, avec *Le Seigneur des anneaux*, *Harry Potter*, *Men in Black* et *La Guerre des étoiles* dont les suites ont toutes figuré en tête du box-office.

Titanic (USA, 1997) **Le film n° 1 durant le plus de week-ends consécutifs :** 15 week-ends en tête du palmarès

Avengers (USA, 2012) **Le plus rapide à atteindre 100 millions $ de recettes au box-office national :** deux jours (4-5 mai)

La Guerre des étoiles a contribué au record annuel des recettes (9,5 milliards $ en 1978), chiffre inégalé pendant 20 ans.

Super Mario Bros. (USA, 1993) **Le 1er film d'action basé sur un jeu vidéo :** les producteurs en quête d'inspiration et de licences populaires font pour la 1re fois appel aux jeux vidéo

Les recettes au box-office américain en 2003 : 12,06 trillions $ en valeur corrigée

La Guerre des étoiles (USA, 1977) **La série de science-fiction aux plus fortes recettes :** le blockbuster de George Lucas et les autres épisodes atteignent 4,55 milliards $ de recettes en valeur corrigée

Titanic (voir ci-dessus) **est le 1er film à avoir fait 1 milliard $ de recettes**

Les 12 plus grands films du week-end de Noël 2009 (25-27 décembre) ont rapporté 259,9 millions $ en 3 jours au box-office américain – le plus grand week-end cinématographique.

Harry Potter et les reliques du passé, Partie 2 (RU/USA, 2011) **Le film ayant fait les recettes les plus élevées en 1 jour :** 91 millions $ le 15 juillet aux États-Unis

1980 · 1985 · 1990 · 1995 · 2000 · 2005 · 2010 · 2015

1975

Les Dents de la mer
Position : 8
Billets vendus : 242,8 millions
Recettes corrigées : 2,027 milliards $
Un grand requin blanc mangeur d'hommes terrorise un lieu touristique au plein cœur de l'été

1977

La Guerre des étoiles
Position : 2
Billets vendus : 338,4 millions
Recettes corrigées : 2,825 milliards $
Film de science-fiction se déroulant il y a très longtemps dans une galaxie extrêmement lointaine

1982

E.T. l'extraterrestre
Position : 5
Billets vendus : 276,7 millions
Recettes corrigées : 2,310 milliards $
Un alien est abandonné sur Terre et se lie d'amitié avec un jeune garçon qui l'aide à « téléphoner à la maison »

1997

Titanic
Position : 3
Billets vendus : 301,3 millions
Recettes corrigées : 2,516 milliards $
Film de James Cameron relatant le naufrage du paquebot réputé insubmersible

2009

Avatar
Position : 1
Billets vendus : 238,6 millions
Recettes corrigées : 3,02 milliards $
Film de science-fiction de James Cameron se déroulant sur la lointaine planète Pandora

○ Cinéma

Au Sénégal, une place de cinéma coûte l'équivalent de **38 centimes**.

Le film d'animation aux recettes les plus élevées

Le film d'animation *La Reine des neiges* (USA, 2013), dont les recettes mondiales ont atteint 1,112 milliard $ le 14 avril 2014, a eu davantage de succès que *Toy Story 3* (USA, 2010). Inspiré du conte de fées éponyme de Hans Christian Andersen, le film de Disney a battu le record alors qu'il était encore en salle.

L'année la plus coûteuse pour Hollywood

Les 50 plus gros blockbusters sortis en 2010 ont coûté 5,2 milliards $, un record dans l'histoire du cinéma américain.

En 2013, aux États-Unis, les **ventes estivales de billets** ont atteint 4,76 milliards $, entre le 1er mai et le 31 août.

Le plus d'objets numériques dans un film

Pour la bataille finale de *La Stratégie Ender* (USA, 2013), le studio américain d'effets spéciaux Digital Domain a créé 333 443 vaisseaux spatiaux, apparaissant simultanément dans des plans comportant plus de 27 milliards de polygones.

Le plus de sorties au cinéma

Il y a eu quelque 3,17 milliards de sorties au cinéma en Inde en 2011. La **plus grosse fréquentation de salles de cinéma** a eu lieu en 1929 aux États-Unis, avec 4,49 milliards d'entrées.

Le plus grand marché cinématographique international

L'Amérique du Nord représente le plus grand marché cinématographique, les États-Unis et le Canada totalisant 10,8 milliards $ de recettes en 2012.

La production annuelle la plus importante

Selon l'Unesco, l'Inde est la nation la plus prolifique en matière de films. L'industrie de Bollywood produit jusqu'à 1 000 longs métrages par an. En 2011, 1 255 films

La franchise la plus pérenne

Malgré plusieurs interruptions de production importantes, *Godzilla* (USA/Japon), des studios japonais Toho – qui possèdent la franchise depuis presque 60 ans –, est sorti le 14 mai 2014. La version originale d'Ishirō Honda (Japon) date de novembre 1954.

y ont été réalisés, en 24 langues, contre 819 films aux États-Unis.

Le plus de films tournés en une seule langue

D'après la dernière enquête cinématographique réalisée par l'Unesco, en 2011,

INFO

Max Brooks, auteur de *World War Z*, est le fils de Mel Brooks, réalisateur de films d'horreur comme *Frankenstein junior* (USA, 1974) et *Dracula, mort et heureux de l'être* (USA, 1995).

Le film de zombies aux plus fortes recettes

En 2013, les recettes du blockbuster *World War Z* (RU/USA) ont dépassé les 540 millions $ le 10 octobre 2013. Inspiré du livre éponyme de Max Brooks, le film met en scène Brad Pitt. Une suite a été annoncée en juin 2013.

BUDGET vs RECETTES : LES MEILLEURS RETOURS SUR INVESTISSEMENT

Les 10 films mentionnés ci-contre ont les recettes les plus élevées relativement à leur budget, c'est-à-dire qu'il s'agit des 10 meilleurs retours sur investissement. *Le Projet Blair Witch* arrive en 1re position : il n'a coûté que 15 000 $ et a fait 196 millions $ de recettes, avec un retour sur investissement de 41,433 %.

- Budget
- Recettes
- Retour

Recettes	Retour sur investissement en %
Paranormal Activity (2009)	19,850%
The Devil Inside (2012)	3,644%
Peter Pan (1953)	3,443%
Grease (1978)	3,056%
Paranormal Activity 2 (2010)	2,474%
Insidious (2011)	2,079%
Les Dents de la Mer (1975)	1,730%
Reservoir Dogs (1992)	1,632%
Le Discours d'un Roi (2010)	1,154%
La Belle et la Bête (1991)	1,148%

Un simple billet d'entrée

Notre édition de 1955 révélait que les Britanniques étaient une nation de cinéphiles : « Les habitants du Royaume-Uni vont plus souvent au cinéma que dans tout autre pays. La moitié de la population va en moyenne toutes les semaines au cinéma, dans un pays qui en compte 4 595. » D'après une enquête réalisée par l'Unesco en 2011, l'Islande détient actuellement le record de **fréquentation annuelle la plus élevée par personne**, avec une moyenne de 5,24 sorties au cinéma par an et par personne (pour la **fréquentation globale la plus élevée**, voir ci-dessus.)

Le budget et les salaires bruts ne sont pas proportionnels.
Le budget ne comprend pas les dépenses liées au marketing et aux relations publiques.

Le plus d'apparitions dans son propre rôle

Le lutteur légendaire El Santo (Mexique) a joué son propre rôle dans 50 films d'action en 24 ans, depuis *Santo contra el cerebro del mal* en 1958 jusqu'à *Santo en furia de los karatekas* en 1982.

1 302 films ont été exclusivement tournés en anglais. Le français arrive en 2e position avec 293 films et l'espagnol en 3e avec 263 films. Certes, l'Inde réalise le plus de films, mais ces derniers sont tournés dans de nombreuses langues (notamment hindi, tamoul et telougou).

Le film le plus cher

Pirates des Caraïbes : jusqu'au bout du monde (USA) a atteint le budget de 300 millions $ en 2007. Même si les budgets sont ajustés sur les prix 2014, ce film demeure la production la plus coûteuse de tous les temps. Son budget de 339 millions $ est légèrement supérieur à celui de *Cléopâtre* (1963, USA), avec Elizabeth Taylor et Richard Burton (tous deux RU), qui a coûté 44 millions $ en 1963, soit 337 millions $ actuels.

La franchise la plus chère

Les 8 *Harry Potter* (USA/RU, 2001-2009) ont bénéficié d'un budget global de 1,15 milliard $. Mais c'est la série des *James Bond* qui bat le record des films les plus chers corrigé de l'inflation. Elle a coûté environ 2,07 milliards $ avec 23 films tournés en 50 ans.

LES GAINS LES PLUS ÉLEVÉS...

- **Film :** *Avatar* (USA, 2009), 2,78 milliards $
- **Film tourné à Bollywood :** *Dhoom 3* (Inde, 2013), 88 millions $
- ***James Bond :*** *Skyfall* (RU/USA, 2012), 1,1 milliard $
- **Film de science-fiction post-apocalyptique :** *Hunger Games, l'embrasement* (USA, 2013), 864 millions $

Le film comptant le plus d'injures

Le Loup de Wall Street (USA, 2013) contient au moins 687 jurons – ce qui fait une moyenne de 3,81 injures par minute. Réalisé par Martin Scorsese, avec Leonardo DiCaprio en vedette (tous deux USA), le film s'inspire de la biographie du trader de Wall Street Jordan Belfort. Le film a été nominé aux Oscars dans 5 catégories.

L'éclairage le plus puissant sur un décor

Les scènes en apesanteur de *Gravity* (USA, 2013) ont été filmées dans un caisson lumineux fabriqué sur mesure contenant 1,8 million d'ampoules haute puissance. L'équipe du film responsable des effets spéciaux commandait les ampoules individuellement afin de recréer le plus fidèlement possible la lumière naturelle dans l'espace. Ce caisson lumineux où les acteurs étaient suspendus avait la forme d'un cube évidé.

Tournez la page pour plus d'infos !

Cinéma participatif : Veronica Mars

Veronica Mars (à droite) est le **film qui a le plus bénéficié du financement participatif** : il a en effet reçu 5 702 153 $ via le site de financement Kickstarter, le 13 avril 2013. L'appel aux dons, qui faisait suite à la déprogrammation de la série télévisée *Veronica Mars*, a permis de financer le film, dont la première a eu lieu un an et un jour après, le 14 mars 2014.

Le **1er film lauréat d'un Oscar participatif**, *Inocente* (à gauche), a remporté le titre de meilleur documentaire (dans la catégorie court métrage), le 24 février 2013. Le film, qui met en scène une jeune SDF californienne souhaitant devenir artiste, a été réalisé par Sean Fine et Andrea Nix.

INFO

Kickstarter a permis de réunir des promesses de dons de 52 527 $ pour financer *Inocente* (2012).

Les studios à la pointe

Le **studio ayant produit le plus de films à 1 milliard $** : Buena Vista International (USA), avec 7 films (*Pirates des Caraïbes : le secret du coffre maudit*, *Alice au pays des merveilles*, *Toy Story 3*, *Pirates des Caraïbes : la fontaine de jouvence*, *Avengers*, *Iron Man 3* et *La Reine des neiges*).

Les **plus fortes recettes d'un studio** : Pixar (USA) a gagné en moyenne 252,6 millions $ avec 14 films.

Johnny Depp a vendu des stylos pour une entreprise de **télémarketing.**

voyage inattendu (USA/ Nouvelle-Zélande, 2012), et Christopher Nolan (RU), avec *The Dark Knight* (USA/ RU, 2008) et *The Dark Knight Rises* (USA/RU, 2012).

L'acteur le plus rentable
Selon le magazine *Forbes*, Adam Sandler (USA) a généré un revenu moyen de 3,40 $ pour chaque dollar qu'il a gagné, si l'on tient compte des 3 derniers films dans lesquels il figurait au 1er juin 2013. Durant la même période, *Forbes* a estimé que Katherine Heigl (USA) était l'**actrice la plus rentable**, avec un revenu moyen de 3,50 $ pour chaque dollar qu'elle a gagné. *(Voir aussi « Remboursement avec intérêt », ci-dessous.)*

Les acteurs les mieux payés de Bollywood

En haut de la liste *Forbes* en tant qu'acteur le mieux payé de Bollywood, Shah Rukh Khan (Inde) a des revenus estimés en 2013 à 2,2 milliards de roupies (soit 37,06 millions $). Khan figure ici dans le film romantique *Jab Tak Hai Jaan (Aussi longtemps que je vivrai)*, avec Katrina Kaif (HK, RU), l'actrice la mieux payée de Bollywood (637 millions de roupies, soit 10,7 millions $) pendant la même période.

L'acteur le plus puissant

Connu pour avoir tenu le rôle de Wolverine, Hugh Jackman (Australie) occupe la 1re place sur la liste *Forbes* 2013 des acteurs les plus puissants et la 11e sur la liste globale des célébrités les plus puissantes. Cette liste mesure la célébrité en tenant compte d'éléments comme le revenu, l'exposition médiatique et la présence sur Internet.

L'actrice la plus âgée à tenir un rôle principal
Lillian Gish (USA, née le 14 octobre 1893) était âgée de 93 ans lorsqu'elle a joué dans *Les Baleines du mois d'août* (USA), sorti le 16 octobre 1987.
L'actrice la plus âgée à faire ses débuts dans un rôle principal est Harue Akagi (Japon, née le 14 mars 1924). Elle était âgée de 88 ans et 175 jours quand elle a fait l'affiche de *Pekorosu no Haha ni Ai ni Iku* (Japon), sorti le 9 novembre 2013.

Le réalisateur ayant obtenu le plus de recettes
Les 27 films sortis en salles et réalisés par Steven Spielberg (USA) – de *Sugarland Express* (USA, 1974) à *Lincoln* (USA, 2012) – ont généré le revenu mondial de 9,01 milliards $.

Les réalisateurs dont les films ont atteint 1 milliard $ de recettes
Trois réalisateurs sont à l'origine de 2 films ayant généré au moins 1 milliard $: James Cameron (Canada), avec *Titanic* (USA, 1997) et *Avatar* (USA/RU, 2009) ; Peter Jackson (Nouvelle-Zélande), avec *Le Seigneur des anneaux : le retour du roi* (USA/Nouvelle-Zélande, 2003) et *Le Hobbit : un*

Les recettes les plus élevées perçues par une réalisatrice

Avec 1 152 567 728 $ de recettes mondiales pour les 6 films qu'elle a réalisés, notamment *Ce que veulent les femmes* (USA, 2000) et *Pas si simple* (USA, 2009), Nancy Meyers (USA) demeure la réalisatrice qui a touché les recettes les plus élevées de tous les temps.

LES PLUS HAUTS…

Revenus annuels perçus par un producteur
D'après *Forbes*, Steven Spielberg (USA) a gagné 100 millions $ entre juin 2012 et juin 2013. La recette des films qu'il a produits s'élève à plus de 6,4 milliards $.

L'acteur ayant touché le cachet le plus élevé dans un rôle principal

Le cachet moyen d'Emma Watson (RU), star d'*Harry Potter*, s'élève à 775 303 380 $. Son partenaire dans *Harry Potter*, Daniel Radcliffe (RU), a tenu le haut de l'affiche dans un film non lié à *Harry Potter* de plus qu'elle, ce qui a réduit son cachet moyen par film à 712 856 021 $.

LES ROIS DE HOLLYWOOD : LE PLUS D'OSCARS

Le plus d'oscars remportés : Walt Disney (USA), 26

Le plus d'oscars remportés par une femme : Edith Head (USA), 8

Le plus d'oscars remportés comme meilleur réalisateur : John Ford (USA), 4

Le plus d'oscars remportés comme meilleure actrice : Katharine Hepburn (USA), 4

Le plus d'oscars remportés comme meilleur acteur : Daniel Day-Lewis (RU), 3

 Walt et Oscar
En 1955, le *Guinness Book of Records* constatait que « Walt Disney avait remporté plus d'oscars – récompenses décernées par l'Académie américaine des Arts et des Sciences cinématographiques instituées en 1929 – que n'importe qui. » Avec 26 oscars obtenus au cours de sa carrière, Disney (USA) détient toujours le record. Il a reçu sa dernière récompense à titre posthume – dans la catégorie meilleur court métrage (dessin animé), pour *Winnie l'ourson dans le vent* (1968).

 Remboursement avec intérêt
Le meilleur retour sur investissement pour une actrice : Selon *Forbes*, en décembre 2010, Emma Stone (USA) rapportait en moyenne 80,70 $ pour chaque dollar de salaire. Les autres acteurs ayant un retour sur investissement très compétitif sont Mila Kunis (USA), dont chaque dollar de salaire versé rapporte 68,70 $, et Jennifer Lawrence (USA), avec 68,60 $. Le **meilleur retour sur investissement pour un acteur** revient à The Rock, alias Dwayne Johnson (USA), dont chaque dollar de salaire rapporte 31,10 $.

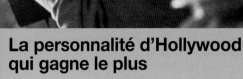

L'acteur ayant joué dans le plus de films à 1 milliard d'entrées

Johnny Depp a fait un succès de 3 milliards $ avec les films *Pirates des Caraïbes jusqu'au bout du monde, le secret du coffre maudit*, et *Alice au pays des merveilles*. Hugo Weaving (Australie, *vignette en haut*) lui fait concurrence avec *Le Hobbit : un voyage inattendu, Transformers : la face cachée de la lune* et *Le Seigneur des anneaux : le retour du roi*. Gary Oldman (RU, *vignette en bas*) obtient de bons résultats avec *Harry Potter et les reliques de la mort, partie 2, The Dark Knight* et *The Dark Knight Rises*.

Gains perçus par un acteur

Les 94 films où Samuel L. Jackson (USA) apparaît lui ont rapporté 12 126 213 694 $. Ceux-ci comprennent *Avengers* et *Iron Man 2* (USA, 2010), succès au box-office, où il ne fait qu'apparaître.

Gains perçus par un réalisateur

Lee Unkrich (USA) perçoit en moyenne en tant que réalisateur 332,9 millions $ aux États-Unis, avec un gain total mondial de 2,97 milliards $ au 8 novembre 2013. Le film aux plus fortes recettes est *Toy Story 3* (USA, 2010).

Revenus moyens d'un compositeur

John Williams (USA) a composé la musique de 76 films, qui ont généré en moyenne 289,6 millions $.

Le revenu annuel le plus élevé pour un acteur

Selon *Forbes*, 2 acteurs partagent le record du revenu le plus élevé sur une période de 12 mois. Robert Downey Jr (USA, *image principale*) a gagné environ 75 millions $ entre juin 2012 et juin 2013, bénéficiant du succès *des Avengers* et d'*Iron Man 3*. Tom Cruise (USA, *ci-dessous, à droite*) a perçu un revenu comparable entre mai 2011 et mai 2012, période durant laquelle *Mission Impossible protocole fantôme* (USA/EAU/Tchéquie, 2011) a réalisé une recette de 700 millions $.

La personnalité d'Hollywood qui gagne le plus

Steven Spielberg (USA) a contribué à l'industrie du cinéma à hauteur de 26 344 040 $ par an, chiffre arrêté en février 2014, selon le site the-numbers.com. Ses revenus annuels (voir p.164, revenus annuels perçus par un producteur) font aussi de lui le réalisateur aux plus hauts revenus.

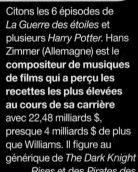

Citons les 6 épisodes de *La Guerre des étoiles* et plusieurs *Harry Potter*. Hans Zimmer (Allemagne) est le **compositeur de musiques de films qui a perçu les recettes les plus élevées au cours de sa carrière** avec 22,48 milliards $, presque 4 milliards $ de plus que Williams. Il figure au générique de *The Dark Knight Rises* et des *Pirates des Caraïbes*.

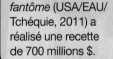

i En route vers le succès

Durant les 8 dernières années, Tom Cruise, ici dans le rôle de Jack Reacher, a été l'acteur le mieux payé 3 fois de suite. Il a fait ses débuts sur les écrans en 1981.

L'homme aux apparitions éclair : Stan Lee

Alors que les films inspirés de ses créations ont battu des records de popularité dans le monde, il n'est pas surprenant que le cerveau de Marvel Comics, Stan Lee (USA), âgé de 91 ans et 68 jours au 5 mars 2014, veuille faire partie de l'action. Les 19 films où il a fait des apparitions éclair depuis ses débuts au cinéma dans *Les Glandeurs* (USA, 1995) – notamment *X-Men 3, l'affrontemement final* (USA, 2006, *à gauche, en haut*), *Spiderman 3* (USA, 2007, *à gauche, au centre*) et *Les Quatre Fantastiques* (USA, 2005, *à gauche, en bas*) – ont engrangé 10 077 831 163 $ au box-office mondial, faisant de Stan Lee l'**acteur dont les apparitions éclair sont les plus rentables**.

Et enfin...

- **Le plus d'apparitions dans des films à 100 millions $:** Bruce Willis (USA), avec 25 films répondant à ce critère au 21 janvier 2014.
- **L'actrice la plus puissante :** Angelina Jolie (USA) arrive 41e au Top 100 *Forbes* 2012-2013.
- **Le plus de scénaristes crédités au générique :** 51, pour *50 Kisses* (RU, 2014) produit par le festival du film de Londres (RU). ○ ○ ○

Musique pop

Le catalogue iTunes compte plus de **26 millions de chansons**.

Le musicien qui a le plus voyagé en 1 an

D'après les recherches du site musical en ligne Songkick, le musicien d'électro-house, DJ et producteur Steve Aoki (USA) a parcouru 389 221 km et s'est produit dans 168 spectacles à travers 41 pays en 2012.

Le plus de «likes» décernés à un musicien

Au 25 avril 2014, Shakira (Colombie) totalisait le plus de « likes », soit 90 938 442. Rihanna (La Barbade) la suivait avec 87 042 153 « likes », et en n° 3 se plaçait Eminem (USA) avec 86 136 651 « likes ».

L'artiste ayant le plus de followers sur Twitter est Katy Perry (USA) avec 52 463 838 followers. Justin Bieber (Canada) arrive en 2ᵉ position avec 51 140 907 adeptes et Lady Gaga (USA) en 3ᵉ avec 41 297 293.

La célébrité décédée aux revenus les plus élevés

Michael Jackson (USA) a gagné 160 millions $ entre octobre 2012 et octobre 2013. Si le classement *Forbes* tenait compte des personnes décédées, il serait en tête pour les revenus 2013.

La star n° 1 au RU le plus d'années consécutives

Trois stars ont été n° 1 pendant 7 années consécutives au cours des 62 ans du palmarès officiel des albums britannique : Elvis Presley (USA),1957-1963, les Beatles (RU), 1963-1969, et Rihanna, 2007-2013, dont *The Monster* fut pour la 1ʳᵉ fois n° 1 le 9 novembre 2013.

Le 1ᵉʳ groupe à se produire sur tous les continents

Metallica (USA) est devenu le 1ᵉʳ groupe musical à avoir joué sur les 7 continents en divertissant 120 scientifiques et lauréats de concours de la base Carlini (Antarctique), le 8 décembre 2013. Le spectacle s'appelait *Freeze 'Em All*.

La chanson la plus longue jamais sortie

Zwei Jahre (Deux ans) du groupe Phrasenmäher (Allemagne) dure 1 h, 30 min et 10 s. Elle est sortie sur iTunes, Amazon et Spotify le 10 janvier 2014.

Les 1ᵉʳˢ à placer 3 premiers albums n° 1 aux USA

One Direction (RU) a connu des débuts foudroyants dans le Billboard 200 des albums, en plaçant *Midnight Memories* à la 1ʳᵉ place dès la 1ʳᵉ semaine de ventes (546 000 exemplaires) le 14 décembre 2013. Auparavant, il y avait eu *Up All Night* et *Take me Home* en 2012.

L'album iTunes le plus vite vendu

Le 13 décembre 2013, Beyoncé (USA) a sorti l'album studio *BEYONCÉ*, qui compte 14 nouveaux morceaux et 17 vidéos. En exclusivité sur iTunes, il a fait l'objet de 828 773 téléchargements les 3 premiers jours de sa mise en ligne.

La série d'albums la plus longue

La série *NOW That's What I Call Music !* (Virgin/EMI) comptait 87 albums. Le 1ᵉʳ est sorti en 1983 et le plus récent le 7 avril 2014.

- 1ʳᵉ édition : *NOW That's What I Call Music !*, 28 novembre 1983
- Nombre d'éditions : 87
- Chansons : 3 440
- Unités vendues : plus de 100 millions
- Le plus d'interventions : Robbie Williams (33)
- Le plus d'interventions sur un album : Calvin Harris (3)

LES PLUS GROS FESTIVALS EN TERMES DE FRÉQUENTATION

Source: mtviggy.com

- **Exit** (Serbie) 200 000 en 2013
- **Summerfest** (USA) 840 000 en 2013
- **Paléo** (Suisse) 230 000 en 2013
- **Ultra** (USA) 330 000 en 2013
- **Sziget** (Hongrie) 385 000 en 2011
- **Mawazine** (Maroc) 2,5 millions en 2013
- **Przystanek** (Pologne) 550 000 en 2012
- **Coachella** (USA) 675 000 en 2013
- **Donauinselfest** (Australie) 3,2 millions en 2013
- **Rock in Rio** (Brésil) 700 000 en 2011

Encore un *White Christmas*

L'album (ou « microsillon » comme on l'appelait alors) le plus vendu en 1955 est *White Christmas* (1942), écrit par Irving Berlin. Si l'on inclut la célèbre version de Bing Crosby, il s'est vendu à 18 millions d'exemplaires. Aujourd'hui, le record est détenu par... *White Christmas*, l'album de Noël préféré des auditeurs s'étant vendu à environ 50 millions d'exemplaires (ce chiffre peut être doublé si l'on inclut les ventes d'albums sur lesquels le titre apparaît).

Stars d'argent

L'artiste le plus âgé entré au Top 100 est Fred Stobaugh (USA), à 96 ans et 23 jours (*Oh Sweet Lorraine*, n° 42, 14 septembre 2013).

L'artiste la plus âgée entrée au Top albums (RU) est Vera Lynn (RU), à 92 ans et 183 jours (*The Very Best of Vera Lynn – We'll Meet Again*, 19 septembre 2009).

L'artiste le plus âgé entré au Top singles (RU) est Robert Elliott (RU, Hollies drummer), à 71 ans et 21 jours (*He Ain't Heavy, He's My Brother* par The Justice Collective, 29 décembre 2012).

Le tube comptant le plus de mots

Rap God d'Eminem (USA) compacte 1 560 mots en 6 min et 4 s endiablées – avec une moyenne de 4,28 mots par seconde ! Dans un segment de seulement 15 s, «Slim Shady» éructe 97 mots (6,46 mots par seconde) à une vitesse supersonique.

Le laps de temps le plus long entre 2 albums du même groupe n° 1 au palmarès RU

Le 22 juin 2013, le groupe de rock Black Sabbath (RU) a été pour la 2e fois n° 1 au palmarès RU avec leur 19e album, *13*, 42 ans et 255 jours après avoir été n° 1 avec leur album *Paranoid*, le 10 octobre 1970.

Le plus de reprises d'un album figurant au palmarès avant la version originale

Sept reprises de *I Love It*, du duo Icona Pop (Suède) et de la chanteuse et auteure Charli XCX, alias Charlotte Aitchison (RU), ont été n° 1 au Top 200 du palmarès officiel des albums britannique avant la version originale qui le fut pour la 1re fois le 6 juillet 2013.

L'artiste qui vend le mieux

Madonna a vendu plus de 300 millions d'albums dans sa carrière. Ses gains atteignaient 125 millions $ entre juin 2012 et juin 2013. Ce sont les **revenus annuels les plus élevés pour une artiste**, dépassant ceux de Céline Dion, qui détenait le record en 1998 avec 56 millions $ (80 millions $ actuellement).

La plus forte audience lors du spectacle de la mi-temps du Super Bowl

Le spectacle interprété par Bruno Mars et les Red Hot Chili Peppers (USA), lors de la mi-temps du Super Bowl XLVIII, a attiré 115,3 millions de téléspectateurs américains, selon les données fournies par Nielsen. Le Super Bowl 2014 opposait les Broncos de Denver et les Seahawks de Seattle, au stade MetLife d'East Rutherford (New Jersey, USA), le 2 février. 111,5 millions de personnes en moyenne ont regardé le match, ce qui est **la plus forte audience télé pour un Super Bowl**.

L'album le plus vendu

Sorti en novembre 1982, *Thriller* de Michael Jackson (USA) s'est vendu à plus de 65 millions d'exemplaires. *Thriller* et l'album des Eagles (USA) *Their Greatest Hits (1971-1975)* ont été sacrés 29 fois disque de platine par l'Association américaine de l'industrie de l'enregistrement (RIAA) et détiennent tous deux le titre d'**album le plus vendu aux États-Unis**.

Selon la société officielle du palmarès, l'**album le plus vendu au RU** est *Greatest Hits* de Queen (1981). En 2014, il devint le 1er album vendu à 6 millions d'exemplaires au RU.

LE TOP 10 DE GWR – POP MUSIC		
	NOM	Score
1	Lady Gaga (USA)	100
2	Justin Bieber (Canada)	75.5
3	Taylor Swift (USA)	66.8
4	Katy Perry (USA)	66.2
5	Rihanna (La Barbade)	64.2
6	Shakira (Colombie)	62.9
7	One Direction (RU/Irlande)	56.2
8	Madonna (USA)	49.0
9	Britney Spears (USA)	47.0
10	Miley Cyrus (USA)	46.3

Ce calcul tient compte des gains, de la présence sur les réseaux sociaux, des visionnages vidéo et de la consultation Internet au 6 mars 2014.

La popstar la plus cherchée sur Internet

D'après Google, Miley Cyrus (USA) est la popstar la plus cherchée sur Internet en 2013. N° 5 sur la liste globale, sa popularité sur la toile a explosé après avoir « twerké » avec Robin Thicke aux MTV Video Music Awards 2013.

Le plus de semaines de présence au palmarès américain (album individuel)

Radioactive du groupe Imagine Dragons (USA) a été présent 86 semaines non consécutives au palmarès des 100 premiers albums américains, entre le 18 août 2012 et le 3 mai 2014. Il a remporté la 3e place, son meilleur classement.

La plus forte audience radio hebdomadaire

Le 24 août 2013, l'album controversé de Robin Thicke (USA/Canada), *Blurred Lines*, a obtenu une audience radiophonique de 228,9 millions selon le palmarès radio *Billboard*. Le calcul est fait en fonction du nombre de diffusions de la chanson et de l'audience de la station.

Calvin climbs : DJ superstar

Selon *Forbes*, Calvin Harris (RU) est le **DJ le mieux payé sur une année** avec un gain de 46 millions $ durant les 12 mois précédant juin 2013. Il a notamment reçu 300 000 $ pour une nuit de travail à Las Vegas (USA). La musique électronique est devenue très populaire aux États-Unis durant la dernière décennie; elle représenterait 4 milliards $ par an. Harris a vu la reconnaissance de son travail le 16 mai 2013 en recevant le prix du meilleur compositeur de l'année lors des 58e nominations aux Ivor Novello Awards. Harris a collaboré avec des artistes comme Rihanna, Dizzee Rascal, Kylie Minogue et Ellie Goulding.

INFO

Le festival britannique de Glastonbury a attiré 1 500 fans à son inauguration, en 1970. En 2013, les 135 000 billets se sont vendus en 1 h et 40 min.

Les clips pop

Après que Robin Thicke eut chanté *Give it 2 U* aux Music Video Awards en 2013, **les ventes ont augmenté de 251 %**.

1958 : les 1ers clips

The Big Bopper, alias Jiles Perry Richardson (USA), clame « Hello, baby ! » dans un téléphone factice pour la vidéo *Chantilly Lace* en 1958. Il fut le 1er à utiliser le terme « clip », quelques semaines avant de disparaître dans un accident d'avion qui causa également la mort de Buddy Holly. Bopper a filmé les clips de trois chansons le même jour.

1981 : le 1re clip diffusé sur MTV

Le 1er août 1981, MTV a utilisé comme titre d'ouverture *Video Killed the Radio Star* des Buggles (le duo britannique Geoff Downes et Trevor Horn). Le 27 février 2000, la chaîne avait diffusé la vidéo 1 million de fois.

1982 : le 1re clip interdit par MTV

Le clip de *Body Language* de Queen regorgeait de corps en sueur moulés dans du Lycra, se tortillant au milieu d'un hammam mal éclairé. Les membres du groupe étaient habillés mais la nudité et les « touches d'érotisme homosexuelles » inquiétèrent MTV.

1982 : le 1er Grammy Award de la vidéo de l'année

Elephant Parts (Pacific Arts, 1981), œuvre du défunt Michael Nesmith, dit «Monkee» (USA), qui combinait 1 h durant 5 chansons et des sketchs comiques, remporta le Grammy Award en 1982. La distinction entre vidéos courtes et longues apparut en 1984.

1986-1999 : l'artiste ayant remporté le plus de trophées MTV pour un clip

Madonna (USA) a remporté 20 trophées pour ses clips :

le Video Vanguard Award en 1986, 1 trophée pour *Papa Don't Preach* (1987), 3 pour *Express Yourself* (1989), 1 pour *Like a Prayer* (1989), 3 pour *Vogue* (1990), 1 pour *The Immaculate Collection* (1991), 2 pour *Rain* (1993), 1 pour *Take a Bow* (1995), 5 pour *Ray of Light* (1998), 1 pour *Frozen* (1998) et 1 pour *Beautiful Stranger* (1999).

1987 : le plus de trophées MTV pour une vidéo

En 1987, la vidéo *Sledgehammer* de Peter

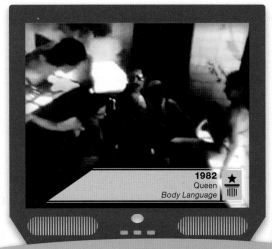

1982
Queen
Body Language

1982
Michael Nesmith
Elephant Parts

1990
Madonna
Vogue

1958
The Big Bopper
Chantilly Lace

1981
The Buggles
Video Killed the Radio Star

1987
Peter Gabriel
Sledgehammer

TOP OF THE POPS : LES CLIPS LES PLUS VUS ET LES PLUS TENDANCE EN 2013

1
PSY – *Gentleman M/V* **598 millions**
Ylvis – *The Fox (What Does The Fox Say ?)* **265 millions**

2
Miley Cyrus – *Wrecking Ball* **393 millions**
Kenneth Håkonsen – *Harlem Shake* (Original Army Edition) **95 millions**

3
Miley Cyrus – *We Can't Stop* **304 millions**
Steve Kardynal – *Wrecking Ball* (version Chatroulette) **67 millions**

4
Katy Perry – *Roar* (Official) **251 millions**
thelonely Island – *YOLO* (avec Adam Levine & Kendrick Lamar) **53 millions**

5
P!nk – *Just Give Me A Reason* (avec Nate Ruess) **236 millions**
ERB – *Mozart vs Skrillex* : Epic Rap Battles of History, Saison 2 **41 millions**

■ Les clips les plus visionnés en 2013   ■ Les clips les plus tendance en 2013

Les 5 clips les plus visionnés et les 5 les plus tendance en 2013 sont indiqués ici. Les chiffres correspondent au nombre de visionnages total de chaque clip en décembre 2013.

Les 1res vidéos

La 1re vidéo mettant en scène des morceaux sans autorisation : *Up All Night* (2011), de Blink-182, est une compilation de vidéos réalisées par des fans.

La 1re vidéo en Simlish : *Smile* (2007), Lily Allen dans *Les Sims*, saison 2 (2007).

La 1re vidéo visionnée 1 milliard de fois sur YouTube : *Gangnam Style*, PSY, décembre 2012.

Gabriel (RU) (1986) a remporté 9 trophées, dont celui des meilleurs effets spéciaux et celui de vidéo de l'année. Lady Gaga, alias Stefani Germanotta (USA), arrive en 2ᵉ position avec 7 trophées pour *Bad Romance* (2009).

1991 : la plus large audience télé lors de la 1ʳᵉ diffusion d'un clip

On estime que, le 14 novembre 1991, 500 millions de personnes originaires de 27 pays ont regardé *Black or White* de

2010
Lady Gaga et Beyoncé
Telephone

Michael Jackson (USA). C'est John Landis, réalisateur et producteur de *Thriller*, qui a filmé le clip de 11 min.

2004 : le 1ᵉʳ clip officiel réalisé par un fan

Le clip en pâte à modeler de *English Summer Rain* réalisé par Grégoire Pinard (Afrique du Sud) a tellement impressionné le groupe Placebo (Belgique/Suède/RU) qu'il l'a choisi comme clip officiel.

2010 : le plus de produits dans un clip

Lady Gaga arbore une douzaine de marques dans

Telephone (clip avec Beyoncé), dont Virgin Mobile, Beats Electronics, Polaroid, Chanel, pain Wonder, Kraft et Coca qui, de façon inventive, lui servent de bigoudis.

2013 : le 1ᵉʳ clip dans l'espace

Le 12 mai 2013, le commandant Chris Hadfield (Canada) a posté une vidéo de lui-même chantant *Space Oddity* de David Bowie dans la Station spatiale internationale.

2013 : le clip le plus long

Pharrell Williams (USA) a sorti « le 1ᵉʳ clip musical de 24 h ». *Happy* met en scène des fans dansant sur le titre, qui passe en boucle 360 fois. Pharrell apparaît dans la vidéo toutes les heures.

2013 : le plus d'années avant la sortie du clip

Une vidéo interactive de *Like a Rolling Stone* de Bob Dylan (USA) est apparue sur son site Internet le 19 novembre 2013, plus de 48 ans après le succès de la chanson. Les spectateurs pouvaient changer de « chaîne » pour voir les artistes chanter en play-back.

2004
Placebo
English Summer Rain

2013
Chris Hadfield
Space Oddity

1991
Michael Jackson
Black or White

2013
Pharrell Williams
Happy

2013
Bob Dylan
Like a Rolling Stone

Les plus grandes danses

Les clips peuvent inspirer des tentatives de record. À droite, on voit la **plus grande représentation dansée de *Thriller***, le 29 août 2009. 13 597 « zombies » ont reproduit les mouvements de Michael Jackson, à Mexico (Mexique). *Harlem Shake* de Baauer a inspiré le *Harlem Shake* à **la plus haute altitude** *(à gauche, en bas)*, dansé à 19 000 m dans un avion de la British Airways, le 10 mars 2013. Le *Cha Cha Slide* (DJ Casper, 2000) a inspiré 3 231 danseurs, qui ont exécuté **le plus grand Cha Cha Slide** *(à gauche, en haut)* sur Pleasure Beach, à Blackpool (RU), le 8 octobre 2011.

Dylan se distingue

Décrite par un site Internet comme « le réseau câblé de Dylan doté de 16 chaînes de divertissement stupide », la prestigieuse vidéo interactive *(voir ci-dessus)* met en scène de nombreuses célébrités et musiciens et inclut une séquence vintage de Dylan lui-même interprétant *Like a Rolling Stone*. Selon Interlude, créateur de la vidéo, aucun spectateur ne verra la même vidéo.

Œuvres d'art

Le 21 août 1911, *La Joconde* fut dérobée au musée du Louvre.

Le tableau le plus souvent dérobé

Hubert et Jan van Eyck ont peint le grand retable flamand *L'Autel de Gand*, également connu sous le nom de *L'Adoration de l'agneau mystique,* au début du xve siècle. Il a été dérobé 7 fois depuis sa présentation. La police est toujours à la recherche d'un panneau.

La sculpture la plus coûteuse

Un acheteur anonyme a fait l'acquisition de *L'Homme qui marche I* (1960), sculpture en bronze de 1,8 m de haut réalisée par Alberto Giacometti (Suisse), pour 104 millions $, à Sotheby's, à Londres (RU), le 3 février 2010.

La sculpture la plus coûteuse (artiste vivant)

Le 12 novembre 2013, la sculpture *Balloon Dog,* œuvre de Jeff Koons (USA), de 3,6 m de haut, s'est vendue 58,4 millions $, chez Christie's, à New York (USA).

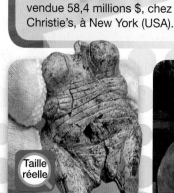

Taille réelle

La plus vieille sculpture

En septembre 2008, des fouilles menées dans la grotte Hohle Fels, au sud-ouest de l'Allemagne, ont mis au jour une statuette féminine vieille de 40 000 ans, sculptée dans une défense de mammouth.

Le tableau le plus coûteux

Les Joueurs de cartes de Paul Cézanne (France) a été vendu 250 millions $ à la famille royale du Qatar en 2011. Réalisé au début des années 1890, ce tableau fait partie d'une série de cinq œuvres peintes par l'artiste post-impressioniste.

La peinture la plus ancienne

Découvertes dans les années 1870, les empreintes de mains et les représentations animales peintes dans la grotte d'El Castillo à Puente Viesgo (Cantabrique, Espagne) ont, d'après les archéologues, au moins 40 800 ans.

Le tableau vendu aux enchères le plus cher

Le 12 novembre 2013, le tryptique de Francis Bacon (RU) intitulé *Trois études de Lucian Freud* (1969) a été vendu 142,4 millions $ à un client inconnu chez Christie's, à New York (USA).

Les plus grandes têtes de cheval sculptées

En novembre 2013, des sculptures équestres de 30 m de haut on été dévoilées à Falkirk (RU). *The Kelpies* ont été réalisées par l'artiste Andy Scott (RU) en hommage aux chevaux de trait traditionnels de la région.

La plus grande mosaïque en Rubik's Cube
Réalisée par Josh Chalom (USA), la plus grande mosaïque de Rubik's Cube mesure 68,78 m de long et 4,03 m de haut. Elle a été inaugurée à One Central à Macao (Chine), le 7 décembre 2012. La mosaïque de 85 626 cubes représente des vues célèbres de Macao.

Art anamorphique : il suffit de le voir pour y croire

Une œuvre d'art anamorphique est une œuvre en 2D qui, considérée d'un certain point de vue, semble être en 3D. Créé pour promouvoir le tourisme à Wilhelmshaven (Allemagne), le 4 août 2012, le **plus grand dessin de rue anamorphique** (ci-dessus) couvre 1 570 m². Le **plus grand tirage anamorphique** (ci-dessus, à gauche) mesure 4 227,5 m². Cette image a été conçue par François Abélanet (France), à Lyon, le 6 juillet 2013 pour les camions Renault (France).

La plus petite sculpture réalisée à la main
Golden Journey est une sculpture en or de 0,1603 mm de long. Réalisée à la main par l'artiste Willard Wigan (RU), elle tient dans un cheveu évidé. La mesure a été vérifiée à Birmingham (RU), le 19 juin 2013.

La plus longue sculpture en bois

Conçue par Zheng Chunhui (Chine) et inaugurée à Putian (province du Fujian, Chine) le 14 novembre 2013, la plus longue sculpture en bois mesure 12,28 m. Il a fallu 4 ans au détenteur du record et à ses 20 collaborateurs pour achever cette œuvre très complexe, en bois de camphrier.

Édition

J. K. Rowling, la créatrice d'Harry Potter, **n'a pas de second prénom**.

LES BEST-SELLERS...

Romans

Il est impossible de savoir quelle œuvre de fiction s'est le plus vendue, car les chiffres n'ont pas fait l'objet d'une vérification. On pense, cependant, que *Le Conte de deux cités* de Charles Dickens (RU) (1859) s'est vendu à plus de 200 millions d'exemplaires.

Romans jeunesse (série)

La saga *Harry Potter* en 7 tomes de J. K. Rowling (RU) a débuté en 1997 pour s'achever en 2007, avec *Harry Potter et les reliques de la mort*. En 2008, la série s'est vendue à environ 400 millions d'exemplaires.

La trilogie pour la jeunesse la plus vendue est *Hunger Games* de Suzanne Collins (USA). En 2012, les 3 tomes – *Hunger Games* (2008), *L'Embrasement* (2009) et *La Révolte* (2010) – se sont vendus à 27,7 millions d'exemplaires sous la forme de livres papier et numériques.

Œuvres non romanesques

Même en l'absence de chiffres exacts, la Bible est le livre le plus vendu et le plus largement distribué. D'après une enquête de la Société biblique, environ 2,5 milliards d'exemplaires ont été imprimés entre 1815 et 1975, mais des estimations plus récentes en ont fixé le chiffre à plus de 5 milliards.

Le livre le plus régulièrement mis à jour

Le *Xinhua Zidian* (le nouveau dictionnaire chinois des caractères) est l'ouvrage de référence le plus populaire au monde. Publié pour la 1re fois en 1953, le dictionnaire a connu 11 révisions, a été réimprimé plus de 200 fois et s'est vendu à plus de 400 millions d'exemplaires.

Le rang le plus élevé pour un « mash-up » au classement du *New York Times*

Un « mash-up » est une œuvre de fiction qui associe un texte existant (souvent un classique tombé dans le domaine publique) et un texte écrit par un auteur contemporain. *Orgueil et Préjugés & Zombies* – fusion du roman sentimental de Jane Austen (xixe siècle) et du livre d'épouvante de Seth Grahame-Smith (*à gauche*) – est arrivé 3e sur la liste du *New York Times* en 2009.

LES PREMIERS...

Encyclopédie

Speusippe a compilé la première encyclopédie connue à Athènes (Grèce), en 370 av. J.-C (environ). En 2014, elle aurait 2 384 ans.

Roman policier

La British Library considère *The Notting Hill Mystery* (1863) de Charles Felix (RU) comme le 1er roman policier. Il débute par un crime. L'intrigue relève de l'enquête criminelle, tout en présentant les nombreuses caractéristiques de ce genre désormais omniprésent dans les librairies.

Bibliothèque numérique

Le Projet Gutenberg permet de consulter gratuitement 133 000 livres numériques. À sa création, en 1971,

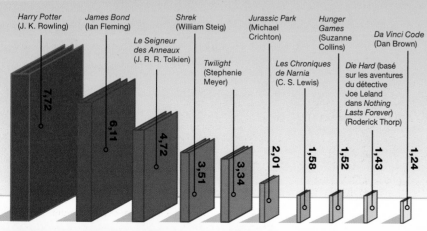

> **INFO**
> La collection de Bob pèse environ 7,6 t, ce qui correspond à peu près au poids de 118 hommes !

La plus vaste collection de BD

Bob Bretall (USA) a accumulé une collection de 94 268 bandes dessinées. Elles ont été comptées chez lui à Mission Viejo (Californie, USA), le 1er mai 2014, et ne comprennent que des spécimens uniques. Bretall a commencé à collectionner les bandes dessinées à l'âge de 8 ans, lorsqu'il a acheté *The Amazing Spider-Man* #88.

LES CRÉATIONS LITTÉRAIRES ADAPTÉES AU CINÉMA FAISANT LES PLUS GROSSES RECETTES

Basé sur le coût total de chaque œuvre en milliards $

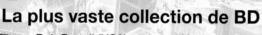

- Harry Potter (J. K. Rowling) — 7,72
- James Bond (Ian Fleming) — 6,11
- Le Seigneur des Anneaux (J. R. R. Tolkien) — 4,72
- Shrek (William Steig) — 3,51
- Twilight (Stephenie Meyer) — 3,34
- Jurassic Park (Michael Crichton) — 2,01
- Les Chroniques de Narnia (C. S. Lewis) — 1,58
- Hunger Games (Suzanne Collins) — 1,52
- Die Hard (basé sur les aventures du détective Joe Leland dans *Nothing Lasts Forever*) (Roderick Thorp) — 1,43
- Da Vinci Code (Dan Brown) — 1,24

La littérature lucrative

Revenu annuel le plus élevé pour un auteur (2012-2013) : 95 millions $, E. L. James (RU), trilogie *Cinquante nuances de Grey*

Revenu annuel le plus élevé pour un auteur jeunesse (2012-2013) : 55 millions $, Suzanne Collins (EU), trilogie *Hunger Games*

L'à-valoir le plus élevé pour un livre non romanesque : 15 millions $, Bill Clinton pour ses mémoires, *My Life*

INFO

L'auteur autopublié John Locke (USA) a vendu plus de 2 millions de livres numériques conçus pour Kindle sur Amazon en utilisant le service de publication directe de Kindle. Il a dépassé le million en juin 2011 et a publié à ce jour 21 romans, ainsi qu'un ouvrage non romanesque intitulé – fort à propos – *How I Sold 1 million eBooks in 5 Months*.

INFO
250 exemplaires de ce livre de 22 pages ont été imprimés entre avril et décembre 2012.

Le plus petit livre imprimé

L'ouvrage illustré de référence *Flowers of the Four Seasons* mesure 0,74 x 0,75 mm. Il a été imprimé par Toppan Printing Co., au musée de l'Imprimerie de Bunkyo, à Tokyo (Japon).

son but était de rendre accessibles 10 000 livres parmi les plus consultés, gratuitement ou à moindre coût.

Roman graphique

Ce terme est apparu en 1976 sur la jaquette de *Bloodstar*, de Richard Corben et Robert E. Howard (tous deux USA).

Auteur à gagner 1 milliard $

En 2004, J. K. Rowling (RU), l'une des 5 femmes entrepreneures milliardaires, est devenue la 1re auteure à gagner

1 milliard $. La saga *Harry Potter* a été traduite dans 65 langues.

Auteur vendant 1 million de livres numériques

Au 6 juillet 2010, James Patterson (USA), créateur d'*Alex Cross* et de *Women's Murder Club*, avait vendu plus de 1 million de livres numériques.

LE PLUS...

L'auteur assisté par ordinateur le plus prolifique

À l'aide d'ordinateurs, d'une équipe de programmeurs et d'un algorithme intelligent qu'il a lui-même conçu, Philip M. Parker (USA) a « écrit » plus de 200 000 livres. Son algorithme rassemble les informations disponibles gratuitement dans le domaine public et les compile sous forme de livres. Il faut environ 13 min pour produire les fichiers numériques qui sont imprimés à la demande. Étant donné le caractère spécialisé du contenu, le prix de vente est

souvent élevé – par exemple, 1 300 $ pour *The 2007-2012 World Outlook for Floor Lamps*.

Les gagnants du Booker Prize

En 2013, 4 auteurs avait remporté 2 fois le Booker Prize depuis sa création en 1969 : J. G. Farrell (RU), J. M. Coetzee (Afrique du Sud), Peter Carey (Australie) et Hilary Mantel (RU).

Pseudonymes

L'humoriste Konstantin Arsenievich Mikhailov

(Russie) totalise 325 noms de plume d'après le *Dictionnaire des pseudonymes* daté de 1960. La plupart sont des formes abrégées de son nom.

Auteur traduit

Selon l'Index Translationum – le répertoire des ouvrages traduits de l'Unesco – les romans, nouvelles et pièces d'Agatha Christie (RU) ont fait l'objet de 6 598 traductions.

Le nombre de pages blanches dans un livre publié

L'ouvrage de Sheridan Simove (RU) *What Every Man Thinks About Apart from Sex…* (2011) compte 196 pages blanches.

La Plus jeune gagnante du Booker Prize

Eleanor Catton (N-Z, née le 24 sept. 1985) avait 28 ans lorsqu'elle a remporté le prix le 15 oct. 2013 pour son roman *The Luminaries*.

Le plus grand livre

Le 7 septembre 2013, Samsung Electronics a conçu un livre de photographies mesurant 5,01 x 8,08 m, à Berlin (Allemagne). Le livre de 16 pages comprend 28 000 photos envoyées à Samsung via Facebook. Il a été présenté à Berlin, au musée de la Communication.

Le meilleur best-seller : le livre qui bat tous les records

Le 100 millionième exemplaire du *Guinness World Records* s'est vendu en 2004, mais le livre faisait déjà l'objet d'un record. Dans l'édition publiée en 1975 *(à droite)*, nos rédacteurs fondateurs, Norris et Ross McWhirter, annoncèrent, qu'en novembre 1974, le *Guinness Book of Records* « vendu pour la première fois en octobre 1955 et dont les ventes en 14 langues atteignent désormais 60 000 exemplaires par semaine, dépassait *The Common Sense Book of Baby and Child Care* du Dr Benjamin Spock, vendu à 23 916 000 exemplaires ». Le GWR est toujours **le livre qui se vend le mieux annuellement.**

Le prix Nobel de littérature

Le prix Nobel de littérature a été décerné à 110 auteurs depuis 1901. Selon la volonté d'Alfred Nobel, le gagnant doit avoir produit « …l'œuvre la plus remarquable dans la direction idéale… » Doris Lessing (RU, 1919-2013) est la détentrice la plus âgée du prix Nobel de littérature. Quand elle l'a reçu en 2007, elle était âgée de 87 ans et 355 jours.

Et enfin...

• Le livre non romanesque à se vendre le plus vite (RU) : *My Autobiography*, de sir Alex Ferguson (RU), publié le 24 octobre 2013, s'est vendu à 115 547 exemplaires la 1re semaine.

• Le guide de jeux vidéo à se vendre le plus vite (RU) : *Grand Theft Auto V Signature Series Strategy Guide*, publié le 17 septembre 2013, s'est vendu à 21 530 exemplaires la 1re semaine.

Télévision

Les Bermudes ont plus de télés par habitant que tout autre pays (1 024 pour 1 000).

La 1re télé en 3D

On pense souvent que la télé en 3D est une invention moderne, mais John Logie Baird, inventeur écossais, fit la démonstration de ce procédé stéréoscopique dans son entreprise, 133 Long Acre, à Londres (RU), le 10 août 1928. Il créa de nombreux systèmes télévisuels en 3D grâce à des techniques électro-mécaniques et des tubes cathodiques, comprenant des images projetées simultanément à droite et à gauche pour avoir une vision stéréoscopique. Il fallut attendre le 12 avril 2008 pour que le **1er poste en 3D** fabriqué par Hyundai (Japon) soit disponible à la vente.

Le programme télé le plus piraté

Game of Thrones demeure n° 1 au classement des séries télé les plus piratées établi par Torrent Freak, avec environ 5 900 000 téléchargements par épisode en 2013. L'une des raisons est le refus opposé par HBO d'octroyer la licence de la série à Netflix. D'après les déclarations controversées des dirigeants de HBO et Warner Bros, « le titre de série "la plus piratée" serait plus enviable qu'un Emmy et témoignerait d'un engouement culturel bien réel ».

La série télévisée (actuelle) la mieux classée

Au cours de la saison 2013-2014, la 1re série de Canal +, *Les Revenants* (France), a obtenu le score de 92 sur 100 au classement Metacritic. Inspirée du film français *Les Revenants* tourné en 2004, l'histoire, effrayante, se déroule dans un village français où les morts sortent de leur tombe.

Les personnalités de la télé les plus puissantes

Selon *Forbes*, Oprah Winfrey (USA) est la personnalité la plus célèbre. Pour évaluer la célébrité d'une personne, on tient compte de ses revenus, de son exposition médiatique, de sa présence sur Internet, de l'opinion publique et de sa valeur marchande. Ses revenus étaient estimés à 77 millions $ entre juin 2012 et juin 2013, soit les **gains annuels les plus élevés pour une personnalité de la télé**.

Ashton Kutcher (USA), qui a rejoint la série *Mon Oncle Charlie* (CBS, 2003-2014) en 2011, a gagné 24 millions $ entre juin 2012 et juin 2013, soit les **revenus annuels les plus élevés pour un acteur de télé (contemporain)**.

Le chef cuisinier aux revenus annuels les plus élevés à la télé

D'après *Forbes*, Gordon Ramsay (RU) a gagné 38 millions $ entre juin 2012 et juin 2013. Il est connu pour *Hell's Kitchen* et *The F Word*.

Les recettes les plus élevées générées par une télédiffusion simultanée

La télédiffusion simultanée de *Doctor Who, le jour du docteur* le 23 novembre 2013 (voir ci-dessous) a généré 10,2 millions $ de recettes au box-office mondial. 320 000 billets ont été vendus pour les seuls États-Unis, générant 4,7 millions $ de recettes dans plus de 650 salles. Cela en a fait la 2e attraction du jour après *Hunger Games : l'embrasement* (USA, 2013), mais le revenu généré par écran était plus élevé pour *Doctor Who*, avec une moyenne de 13,60 $ contre 12,30 $ pour *Hunger Games*.

La plus vaste télédiffusion simultanée

À 7 h 50 (heure universelle), le 23 novembre 2013, le 50e épisode de *Doctor Who* (BBC, RU) a été diffusé dans 98 pays sur 6 continents. L'épisode, dont le thème principal est la guerre temporelle entre les Seigneurs du temps et les Daleks, mettait en scène trois Docteurs, interprétés par Matt Smith, David Tennant et John Hurt *(image principale)*. L'encart montre (de gauche à droite) le producteur Steven Moffat, Matt Smith et Jenna-Louise Coleman, qui joue le rôle de Clara, la compagne du docteur.

La plus longue carrière de présentateur (même programme)

Guillermo José Torres (USA) a travaillé pour le journal de la chaîne WAPA-TV, à Guaynabo (Porto Rico), pendant 43 ans et 303 jours, jusqu'au 5 août 2013. Il a eu la surprise de recevoir le certificat du GWR au cours de sa dernière diffusion.

INFO

Franklin D. Roosevelt fut le 1er président américain à apparaître à la télé, le 30 avril 1939.

 Pas de réception

Jusqu'en 1983, il n'y avait pas de retransmission télévisée en Islande en juillet. Par ailleurs, les Islandais ont dû attendre 1987 pour que la télé publique émette le jeudi.

Un peu de réalité : *Incroyable Talent*

L'émission de télé au plus gros succès est *Got Talent* (Fremantle Media/Syco), vendue dans 58 pays – dont l'Inde, à gauche, en bas – et inaugurée au Royaume-Uni en juin 2007 *(Britain's Got Talent)*. Simon Cowell (RU, *à droite*) et Howard Stern (USA, *à gauche, en haut*) – étant respectivement juges dans les émissions britannique et américaine – touchent les **revenus annuels les plus élevés pour une célébrité du petit écran**. Ils ont chacun gagné 95 millions $ entre juin 2012 et juin 2013. Sur la liste *Forbes* des personnalités les plus puissantes, Cowell (n° 17) précède Stern (n° 45), en termes de rentabilité et de classement sur les réseaux sociaux.

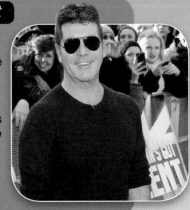

Le plus d'Emmy Awards pour une série télé en *prime time*

Saturday Night Live (NBC, USA, de 1975 à aujourd'hui) a remporté 4 trophées lors des Emmy Awards 2013, portant ainsi le total à 40. Créée par Lorne Michaels et conçue par Dick Ebersol, l'émission de divertissement de seconde partie de soirée a débuté sa 39e saison en 2014.

Au moment de la cérémonie 2013, *Saturday Night Live* a enregistré le plus de nominations pour les **Emmy Awards d'émissions en *prime time*** (171).

L'émission de téléréalité la mieux classée

En février 2014, *Projet haute couture, saison 2* (Lifetime/Bravo, USA, 2005-2006) pouvait se targuer d'une note de 86 au classement Metacritic. Présentée par le mannequin Heidi Klum, l'émission, qui a duré 14 semaines, voyait s'affronter des couturiers pour faire défiler leurs créations lors de la Fashion Week de New York.

Le plus d'Emmy Awards remportés par une personne

La productrice Sheila Nevins (USA), responsable des programmes documentaires et familiaux de HBO et de Cinemax, a remporté 25 Emmy Awards. Elle a gagné 2 statuettes en 2013 : meilleur documentaire ou prix spécial du jury pour *Manhunt* (2013) et celle du mérite exceptionnel pour *Mea Maxima Culpa : la loi du silence* (2012).

Le cameraman Hector Ramirez (USA) a été nominé 71 fois aux Emmy Awards au cours de ses 40 ans de carrière. Il détient donc le **plus de**

L'actrice de télé (contemporaine) la mieux payée

La star de *Modern Family* Sofía Vergara (Colombie) célèbre sa 2e année en tant qu'actrice de télé la mieux payée, avec un revenu estimé à 30 millions $ selon *Forbes*. Cela fait d'elle l'**actrice la mieux payée en chiffres absolus**, avec un revenu supérieur à son homologue masculin, Ashton Kutcher *(voir à gauche)*.

nominations aux Emmy Awards décernées à une personne. Son 1er tournage a eu lieu en 1978 pour la série *On the Air* produite par CBS. Il a gagné 17 récompenses lors de la cérémonie 2013.

Harry Friedman (USA), producteur de *La Roue de la fortune* et de *Jeopardy*, a enregistré le **plus de nominations en tant que producteur de jeux** (37).

Le plus de BAFTA jeunesse remportés par une série télé

Horrible Histories (RU), série de sketchs éducatifs de la BBC, est le 1er programme à remporter successivement 4 BAFTA lors des Children's Awards (entre 2010 et 2013). Commandée par la CBBC et produite par Richard Bradley de Lion TV, la série s'inspire des livres primés de Terry Deary.

▶ LA SÉRIE TÉLÉ DIFFUSÉE LE PLUS LONGTEMPS PAR CATÉGORIE

Série documentaire :	*Meet the Press* (NBC, USA), depuis le 6 novembre 1947	66 ans et 119 jours
Émission sportive :	*Hockey Night in Canada* (CBC, Canada), depuis le 11 octobre 1952	61 ans et 145 jours
Émission enfantine :	*Blue Peter* (BBC, RU), depuis le 16 octobre 1958	55 ans et 140 jours
Émission culinaire :	*Hasta La Cocina* (Canal 4, Mexique), depuis le 1er décembre 1960	53 ans et 94 jours
Série :	*Coronation Street* (ITV, RU), depuis le 9 décembre 1960	53 ans et 86 jours
Jeu :	*It's Academic* (NBC4, USA), depuis le 7 octobre 1961	52 ans et 149 jours
Spectacle de variétés :	*Sábado Gigante* (Univision Television Network, Chili/USA), depuis le 8 août 1962	51 ans et 209 jours
Programme éducatif :	*Teleclub* (Canal 13, Costa Rica), depuis le 8 février 1963	51 ans et 25 jours
Dessin animé :	*Sazae-san* (Fuji Television Network, Japon), depuis le 5 octobre 1969	44 ans et 151 jours
Série médicale :	*Casualty* (BBC, RU), depuis le 6 septembre 1986	27 ans et 180 jours

1945 1950 1955 1960 1965 1970 1975 1980 1985 1990 1995 2000 2005 2010

Statistiques au 5 mars 2014

Les Simpsons

La série télé la plus ancienne (épisodes) : *Les Simpsons* (FOX, USA), 546 épisodes, 17 décembre 1989-30 mars 2014.

La série télé ayant reçu le plus de vedettes : *Les Simpsons*, 671 invités, 17 décembre 1989-30 mars 2014.

Le dessin animé ayant remporté le plus d'Emmy Awards : *Les Simpsons*, 28 prix, 1990-2013. ○ ○ ○

Millionnaires du petit écran

En 1954, le comédien Jackie Gleason (USA) a signé le contrat de télé le plus lucratif à ce jour : 65 000 $ par épisode pour *The Honeymooners*, programme hebdomadaire de 30 min produit par CBS. Même si cela représente aujourd'hui 555 000 $, il n'est pas mieux classé qu'Ashton Kutcher (USA), l'acteur de télé actuellement le mieux payé par épisode, qui touche jusqu'à 750 000 $ pour chaque épisode de *Mon Oncle Charlie*.

Les jeux vidéo

Selon l'ESA, **58 % des Américains** jouent aux jeux vidéo.

Le marathon le plus long du jeu vidéo NHL

Les Canadiens James Evans (à gauche) et Bruce Ashton (à droite), passionnés de hockey, ont enchaîné une partie de *NHL 10* stupéfiante de 24 h et 2 min (EA, 2009) à Orillia (Ontario, Canada), entre les 30 et 31 juillet 2011. Les Jets de Winnipeg, l'équipe imaginaire de Bruce, ont gagné 32 des 45 matchs contre James et les Red Wings de Detroit.

Le plus long marathon de danse en jeu vidéo

Carrie Swidecki (USA) est entrée dans le *Guinness World Records* grâce à une chorégraphie de 49 h, 3 min et 22 s sur le morceau *Just Dance 4* (Ubisoft, 2012), exécutée dans le magasin Video Games & More ! d'Otto, à Bakersfield (Californie, USA) entre les 15 et 17 juin 2013.

Le plus jeune joueur pro

Né le 6 mai 1998, « Lil Poison », alias Victor De Leon III (USA), a tenu une commande Dreamcast à l'âge de 2 ans pour jouer au *NBA 2K* (Sega). En 2005, à 7 ans, il a signé un contrat d'exclusivité avec les organisateurs des jeux de la Major League.

La plus grande famille jouant à *Pokémon*

L'attrait exercé par *Pokémon* est illustré par la famille Arnold, originaire de Frankfort (Illinois, USA). Ses 5 membres ont pris part au championnat du monde officiel de *Pokémon*. De gauche à droite, Ryan, Linda la mère, David, le frère jumeau de Ryan, le père Glenn et Grace, la plus jeune.

Le plus de victoires internationales de *Street Fighter*

Ryan Hart (RU) a remporté plus de 450 parties de *Street Fighter* entre 1998 et 2011. Le 27 mars 2010, il a aussi établi le record de la **plus longue série de victoires sur *Street Fighter IV*** en remportant 169 matchs dans le magasin GAME de Hull (RU). Hart est ici photographié avec « Kayane », Marie-Laure Norindr (France) – **1re femme à remporter une partie de *Street Fighter* pro**.

Le score le plus élevé de «Poached Eggs» (niveau 1-1) sur Angry Birds pour Chrome

Stephen Kish (RU) a marqué 37 510 points à ce niveau sur *Angry Birds* pour Chrome (Rovio, 2011) dans l'East Sussex (RU), le 23 août 2011.

Le même jour, il a réalisé le **score le plus élevé du jeu *World's Biggest PAC-Man*** (Soap Creative, 2011) : 5 555 552 points.

La partie la plus rapide de *Batman : Arkham City*

Le 27 mai 2012, Sean Grayson (USA.), surnommé « DarthKnight », a achevé le jeu *Batman, Arkham City* en 2 h, 3 min et 19 s. Le jeu s'est déroulé d'une seule traite (sans interruption) et était réglé sur un niveau de difficulté « normale » (ce qui incluait les épisodes narratifs de Catwoman DLC).

INFO
Le Joker est doublé par Mark Hamill, qui interprétait Luke Skywalker dans la trilogie originale de *La Guerre des étoiles*.

Le plus rapide sur Circuit 1 de *Super Mario Kart*

Sami Çetin (RU) a décroché le drapeau à damiers après avoir achevé le plus rapidement le Circuit 1 mythique du premier jeu de la série *Super Mario Kart* (Nintendo, 1992). Sami détient aussi ce record sur les versions PAL et NTSC du jeu, avec les temps respectifs de 58,34 s et de 56,45 s.

INFO
La nièce de Sami, Leyla Hasso (RU), a remporté 30 épreuves de *SMK* contre la montre.

Le score le plus élevé (femme) sur Guitar Hero III

Le 30 septembre 2010, Annie Leung a réalisé, à son domicile de San Francisco (Californie, USA), le score de 789 349 – le plus élevé pour une femme – en jouant *Through the Fire and Flames* du groupe Dragon Force du jeu *Guitar Hero III : Legends of Rock* (Neversoft, 2007).

Guinness World Records Gamers Edition

Tous ces joueurs ont été photographiés pour notre livre des records consacré aux jeux vidéo. Ne ratez pas le *GWR Gamers Edition 2015* – riche de nouveaux exploits et bientôt en vente (en anglais) !

La plus grande manette

Officiellement déclarée plus grande console de jeux en août 2011, cette interface NES très fonctionnelle affiche les dimensions suivantes : 3,66 x 1,59 x 0,51 m. Son principal créateur est l'élève ingénieur Ben Allen (à droite), qui a reçu l'aide de Stephen van't Hof et de Michel Verhulst, alors étudiants à l'université de Technologie de Delft (Pays-Bas).

Technologie & ingénierie

Le Liechtenstein compte **766 voitures** pour 1 000 habitants.

INFO

Avec 27 332,836 cm³, le titanesque chariot de Frederick est 227 fois plus volumineux qu'un chariot classique (120 cm³).

Le plus grand chariot motorisé

Propulsé par un moteur de 7 439 cm³, ce super chariot mesure 8,23 m de long, 4,57 m de haut et 2,43 m de large. Il est fait de 3 265 kg d'acier inoxydable. Fabriqué par Frederick Reifsteck (USA), il a été présenté à South Wales (New York, USA) le 20 avril 2012.

Ce n'est toutefois pas le **plus grand chariot de supermarché**. Cet honneur revient à un chariot de 9,6 m de long, 13,6 m de haut et 8,23 m de large créé par Migros Ticaret A.S. (Turquie) à Istanbul (Turquie) et inauguré le 14 juin 2012.

Révolution télécom

L'intégralité des données disponibles sur Internet **pèse le poids d'une fraise**.

En une génération, nous avons connu une évolution sans précédent en termes de communication. Voici un condensé des technologies qui sous-tendent la révolution des télécommunications depuis plus de 60 ans.

Lors du lancement du Guinness World Records en 1955, on ne pouvait pas passer d'appels transatlantiques. Aujourd'hui, l'intégralité des données de ce livre peut être envoyée en quelques secondes par une ligne téléphonique reliant l'Europe aux États-Unis. La révolution numérique marque irrémédiablement notre époque.

Cette chronologie recense les faits qui ont déterminé les évolutions de la communication au cours des 60 dernières années et révèle l'étendue spectaculaire de ce changement. La technologie actuelle peut transmettre des données audio et vidéo en un clin d'œil, ce qui était inconcevable dans les années 1950. Imaginez ce que nous promettent les 60 prochaines années !

1979 Le 1er ordinateur portable est le GRiD Compass, conçu par William Moggridge (RU) pour GRiD Systems (USA), avec 512 Ko de RAM.

1972 Le 1er ordinateur de bureau complet est le HP 9830, lancé par Hewlett-Packard.

1981 Le message Usenet archivé le plus ancien, rédigé par Mark Horton (USA), explique le fonctionnement du babillard électronique, ou BBS. Le contenu Usenet est transmis entre les serveurs en tant que flux de nouvelles.

1962 *Telstar 1*, le **1er satellite de télécommunication**, est lancé le 10 juillet. Il transmet les émissions télé, les appels téléphoniques et les signaux télégraphiques.

1981 Le 1er ordinateur de bureau IBM (modèle 5150) voit le jour. Il fonctionne sous MS-DOS (Microsoft). C'est le premier véritable ordinateur familial.

1955/1956 Le 1er appel transatlantique a lieu après la mise en place du câble TAT-1 entre Gallanach Bay (Écosse, RU) et Clarenville (Canada), en 1955. Le service de téléphonie publique est lancé le 25 septembre 1956.

1963 Le 1er téléphone à clavier, utilisé chez Bell Labs (USA) le 18 novembre, remplace celui à impulsions.

1973 Le 1er téléphone cellulaire est inventé par Martin Cooper de Motorola (USA) pour appeler son rival Joel Engel de Bell Labs.

1974 La 1re VoIP (voix sur IP) naît en août 1974 à l'aide du Network Voice Protocol (NVP) via l'ARPANET. Elle permet à plusieurs ordinateurs de communiquer via une seule connexion câblée.

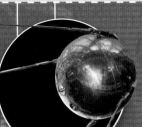

1957 Le 1er satellite artificiel, *Sputnik 1*, est mis en orbite du Kazakhstan, le 4 octobre. Il transmet des signaux pendant 3 semaines à des scientifiques soviétiques et à des radioamateurs.

1982 Les 1res émoticônes numériques ont été inventées par Scott Fahlman (USA) sur un bulletin board pour exprimer ses émotions et éviter les incompréhensions : : -) et : -(

1964 Le 1er télécopieur, ou fax, est lancé par la société Xerox.

1969 La 1re connexion entre ordinateurs distants est réalisée entre l'université de Californie (USA) et le Stanford Research Institute.

1976 Le 1er réseau câblé public en fibre optique est installé à Hastings (RU) par Rediffusion (RU), pour plus de rapidité et de distance.

1984 Le 1er ordinateur à utiliser avec succès une interface graphique est l'Apple de Macintosh. L'interface DOS de Microsoft n'affiche que du texte.

1958 Le 1er circuit monolithique intégré (puce) est breveté par Jack Kilby (USA, photo). Avec Robert Noyce (USA), il incorpore des transistors et des connexions dans un fragment de silicium : la clé des télécoms modernes.

1988 Le 1er standard RNIS (réseau numérique à intégration de services) est défini par l'International Telecommunication Union pour permettre les transmissions numériques via des câbles téléphoniques en cuivre.

INFO

C'est Ray Tomlinson, expéditeur du **1er mail**, qui a décidé d'utiliser le signe @ pour séparer le nom du destinataire de sa « résidence ».

1971 Le 1er mail, « QWERTYUIOP », est expédié par Ray Tomlinson (USA), qui programme un système d'échange de messages entre ordinateurs du même bureau (ci-dessus) connectés par l'ARPANET du département de la Défense américain.

1977 Lancement de *Voyager1*. En 2014, il continue à envoyer des données, à 19 milliards km – la **distance de communication la plus longue**.

1987 Le 1er MMORPG (jeu de rôle en ligne massivement multijoueur) avec graphismes, *Air Warrior*, est publié par Kesmai sur le service GEnie (USA).

GUINNESS WORLD RECORDS™

2006 Le 1er tweet est envoyé par le fondateur de Twitter Jack Dorsey (USA, ci-dessus) à 21:50, heure du Pacifique, le 21 mars 2006.

1990 Le 1er navigateur hypertexte est lancé par Tim Berners-Lee (RU, ci-dessus) et publié sur Internet en tant que World Wide Web en 1991.

2007 Le 1er appel d'un mobile terrestre du sommet de l'Everest (8 848 m) est réalisé par Rod Baber (RU) sur un téléphone satellite Motorola MOTO Z8.

1991 Le 1er mail envoyé de l'espace : par Shannon Lucid (encadré) et James C. Adamson (tous deux USA) sur un portable Apple Macintosh depuis une navette spatiale.

2007 L'iPhone d'Apple est **la meilleure vente de smartphones**. Le 1er mois de mise sur le marché, il s'en est vendu 2,31 millions.

1993 La 1re émission de radio Internet, *Geek of the Week*, est produite par Internet Talk Radio (USA).

2012 Le 1er message avec des neutrinos

Le 13 mars 2012, des scientifiques du Fermilab de Batavia (Illinois, USA) utilisent un rayon de neutrinos pour envoyer un message à un détecteur pour la toute première fois. Le mot « neutrino » parcourt 1 km (dont 240 m de roche) à 0,1 bit/s. Les neutrinos subatomiques traversent facilement la matière, car ils interagissent rarement avec elle, mais ils nécessitent un équipement massif : ils ne sont pas prêts de remplacer le courrier électronique !

2011 Le satellite de communication doté de la meilleure capacité, 134 Gbit/s, est le ViaSat-1, en orbite géostationnaire au-dessus des États-Unis.

2014 Facebook achète le service de messagerie instantanée WhatsApp pour 19 milliards $ – **la plus grosse acquisition d'une société de capital à risque.**

2012 La connexion Internet la plus rapide atteint 200 Gbit/s, au Gathering IT (Norvège) : les utilisateurs peuvent télécharger un film Blu-ray en 2 s.

1995   2005   2015

2008 La 1re citation à comparaître en ligne : par les juristes Mark MacCormack et Jason Oliver (tous deux Australie) sur Facebook.

1996 Introduction du 1er réseau public GPS, déjà utilisé par le gouvernement américain depuis les années 1980.

2000 Le plus long câble sous-marin en fibre optique, le Sea-Me-We 3, mesure 39 000 km et relie les utilisateurs d'Europe, d'Australie et du Japon.

2009 La 1re montre téléphone vidéo est le GD910 Watch Phone de LG, avec écran couleur, reconnaissance vocale et appel vidéo.

2012 Le plus grand service de messagerie est Gmail de Google, avec 425 millions d'utilisateurs, dépassant les précédents détenteurs du record, Yahoo ! Mail et Microsoft Hotmail.

2002 Des scientifiques de l'université d'Essex (RU) transmettent des données à 1,02 Tbit/s (soit 15,9 millions d'appels téléphoniques). C'est le **1er système de transmission à fibre optique à dépasser 1 Tbit/s.**

2009 La 1re diffusion en 3D sur Internet est une scène de 20 min, avec le groupe de rock Keane (RU), des studios d'Abbey Road de Londres (RU).

2010 L'appareil électronique grand public vendu le plus vite est l'iPad (en photo avec Steve Jobs) : 3 millions sont vendus dans les 80 premiers jours de sa sortie ; l'iPad 2, lancé en mars 2011, se vend au rythme de 311 666 unités par jour.

2012 Le 1er Hangout Google+ dans l'espace a été réalisé avec Akihiko Hoshide (Japon) de la Japan Aerospace Exploration Agency (JAXA) à bord de la station spatiale internationale.

N'imprimez pas Internet...

En mai 2013, le site web TechHive calcule que, pour imprimer l'intégralité d'Internet, il faudrait 4,73 milliards de feuilles de papier, soit une pile de 492 km de haut. Si vous y ajoutiez une année de courriers électroniques, la pile mesurerait près de 5,5 millions km !

2005 Facebook – initialement thefacebook – est lancé dans le monde pour devenir le **plus grand réseau social**, avec 1,19 milliard d'utilisateurs actifs par mois fin 2013.

Montagnes russes

Il existe **3 360 montagnes russes** dans le monde : 3 186 en métal et 174 en bois.

INFO
Au terme de la boucle, l'accélération est plus puissante que la gravité au sommet, ce qui vous maintient au fond de votre siège.

La plus grande boucle de montagnes russes

À Six Flags Magic Mountain à Valencia (Californie, USA), le *Full Throttle* possède la boucle la plus haute (38,75 m). Comme l'indique son nom (« à plein régime »), les passagers accélèrent à 110 km/h et se retrouvent tête en bas 2 fois en moins de 1 min.

Le plus de montagnes russes dans un pays
Le pays comptant le plus de montagnes russes est la Chine (824). Viennent ensuite les États-Unis (653) et le Japon (212).

Le plus de montagnes russes dans un parc
Au 20 janvier 2014, le parc Six Flags Magic Mountain à Valencia (Californie, USA) comptait 18 montagnes russes en fonctionnement. Le Parc à thème a ouvert le 29 mai 1971.

Le plus de montagnes russes empruntées en 24 h
Le plus de montagnes russes empruntées en 24 h s'élève

La chute la plus haute
Le *Sky Drop* est perché au sommet du mât de 485 m de la tour de télévision et de tourisme de Canton (Guangdong, Chine). Les visiteurs sont lâchés à 31 m de la plateforme supérieure à 16 m/s.

à 74. Le 9 août 2001, Philip A. Guarno, Adam Spivak, John R. Kirkwood et Aaron Monroe Rye (USA) ont parcouru des montagnes russes dans 10 parcs de 4 États américains, en se rendant de l'un à l'autre en hélicoptère.

Le plus de personnes nues sur une attraction
Le 8 août 2010, 102 fans de montagnes russes se trouvaient nus sur le *Green Scream* d'Adventure Island, à Southend-on-Sea (RU).

Le plus de passagers déguisés dans un parc d'attraction
Le complexe de loisirs Dorney Park & Wildwater Kingdom d'Allentown (Pennsylvanie, USA) a vu 330 passagers déguisés en zombies sur le *Steel Force,* le 18 août 2011.

Le plus long marathon sur montagnes russes
Richard Rodriguez (USA) a emprunté le *Pepsi Max Big One* et le *Big Dipper* de Pleasure Beach, à Blackpool

Le plus d'inversions dans des montagnes russes

Le *Smiler* d'Alton Towers Resort à Staffordshire (RU) compte 14 inversions. Ces montagnes russes proposent également des illusions d'optique, des lumières aveuglantes et des peurs bleues à 85 km/h, ainsi que des chutes de 30 m.

Les montagnes russes les plus raides

Les montagnes russes *Takabisha* du parc de Fujikyu (alias Fuji-Q) Highland, à Fujiyoshida (Japon), mesurent 43 m en leur point le plus élevé. La chute la plus brutale, d'un angle de 121° sur 3,4 m, se fait en 0,38 s.

LA FORCE EST AVEC VOUS : CE QUE LES MONTAGNES RUSSES INFLIGENT À VOTRE CORPS

En 2013, le *Washington Post* a publié un guide fascinant détaillant ce qui se produit dans votre corps lorsque vous empruntez des montagnes russes.

1 : Un lancement linéaire de force G (« G » étant l'initiale de gravitationnel) de 0 à 190 km/h en moins de 5 s vous plaque en arrière. Peur et adrénaline sont au rendez-vous.

2 : La chute provoque une sensation forte de lourdeur – force G positive de l'ordre de 5 G.

3 : La tête en bas, vous restez dans votre siège grâce à la force centripète. Vous pouvez ressentir des nausées car la gravité perturbe le système digestif.

4 : Une dose précise de force G négative provoque une remontée de sang violente (mais pas trop car les yeux pourraient exploser).

5 : les secousses dans les virages vous font ressentir la force G latérale qui, lorsqu'elle n'est pas contrôlée, comme dans les accidents de voiture, peut causer le coup du lapin.

La plus grande plage aménagée

S'étendant sur 45 km au bord de l'Atlantique, Virginia Beach (Virginie, USA) propose 147 hôtels et 2 323 campings. En 1955, le record était détenu par Coney Island à New York (USA). « Outre sa plage de plus de 8 km, elle propose 350 sites d'affaires et de divertissement. On estime à 50 millions le nombre de visiteurs de Coney Island, chacun dépensant en moyenne 1,25 $. »

Source : Roller coasters : feeling loopy, washingtonpost.com, 1er juillet 2013

GUINNESS WORLD RECORDS

La plus grande descente sur des montagnes russes en bois

L'*El Toro* de Six Flags Great Adventure près de Jackson (New Jersey, USA) mesure 57,3 m de haut et offre une descente de 54 m. Cette rampe terrifiante affiche par ailleurs 76° d'inclinaison à 110 km/h.

a été construit au Lakemont Park, à Altoona (Pennsylvanie, USA), en 1902. Il a fermé en 1985. Des fonds levés pour sa restauration ont permis sa réouverture en 1999.

Les montagnes russes intégralement restaurées les plus chères

Ouvert en 2006, l'*Expedition Everest* du Walt Disney World Resort (Floride, USA) a coûté 100 millions $. Le concept est un voyage en train dans l'Himalaya via la Montagne interdite où habite un yéti : une créature audio-animatronique de 6,7 m recouverte de 93 m² de fourrure.

La descente la plus raide sur des montagnes russes en bois

L'*Outlaw Run* du Silver Dollar City de Branson (Missouri, USA) présente une chute à 81°. Pouvant atteindre 109 km/h, cette attraction, qui a ouvert le 15 mars 2013, aurait coûté plus de 10 millions $.

(RU) pendant 405 h et 40 min, du 27 juillet au 13 août 2007.

Les montagnes russes à l'accélération la plus rapide

Dodonpa, la montagne russe en acier de 52 m de haut, située à Fuji-Q Highland, à Fujiyoshida, dans la préfecture de Yamanashi (Japon), propulse ses 8 passagers de 0 à 172,03 km/h, en 1,8 s.

Les plus anciennes montagnes russes ouvertes sans interruption

Montagnes russes en bois du Luna Park de St Kilda (Victoria, Australie), le *Scenic Railway* fonctionne depuis le 13 décembre 1912.

Les plus anciennes montagnes russes restaurées

Le *Leap-the-Dips*, autres montagnes russes en bois,

Les montagnes russes les plus rapides

Capable d'atteindre 100 km/h en 2 s, le *Formula Rossa* en acier du Ferrari World Abu Dhabi (EAU) atteint 240 km/h en montant sur 52 m – plus haut que la statue de la Liberté – en 4,9 s.

La plus haute chute de montagnes russes

Le *Kingda Ka* du Six Flags Great Adventure près de Jackson (New Jersey, USA) affiche une chute de 127,4 m à 206 km/h quelques secondes après le lancement. Avec ses 139 m de haut, le *Kingda Ka* constitue les **montagnes russes les plus hautes du monde**.

LES PLUS LONGUES...

Montagnes russes
Ne retenez pas votre souffle sur le *Steel Dragon 2000* de Nagashima Spa Land, à Kuwana (Mie, Japon), car il mesure 2,48 km de long !

Montagnes russes volantes
Le Six Flags Magic Mountain de Valencia (Californie, USA) propose les montagnes russes volantes les plus longues (*Tatsu*, 1,09 km) et les montagnes russes en position verticale les plus longues (*Riddler's Revenge*, 1,33 km).

Montagnes russes sans plancher
The Dominator de Kings Dominion à Doswell (Virginie, USA) mesure 1,28 km.

Montagnes russes en bois
Le *Beast* de Kings Island (Ohio, USA) dure 3 min et 40 s pour 2,28 km.

Montagnes russes en tous sens

Outre les montagnes russes assises (où les rails sont sous le véhicule et les passagers assis), voici les montagnes russes...
volantes : les passagers sont placés parallèlement aux rails comme s'ils volaient (*en haut à gauche : Tatsu*, Six Flags, Valencia, Californie, USA).
4D : les passagers sont assis d'un côté ou de l'autre des rails, avec des sièges pivotants (*en bas à gauche : Eejanaika*, Fuji-Q, Yamanashi, Japon).
sans plancher : les passagers sont assis au-dessus des rails, les jambes dans le vide (*en haut à droite : Griffon*, Busch Gardens, Williamsburg, Virginie, USA).
inversées : les sièges sont suspendus sous les rails (*en bas à droite : Wicked Twister*, Cedar Point, Ohio, USA).

i Montagnes russes fatales

En 2010, Julijonas Urbonas, étudiant au Royal College of Art de Londres (RU), a dessiné les plans de l'*Euthanasia Coaster* (montagnes russes de l'euthanasie) conçu pour tuer ses passagers. Cette attraction controversée (restée à l'état de plans) tuerait ses passagers en les soumettant à 7 inversions de force G négative (-10 G) et en coupant l'approvisionnement du cerveau en oxygène. Selon les termes d'Urbonas, elle est « conçue pour ôter la vie à un être humain avec élégance et dans l'euphorie ».

Ponts & tunnels

La rénovation du pont en bois qui a inspiré l'auteur **de Winnie l'ourson** a coûté 36 420 €.

La grande roue sur un pont la plus haute

La Tianjin Eye, sur le pont Yongle, mesure 120 m de haut. Ouverte le 5 avril 2009, à Tianjin (Chine), cette roue surplombe le pont et la route. Le pont est doté de deux tabliers : le supérieur, à six voies, et l'inférieur, destiné aux piétons et à l'accès à l'attraction.

Le plus de ponts dans une ville

Hambourg (Allemagne) compte de 2 300 à 2 500 ponts – plus que Venise, Amsterdam et Londres réunis. Le plus ancien est le Zollenbrücke (1663). Il est difficile d'obtenir un chiffre précis, car des ponts sont en permanence démolis et construits, et les sources ne sont pas d'accord sur la largeur que doit avoir une rivière, un cours d'eau ou un canal pour nécessiter un pont.

Le 1er pont de Léonard de Vinci à être construit

L'artiste et inventeur Léonard de Vinci (Italie) a conçu le pont de la Corne d'Or, en 1502, destiné à enjamber le Bosphore, à Istanbul (Turquie). Il aurait été le plus grand pont du monde, mais le dirigeant de l'Empire ottoman, le sultan Bayazid II, estimait que le pont n'était pas réalisable. Il a fallu attendre 2001 pour que les plans soient mis en œuvre. Il s'agit d'un pont piéton de 100 m de long et de 8 m de large, surplombant l'autoroute E18, à Ås (Norvège). Il a été réalisé par l'artiste Vebjørn Sand (Norvège), en collaboration avec l'Autorité norvégienne des routes.

Le plus haut pont suspendu

Un pont double relie les tours jumelles Petronas de Kuala Lumpur (Malaisie), aux 41e et 42e étages (les bâtiments sont distincts, contrairement aux structures uniques concurrentes). Le pont se trouve à 170 m au-dessus du sol, mesure 58 m de long et pèse 750 t.

Le plus grand pont à double hélice

Inspiré de la structure hélicoïdale de l'ADN, l'Helix Bridge (Singapour) a été conçu par Cox Architecture et Architects 61. Mises bout à bout, les barres d'acier mesureraient 2 250 m – ce qui représente toutefois 5 fois moins qu'un pont en poutre-caisson équivalent.

Le plus grand accès en spirale à un pont

L'accès au pont Nanpu enjambant la Huangpu, à Shanghai (Chine), est une spirale permettant d'atteindre le pont avec un minimum d'espace au sol. Le dernier tronçon fait 180 m de diamètre et 7,5 km de long, nécessitant deux rotations complètes de la part des véhicules. Ouvert en 1991, cet accès a été conçu par le Shanghai Municipal Engineering Design Institute et le Tongji Architectural Design and Research Institute.

Le pont-canal le plus long

Le pont-canal de Magdebourg permet de passer du Mittellandkanal au canal Elbe-Havel en enjambant l'Elbe. Ouvert le 10 octobre 2003, ce pont mesure 918 m de long. Sa structure de 43 m de large est constituée de 24 000 t d'acier et permet de transporter des bateaux pesant jusqu'à 1 350 t.

Le pont (continu) le plus long au-dessus de l'eau

Le Lake Pontchartrain Causeway relie Mandeville à Metairie (Louisiane, USA). Mesurant 38,42 km de long, il a été achevé en 1969. Son tracé est parallèle à un pont légèrement plus court ouvert en 1956 – chaque pont est doté de deux voies.

INFO

Le Causeway a résisté à l'ouragan Katrina en 2005 alors que les ponts voisins ont tous été détruits.

PONTS ET TUNNELS DE TOUS LES RECORDS

Le pont le plus long : 164,80 km
Danyang-Kunshan, LGV Pékin-Shanghai (Chine)

Le viaduc routier le plus long : 54 km
Bang Na Expressway, Bang Na-Bang Pakong Highway (Thaïlande)

Le plus long pont au-dessus de l'eau (total) : 42,50 km
Pont Haiwan, baie de Jiaozhou, Shandong (Chine)

Le tunnel de *Minecraft* le plus long : 10,001 km
Le tunnel d'Eric McCowan's (USA) créé dans le jeu vidéo *Minecraft* représente 10 001 blocs, soit 10 001 km.

Le tunnel ferroviaire le plus long : 57 km
Tunnel ferroviaire du Saint-Gothard (Suisse)

Le tunnel routier le plus long : 24,50 km
Tunnel de Lærdal, Aurland-Lærdal (Norvège)

Le tunnel le plus long

Selon le Guinness World Records de 1955, le **tunnel le plus long** était celui de Birkenhead (Queensway ou Mersey), reliant sur 4,6 km Liverpool et Birkenhead (Merseyside, RU). Il a été ultérieurement établi qu'entre 1948 et 1964, le record était en réalité détenu par le tunnel de Vielha (Catalogne, Espagne), avec 5,23 km. Le Birkenhead fut néanmoins le **plus long tunnel sous-marin** jusqu'en 1955.

Le tunnel aux lumières multicolores le plus long

Le Bund Sightseeing Tunnel relie la partie est de la rue de Nankin et Pudong, à Shanghai (Chine), sur 646 m. Les rames sans conducteur empruntent un tunnel éclairé par des lumières psychédéliques accompagnées d'effets sonores.

Le pont suspendu auto-ancré le plus long

Tandis qu'un pont suspendu est ancré au sol, un pont suspendu auto-ancré est fixé dans le tablier, aux extrémités. Ce fut la solution retenue pour remplacer le segment oriental du Bay Bridge, qui relie San Francisco à Oakland (USA), en passant par l'île de Yerba Buena. Sa portée est de 624 m et il est soutenu par une tour de 160 m de haut.

Le plus grand réseau de tunnels d'infiltration militaire

Créés par le Viet Minh sous l'Indochine française, les tunnels de Cu Chi, près d'Hô Chi Minh-Ville (Vietnam), ont été considérablement développés lors du conflit américano-vietnamien dans les années 1960. S'étendant sur 250 km, ils ont été préservés pour être visités.

Le 1er tunnel sous un plan d'eau navigable

Achevé en 1843 par l'ingénieur Marc Brunel (France) pour relier Rotherhithe et Wapping à Londres (RU), le tunnel sous la Tamise mesure 365 m de long. Le jour de l'ouverture, 50 000 visiteurs ont déboursé 1 penny pour se balader dans le tunnel. En 10 semaines, il avait reçu plus de 1 million de visiteurs, bien qu'il n'ait jamais été utilisé pour la circulation. Il fait aujourd'hui partie du réseau ferré de Londres. Le tunnel utilisa le premier système de tunnelier, également développé par Brunel, qui servait de support provisoire. Le principe est toujours utilisé pour permettre aux ouvriers d'installer des systèmes de support permanents dans des conditions instables.

Le tunnel ferroviaire le plus cher

Ouvert en 1994, le tunnel sous la Manche reliant la France au Royaume-Uni a coûté 14,5 milliards €, trains compris. Il s'agit de deux tunnels de 50 km de long et de 7,6 m de diamètre et d'un tunnel de service central de 4,8 m de diamètre.

Le 1er pont pivotant

Le Millennium a ouvert le 28 juin 2001 sur la Tyne à Newcastle upon Tyne (RU). Monté sur pivot de part et d'autre de la rivière, le pont ne se lève pas : il pivote ! Il tient son surnom de Winking (clin d'œil) du fait qu'il semble faire un clin d'œil langoureux aux bateaux qu'il laisse passer.

Le 1er pont (dé)roulant

Plutôt que de s'ouvrir de manière rigide, le Rolling Bridge s'enroule sur lui-même par jonction, comme la queue d'un scorpion, pour laisser passer les bateaux. Thomas Heatherwick (RU) a conçu ce pont piéton construit en 2004 au Paddington Basin de Londres (RU).

La piste d'atterrissage sur pilotis la plus longue

À l'aéroport de Madère, une extension de la piste d'atterrissage destinée aux avions les plus gros a été partiellement construite sur la mer. Doté de 180 piliers, le pont qui la soutient mesure 1 020 m de long et 180 m de large. Ouverte en décembre 2011, elle a coûté 520 millions €.

D'un canal à l'autre : les ponts-tunnels

INFO

Le tunnel sous la Manche qui relie la France et l'Angleterre a été proposé pour la 1re fois en 1802 par l'ingénieur Albert Mathieu-Favier (France). Il a été achevé en 1994.

Le **pont-tunnel le plus long** est celui de Chesapeake Bay. Ouvert à la circulation le 15 avril 1964, il s'étend sur 28,40 km, de la partie est de la Virginia Peninsula à Virginia Beach (Virginie, USA). De part et d'autre, les ponts cèdent la place à un tunnel, ce qui permet aux navires de passer de l'Atlantique aux canaux de Thimble Shoals et de Chesapeake. La section la plus longue est la Trestle C (7,34 km) et le tunnel le plus long est le Thimble Shoal Channel Tunnel (1,75 km).

👁 Tunnels en vue

- Le tunnel routier sous-marin le plus profond : le tunnel d'Eiksund (Norvège), 287 m sous le niveau de la mer
- Le tunnel routier le plus cher : Central Artery/Tunnel Project, Boston (USA), 14,6 millions $
- Le tunnel d'eaux usées le plus long : Chicago TARP (Tunnels and Reservoir Plan), actuellement 176 km (211 km à son achèvement en 2029)

○ ○ ○

Voitures

Les Américains passent en moyenne 38 h par an dans les bouchons pour aller au travail.

INFO
Le drift était au cœur du film d'action à succès de Justin Lin *Fast and Furious : Tokyo Drift* (2006).

Le drift le plus rapide

Le conducteur moyen a tendance à paniquer quand il prend un virage si vite que les roues arrière basculent et que la voiture part en dérapage. Pour d'autres, c'est une technique et un sport. Jakub Przygoński (Pologne) a drifté à 217,97 km/h, à l'aéroport Biała Podlaska, près de Varsovie (Pologne), le 3 septembre 2013.

Le plus grand constructeur de véhicules

Toyota (Japon) a doublé General Motors, après 77 ans en pole position, en tant que plus grand constructeur de véhicules en 2008. Les deux constructeurs ont échangé leur place de n° 1 deux fois depuis. En 2013, Toyota a vendu 9,98 millions de véhicules tous types confondus contre 9,71 millions chez General Motors. On approche des 10 millions/an, un chiffre encore jamais atteint !

La voiture de sport 2 places la plus vendue

La Mazda MX-5 détient le record de la meilleure vente de voitures de sport 2 places depuis 1999. Au 1er semestre 2014, il s'en est vendu plus de 940 000 unités.

La 1re voiture pliante

Voiture électrique au châssis pliant, la Hiriko Fold passe de 2,63 à 2,07 m de long. On peut garer 3 Hiriko sur l'emplacement d'une berline 4 portes. Cette voiture 2 places a été conçue par le Massachusetts Institute of Technology (USA) et développée par Denokinn (Espagne). En avril 2014, le modèle était sur le point d'être lancé sur le marché.

La 1re voiture à hydrogène de série

Les voitures à hydrogène ne nuisent pas à l'environnement dans la mesure où, une fois lancées, elles n'émettent pas de carbone. Sortie en 2002, la Honda FCX a été la 1re voiture à hydrogène de série. Elles sont encore peu nombreuses en circulation, mais des constructeurs comme Toyota et Honda envisagent d'en proposer

La voiture en vente la plus chère

Les 6 séries de légende de Bugatti se vendent entre 2,09 millions € pour la Meo Costantini et 2,35 millions € pour l'Ettore Bugatti, la dernière édition. La série des légendes, sur la base de la Veyron 16.4 Grand Sport Vitesse, est limitée à 3 voitures par édition. Prix hors taxe et frais de livraison.

La voiture la moins chère

La Briggs & Stratton Flyer de 1922, surnommée « Red Bug » (insecte rouge) en raison de sa couleur et sa taille, construite par Briggs & Stratton Wisconsin (USA), coûtait entre 125 et 150 $ (1 600 à 1 920 $ actuels). Elle est suivie par la Nano de Tata Motors (Inde) lancée en 2009 pour 100 000 roupies (1 250 €).

des versions plus abordables d'ici 2016.

Le kilométrage le plus élevé pour un véhicule

Utilisée régulièrement depuis 48 ans, une Volvo P-1800S de 1966 appartenant à Irvin Gordon d'East Patchogue (New York, USA) avait effectué 4,28 millions km au 18 septembre 2013. Le 1er mai 2014, le professeur de sciences à la retraite avait avalé 4,89 millions km ! Il vient de s'offrir une XC60R AWD toute neuve pour « laisser souffler la 180 ».

INFO
La Rembrandt (ci-contre) d'une valeur de 2,18 millions € porte le nom du frère cadet du fondateur Ettore Bugatti.

LES 10 PLUS GRANDES PARADES DE...

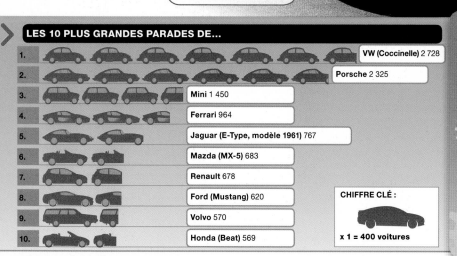

#		Modèle	Nombre
1.		VW (Coccinelle)	2 728
2.		Porsche	2 325
3.		Mini	1 450
4.		Ferrari	964
5.		Jaguar (E-Type, modèle 1961)	767
6.		Mazda (MX-5)	683
7.		Renault	678
8.		Ford (Mustang)	620
9.		Volvo	570
10.		Honda (Beat)	569

CHIFFRE CLÉ :

x 1 = 400 voitures

La « voiture sans chevaux » la plus ancienne

La Grenville Steam Carriage, véhicule à 3 roues, est sortie en 1875. Plus de 45 ans après son apparition dans notre 1re édition comme la « voiture sans chevaux » la plus ancienne en état de fonctionnement, elle a effectué la course annuelle de voitures anciennes Londres-Brighton de 87 km en 2000 en moins de 9 h. Elle a quitté Bristol pour le Musée national automobile de Beaulieu. En avril 2014, elle roulait toujours. Conçu par Robert Neville Grenville de Somerset (RU), ce véhicule autopropulsé peut transporter 4 passagers à 24 km/h.

INFO
En 2010, il y avait en moyenne 1 véhicule en circulation pour 6,75 humains (voir à droite). Selon les prévisions du FMI, en 2050, le nombre de voitures en circulation dans le monde aura atteint 3 milliards. L'émission de CO_2 des voitures représentera 8,1 % des émissions totales.

La voiture aux enchères la plus chère

Une Ferrari 250 GTO 1963 a été vendue à un particulier en octobre 2013 pour 52 millions $ par le collectionneur et pilote automobile Paul Pappalardo (USA). La GTO n'a été fabriquée qu'à 39 exemplaires, pour un prix de vente initial de 18 000 $ (135 000 $ actuels).

La plus grande distance avec un plein (réservoir standard)

Marko Tomac et Ivan Cvetkovic´ (tous deux Croatie) ont conduit une Volkswagen Passat 1.6 TDI BlueMotion sur 2 545,8 km avec un seul plein, du 27 au 30 juin 2011, en Croatie.

Le voyage en voiture le plus long dans un seul pays

Durga Charan Mishra et Jotshna Mishra (tous deux Inde) ont circulé sans arrêt en Inde entre le 23 février et le 1er avril 2014, effectuant 18 458 km. Ils ont commencé et terminé leur épopée de 38 jours à Puri (Odisha), effectuant une moyenne de 485,7 km par jour.

La voiture « vétéran » la plus onéreuse

Seules les voitures construites avant 1905 sont considérées comme « vétéran », ce qui les qualifie pour la course annuelle de voitures anciennes Londres-Brighton (RU). Une Rolls-Royce de 1904 a été vendue 3 520 000 £ (4 356 326 €) au Royaume-Uni, le 3 décembre 2007. C'est la Rolls la plus ancienne.

Le plus gros moteur de série (de tous les temps)

Trois voitures ont eu un moteur de 13,5 l : la Pierce-Arrow 6-66 Raceabout (1912-1918, ci-dessus), la Peerless 6-60 (1912-1914) et la Fageol de 1918 (toutes USA). Mais cela ne veut rien dire. Elles ont une puissance de 49 kW, autant qu'une voiture familiale moderne de 1,3 à 2 l.

Le plus gros moteur de série (actuel)

La SRT Viper 2014 de Chrysler (USA) est équipée d'un moteur V10 de 8,39 l. Même la surpuissante Veyron de Bugatti ne fait pas le poids avec sa cylindrée de 8 l ! La Viper peut se targuer d'une puissance de 477 kW et d'un couple de 814 Nm. Elle atteint 96,5 km/h en 3,3 s.

Le stationnement le plus serré entre 2 voitures

Le 9 janvier 2014, à Jiangyin (Chine), Tian Linwen et Xia Hongjun (tous deux Chine) se sont garés sur une place de parking de 42 cm supérieure à la longueur combinée des 2 voitures – la taille d'une feuille A3 !

Le système de stationnement automatisé le plus rapide

À l'Autostadt de Volkswagen, à Wolfsburg (Allemagne), les voitures tout juste sorties de la chaîne de production sont récupérées par un système automatisé les transportant à 2 m/s. Le stationnement, de l'entrée de l'Autostadt à la place la plus éloignée, prend 1 min et 44 s.

Le plus grand système de stationnement automatisé

Le parking des Emirates Financial Towers de Dubaï (ÉAU) peut contenir 1 191 voitures sur ses 27 606,14 m².

La 1re voiture vendue à 10 millions d'exemplaires
Le 4 juin 1924, la 10 millionième Model T sortait de la chaîne de Ford (USA). Henry Ford (USA) a beaucoup innové : sa production de Model T a réduit les coûts, ce qui lui a permis d'en vendre 15 millions d'exemplaires au total.

La 1re voiture vendue à 20 millions d'exemplaires
Le 15 mai 1981, l'iconique Coccinelle de Volkswagen, conçue en 1938 par les nazis comme voiture pour tous bon marché, a franchi la barre des 20 millions de ventes. Lorsque la production a cessé en 2003, 22 millions de Coccinelle avaient vu le jour.

La 1re voiture vendue à 30 millions d'exemplaires
En 2005, la Toyota Corolla s'était vendue à 30 millions d'exemplaires. En 2013, le constructeur annonçait que la barre des 40 millions avait été franchie, faisant de la Corolla la **voiture la plus vendue**.

Les plus grands constructeurs

En 2013, la Chine était le plus grand constructeur de voitures : elle en a produit 18 085 213 sur 65 386 596 (hors véhicules commerciaux). 2013 fut l'**année record de ventes de voitures**, selon l'Organisation internationale des constructeurs automobiles. Le Japon arrive en 2e place avec 8 189 323 de ventes et l'Allemagne en 3e avec 5 439 904. Selon les experts de l'industrie WardsAuto, le nombre de véhicules en circulation (commerciaux compris) a franchi le milliard en 2010 (250 millions en 1970).

Le plus de personnes dans...

une Fiat 500 d'origine :
14 étudiants de l'ESSCA, à Paris (France), le 2 avril 2011.

une Mini Cooper classique :
25 personnes, organisé par Virgin Mobile à Johannesburg (Afrique du Sud), le 2 octobre 2013.

une Mini nouveau modèle :
28 personnes, organisé par Dani Maynard et David Lloyd Divas (RU), à Londres (RU), le 15 novembre 2012.

une Smart : 20 personnes, organisé par la Glendale College Cheerleading Team (USA), à Los Angeles (USA), le 28 septembre 2011.

Transports urbains

Le Japon compte 45 des 51 gares les plus fréquentées du monde, dont la moitié à Tokyo.

Le plus grand réseau sans conducteur

Construites par Roads & Transport Authority de Dubaï (ÉAU) et inaugurées le 9 septembre 2011, les 2 lignes du métro entièrement automatique de Dubaï développent une longueur de 74,69 km.

Avec ses 52,1 km de long, la ligne rouge du métro de Dubaï est la **plus longue ligne de métro sans conducteur**. La 2e ligne, la verte, s'étend sur 22,5 km.

Le plus long réseau métropolitain

est le métro de Séoul (Corée du Sud), avec, en 2013, 940 km de voies sur 17 lignes.

Le plus grand dépôt de trains métropolitains

En service depuis 2009, le dépôt Kim Chuan (Singapour) mesure 800 m de long, 160 m de large et 23 m de haut pour un volume de 2,9 millions m³.

Sa construction a duré 5 ans pour un coût de 209 millions $. Il abrite des équipements et des rails et offre un espace de maintenance pour 70 trains entièrement automatiques de 3 voitures.

Le 1er dispositif anti-encombrement

En 1975, Singapour a mis en place un dispositif d'autorisations par secteur (ALS) : les propriétaires de véhicules se rendant dans le quartier d'affaires central, *restricted zone*, devaient acheter une autorisation délivrée sur papier. En 1998, le système est passé à l'ère numérique avec le programme de tarification routière électronique (ERP).

Le réseau métropolitain (actuel) le plus fréquenté

Le métro de Tokyo a transporté 3,102 milliards de passagers en 2012. Sur 310 km, il dessert une zone métropolitaine de 35 millions d'habitants et se déploie sur 13 lignes et 290 stations.

Moscou possède le **métro le plus fréquenté de tous les temps** avec ses 3,3 milliards de passagers par an au plus haut, bien que les chiffres aient chuté à 2,55 milliards en 1998. En service depuis 1935, le réseau compte 3 135 voitures desservant 159 stations sur 212 km de lignes.

Le plus de cyclopousses dans une ville

Dhaka (Bangladesh) compte plus de 500 000 cyclopousses (ci-dessus). Dans cette métropole de 15 millions d'habitants, ils effectuent 40 % des voyages.

En 2012, Mumbai (Inde) comptait de 120 000 à 160 000 cyclopousses à moteur (encart), le **plus de cyclopousses à moteur dans une ville**. Ils sont utilisés par 85 % des habitants.

Les bus les plus longs

Actuellement sur les bancs d'essai en Allemagne, l'AutoTram Extra Grand (photo), bus bi-articulé (3 sections) de 30,7 m, est conçu pour transporter 256 passagers. La Chine met à l'essai le bus Youngman JNP6250G, véhicule de 25 m de long qui transportera 300 passagers.

Aucun ne battra les **plus grands bus de tous les temps**, les bus articulés DAF Super CityTrain de la république démocratique du Congo, qui mesurent 32,2 m de long.

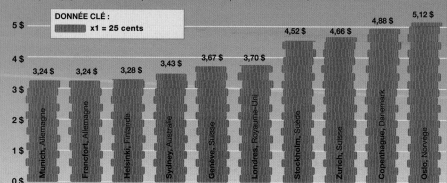

LES RÉSEAUX DE TRANSPORT PUBLIC LES PLUS CHERS

Le prix à payer : les 10 villes les plus chères en termes de prix du ticket de métro, de bus ou de tram

DONNÉE CLÉ : ▮ x1 = 25 cents

Munich, Allemagne	3,24 $
Francfort, Allemagne	3,24 $
Helsinki, Finlande	3,28 $
Sydney, Australie	3,43 $
Genève, Suisse	3,67 $
Londres, Royaume-Uni	3,70 $
Stockholm, Suède	4,52 $
Zurich, Suisse	4,66 $
Copenhague, Danemark	4,88 $
Oslo, Norvège	5,12 $

⚡ Des trams et des hommes

Le plus grand réseau de tram urbain de tous les temps se trouvait à Buenos Aires (Argentine). Inauguré en 1897, il comptait, dans les années 1960, 857 km de voies, dont certaines souterraines. Le service a été interrompu pour des raisons économiques et pour faire place aux bus. Le **réseau de tram le plus étendu actuellement** est plus de 3 fois plus petit. Situé à Melbourne (Victoria, Australie), il s'étend sur 250 km et compte 487 trams, 1 763 arrêts et 30 voies.

INFO

Au Japon, certaines voitures de métro sont réservées aux femmes pour leur sécurité.

ℹ Test de conduite

Les chauffeurs de *black cabs*, taxis de Londres, passent le Knowledge pour tester leurs connaissances de 320 itinéraires passant par 25 000 rues de la capitale. Cette formation peut durer 4 ans.

Source : therichest.com. Chiffres de 2012

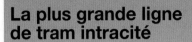

Les plus grands bateaux en termes de capacité

Bien que d'autres bateaux puissent potentiellement transporter plus de passagers, les navires dotés de la plus grande capacité « standard » sont les navires jumeaux Staten Island Ferry *Andrew J. Barberi* et *Samuel I. Newhouse* de New York (USA), d'une capacité de 6 000 passagers chacun. Ils mesurent 95 m de long et 21 m de large, pour une vitesse de 30 km/h.

Le ticket de transport en commun le plus cher

Selon l'édition 2012 des prix et salaires de l'UBS évaluant 72 villes et 58 pays, Oslo (Norvège) propose le ticket de transport en commun le plus cher (ticket basé sur un voyage en bus, tram ou métro de 10 stations/arrêts) : 4 € (soit 5,12 $).

Selon le même rapport, la **course en taxi la plus chère** revient à Zurich (Suisse) avec 22,40 € (soit 28,93 $). Ce chiffre est basé sur une course en taxi de 5 km en journée, dans les limites de la ville.

La plus longue distance parcourue par un tram à batterie (1 recharge) en 24 h

Stadler Pankow GmbH (Allemagne) a fait fonctionner son tram à batterie sur 18,98 km (sans recharge intermédiaire), sur la piste de test Velten/Hennigsdorf près de Berlin (Allemagne), le 25 mai 2011.

Le **terminus de tram le plus au sud** se trouve à Brighton East, à Melbourne (Victoria, Australie), sur la route 64, au croisement entre Hawthorn Road et Nepean Highway.

Le plus grand programme de partage de vélos

Le système de vélos en libre-service de Hangzhou (Chine) est le plus grand programme de partage de vélos. En 2013, il comptait 69 750 vélos et 2 965 stations. Les utilisateurs peuvent facilement accéder aux vélos, les stations étant distantes de moins de 1 km.

La plus grande ligne de tram intracité

La ligne 501 Queen à Toronto (Canada) mesure 24,5 km et transporte 52 000 passagers par jour en moyenne. Fonctionnant 24 h/24 et 7 j/7, elle relie la boucle de Long Branch à l'ouest à celle de Neville Park à l'est.

La **ligne de tram la plus longue** est la Kusttram, qui longe la côte belge de Knokke au nord à Adinkerke au sud, soit 68 km.

Le plus grand réseau de bus rapides (BRT)

Le réseau de bus rapides TransJakarta de Jakarta (Indonésie) dispose de 194 km de voies réservées. Il transporte plus de 300 000 passagers chaque jour sur 12 couloirs (ou lignes).

Le plus ancien tunnel ferroviaire

L'ingénieur Benjamin Outram (RU) a construit un tunnel ferroviaire de 27 m, à Fritchley, près de Crich (Derbyshire, RU), en 1793, resté en service jusqu'en 1933. Les terminus ont été murés dans les années 1960.

En janvier 2014, le Boston Lodge Works de la Ffestiniog Railway, près de Minffordd (RU), était le **plus ancien atelier ferroviaire en service sans interruption**. L'entretien des wagons y a débuté en 1838 avec une forge qui s'est développée pour devenir le complexe actuel.

La gare de Liverpool Road à Manchester (RU) est la **plus ancienne gare ferroviaire**. Entrée en service le 15 septembre 1830, elle a fermé le 30 septembre 1975.

La plus grande gare de marchandises

Gérée par l'Union Pacific Railroad, la gare de marchandises de Bailey Yard à North Platte (Nebraska, USA) s'étend sur 12,8 km et couvre 11,5 km².

Métromaniaques : maîtres des stations

Chris Solarz et Matthew Ferrisi (tous deux USA, à gauche, en haut) ont été les **plus rapides à passer par toutes les stations du métro de New York** (22 h, 52 min et 36 s), du 22 au 23 janvier 2010. Tim Littlechild et Chantel Shafie (tous deux RU ; Chantel, à gauche, en bas) ont été les **plus rapides à passer par toutes les stations du métro de Hong Kong** (8 h, 18 min et 8 s), le 30 décembre 2013. Geoff Marshall et Anthony Smith (tous deux RU, à droite) ont été les **plus rapides à passer par toutes les stations du métro de Londres** (16 h, 20 min et 27 s), le 16 août 2013.

Premier de la classe

Le **1er service ferroviaire régulier de passagers** : l'Oystermouth Railway, devenu Swansea and Mumbles Railway à Swansea (RU), est entré en service le 25 mars 1807.

Le **1er service de taxis motorisés** : géré par la Daimler Motorized Cab Company, à Stuttgart (Allemagne), en 1897. Le taxi effectuait 70 km par jour. Deux ans plus tard, la flotte a été portée à 7 véhicules.

Le transport autrement

En 2013, 95,4 % des besoins énergétiques des États-Unis sont fournis par les énergies fossiles.

Le téléphérique le plus haut au-dessus du sol

Le Peak 2 Peak Gondola à Whistler (Colombie-Britannique, Canada) s'élève à 436 m au-dessus du sol. Ce téléphérique à 3 câbles relie les sommets des monts Whistler et Blackcomb sur 4,4 km. Ce voyage vertigineux vous fait emprunter la **plus longue portée libre entre 2 pylônes de télécabines : 3 024 m !**

jusqu'en 1987. Toujours en service, il transporte des touristes sur 13,2 km.

Le plus long tram aérien sans arrêt

Wings of Tatev, construit en collaboration avec la National Competitiveness Foundation of Armenia, est un tram aérien sans arrêt mesurant 5 752 m de long. Il relie le monastère de Tatev au village de Halidzor, en Arménie.

La plus grande ascension par un téléphérique sans arrêt

En service depuis le 29 mars 2013, le téléphérique des collines de Bà Nà à Da Nang

La ligne ferroviaire la plus raide

Le Katoomba Scenic Railway des Blue Mountains (Nouvelle-Galles-du-Sud, Australie) peut se targuer d'une pente à 52°. Mesurant 310 m de long, le funiculaire a été construit en 1878, initialement pour la mine, puis reconverti pour le tourisme en 1945.

(Vietnam) gravit 1 368 m (entre le départ et l'arrivée) en 15 min.

Le funiculaire le plus long

Le funiculaire Sierre to Crans-Montana mesure 4,192 km. Construit en 1911, initialement constitué de 2 lignes, il permet aux skieurs de la ville de Sierre (Suisse) de se rendre à la station de ski Crans-Montana. Les 2 lignes ont été réunies puis reconstruites en un système unique en 1997. Le funiculaire se déplace à la vitesse de 8 m/s pour un voyage de 12 minutes.

Le téléphérique le plus long sous le niveau de la mer

Un téléphérique de 1 328 m équipé de 12 télécabines relie la source d'Élisée au mont de la Tentation, à Jéricho (Palestine). La station la plus basse se trouve à 219,86 m sous le niveau de la mer et la plus élevée à 50,29 m sous le niveau de la mer.

Le plus grand téléphérique de tous les temps

Un téléphérique d'environ 96 km de long est entré en service en 1943 pour acheminer le minerai de Kristenberg à Boliden (Suède). Construit à la place d'une route en raison de la pénurie de gasoil pendant la Seconde Guerre mondiale, ce téléphérique a transporté du minerai

Le monorail le plus long

Partie intégrante du métro de Chongqing (Chine), le système de monorail le plus long mesure 74,4 km. La ligne la plus récente a été achevée en décembre 2012.

La **ligne monorail la plus longue** est la ligne 3 du métro de Chongqing. Elle mesure 55 km de long.

Le 1er train Maglev au service du public

Cette ligne Maglev de 600 m reliant l'aéroport

Le téléphérique public le plus fréquenté

La ligne K du Metrocable de Medellín (Colombie) est le système de télécabines destiné au transport public le plus fréquenté, avec 6 330 713 passagers en 2012. Entrée en service en 2004, cette ligne de 2 km relie les communautés pauvres des hauteurs de la vallée au réseau de métro de la ville.

Découvrez la pointe de la science p. 202

TRANSPORT ÉCOLOGIQUE : L'AVENIR DU VOYAGE

Les derniers développements en matière de transport public pourraient signifier le début de la fin des énergies fossiles :

Mini hélicoptère : moteur et hélice sont fixés au dos

Zeppelin : économique en carburant et ne nécessitant pas de voies

SkyTran : cabines automatiques se déplaçant sur des « guides » aériens ininterrompus

Bicyclettes électriques : une version électrique du vélo classique

Nacelles sans conducteur : véhicule 4 places automatisé fonctionnant sur rails

Segway : véhicule de type scooter à 2 roues, électrique

Trottoir roulant : trottoir mobile sur les voies publiques permettant un déplacement plus rapide et évitant les encombrements de piétons

Maglev : plus rapide, plus silencieux et émettant moins de CO_2 que les trains classiques

L'ascension des zeppelins

Les dirigeables allemands Hindenburg (LZ 129) et Graf Zeppelin II (LZ 130) étaient les **plus grands dirigeables** avec leur 245 m de long (et 213,9 t !). Bien que leurs années fastes aient pris fin dans leurs années 1940, notre édition de 1955 mentionnait le **dirigeable non rigide le plus long** — le dirigeable anti-sous-marin de l'US Navy, le ZP2N, d'une capacité de 27 400 m³ d'hélium. Ces géants écologiques suscitent de nouveau l'intérêt avec des projets signés Zeppelin Luftschifftechnik (Allemagne) et Worldwide Aeros (USA).

INFO

Le 1er vol de zeppelin a eu lieu le 2 juillet 1900 au-dessus du lac de Constance (Allemagne).

Info aérienne

Les records de cette page concernent les remontées mécaniques tractées par câble d'acier (« funiculaire » signifie d'ailleurs « fonctionnant au moyen de câbles »).

Source : EU Infrastructure

Le monorail suspendu le plus long

Avec ses 15,2 km, le Chiba Urban Monorail près de Tokyo (Japon) est le plus long système de monorail suspendu. La première tranche de 3,2 km a ouvert le 20 mars 1979 ; depuis, la ligne a été rallongée 3 fois. Le monorail compte 18 stations ; 120 trains en moyenne y circulent chaque jour.

international de Birmingham au Birmingham International Interchange (Midlands de l'Ouest, RU) est entrée en service en 1984. Elle a été fermée en 1995 en raison des coûts de remplacement des pièces usagées. Un système de navette par câbles conventionnel a pris le relais.

Le train Maglev le plus rapide
Un train Maglev MLX01de la Central Japan Railway Company et du Railway Technical Research Institute a atteint la vitesse de 581 km/h, sur la ligne de test Yamanashi Maglev Test, à Yamanashi (Japon), le 2 décembre 2003.

Le **train Maglev en service public le plus rapide** relie l'aéroport international de Shanghai (Chine) et le quartier financier de la ville. Il atteint 431 km/h pour un trajet de 30 km. Construit par Transrapid

capacité de 400 passagers, il se déplace à 10 m/s soit 36 km/h maximum.

Le 1er tram électrique public
Le plus ancien tram électrique public est entré en service le 12 mai 1881, à Lichterfelde, près de Berlin (Allemagne). Il était alimenté en 100 V et transportait 26 passagers à 48 km/h sur 2,5 km.
Le Volk's Electric Railway, qui longe la côte à Brighton (RU), entre la jetée et la marina, est le **train électrique toujours en service le plus ancien**.

Le funiculaire à la plus grande capacité
Le funiculaire de Montjuïc à Barcelone (Espagne) peut transporter 16 000 passagers toutes les heures (8 000 dans chaque sens). D'une

International (Allemagne), le train a été inauguré le 31 décembre 2002.

Le funiculaire le plus court

Le Fisherman's Walk Cliff Railway de Bournemouth (RU) fait 39 m de long. Construit en 1935 par l'ingénieur F. P. Dolamore, ce funiculaire se déplace sur des rails d'un écartement de 1,77 m avec une pente de 45°. Il a transporté plus de 4 millions de passagers.

Conçu par Magnus Volk (RU), il a été inauguré le 4 août 1883.

La plus grande flotte de taxis électriques
Shenzhen (Chine) compte une flotte de 800 taxis électriques de type e6, du

constructeur automobile chinois BYD. Chaque véhicule peut parcourir 300 km sans recharge. Le kilométrage total de la flotte est estimé à plus de 100 millions km.

Le 1er *duck tour*

Un *duck* est un véhicule amphibie de tourisme. La 1re société de *duck tour* a été fondée en 1946 par Mel Flath et Bob Unger (tous deux USA), à Wisconsin Dells (Wisconsin, USA). Depuis, la société a changé de propriétaire et porte aujourd'hui le nom d'Original Wisconsin Ducks. La famille de Flath possède une autre société de *duck tour* : Dells Army Ducks.

Voitures sans conducteur

Depuis quelques années, Google expérimente des voitures sans conducteur (ci-dessous), contrôlées par des ordinateurs embarqués, qui gardent trace de la localisation de la voiture. Le conducteur doit juste gérer les situations d'urgence. Ces voitures autonomes ont déjà parcouru plus de 300 000 km sur route sans incident majeur. La société prétend que ses Google Cars sont plus sûres que les véhicules avec chauffeur. À gauche, en haut : des enfants jettent un œil à l'habitacle d'une voiture autonome au QG de Google (Californie, USA). À gauche, en bas : une rue, vue par une voiture sans conducteur.

📖 Glossaire

Funiculaire : remontée mécanique sur rails, dont la traction est assurée par un câble pour s'affranchir de la déclivité du terrain, trop raide pour les trains conventionnels. En latin, *funiculus* signifie « câble ».

Maglev : acronyme de « magnetic levitation » (sustentation magnétique), ce train monorail est propulsé par des forces magnétiques et n'est donc pas en contact avec les rails. ○ ○ ○

Roues libres !

La roue est utilisée **depuis 5 500 ans** pour le transport, mais pas de cette façon !

INFO
Matt a battu son propre record – 73,61 km/h – qu'il avait établi le mois précédent.

Le chariot de supermarché motorisé le plus rapide

Donnant un nouveau sens au terme de « restauration rapide », Matt McKeown (RU) a atteint 113,2 km/h à bord d'un chariot de supermarché, à Elvington Airfield (Yorkshire du Nord, RU), le 18 août 2013.

La salle de bains la plus rapide

Le *Bog Standard* est un deux-roues doté d'un side-car surmonté d'une salle de bains composée de toilettes, d'une baignoire et d'un lavabo de style victorien ainsi que d'un panier à linge. Conçue par Edd China (RU), cette salle de bains mobile peut atteindre 68 km/h ! Maître dans l'art du mobilier mobile, Edd a également réalisé l'**abri de jardin** (94 km/h), le **lit** (111 km/h) et le **bureau** (140 km/h) les plus rapides !

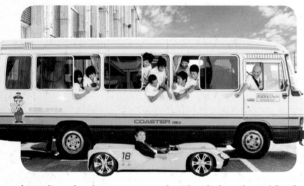

La voiture la plus basse autorisée sur la route

La *Mirai* ne mesure que 45,2 cm du sol à son point le plus haut. Les étudiants et les enseignants de l'Automobile Engineering Course de l'Okayama Sanyo High School d'Asakuchi (Japon) l'ont inaugurée le 15 novembre 2010. *Mirai* signifie « avenir » en japonais.

Le tricycle fonctionnel le plus lourd

Wouter van den Bosch (Pays-Bas) a construit un tricycle hors norme : il pèse le poids phénoménal de 750 kg. Wouter a utilisé son mastodonte lors d'une balade à Arnhem (Pays-Bas), en mai 2010.

La caravane la plus petite

La QTvan ne mesure que 2,39 m de long, 1,53 m de haut et 79 cm de large. Elle a été construite par l'Environmental Transport Association (RU) et mesurée à Aylesbury (RU), le 5 juin 2013. Ci-dessous, son concepteur, Yannick Read (RU), pose devant sa création lilliputienne.

La voiture la plus petite autorisée sur la route

Complément idéal de la caravane la plus petite, cette voiture miniature mesure 63,5 cm de haut, 65,4 cm de large et 126 cm de long. Elle a été réalisée par Austin Coulson (USA) et mesurée à Carrollton (Texas, USA), le 7 septembre 2012.

Le *monster truck* le plus grand

Bigfoot 5 mesure 4,7 m de haut pour un poids dépassant 17 t et des pneus de 3 m de diamètre. Fabriqué en 1986, il fait partie d'une flotte de 17 Bigfoot créée par Bob Chandler (USA). Stationné en permanence à Saint-Louis (Missouri, USA), *Bigfoot 5* apparaît occasionnellement lors de manifestations locales.

La plus grande limousine

Gary et Shirley Duval (tous deux Australie) ont conçu une limousine de 3,33 m de haut. Cette voiture dispose d'un système de suspension de 8 roues indépendantes dotées de pneus de *monster truck*. Elle dispose de 8 roues motrices, de 2 moteurs et a nécessité un peu plus de 4 000 h (166 jours) de travail.

INFO

The Hornster a été conçu pour rappeler les dangers que courent les cyclistes. Il est plus bruyant qu'un coup de tonnerre !

Le klaxon de vélo le plus bruyant

Non contente d'avoir créé la **caravane la plus petite** (page de gauche), l'Environmental Transport Association a créé un klaxon de vélo capable d'émettre 136,2 dB(A) (décibels) à 2,5 m de distance. *The Hornster* utilise un klaxon modifié de train de marchandises actionné par une bouteille de plongée. Yannick Read en a fait la démonstration, le 13 février 2013, à Weybridge (Surrey, RU).

Le chariot de golf le plus long

De pare-choc à pare-choc, le chariot de golf le plus long mesure 9,62 m. Conçu par Mike's Golf Carts (USA), il a été mesuré à Perry (Géorgie, USA), le 30 mai 2013.

❌ Les roues en folie sont p. 114 !

Armement

On compte en moyenne **88,8 armes à feu pour 100 habitants** aux États-Unis.

Le 1er pistolet imprimé en 3D

En 2013, Solid Concepts, basé à Austin (Texas, USA), a imprimé un pistolet en 3D par la technique du frittage laser direct de métal – permettant de créer des objets à partir de poudres (ici métalliques). Ce Colt 45 (ou Colt M1911) a tiré 50 coups de suite. L'objectif du projet était de démontrer que l'impression 3D en métal fournissait des répliques précises, fiables et résistantes.

SUR TERRE

Le 1er javelot
Une étude publiée par le journal *PLOS ONE*, le 13 novembre 2013, fait remonter l'utilisation du 1er javelot (ou assimilé) à 279 000 ans. L'étude de fossiles a montré que des objets en pierre taillée étaient utilisés comme armes de jet. Ces armes en pierre taillée ont été trouvées à Gademotta (Éthiopie), ce qui suggère que l'Afrique de l'Est disposait d'une culture et d'une biologie plus avancées que nous l'imaginions. Ces armes ont permis aux hommes de quitter l'Afrique et de dépasser les hommes de Néandertal.

Les 1res grenades à main
Les grenades sont apparues dans l'Empire romain d'Orient en 741 apr. J.-C. quand des soldats constatèrent que le feu grégeois – arme incendiaire flottante – pouvait être envoyé sur l'ennemi dans un contenant en pierre, en céramique ou en verre. L'utilisation des grenades s'est ensuite largement répandue, comme en atteste un écrit militaire chinois datant de 1044, *Wujing Zongyao* (Principes généraux du classique de la guerre).

DANS LES AIRS

Le 1er ravitaillement en vol par tuyau
Le 27 juin 1923, le 1er ravitaillement en vol entre

Le destructeur d'armes chimiques mobile le plus récent

La Defense Threat Reduction Agency américaine (agence de la Défense spécialisée dans la réduction des menaces) a envoyé une unité mobile de destruction des armes chimiques – la Syrie ayant accepté le démantèlement des siennes. Le Field Deployable Hydrolysis System (FDHS) fonctionne en décomposant les molécules des armes chimiques en fragments pouvant être traités comme des déchets classiques.

Le porte-avions le plus cher

Porte-avions de 332 m de long, l'USS *Gerald R. Ford* prendra du service en 2016. Il pourra embarquer une escadre aérienne de 75 aéronefs et sera équipé d'un nouveau type de catapulte magnétique (Electromagnetic Aircraft Launch System) permettant un taux de sortie de 220 par jour. Ses coûts de fabrication de 13 milliards $ permettront une économie de 4 milliards $ sur sa durée de vie, par rapport à la classe Nimitz.

deux avions a eu lieu à Rockwell Field, à San Diego (Californie, USA). Un *Airco DH.4B* a transféré 284 l de gasoil à un avion du même type avec un tuyau.

Le 1er missile avec pilote
En 1944, durant la Seconde Guerre, les Allemands ont constaté que leurs missiles V1 manquaient de précision. L'institut allemand de recherche pour le vol à voile a donc conçu un missile avec pilote. Le Fieseler Fi 103R-4 Reichenberg était guidé par un pilote, qui sautait ensuite en parachute. Le projet fut abandonné en raison de la vitesse du missile : un homme

	PUISSANCE MILITAIRE : PUISSANCE DE FEU MONDIALE							
1.	USA	145 212 012	39 162	13 683		473		
2.	Russie	69 117 271	57 503	3 082		352		
3.	Chine	749 610 775	23 664	2 788		520		
4.	Inde	615 201 057	15 681	1 785		184		
5.	Royaume-Uni	29 164 233	6 935	908		66		
6.	France	28 802 096	8 672	1 203		120		
7.	Allemagne	36 417 842	5 124	710		82		
8.	Turquie	41 637 773	15 948	989		115		
9.	Corée du Nord	25 609 290	13 158	1 393		166		
10.	Japon	53 608 446	4 611	1 595		131		

DONNÉES CLÉ :
- x1 = 30 000 000 hommes
- x1 = 5 000 véhicules terrestres
- x1 = 1 000 aéronefs
- x1 = 100 navires

👁 Point sur les sous-marins

Le plus grand sous-marin non nucléaire : la classe Sen Toku I-400, 121 m de long, de la marine impériale japonaise, date de la Seconde Guerre mondiale (1946).

Le mini sous-marin furtif à plus longue portée : le Torpedo SEAL (2013) peut transporter 2 plongeurs avec leur équipement à 7,4 km/h sur 18,5 km.

La classe de sous-marin la plus récente : la classe Fateh de la marine iranienne (2013) est un sous-marin diesel électrique.

INFO

L'ensemble des bases nucléaires américaines occupe une superficie de 40 544 km².

📖 Glossaire

SEAL : SEa, Air, Land (mer, air, terre), principale force spéciale de la marine de guerre des États-Unis.

UAV/UAS : drone, petit avion sans pilote

Source : globalfirepower.com

Le programme d'avion militaire le plus cher

En 2012, le Lockheed Martin F-35 Lightning Joint Strike Fighter avait coûté 336 milliards $ – soit 52,8 % d'augmentation depuis 2001 – certains rapports avançant la somme de 392 milliards $, pour les États-Unis. Ce programme multinational de 50 ans représente un coût total estimé entre 0,85 et 1,5 billion $ pour les États-Unis.

Pacifique avant d'atterrir à la Royal Australian Air Force Base Edinburgh (Adélaïde, Australie).

Le drone le plus cher
En mars 2013, un rapport du GAO, organisme d'audit du Congrès des États-Unis, a établi qu'un Northrop Grumman Global Hawk coûtait 222 millions $: c'est le drone le plus cher.

EN MER

La 1re mine marine
On trouve une référence aux mines marines dans le *Huolongjing,* traité militaire chinois du début de la dynastie Ming (1368-1644). Ce manuel décrit un « sous-marin roi dragon » – mine en fer forgé lestée de pierres, dotée d'un explosif contenu dans une vessie de bœuf, allumé via un bâtonnet d'encens contenu dans un intestin de chèvre.

Le 1er drone lancé d'un sous-marin de combat immergé
Le 5 décembre 2013, le système aérien sans pilote XFC (eXperimental Fuel Cell) a été lancé depuis un sous-marin immergé. Il peut prendre des vidéos de reconnaissance et effectuer des missions de renseignements. Il relaie les infos au centre de commandement.

ne peut supporter 650 km/h sans mourir ou subir de graves blessures.

Le 1er avion sans pilote à traverser le Pacifique
Le 23 avril 2001, le Northrop Grumman RQ-4A est parti pour son 1er vol de la base aérienne d'Edwards (Californie, USA). Le drone (ou UAV) vola 22 h sans escale pour traverser le

Le plus grand exercice naval de lutte anti-mine

Le 13 mai 2013, une flotte de 34 navires, 100 plongeurs et 18 sous-marins sans pilote s'est lancée dans un exercice anti-mine dans le golfe Persique. L'objectif était de prouver que l'on pouvait préserver l'ouverture du détroit d'Hormuz – passage critique pour l'approvisionnement du monde en pétrole – au cas où une nation hostile voudrait le bloquer.

Le 1er sous-marin de combat victorieux
Le 17 février 1864, pendant la guerre de Sécession, le *H L Hunley* est devenu le 1er sous-marin de combat à couler un navire de guerre ennemi, l'USS *Housatonic,* au large de Charleston (USA). Le *H L Hunley*, 12 m de long, qui coula à son tour quelques minutes après le début des hostilités, fut retrouvé en 2000, puis exposé après restauration en janvier 2013.

La 1re torpille autopropulsée
En 1866, Robert Whitehead (RU) développa une arme en forme de torpille sous-marine autopropulsée, lancée par air comprimé. L'arme de Whitehead pouvait toucher sa cible à 640 m avec une charge explosive de 8 kg, à 13 km/h.

Le **1er navire coulé par une torpille autopropulsée** s'appelait *Intibah*. En janvier 1878, pendant la guerre russo-turque (1877-1878), le navire turc fut coulé par des torpilles lancées par un torpilleur russe.

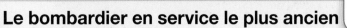

Le bombardier en service le plus ancien

Au service de l'US Air Force depuis 1954, le Boeing B-52 est le bombardier – encore en activité – ayant servi le plus longtemps. Fort de ses 60 ans de service, il restera en activité jusqu'en 2044, ce pour quoi il recevra des améliorations à hauteur de 24,6 millions $ en vue d'augmenter sa capacité à transporter de l'armement intelligent.

Lâcher de souris : assaut aérien

La population de serpents de l'île de Guam, dans le Pacifique, a atteint de 2 à 3 millions de têtes suite à leur arrivée par cargo d'Australie et de Papouasie-Nouvelle-Guinée. Ils menacent la faune et coûtent aux autorisés 4 millions $ en réparations chaque année. La solution ? Le **plus grand assaut aérien de souris parachutées**. Le 1er décembre 2013, 2 000 souris mortes attachées à des parachutes miniatures (à gauche) ont été lâchées sur l'île par les autorités américaines. Chaque souris contenait 80 mg de paracétamol (antalgique en vente libre), dose fatale pour les serpents.

✋ Et pour finir...

• **L'avion de combat le plus répandu (actuel) :** le F-16 Fighting Falcon, construit par General Dynamics et Lockheed Martin (tous deux USA) : 2 281 avions de combat (15 % du total mondial)

• **La plus grande force aérienne en nombre d'avions (actuel) :** États-Unis : 2 271 avions selon globalfirepower.com *(voir tableau p. de gauche)*

○ ○ ○

Architecture

« **Gratte-ciel** » est un calque de *skyscraper* – *sky* « ciel » et *scraper* « gratteur ».

Le plus grand planétarium

Le planétarium du Nagoya City Science Museum (Japon) possède un dôme hémisphérique de 35 m de diamètre (intérieur). Mesurant 39,2 m de haut, la section sphérique hébergeant le planétarium est suspendue à 11,4 m au-dessus du sol.

La plus grande agence d'architecture (employés)
Selon l'étude 2013 World Architecture 100 menée par le magazine britannique *Building Design*, le plus grand cabinet d'architectes en termes de personnel est Gensler, avec 1 468 employés. Le siège de Gensler se trouve à San Francisco (USA), mais il possède 43 bureaux dans 14 pays.

Logiquement, selon la liste Top 300 Architecture Firms établie par le magazine américain *Architectural Record*, la **plus grande agence d'architecture en termes de revenus** est également Gensler, avec 807 millions $ en 2012.

La plus grande serre en verre

La serre du Flower Dome au Gardens by the Bay à Singapour couvre 1,28 ha. Conçue par Wilkinson Eyre, la géométrie sans colonnes de la coque et la forme d'arche laissent pénétrer un maximum de lumière, ce qui permet un contrôle optimal du climat. Avec le conservatoire Cloud Forest, plus petit, elle a été achevée en juin 2012.

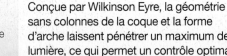

LES PLUS ANCIENS

La plus ancienne ville habitée sans interruption
Les archéologues ont trouvé des vestiges d'habitations à Jéricho, dans les territoires palestiniens, remontant à 9000 av. J.-C. Située près du Jourdain, en Cisjordanie, Jéricho compte aujourd'hui 20 000 habitants, contre 2 000 à 3 000 en 8000 av. J.-C.

Le minaret le plus ancien
La Grande Mosquée de Kairouan (Tunisie) possède un minaret (achevé en 836) mesurant 31,5 m de haut et reposant sur une base carrée de 10,7 m de côté.

Le skatepark le plus ancien
L'Albany Skate Track à Albany (Australie occidentale) a été achevé en mars 1976. Il est constitué d'un snake run en béton de 140 m de long et de 6 à 8 m de large. L'ensemble est évalué à 18 600 $.

LES PLUS GRANDS

Le plus grand toit de terminal d'aéroport
Le toit du terminal Hajj de l'aéroport international King Abdulaziz près de Djeddah (Arabie saoudite) fait 260 129 m². Conçus par Skidmore, Owings & Merrill, les modules de toit recouverts de Téflon sont supportés par des pylônes de 45 m de haut.

L'église Art nouveau la plus haute

La construction de la Sagrada Família à Barcelone (Espagne) a débuté en 1882 sous l'égide de l'architecte Francisco de Paula del Villar y Lozano avant d'être reprise en 1883 par Antonio Gaudí (tous deux Espagne). Elle ne sera pas terminée avant 2026. Elle mesure actuellement 107 m de haut ; la plus haute de ses 18 tours atteindra 170 m.

L'édifice le plus haut

Développé par Emaar Properties, le Burj Khalifa (828 m de haut) a ouvert le 4 janvier 2010 à Dubaï (ÉAU). 26 000 panneaux de verre taillés à la main ont été utilisés pour recouvrir le bâtiment – à usage d'habitation, de bureaux et d'hôtel.

 Glossaire

Biome : Écosystème caractéristique d'un vaste ensemble biogéographique défini par ses conditions climatiques et la végétation prédominante, tels que le désert et les prairies. Les biomes de l'Eden Project sont des environnements contrôlés par le climat dans lesquels sont cultivées les plantes d'écosystèmes spécifiques.

Culture sous dôme : l'Eden Project

L'Eden Project, près de St Austell (Cornouailles, RU), est **la plus grande serre du monde**. Elle est constituée de 2 dômes géants transparents (« biomes »). Le plus spacieux, consacré au biome de la forêt tropicale, mesure 55 m de haut pour une surface de 25 390 m² et un volume de 415 730 m³. Le plus petit, biome méditerranéen, occupe 6 540 m² pour un volume de 85 620 m³. Ils sont constitués d'une structure d'acier supportant des hexagones et des pentagones en plastique de fluorite. Le site présente également un biome à l'air libre.

Le plus grand bâtiment en forme de panier

Achevé en 1997, le siège de 7 étages du fabricant de paniers Longaberger (Ohio, USA) a l'aspect d'un panier géant. D'une surface de 16 722 m², avec une

Le plus grand bâtiment en forme d'instrument de musique

La Piano House à Huainan (Chine) mesure environ 16 m de haut. Elle a été conçue par les étudiants de l'université de technologie d'Hefei en 2007. Les visiteurs entrent par un « violon », puis empruntent un escalator qui les conduit dans le corps principal du bâtiment, en forme de piano.

longueur de 63,4 m et une largeur de 43,3 m, il est 160 fois plus grand que le Medium Market Basket de Longaberger (Ohio, USA).

Le plus grand opéra

Conçu par l'architecte Wallace K. Harrison, le Metropolitan Opera House du Lincoln Center de New York (USA) peut accueillir 3 975 spectateurs (3 800 places assises et 175 places debout). Il a coûté 45,7 millions $ et ouvert ses portes le 16 septembre 1966.

Le plus grand bâtiment de télévision

Le China Central Television de Pékin mesure 234 m de haut et compte 54 étages, pour un coût de 850 millions €. Conçu par des architectes de l'Office for Metropolitan Architecture (Pays-Bas) et des ingénieurs d'Arup (RU), il a été achevé le 16 mai 2012. Il présente

une surface au sol de 473 000 m².
Il comprend des espaces pour la production des journaux et des programmes, la diffusion télévisée, ainsi que des parkings. Les Pékinois l'ont surnommé « le short géant » en raison de sa forme.

La plus haute croix du monde

Érigée entre 1926 et 1928 à la mémoire des soldats tombés lors de la Première Guerre, la croix des Héros (ou croix Caraiman) mesure 39,5 m en comptant sa base en béton. Elle se trouve sur le mont Caraiman, à 2 291 m d'altitude, dans les monts Bucegi (Roumanie).

Le plus grand jardin vertical

Keppel Land Limited a réalisé un mur végétal de 2 125,56 m² à l'Ocean Financial Centre de Singapour, le 13 septembre 2013. Il a fallu 3 ans pour créer le jardin, qui compte 25 espèces de plantes.

La plus haute tour tordue

La Cayan Tower à Dubaï (ÉAU) mesure 307,3 m de haut et présente une torsion à 90°. Chaque étage pivote de 1,2°, conférant une forme d'hélice à l'ensemble. Développée par Cayan Real Estate Investment & Development, elle a ouvert le 10 juin 2013.

La **1re tour tordue** était la HSB Turning Torso de Malmö (Suède), achevée en 2005.

Le plus haut relèvement de bâtiment

Les portes principale, Est et Ouest, du palais de Yuzhen (Hubei, Chine) ont été rehaussées de 15 m – passant de 160 à 175 m – entre le 15 août 2012 et le 16 janvier 2013 pour prévenir le risque d'inondation lié à l'expansion d'un réservoir proche.

GUINNESS WORLD RECORDS

Kingdom Tower

Pour le moment, seules les fondations ont été posées, mais quand elle sera terminée, vraisemblablement vers 2019, pour un coût total de 882 millions €, la Kingdom Tower sera la 1re tour à franchir la barre du kilomètre. Sa silhouette fuselée et sa section en triangle permettront de réduire l'impact du vent.

Jusqu'au ciel

En 1955, le gratte-ciel **le plus haut** était l'Empire State Building à New York (USA), avec ses 488,6 m de haut au sommet de la tour de la télévision. Depuis, un grand nombre de bâtiments se sont cédé ce titre si convoité, le dernier à l'obtenir étant le Burj Khalifa, presque 2 fois plus haut que le détenteur du record de 1955. Le Sky City de Changsha (Chine) devait le dépasser de 10 m, mais, en 2013, les travaux de ce gratte-ciel de conception préfabriquée se sont arrêtés.

LES BÂTIMENTS LES PLUS HAUTS DU MONDE

- **En construction :** Kingdom Tower, Djeddah (Arabie saoudite) : **1 000 m**
- **Gratte-ciel :** Burj Khalifa, Dubaï (ÉAU) : **828 m**
- **Tour :** Tokyo Skytree (Japon) : **634 m**
- **Amérique du Nord :** One World Trade Center, New York (USA) : **541,3 m**
- **Bureaux :** Taipei 101, Taipei (Chine) : **508 m**
- **Résidence :** Princess Tower, Dubaï (ÉAU) : **413 m**
- **Hôtel :** JW Marriott Marquis Dubaï, tours 1 et 2, Dubaï (ÉAU) : **355 m**
- **Océanie :** Q1, Queensland (Australie) : **322,5 m**
- **Europe :** Eurasia, Moscou (Russie) : **308,9 m**
- **Bâtiment tordu :** Cayan Tower, Dubaï (ÉAU) : **307,3 m**
- **Amérique du Sud :** Torre Costanera, Santiago (Chili) : **300 m**
- **Afrique :** Carlton Centre, Johannesburg (Afrique du Sud) : **222,5 m**

Châteaux

Les escaliers tournent dans le sens des aiguilles d'une montre, ce qui avantageait les chevaliers droitiers.

Le château troglodyte le plus grand

Mesurant plus de 35 m, le château de Predjama, près de Postojna (Slovénie), a été érigé à flanc de falaise, dans une cavité, à 123 m au-dessus d'un goufre karstique. Datant de la fin du XIIIᵉ siècle, il a été reconstruit en 1570 dans le style Renaissance.

Le château le plus ancien

Il s'élève dans la vieille ville de Sanaa (Yémen). Le château de Gumdan a été fondé vers 200 av. J.-C. On raconte qu'il aurait initialement compté vingt étages.

Le plus grand château habité

Du XIIᵉ siècle, le château de Windsor, à Berkshire (RU), revêt la forme d'un parallélogramme de 576 x 164 m, soit environ 53 000 m². Au centre, le fameux donjon couronné de remparts gothiques, appelé Tour ronde, domine l'ensemble du haut de ses 65,5 m.

La plus grande résidence non palatiale

Le château (ou abbaye) de Saint-Emmeram, à Ratisbonne (Allemagne), possède 517 pièces pour une surface au sol de 21 460 m².

Abbaye bénédictine fondée en 739 apr. J.-C., le château a été acquis en 1812 par la famille Thurn und Taxis, qui a fait fortune grâce au contrôle exclusif du service postal en Bavière pendant deux siècles. La princesse Gloria de Thurn und Taxis habite ce château qui lui sert de résidence principale.

Le siège de château le plus long

Le temple-forteresse Hongan-ji d'Ishiyama, dans l'actuel Osaka (Japon), se fit assiéger par le grand guerrier Oda Nobunaga, en août 1570. Les moines guerriers Ikkō-ikki, dirigés par Abbot Kōsa, résistèrent pendant dix ans, jusqu'en août 1580, date de l'incendie de la forteresse, qui ne laissa pas une pierre sur l'autre. Construit sur ce site, le château d'Osaka est une destination touristique prisée.

Le château le plus septentrional

À 64,2295° de latitude nord, le château de Kajaani (Finlande) est le château le plus au nord de la planète. C'est l'un des plus petits châteaux en pierre d'Europe. Construit entre 1604 et 1619, sur une île, au milieu d'une rivière, il servit de prison. Il est aujourd'hui en ruine.

Le plus grand château en brique

Le château de Malbork (Pologne) fut en grande partie construit aux XIIIᵉ et XIVᵉ siècles, par l'ordre des chevaliers teutoniques. Construit en brique d'un rouge très caractéristique, il occupe un site de 21 ha. Son majestueux réfectoire pouvait accueillir 400 chevaliers et hôtes.

INFO

L'occupant le plus célèbre du château de Predjama est un certain Érasme, chevalier-brigand, qui tira parti des avantages défensifs pour résister à un siège organisé par les troupes autrichiennes des Habsbourgs pendant un an, avant d'être trahi par un serviteur.

Le château le plus long

Principalement construit entre 1255 et 1490, le château de Burghausen mesure 1 051 m de long. Il est érigé sur un étroit éperon surplombant la ville de Burghausen (Allemagne). Ancienne résidence des ducs de Bavière, il est composé d'une cour centrale principale, où vivait la famille, et de 5 grandes cours extérieures, toutes autrefois protégées par des herses, des fossés et des pont-levis.

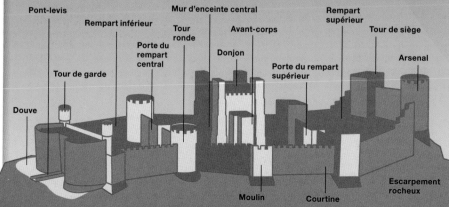

 Glossaire

Château : résidence de souverain défensive, souvent dotée d'un équipement militaire. Parfois terme générique désignant les structures fortifiées.

Citadelle : fort (ou forteresse) destiné à défendre une ville.

Fort : avant-poste militaire lourdement défendu, pas nécessairement conçu comme une résidence pour les rois ou pour l'aristocratie.

Palais : résidence non fortifiée d'un souverain.

ANATOMIE D'UN CHÂTEAU

Pont-levis · Rempart inférieur · Mur d'enceinte central · Tour ronde · Avant-corps · Rempart supérieur · Tour de siège · Porte du rempart central · Donjon · Porte du rempart supérieur · Arsenal · Tour de garde · Douve · Moulin · Courtine · Escarpement rocheux

 INFO

40 monarques ont vécu dans le château de Windsor, de Henry Iᵉʳ à Élisabeth II, actuelle reine d'Angleterre.

ⓘ Carrément mortel !

Une « meurtrière » est une fente dans un mur de fortification permettant de tirer des projectiles sur les assaillants.

Le château ancien le plus grand

Érigé au IXᵉ siècle, le château de Prague (République tchèque) est un polygone oblong irrégulier d'un axe de 570 m et d'un diamètre moyen de 128 m, s'étendant sur 7,28 ha.

Le musée le plus ancien

Le musée de l'Armurerie royale de la tour de Londres (RU) – château le plus célèbre de la ville – est le plus vieux du monde. Il a ouvert ses portes au public en 1660, mais 8 ans avant déjà, il était possible de découvrir la collection sur rendez-vous.

Le plus grand château de parc à thème

Le château de Cendrillon au Royaume enchanté de Disney (Floride, USA) mesure 57,3 m. En partie inspiré de châteaux comme ceux de Neuschwanstein (Allemagne), Ségovie (Espagne) et Moszna (Pologne), il est conçu selon une perspective forcée alliant les techniques de l'acier, du béton et de la fibre de verre pour le faire paraître encore plus haut. Il a ouvert en 1971.

Le plus grand château gonflable

Conçu par Dana Caspersen et William Forsythe (tous deux USA) et construit en 3 semaines par Southern Inflatables (RU), le château gonflable le plus grand du monde mesure 12 m de haut et 19 m² au sol. Réalisé avec 2 725 m² de polyester enduit de PVC blanc, il faut 6 h pour le construire et 15 min pour le gonfler (385 m³ d'air). Entre le 24 mars et le 11 mai 1997, il a servi d'installation architecturale à Camden, à Londres (RU). Depuis, il

INFO
Le château de Wewelsburg aurait inspiré le jeu vidéo *Wolfenstein 3D* (iD Software, 1992).

Le château triangulaire le plus grand

D'un périmètre de 240 m, le château de Wewelsburg, à Büren (Allemagne), fut érigé entre 1603 et 1609 en style Renaissance. Résidence secondaire des princes-évêques de Paderborn, il devint un centre de la SS sous Heinrich Himmler.

Le château le plus haut construit par un particulier

Le Bishop Castle (Colorado, USA) – 48,75 m de haut, en pierre et acier – est en construction depuis juin 1969. Érigé par Jim Bishop, soudeur, il possède des vitraux, 3 tours, une salle de bal et la sculpture d'un dragon crachant du feu !

est utilisé dans le cadre de nombreux événements dans le monde entier.

Un château gonflable plus modeste, de 3,6 x 4,5 m au sol, a été utilisé dans le cadre du marathon le plus long en équipe sur château gonflable. 8 participants de la société de logistique Wincanton et du supermarché Tesco, à Rugby (Warwickshire, RU),

ont sauté pendant 37 h et 14 s, les 30 et 31 août 2013.

La plus grande sculpture en canettes

Une reproduction du château de Yoshida, à Toyohashi (Japon), de 5,5 m, a été réalisée avec 104 840 canettes par Junior Chamber International, au parc de Toyohashi (Aichi, Japon), le 21 septembre 2013.

Une école ensorcelée : Poudlard

L'un des châteaux les plus reconnaissables est celui de l'École de Magie et de Sorcellerie de Poudlard de la saga *Harry Potter* de JK Rowling. La **maquette la plus grande du château de Poudlard** a été réalisée par le département artistique de Warner Bros (RU), en 2011. Au 1 : 24 (à droite, avec le responsable José Granell), elle mesure 15,25 m de long et peut être visitée au Warner Bros Studio, à Londres.

La **plus grande maquette de Poudlard en LEGO®** a été exécutée par Alice Finch (USA, à gauche) en 2012. De 4 m de long, elle compte environ 400 000 briques.

Bien armé

La plus grande armure destinée à un animal : armure pour éléphant d'Asie adulte, 118 kg, musée royal de l'Armurerie, Leeds (RU)

L'armure la plus chère vendue aux enchères : armure d'Henri II, réalisée en 1545 par Giovanni Negroli, vendue 2 340 000 €, le 5 mai 1983, par la collection Hever Castle, Kent (RU)

L'armure la plus haute : 2,05 m de haut, vers 1535, tour Blanche de la tour de Londres (RU)

Architecture sportive

Au Royaume-Uni, une maison estimée à 70 millions £ en 2005 avait **1 court de squash, 1 bowling et 5 piscines**.

La plus grande couverture de stade en structure tendue

Une structure tendue est constituée d'un ensemble de câbles souvent associés à une couverture souple. Achevé en 1987 d'après les plans d'Ian Fraser Associates, le Stade international du roi Fahd à Riyad (Arabie saoudite) couvre 47 000 m². Ses 24 mâts supportent une couverture de 246 m de large en forme de tente bédouine, qui abrite les 67 000 spectateurs de l'ardeur du soleil.

Le plus grand stade ancien

Pouvant accueillir 255 000 personnes, le Circus Maximus à Rome (Italie) suit un plan oblong d'environ 610 m de long et 200 m de large. Selon Pline le Jeune, il rivalisait de beauté avec les temples de Rome. Commencé au VIᵉ siècle av. J.-C., il atteignit ses dimensions maximales sous Trajan en 103 apr. J.-C. Il est connu pour ses combats de gladiateurs et les courses de chars que l'on a pu admirer dans *Ben-Hur* (USA, 1959). Le Circus Maximus a accueilli sa dernière course en 550 apr. J.-C.

Le plus grand stade en marbre

Le Stade panathénaïque est presque intégralement réalisé en marbre blanc. Sa construction a débuté au VIᵉ siècle av. J.-C., à

Le plus grand stade de foot

Situé à Rungnado, île au milieu du fleuve Taedong dans le centre de Pyongyang (Corée du Nord), le Stade du premier mai a été inauguré le 1er mai 1989. Il abrite également le festival Arirang (ici, en 2013), une manifestation culturelle dont la spécificité est le spectacle de masse. Il a une capacité de 150 000 spectateurs.

Athènes (Grèce). Il a été reconstruit en marbre en 329 av. J.-C. par Lycurgue, puis souvent agrandi et rénové. Il a accueilli les Iᵉʳˢ JO de l'ère moderne en 1896.

Le stade olympique à la plus grande capacité

Prévu pour environ 110 000 personnes, le Stadium Australia construit à l'occasion des JO de Sydney en 2000 a pu accueillir 114 000 spectateurs pour la cérémonie de clôture. Également appelé ANZ Stadium, il est toujours utilisé, mais avec une capacité réduite de 83 500 personnes. Quatre autres villes

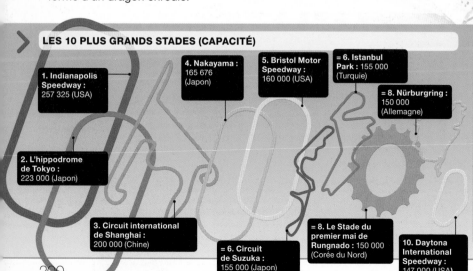

Le stade à énergie solaire le plus grand

Le Stade national de Kaohsiung (Taïwan) est équipé de 8 844 panneaux solaires, couvrant 14 155 m². Ils peuvent générer 1,14 million kWh par an soit 80 % des besoins énergétiques du stade, évitant ainsi l'émission de 660 t de dioxyde de carbone par an s'il fonctionnait avec des centrales classiques. Conçu par Toyo Ito (Japon), le stade adopte la forme d'un dragon enroulé.

La plate-forme sportive flottante la plus grande

Achevé en 2007, le Float at Marina Bay (Singapour) dispose de 19 960 m² de surface utile et d'une tribune pour 27 000 fans sur la rive. La plate-forme est sécurisée par 6 pylônes et peut supporter le poids de 9 000 personnes.

LES 10 PLUS GRANDS STADES (CAPACITÉ)

1. Indianapolis Speedway : 257 325 (USA)
2. L'hippodrome de Tokyo : 223 000 (Japon)
3. Circuit international de Shanghai : 200 000 (Chine)
4. Nakayama : 165 676 (Japon)
5. Bristol Motor Speedway : 160 000 (USA)
= 6. Istanbul Park : 155 000 (Turquie)
= 6. Circuit de Suzuka : 155 000 (Japon)
= 8. Nürburgring : 150 000 (Allemagne)
= 8. Le Stade du premier mai de Rungnado : 150 000 (Corée du Nord)
10. Daytona International Speedway : 147 000 (USA)

i Stades géants

Le sport a un coût. Le Portugal a dépensé 536,5 millions € pour héberger le championnat d'Europe de football 2004 avec 7 nouveaux stades. La coupe du monde de football de 2002 a coûté 526 milliards ¥ (3,7 milliards €) au Japon (construction et réparation). En 2004, la Grèce a dépensé 9,4 milliards € pour les JO de 2004 et la Chine 293 milliards ¥ (2 milliards €) en 2008.

⚡ Le plus grand stade

En 1955, le **plus grand stade** était le stade Strahov à Prague (Tchécoslovaquie). Achevé en 1934, il pouvait recevoir 240 000 fans admirant généralement plus de 40 000 gymnastes. Les grandes manifestations de gymnastique de Strahov sont un lointain souvenir. Le détenteur du record est aujourd'hui l'Indianapolis Motor Speedway (Indiana, USA), qui compte 257 325 sièges.

Source : World Stadiums

Le plus grand green flottant

Pour jouer le 14e trou du golf Cœur d'Alene (Idaho, USA), il faut prendre un bateau ! Achevé en 1991 et couvrant 1 390 m², le green se trouve sur une île contrôlée par un ordinateur, qui peut la déplacer à 75-175 m de la rive. Les golfeurs atteignent l'île à bord d'un taxi d'eau électrique.

olympiques ont un stade d'une capacité supérieure à 100 000 spectateurs : Los Angeles (USA, 101 574 en 1932), Berlin (Allemagne, 110 000 en 1936), Melbourne (Australie, 100 000 en 1956) et Moscou (ex-URSS, 103 000 en 1980).

Le plus grand stade de sumo

Le Ryōgoku Kokugikan à Tokyo (Japon) a une capacité de 11 908 personnes. Les spectateurs occupant les sièges proches de l'aire de combat, *suna-aburi-seki*, sont si proches de l'arène, *dohyō*, qu'ils peuvent être aspergés de sable. Inauguré en janvier 1985, le stade héberge 3 des 6 tournois officiels du pays.

La piste de bobsleigh la plus longue

La piste des JO d'Hiver de 2014 du centre Sanki, à Sochi (Russie), est terriblement exigeante : 1,5 km de long, 131,9 m de dénivelé, une pente moyenne 9,3 % et

18 virages ! Les bobeurs peuvent atteindre 135 km/h !

Le tremplin de vol à ski le plus haut

Le vol à ski est la version extrême du saut à ski. Le tremplin de vol à ski de Vikersundbakken, à Vikersund (Norvège), est à la fois naturel et tracé. Il culmine à 225 m – presque 2,5 fois la hauteur de la statue de la Liberté. Commencé en 1935, le tremplin de Vikersundbakken a été modifié en 2011. Le 11 février 2011, Johan Remen Evensen (Norvège) a réalisé le **plus long saut de compétition** sur ce tremplin : 246,5 m !

Le terrain de jeu de paume le plus récent

Le jeu de paume est l'ancêtre du tennis. Il se joue sur un terrain dur entouré de 4 murs. Il ne reste

La 1re pelouse rétractable

Inauguré le 25 mars 1998, le Gelredome d'Arnhem (Pays-Bas) est le stade du club de foot Vitesse Arnhem. La surface de jeu se trouve sur un plateau rétractable en béton. Il faut 5 h pour le déployer (photo) afin d'y accueillir des concerts.

Le Centre Rogers (ancien SkyDome), à Toronto (Canada), est doté du **plus grand toit rétractable**. Avec ses 209 m d'envergure, il recouvre 3,2 ha.

INFO
La Boucle nord est responsable de 3 à 12 décès chaque année. La légende de la Formule 1 Jackie Stewart l'appelait « l'enfer vert ».

Le plus grand circuit automobile

Le plus grand circuit automobile est le Nürburgring, à Nürburg (Allemagne). Réalisée en 1927, la Boucle nord mesure 20,81 km contre 5,148 km pour la Boucle sud, reconstruite en 1984. Les 2 pistes sont combinées à l'occasion des 24 Heures du Nürburgring (course d'endurance de 24 heures) : 25,958 km et plus de 180 virages !

aujourd'hui qu'une petite cinquantaine de terrains d'après le relevé effectué en 2012 par le Racquet Club of Chicago (Illinois, USA). Le **plus ancien terrain de jeu de paume** se trouve au palais de Falkland, à Fife (RU). Il a été construit

pour Jacques V d'Écosse entre avril 1539 et fin 1541. Le palais abrite également le Falkland Palace Royal Tennis Club, fondé en 1975.

En altitude : les courts les plus hauts

Les garçons de balle doivent avoir le cœur bien accroché sur le **court de tennis le plus haut du monde**, à 211 m au-dessus du sol. Le court a été provisoirement installé sur l'héliport de l'hôtel Burj Al Arab, à Dubaï (ÉAU), pour le match amical opposant Roger Federer (Suisse) à Andre Agassi (USA), le 22 février 2005, pour promouvoir l'Open de Dubaï. « Tu crois que je peux toucher le gars sur son bateau ? » a plaisanté Agassi lorsque les deux sportifs ont fait une pause pour observer le paysage se déployant à leurs pieds. Si vous étiez sur la plage de Dubaï à l'époque, vous savez maintenant d'où venait la balle !

Centres de sports autos

1er circuit de course automobile : Brooklands (Weybridge, RU), inauguré le 17 juin 1907

Le plus grand circuit de F1 (depuis toujours) : Pescara Circuit (course F1 de 1959 à 1961), 25,7 km

Le plus petit circuit de F1 (depuis toujours) : Circuit de Monaco, Monte Carlo (course F1 depuis 1929), 3 km (1929-1979)

Science à la pointe

L'hélium ayant été **découvert en 1er sur le Soleil**, il a été nommé en référence au dieu grec du Soleil.

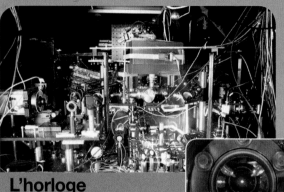

L'horloge la plus précise

Des chercheurs du Joint Institute for Laboratory Astrophysics (JILA) – projet de l'université du Colorado et du National Institute of Standards and Technology américain – ont utilisé l'élément strontium pour fabriquer une horloge atomique qui n'avancera ni ne reculera d'une seule seconde en 4,5 milliards d'années. La recherche a été annoncée le 22 janvier 2014. La définition de la seconde du SI étant basée sur l'atome de césium, les horloges au césium étaient jusqu'alors considérées comme les plus précises.

Le 1er pays à exploiter les hydrates de gaz

Appelés familièrement « glace qui brûle », les hydrates de gaz ont l'apparence et la consistance de la glace. Contenant du méthane piégé dans une structure cristalline, ils se forment dans les sédiments des fonds océaniques. En mars 2013, le Japon a annoncé qu'il avait extrait du méthane de dépôts d'hydrates de la faille de Nankai, à 50 km au large des côtes japonaises. Selon les scientifiques, il y aurait assez de dépôts d'hydrates dans la faille de Nankai pour couvrir les besoins énergétiques du Japon pour 10 ans.

La 1re interaction de photons

En septembre 2013, des chercheurs de l'université de Harvard et du MIT (tous deux USA) ont réalisé une expérience comparant l'interaction des protons et le comportement des sabres laser, armes fictives de *Star Wars*. Les chercheurs ont observé une force d'attraction entre 2 photons – particules basiques formant la lumière – interagissant pour former une molécule unique de deux photons. Cela indique que les photons peuvent être manipulés pour créer une « lame » de lumière solide, comme un sabre laser.

Le plus de tours/min pour un objet

Les scientifiques de l'université de St Andrews (RU) ont créé une sphère de calcium de 4 μm (0,004 mm) de diamètre, 10 fois plus fin qu'un cheveu. Ils ont suspendu cette sphère dans le vide à l'aide de lumière laser et l'ont fait tourner en changeant la polarité de la lumière. Le 28 août 2013, l'équipe a publié les résultats de ses recherches : la sphère de calcium a atteint 600 millions de tours par minute avant de se désintégrer.

Le matériau conçu par l'homme le plus fin

En octobre 2004, des scientifiques britanniques et russes ont annoncé

La mesure de la masse de l'électron la plus précise

Le 19 février 2014, l'Institut Max-Planck de physique nucléaire (Allemagne) a annoncé la masse atomique de l'électron : 0,000548579909067. Elle a été mesurée en liant un électron à un noyau de carbone dans un piège de Penning (*ci-dessus*), dispositif combinant un champ magnétique et un champ électrique. La nouvelle valeur obtenue est 13 fois plus précise que les précédentes.

L'ordinateur le plus rapide

Le superordinateur Tianhe-2, développé par l'université nationale des technologies de la défense (Chine), possède une puissance de calcul de 33,86 pétaflops selon le test de performance Linpack (*voir ci-dessous*). La liste des supercalculateurs les plus rapides a été dévoilée le 17 juin, lors de la session d'ouverture de l'International Supercomputing Conference 2013.

PERFORMANCES DES ORDINATEURS

Calculs par kW/h

Ordinateur
Apple Macintosh
SiCortex SC5832
Dell Dimension 2400
Compaq Deskpro 386/20e
SDS 920
Altair 8800
UNIVAC III
Commodore 64
UNIVAC II

1e+16, 1e+15, 1e+14, 1e+13, 1e+12, 1e+11, 1e+10, 1e+9, 1e+8, 1e+7, 1e+6, 1e+5, 1e+4, 1e+3, 1e+2, 1e+1, 1e+0

1955 1960 1965 1970 1975 1980 1985 1990 1995 2000 2005 2010 2015

Instruments énormes

En 1955, le plus gros instrument scientifique était le radiotélescope de la station expérimentale de l'université de Manchester (Cheshire, RU). « La parabole au squelette filigrane de 54 m de haut supporte une charge de 1 524 t. » Aujourd'hui, ce record est détenu par le Grand Collisionneur Électrons-Positons du CERN à Genève (Suisse), construit pour étudier les particules les plus petites et fondamentales de la matière. Ce dispositif consiste en un tunnel d'une circonférence de 27 km.

INFO

Les performances d'un superordinateur sont calculées en flops – *floating-point operations per second* (opérations à virgule flottante par seconde). Il s'agit du calcul d'une équation mathématique. Un pétaflop, unité employée pour mesurer les performances de l'ordinateur le plus rapide (*ci-dessus*), représente 1 000 000 000 000 000 calculs/s.

La 1ʳᵉ preuve de l'existence du boson de Higgs

Le 14 mars 2013, le CERN confirme qu'une expérience menée au Grand collisionneur d'hadrons (LHC, *ci-dessus*), au CERN de Genève (Suisse), a révélé l'existence du boson de Higgs. La confirmation de l'existence de cette particule élémentaire – connue sous le nom de « particule divine » – est la plus importante découverte en physique de ces dernières décennies. Elle constitue l'une des clefs de voûte du modèle standard : une théorie sur la nature de l'Univers connectant les particules élémentaires et les interactions entre elles.

la découverte du graphène. Ce nanotissu présente l'épaisseur d'un seul atome de carbone et peut recouvrir une surface infinie.

En janvier 2012, des chercheurs de l'université de Californie à Riverside (USA) ont montré qu'en ajoutant 10 % de graphène à d'autres matériaux, on augmentait la conductivité thermique (x 23) – **augmentation de conductivité thermique par un matériau la plus élevée**. Les matériaux composites pourraient être utilisés comme matériaux d'interface thermique : ils sont utilisés dans les dispositifs électroniques pour éviter la surchauffe par absorption de la chaleur générée.

Le transistor le plus fin

Un transistor est un dispositif ouvrant ou fermant un circuit électrique ou amplifiant un signal. Le 19 février 2012, des scientifiques du Centre for Quantum Computation & Communication Technology (Australie) ont dévoilé un transistor de moins de 1 nm de haut (0,000001 mm). L'élément actif de ce transistor est un atome de phosphore (P) placé dans un cristal de silicone (Si). Tous les éléments du dispositif sont agencés sur un seul plan atomique, de sorte que l'intégralité du transistor n'a qu'une couche atomique. C'est un « transistor à un atome ».

Le projectile le plus rapide

Des scientifiques du Naval Research Laboratory à Washington (Columbia, USA) ont utilisé un laser à fluorure de krypton pour propulser une sphère mesurant moins de 300 μm à plus de 1 000 km/s, soit 300 km/s de plus que les tentatives précédentes.

Le 1ᵉʳ tremblement de terre détecté en orbite

Le 17 mars 2009, l'Agence spatiale européenne (ASE) lançait *GOCE*, un satellite destiné à cartographier le champ de gravité terrestre depuis une orbite à 254,9 km. Le 11 mars 2011, alors qu'il traversait les faibles ondes acoustiques de la thermosphère de la Terre, le satellite a détecté le tremblement de terre dévastateur qui a frappé le Japon.

Le plus grand détecteur de neutrinos

IceCube est un télescope dirigé par les États-Unis et conçu pour détecter les neutrinos – particules élémentaires presque dénuées de masse. Installé dans l'Amundsen-Scott South Pole Station (Antarctique), il se compose de 5 160 détecteurs dans 86 lignes verticales enterrées entre 1 450 et 2 450 m sous le niveau de la mer, où la glace est translucide.

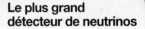

Aérogel ultra léger : le solide le moins dense

Le professeur Gao Chao et son équipe du département de science des polymères et d'ingénierie de l'université de Zhejiang (Chine) ont créé un aérogel de graphène d'une densité de 0,16 mg/cm³. L'équipe a lyophilisé des solutions de nanotubes de carbone et de grandes feuilles d'oxyde de graphène, puis chimiquement extrait l'oxygène pour obtenir une éponge solide, élastique et conductrice. L'aérogel est plus léger que l'air et a de nombreuses applications : il peut absorber de grandes quantités d'huile et capturer les poussières de queues de comètes. La nouvelle a été annoncée dans *Nature*, le 27 février 2013.

📖 Glossaire

Césium : métal alcalin ($_{55}$Cs) fournissant l'unité de base du système international de mesure de la seconde ; 1 s = 9 192 631 770 oscillations de l'atome de césium d'un poids atomique de 133 unités atomiques ($^{133}_{55}$Cs).

Nanotube de carbone : forme allotropique du carbone ($_6$C) ; de forme cylindrique, il est 50 000 fois plus fin qu'un cheveu.

Robots & IA

Au Moyen-Orient, des **jockeys robots** remplacent les enfants dans les courses de chameaux.

Le 1er robot trompettiste

Fabriqué par Toyota (Japon) en 2004, un robot bipède maîtrise la coordination complexe entre la bouche, les lèvres et la langue permettant de jouer de la trompette. D'autres robots jouent du tuba et de la batterie.

La 1re référence publique aux robots

Le mot « robot » a été introduit par Karel Čapek (Rép. tchèque) en 1921 dans sa pièce *R.U.R.* (*Rossum's Universal Robots*). L'histoire met en scène des « personnes artificielles » conçues pour aimer travailler dur. Inventé par son frère Josef, ce mot vient du tchèque *robota*, qui signifie « corvée ».

Le 1er ordinateur ayant participé au championnat du monde de dames

Chinook, programme informatique conçu pour jouer aux dames, a été développé à l'université d'Alberta (Canada), en 1989. En 1990, il a gagné le droit de participer au championnat du monde de dames en remportant la 2e place au championnat national après Marion Tinsley (USA), une des plus grandes joueuses de dames de tous les temps. Chinook a remporté le championnat du monde en 1994, Tinsley ayant pris sa retraite pour des raisons de santé.

Le groupe de robots les plus agiles

Z-Machines est un groupe créé par des ingénieurs de l'université de Tokyo (Japon) en 2013. Outre le clavier Cosmo, le groupe compte Mach le guitariste (avec ses 78 « doigts ») et le batteur Ashura (qui joue avec 22 baguettes). Le groupe a sorti son 1er album composé par le musicien électro britannique Squarepusher en avril 2013.

Le plus long voyage par un véhicule de surface sans conducteur

Le 14 février 2013, le Wave Glider® Benjamin Franklin, développé par Liquid Robotics (USA), a achevé sa traversée du Pacifique de 14 703 km entre San Francisco (Californie, USA) et Lady Musgrave Island (Queensland, Australie). Il existe 4 Wave Gliders, dispositifs convertissant l'énergie des vagues en poussée et utilisant l'énergie solaire pour générer l'électricité destinée aux capteurs, à la communication et à la navigation.

Le plus grand astromobile

Le rover *Curiosity* s'est posé sur Mars le 6 août 2012 dans le cadre de la mission Mars Science Laboratory de la NASA. Il mesure 3 m de long et pèse 900 kg, dont 80 kg d'instruments scientifiques. En mars 2014, le rover avait

La 1re main bionique avec sens du toucher en temps réel

Dennis Aabo Sørensen (Danemark) a testé une prothèse de main reliée aux nerfs périphériques. Selon le rapport publié le 5 février 2014 par l'École polytechnique fédérale de Lausanne (Suisse), il était capable de ressentir la force de préhension et de distinguer la forme et la consistance des objets.

La 1re équipe de robots bâtisseurs autonomes

Conçus par l'université de Harvard (USA), les robots Termes, mesurant environ 30 cm, sont inspirés du comportement des termites. Selon le rapport du 14 février 2014, ils peuvent utiliser des briques pour construire des tours et des pyramides, entre autres structures. Sans être commandés à distance, ils travaillent en équipe pour effectuer la tâche collectivement.

parcouru presque 5 km. *Curiosity* utilise un bras et une « main » pour récupérer des échantillons. Après analyse, il envoie les résultats à la Terre. Selon les scientifiques, il se trouverait sur l'emplacement de l'ancien lit d'une rivière.

Glossaire

Intelligence artificielle faible : concentrée sur un objectif restreint comme jouer aux échecs ou exécuter des tâches, comme Siri d'Apple pour iOS.
Intelligence artificielle forte : intelligence semblable à celle de l'homme, capable de raisonnement, de stratégie, de planification et de jugements complexes.

Hello, world : les machines répondent

En 2011, *Watson* (à droite) d'IBM a répondu en temps réel à des questions pour marquer le **meilleur score réalisé par un ordinateur au jeu télévisé** *Jeopardy !* (USA, depuis 1964). Avec un total de gains de 77 147 $, il a battu ses 2 adversaires humains. IBM a également fabriqué *Deep Blue*, **1er ordinateur à battre un champion du monde d'échecs en condition de temps standard**, battant Garry Kasparov (Russie) le 11 mai 1997 (à droite, en bas). Mike Dobson et David Gilday (tous deux RU) ont conçu le *CUBESTORMER 3* (à gauche), qui a été le **robot le plus rapide à résoudre le Rubik's Cube** : 3,253 s, le 15 mars 2014.

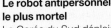
Taille réelle

Capteurs, algorithmes de perception et caméras stéréo montés sur la tête.

La 1ʳᵉ personne à avoir commandé une main robotisée avec l'esprit

Matthew Nagle (USA), paralysé depuis la nuque, a été équipé d'un BrainGate (interface ordinateur/cerveau expérimentale) relié à la surface de son cortex moteur, en 2004, dans le Massachusetts (USA). Relié à un ordinateur, l'implant utilise les ondes cérébrales pour ouvrir et fermer la main robotisée.

Le robot volant le plus léger

RoboBee est un robot de type « mouche » pesant 80 mg. Ultrafines, ses ailes mesurent 3 cm de large et battent 120 fois par seconde. L'université de Harvard (USA) a publié des détails sur le 1ᵉʳ vol de RoboBee en 2013, évoquant une future utilisation de ce mini-robot pour la pollinisation des cultures.

Le robot antipersonnel le plus mortel

La Corée du Sud déploie des sentinelles robots Super aEgis 2 pouvant atteindre des cibles à 3 km. Elles sont déployées dans la zone démilitarisée entre la Corée du Sud et la Corée du Nord, attaquant les intrus à l'aide de mitrailleuses et de lance-grenades ultrapuissants.

Un ordinateur sur la poitrine vérifie les capteurs, les actionneurs de contrôle (dispositif activant un mécanisme ou un système), récupère les données et peut communiquer avec un utilisateur distant.

Les principaux matériaux sont l'aluminium, l'acier et le titane, particulièrement efficaces en cas de crash.

Boston Dynamics : l'avènement des robots

Rachetée par Google en décembre 2013, Boston Dynamics (USA) est l'une des sociétés de robotique les plus à la pointe du monde. Son robot *Atlas* (à droite) est le **robot humanoïde le plus agile**. Il est capable de courir sur des terrains rocailleux et de garder l'équilibre en étant touché par un médecine-ball de 9 kg (à gauche, en haut). *WildCat* (à gauche, en bas) de Boston Dynamics est le **robot quadrupède autonome le plus rapide** : il atteint 25 km/h sur terrain plat.

Les accessoires de poignet peuvent être remplacés par d'autres unités fabriquées par des constructeurs tiers.

La distance la plus longue parcourue par un robot quadrupède

BigDog, développé par Boston Dynamics (ci-dessus), est un robot à 4 pattes conçu comme « bête » de charge pour les soldats. En février 2009, BigDog avait marché 20,5 km en autonomie, guidé par un système GPS.

L'usine automatisée la plus grande

En 2011, Grupo Modelo (Mexique) a ouvert une usine d'embouteillage automatisée utilisant des robots et des chariots à guidage laser pour traiter 6 000 ou 144 000 bouteilles à l'heure.

Le plus grand krach dû à des transactions automatiques

On parle de transactions algorithmiques dans le cas de milliers de transactions par seconde faites par l'IA d'ordinateurs. Le 6 mai 2010, le Dow Jones a plongé de plus de 600 points en raison de telles transactions. Il a retrouvé son niveau 20 min plus tard, d'où le surnom de *flash crash* (« effondrement boursier éclair »).

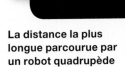

Atlas tient debout grâce à 28 articulations à commandes hydrauliques, ce qui lui permet de s'accroupir, s'agenouiller et sauter.

Mesurant 1,90 m, Atlas a été conçu à l'image d'un adulte en taille réelle. Ses articulations lui permettent de réaliser des mouvements proches de ceux des humains.

Les membres sont entourés d'un système de cage protégeant les capteurs en cas de collision.

LES ROBOTS DES SUPER PRODUCTIONS

Source : www.boxofficemojo.com ; taille en fonction du box-office

Transformers : La Face cachée de la Lune (USA, 2011) 1,12 milliard $

Transformers : La Revanche (USA, 2009) 836,3 millions $

Transformers (USA, 2007) 709,7 millions $

WALL-E (USA, 2008) 521,31 millions $

Terminator 2 : Le Jugement dernier (USA, 1991) 519,84 millions $

Terminator 3 : Le Soulèvement des machines (USA, 2003) 433,37 millions $

Pacific Rim (USA, 2013) 411 millions $

Prometheus (USA, 2012) 403,35 millions $

Terminator Renaissance (USA, 2009) 371,35 millions $

I, Robot (USA, 2004) 347,2 millions $

👁 Mini robots

Le plus petit rover lunaire robotisé : *Jade Rabbit* (Chine), 1,5 m de long, s'est posé le 14 décembre 2013.

Le plus petit dragueur de mines robotisé : RoboClam, conçu par le MIT (USA), inspiré par les couteaux marins, creuse au rythme de 1 cm/s et peut récupérer une mine pour la faire exploser.

La plus petite pince robotisée : l'université de Toronto (Canada) a développé des pinces capables de déplacer une cellule du cœur de 10 mm avec la force adéquate.

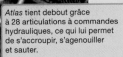

Top tech

Le mot « **gadget** » viendrait de gâchette ou de gagée (petit outil).

Le plus de puissance tirée d'une batterie de fruits

Da Vinci Media (Allemagne), chaîne de télé éducative, a généré 1,21 watt en interconnectant 1 500 citrons, à Budapest (Hongrie), le 27 avril 2013.

La console de jeu portable la plus rapidement vendue

Lors du week-end de lancement en septembre 2013, Apple a vendu 9 millions d'iPhone 5c et 5s, battant son propre record de 5 millions pour l'iPhone 5 en 2012. C'est l'appareil permettant de jouer à des jeux vidéo le plus rapidement vendu. Les ventes d'Apple ont été stimulées par la mise sur le marché de 2 modèles en parallèle et le lancement simultané en Chine et aux États-Unis pour la 1re fois.

La plus grande mosaïque animée de téléphones portables

Pour l'inauguration du China Smart Device Games, au Stade olympique de Pékin, le 13 juillet 2013, China Unicom, Sohu IT et HTC ont créé une mosaïque animée de 400 smartphones. Les dispositifs étaient reliés par le réseau WCDMA HSPA+ d'Unicom (Chine). Chaque écran affichait une vidéo différente qui, combinée avec les autres, formait une publicité.

Le plus rapide à écrire un texto les yeux bandés

Mark Encarnación (USA) a saisi un texto spécifique sur un smartphone en 25,9 s, à Redmond (Washington, USA), le 24 avril 2013. Sans bandeau, le **plus rapide à écrire ce texto sur un smartphone** a mis 18,44 s. Il s'agit de Gaurav Sharma (USA), également à Redmond, le 16 janvier 2014.

Le record de recyclage d'objets électroniques en 24 h

Sims Recycling Solutions (USA) a recyclé 57 308 kg d'objets électroniques dans 7 endroits aux États-Unis et au Canada, le 20 avril 2013, dans le cadre de la Journée de la Terre 2013. Ces objets électroniques inutilisés ont été collectés en Californie, à Hawaïu, dans l'Illinois, le Nevada, le New Jersey et l'Ontario.

Les 1ers gants bluetooth disponibles sur le marché

En octobre 2012, hi-Fun (Italie) a lancé une série de gants en maille et en cuir avec communication bluetooth intégrée pour téléphones portables. Les utilisateurs peuvent passer des appels en parlant dans le petit doigt du gant et en écoutant par le pouce.

Le plus grand looping d'un véhicule télécommandé

Le 15 juin 2013, Jason Bradbury – invité du *Gadget Show* (Channel 5, RU), en photo à gauche avec la coprésentatrice Rachel Riley – a réalisé un looping de 3,18 m de diamètre avec son véhicule télécommandé. Parmi les autres records de l'émission, citons les **machines les plus lourdes déplacées par interface cérébrale** (dont des grues de 56,2 t utilisées pour déplacer une voiture avec un électroaimant en 2011 ; *en bas, à gauche*) et la **plus grande projection de jeu avec un PAC-Man** couvrant 2 218,65 m², à Londres (RU), en 2013 *(en bas, à droite)*.

La science à couper le souffle ? C'est p. 202 !

LES 10 APPLICATIONS DE SMARTPHONE LES PLUS UTILISÉES

Google Maps 54 %	Facebook 44 %	YouTube 35 %	Google+ 30 %	WeChat 27 %

Facebook Messenger 22 %	Skype 22 %	Twitter 22 %	WhatsApp 17 %	Instagram 11 %

Téléphone maison

Lors de notre 1re édition en 1955, le pays doté du plus de téléphones était les États-Unis : 50 millions soit 31 pour 100 habitants. Le Canada passait le plus grand nombre d'appels : 459 par an. En 2011, selon l'International Telecommunication Union (ITU), le monde était passé au mobile avec 6 milliards d'abonnements (il s'agit davantage des cartes SIM que des téléphones).

INFO

Le dictionnaire Oxford a reconnu le mot « selfie » comme le mot de l'année 2013, le définissant comme « une photo prise par soi-même à l'aide d'un smartphone ou d'une webcam, et téléchargée vers les réseaux sociaux ».

Source : *GlobalWebIndex survey, août 2013*

Le 1er cadre de vélo en alliage de titane imprimé en 3D

Empire Cycles (RU) a conçu un cadre de vélo construit en titane par la société britannique Renishaw. Le procédé de fonte laser 3D assure une diminution des pertes et permet de créer une forme plus organique. Le cadre du prototype MX-6 Evo de 2014 pèse 1,4 kg : il est 33 % plus léger qu'un cadre conventionnel.

IMPRESSION 3D

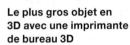

L'imprimante 3D haute résolution la plus rapide
Des chercheurs ont développé une imprimante pouvant réaliser des objets de la taille d'un grain de sable. L'imprimante nanométrique de l'université technologique d'Autriche utilise une résine liquide durcie par rayon laser. Ces nano impressions sont notamment destinées à la technologie biomédicale et la nanotechnologie.

Le plus gros objet en 3D avec une imprimante de bureau 3D
En 2013, Skylar Tibbits, Marcelo Coelho (tous deux USA), Natan Linder et Yoav Reches (tous deux Islande) ont utilisé une imprimante 3D de bureau pour créer des objets « pliés » dans une chambre d'impression de 12,4 x 12,4 x 16,5 cm. Ce projet reliait les parties d'une super structure en une chaîne : l'équipe a créé un chandelier 5 fois plus volumineux que la chambre d'impression.

Le plus d'imprimantes 3D fonctionnant en même temps
En 2013, le Dr Jesse French (USA) a chargé ses étudiants de fabriquer une imprimante 3D dans le cadre de leur cours d'ingénierie de LeTourneau University de Longview (Texas, USA). Le 4 avril, 102 étudiants ont fait fonctionner leurs imprimantes simultanément pour produire une pièce spéciale conçue pour l'événement.

Le plus d'argent collecté pour un projet d'imprimante 3D Kickstarter

Le 1er mai 2014, le projet d'imprimante Micro de M3D avait collecté 3,15 millions $ de fonds sur le site Internet de financement collaboratif kickstarter.com pour un objectif initial de 50 000 $! De plus en plus en vogue, l'impression 3D permet de tout créer : des décos en plastique à des maisons entières. La Micro est destinée à la grande consommation. Cubique, la chambre d'impression mesure 18,5 cm de côté. Le prix des imprimantes est en baisse : la Micro coûte 299 $.

L'application pour smartphone la plus utilisée

Dans le cadre d'une étude mondiale, des détenteurs de smartphone de 16 à 64 ans (ci-dessous) ont rempli un questionnaire en ligne : 54 % utilisaient Google Maps. Selon les données du GlobalWebIndex (août 2013), les utilisateurs ont ouvert l'appli au moins 1 fois le mois précédent. En 2e position : l'appli mobile Facebook (44 %).

La 1re imprimante 3D à avoir créé un implant de mâchoire inférieure
En juin 2011, une femme de 83 ans s'est fait implanter une mâchoire inférieure « imprimée » à partir de poudre de titane durcie au laser, au centre médical d'Orbis (Pays-Bas). Le dispositif a été conçu par LayerWise en collaboration avec les scientifiques de l'université de Hasselt (tous deux Belgique).

Le 1er selfie
En octobre 1839, Robert Cornelius (USA) a fait son autoportrait à l'aide de la technique du daguerréotype : procédé photographique utilisant une plaque d'argent polie ensuite exposée à la vapeur de mercure. Il a pris cette photo dans la cour de la boutique familiale de Philadelphie. Temps de pause : de 3 à 15 min.

Le 1er selfie dans l'espace
Le 18 juillet 1966, *Gemini 10* était lancé avec les astronautes John Young et Michael Collins (tous deux USA). Un jour plus tard, en orbite, Collins a pris cette photo de lui, assis dans la capsule.

Le 1er selfie dans l'espace (hors navette)
Le 13 novembre 1966, Edwin Aldrin Jr (USA) s'est lancé dans une 2e sortie dans l'espace, lors de la mission *Gemini 12*. Pendant sa balade de 2 h et 6 min, il a pris des photos des champs d'étoiles et de lui-même.

La 3D : l'impression pour de vrai

La **1re chaussure de foot imprimée en 3D** (à gauche) a été conçue par Nike en 2013 pour les footballers américains de la NFL. Les semelles des Vapor Laser Talon de Nike sont réalisées par frittage laser sélectif, procédé permettant au laser de fusionner des particules de plastique. Le **1er record d'impression 3D** (à droite, en haut) a été réalisé en 2013 par la chercheuse Amanda Ghassaei (USA), qui a écrit du code pour convertir des fichiers audio en fichiers 3D. Blizzident (Espagne) a créé la **1re brosse à dents imprimée en 3D** (à droite, en bas) en 2013 : 400 soies sont fixées dans un moule en plastique réalisé par numérisation d'une cavité buccale.

Véhicules télécommandés

L'avion à réaction le plus rapide : 706,97 km/h, le 14 septembre 2013, par un avion à turbine de 1,3 m de long construit par Niels Herbrich (Allemagne).

La voiture à batterie la plus rapide : 276,74 km/h, le 19 décembre 2012, par R/C Bullet, conçu, construit et conduit par Nic Case (USA).

Le saut de rampe le plus long d'une voiture télécommandée : 36,9 m, le 30 juillet 2011, par une Carson Specter 6S dirigée, par Thomas Strobel (Allemagne).

Sports

Un match de tennis dure en moyenne 2 h 30, mais la balle ne vole que pendant **20 min**.

La sportive la plus influente

La 1re sportive au classement Forbes des personnalités les plus influentes est la joueuse de tennis Serena Williams (USA). Pour établir ce classement, Forbes évalue des critères tels que les revenus, la présence médiatique, l'opinion publique et le potentiel commercial des célébrités.

Serena est aussi la **1re sportive à avoir empoché 50 millions $ de gains** après son triomphe à l'US Open de New York (USA), le 8 septembre 2013. Quelques jours plus tard, le 27 octobre, elle est devenue la **numéro 1 mondiale la plus âgée**, à 32 ans et 31 jours.

Elle détient également le record de **la plus longue période entre le 1er et le dernier titre de Grand chelem dans l'ère open** (hommes ou femmes). Elle a battu Victoria Azarenka, à Flushing Meadows, le 8 septembre 2013, soit 13 ans et 362 jours après son 1er titre, déjà à l'US Open, face à Martina Hingis, le 11 septembre 1999.

INFO

Venus, la sœur de Serena, partage avec Brenda Schultz-McCarthy (Pays-Bas), le record du **service le plus rapide (femme)**, soit 207,6 km/h.

Football américain

Le plus long touchdown en NFL par un quarterback

Terrelle Pryor des Oakland Raiders a parcouru 93 yards pour réussir un touchdown. Il a établi son record en NFL (National Football League) contre les Pittsburgh Steelers, le 27 octobre 2013.

NFL

Le plus de saisons

George Blanda a joué pour 4 équipes de NFL pendant 26 saisons. Il a débuté sa carrière en 1949 et l'a terminée chez les Oakland Raiders de 1967 à 1975.

Le plus de saisons pour une même équipe

Jason Hanson a passé 21 saisons (1992-2012) avec les Detroit Lions.

Le plus de matchs

Entre 1982 et 2007, le kicker Morten Andersen (Danemark) a disputé 382 matchs pour les New Orleans Saints, Atlanta Falcons, New York Giants,

Kansas City Chiefs et Minnesota Vikings.

Andersen a aussi réalisé le **plus de points** (2 544), le **plus de field goals réussis** (565) et le **plus de field goals tentés** (709) en une carrière NFL.

Le plus de matchs consécutifs

Jeff Feagles a été aligné 352 fois de suite entre 1988 et 2009 avec les New England Patriots, Philadelphia Eagles, Arizona Cardinals, Seattle Seahawks et New York Giants.

Le plus de plaquages en un match de NFL

Luke Kuechly des Carolina Panthers a réalisé 24 plaquages lors d'un match contre les New Orleans Saints, le 22 décembre 2013, égalant le record de David Harris des New York Jets face aux Washington Redskins, le 4 novembre 2007.

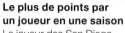

Le plus de points par un joueur en une saison

Le joueur des San Diego Chargers LaDainian Tomlinson a marqué 186 points en 2006. Cette même année, le running back a réalisé le **plus de touchdowns en une saison** (31).

Le plus de points par une équipe en une saison

Les Denver Broncos du Colorado ont totalisé 606 points en 2013.

Le plus de points en un match

Ernie Nevers a inscrit 40 points pour les Cardinals de Chicago (devenus Arizona), le 28 novembre 1929. Cette même année, il a réussi le **plus de touchdowns en un match de NFL** (6), avant d'être égalé par William Jones en 1951 et Gale Sayers en 1965.

Le plus de matchs de suite à inscrire un touchdown

Deux joueurs ont marqué au moins un touchdown dans les 18 matchs d'affilée : Lenny Moore (1963-1965) et LaDainian Tomlinson (2004-2005).

Le plus de field goals en une saison

David Akers a réussi 44 field goals en 2011 pour les 49ers de San Francisco. Cette même année, il a enregistré le **plus de field goals tentés en une saison** (52).

Le plus de yards gagnés par interception en carrière NFL

Ed Reed, vedette des Baltimore Ravens, Houston Texans et New York Jets, a remonté 1 590 yards après des interceptions entre 2002 et 2013. Il a aussi enregistré le **plus long retour d'interception pour un touchdown** avec 107 yards pour les Ravens contre les Philadelphia Eagles, le 23 novembre 2008. Il bat ainsi son propre record de 106 yards réalisé contre les Cleveland Browns, le 7 novembre 2004.

Le plus de touchdowns après interception en carrière NFL

Rod Woodson a marqué 12 touchdowns après avoir intercepté une passe dans sa carrière NFL avec les Pittsburgh Steelers, Baltimore Ravens et Oakland Raiders, de 1987 à 2003.

Le plus de yards gagnés à la course en un match

Le 4 novembre 2007, le running back des Minnesota Vikings Adrian Peterson a gagné 296 yards à la course. Lors de cette saison, il a été désigné rookie offensif de l'année en NFL.

Le plus de passes réussies en un match de play-off

Drew Brees a complété 40 passes pour les Saints de Nouvelle-Orléans contre les 49ers de San Francisco en play-off le 14 janvier 2014.

RECORDS EN UN MATCH DE SUPER BOWL

Yards gagnés à la passe	407	St Louis Rams (2000)
Yards gagnés à la course	280	Washington Redskins (1988)
Yards gagnés par interception	172	Tampa Bay Buccaneers (2003)
Courses tentées	57	Pittsburgh Steelers (1975)
Points	55	San Francisco 49ers (1990)
Marge de victoire	45	San Francisco 49ers *vs* Denver Broncos, 55-10 (1990)
Passes réussies	34	Denver Broncos (2014)
First downs	31	San Francisco 49ers (1985)
Pénalités	12	Dallas Cowboys (1978)
		Carolina Panthers (2004)
Dégagements	11	New York Giants (2001)
Retours de kick-off	9	Denver Broncos (1990)
		Oakland Raiders (2003)
Turnovers	9	Buffalo Bills (1993)
Fumbles	8	Buffalo Bills (1993)
Touchdowns	8	San Francisco 49ers (1990)
Retours de dégagement	6	Washington Redskins (1983)
		Green Bay Packers (1997)
Interceptions	5	Tampa Bay Buccaneers (2003)
Field goals	4	Green Bay Packers (1968)
		San Francisco 49ers (1982)

Statistiques au 3 janvier 2014

Le plus de touchdowns sur relance en carrière
Devin Hester et Deion Sanders ont réalisé chacun 19 touchdowns sur relance.

Le plus de yards en réception par un tight end
Tony Gonzalez a gagné 15 127 yards en réception pour les Kansas City Chiefs et les Atlanta Falcons de 1997 à 2013.

SUPER BOWL

Le plus de matchs
Mike Lodish a disputé 6 fois le Super Bowl : 4 avec les Buffalo Bills (1991-1994) et 2 avec les Denver Broncos (1998-1999).

Le plus de points en un match
Quatre joueurs ont cumulé 18 points en un Super Bowl :

Roger Craig (1985), Jerry Rice (1990 et 1995), Ricky Watters (1995) et Terrell Davis (1998).

Le plus de touchdowns en carrière
Jerry Rice totalise 8 touchdowns au Super Bowl. Il a aussi inscrit le **plus de touchdowns en carrière NFL** (208), entre 1985 et 2004.

Le plus de field goals en carrière
Adam Vinatieri a marqué 7 field goals en matchs de Super Bowl entre 2001 et 2006.

Le plus de yards à la course en un match
Au XXIIe Super Bowl (1988), Timmy Smith, des Washington Redskins, a gagné 204 yards à la course.

Le plus long field goal de NFL
Matt Prater des Denvers Broncos a placé un field goal de 64 yards lors d'un match contre les Tennessee Titans, le 8 décembre 2013. Il dépassa ainsi d'un yard le record précédent établi par Tom Dempsey (New Orleans Saints) en 1970 et égalé 3 fois par la suite.

CFL

Le plus de passes de touchdown en carrière
Anthony Calvillo a lancé 455 passes de touchdown au cours de sa carrière en CFL (ligue canadienne). Il a joué pour les Las Vegas Posse et les équipes canadiennes des Hamilton Tiger-Cats et des Alouettes de Montréal, de 1994 à 2013.

Le meilleur taux de passes réussies en une saison
Ricky Ray a validé 77,23 % de ses passes (234 sur 303) pour les Toronto Argonauts (Canada) en 2013.

Le plus de passes réussies en carrière
De 1994 à 2013, Anthony Calvillo a établi de nombreux records en CFL, notamment le **plus de passes tentées** (9 437) et réussies (5 892).

Le plus de yards à la course en un match de Grey Cup
À la 101e Grey Cup de CFL, le 24 novembre 2013, Kory Sheets a gagné 197 yards pour les Saskatchewan Roughriders (Canada).

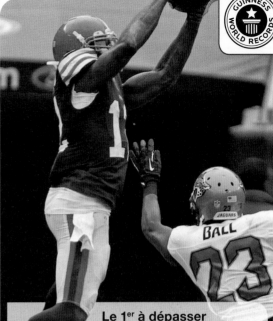

Le 1er à dépasser 200 yards à la réception sur 2 matchs consécutifs de NFL
Josh Gordon des Cleveland Browns a cumulé 237 yards à la réception le 24 novembre 2013, puis 267 yards le 1er décembre. C'était la 1re fois dans l'histoire de la NFL qu'un joueur dépassait les 200 yards sur 2 matchs de suite.

Pour le foot, rendez-vous p. 236-239

Balle au cochon
Les ballons étaient autrefois fabriqués en matériaux naturels, généralement en vessie de porc recouverte de cuir.

Tous les joueurs et équipes sont originaires des États-Unis sauf mention contraire.

Athlétisme

S'il pouvait maintenir sa vitesse de pointe, Usain Bolt ferait le tour de la Terre en **44 jours**.

Le plus de Trophées IAAF de l'athlète de l'année

Hommes : Usain Bolt (Jamaïque) a remporté le trophée de l'athlète de l'année décerné par l'Association internationale des fédérations d'athlétisme (IAAF) 5 fois, en 2008, 2009 et 2011-2013.

Femmes : Le record féminin appartient à Yelena Isinbayeva (Russie) avec 3 titres en 2004, 2005 et 2008.

LIGUE DE DIAMANT

Le plus jeune vainqueur d'un meeting

Hommes : Conseslus Kipruto (Kenya, né le 8 décembre 1994) a remporté le 3 000 m steeple, en 2012, à 17 ans et 225 jours.

Femmes : Francine Niyonsaba (Burundi, née le 5 mai 1993) a remporté le 800 m, le 7 septembre 2012, à 19 ans et 126 jours.

Le plus vieux vainqueur d'un meeting

Hommes : Le lanceur de disque Virgilijus Alekna (Lituanie, né le 13 février 1972) avait 39 ans et 175 jours lors de son titre à Londres en 2011.

Femmes : Brigitte Foster-Hylton (Jamaïque, née le 7 novembre 1974) a remporté le 100 m haies, à Doha (Qatar) à 37 ans et 187 jours en 2012.

Le plus de titres

Un homme et une femme comptent 4 titres chacun

en Ligue de diamant : Renaud Lavillenie (France, ci-dessus) a dominé le saut à la perche de 2010 à 2013, et Milcah Chemos Cheywa (Kenya) a remporté le 3 000 m steeple sur la même période.

Une ligue à part

La Ligue de diamant a été créée en 2010 pour succéder à la Golden League en tant que principale compétition annuelle d'athlétisme.

JEUX OLYMPIQUES

Les Jeux d'été les plus septentrionaux

Les XVᵉ Olympiades (1952), à Helsinki (Finlande), étaient disputées à 60,1° de latitude et 24,6° de longitude. Les Jeux de 1956, à Melbourne (Australie), étaient les **Jeux les plus méridionaux**, à 37,5° de latitude et 144,6° de longitude.

Les **Jeux d'été à la plus haute altitude** étaient les XIXᵉ JO, à Mexico (Mexique),

Le saut à la perche le plus haut (hommes)

Renaud Lavillenie (France) a sauté à 6,16 m en salle, au meeting Pole Vault Stars de Donetsk (Ukraine), le 15 février 2014. Le record précédent, à 6,15 m, avait été établi par Sergey Bubka, presque 21 ans auparavant.

à 2 250 m au-dessus du niveau de la mer, du 12 au 27 octobre 1968.

Le plus de titres olympiques

Hommes : Paavo Nurmi (Finlande) a cumulé 9 médailles d'or entre 1920 et 1928. Carl Lewis a fait aussi bien entre 1984 et 1996.

Femmes : Six femmes ont décroché 4 titres, les dernières étant

Triplé à grande vitesse

Shelly-Ann Fraser-Pryce (Jamaïque) est devenue la **1ʳᵉ femme à remporter 3 sprints en un même Championnat du monde** lorsqu'elle s'est imposée aux 100 m, 200 m et relais 4 x 100 m, au Mondial 2013, du 12 au 18 août. Maurice Greene (USA) était le **1ᵉʳ sportif** à accomplir cet exploit en 1999 sur les mêmes distances.

ÉPREUVES DE COURSE SUR PISTE (HOMMES)

Épreuve	Temps	Nom (Nationalité)	Date
100 m	9"58	Usain Bolt (Jamaïque)	16 août 2009
200 m	19"19	Usain Bolt (Jamaïque)	20 août 2009
400 m	43"18	Michael Johnson (USA)	26 août 1999
800 m	1'40"91	David Lekuta Rudisha (Kenya)	9 août 2012
1 000 m	2'11"96	Noah Ngeny (Kenya)	5 sept. 1999
1 500 m	3'26"00	Hicham El Guerrouj (Maroc)	14 juill. 1998
1 mile	3'43"13	Hicham El Guerrouj (Maroc)	7 juill. 1999
2 000 m	4'44"79	Hicham El Guerrouj (Maroc)	7 sept. 1999
3 000 m	7'20"67	Daniel Komen (Kenya)	1ᵉʳ sept. 1996
5 000 m	12'37"35	Kenenisa Bekele (Éthiopie)	31 mai 2004
10 000 m	26'17"53	Kenenisa Bekele (Éthiopie)	26 août 2005
20 000 m	56'26"00	Haile Gebrselassie (Éthiopie)	27 juin 2007
25 000 m	1 h 12'25"4	Moses Cheruiyot Mosop (Kenya)	3 juin 2011
30 000 m	1 h 26'47"4	Moses Cheruiyot Mosop (Kenya)	3 juin 2011
3 000 m steeple	7'53"63	Saif Saaeed Shaheen (Qatar)	3 sept. 2004
110 m haies	12"80	Aries Merritt (USA)	7 sept. 2012
400 m haies	46"78	Kevin Young (USA)	6 août 1992
Relais 4 x 100 m	36"84	Jamaïque	11 août 2012
Relais 4 x 200 m	1'18"68	Santa Monica Track Club (USA)	17 avril 1994
Relais 4 x 400 m	2'54"29	USA	22 août 1993
Relais 4 x 800 m	7'02"43	Kenya	25 août 2006
Relais 4 x 1 500 m	14'36"23	Kenya	4 sept. 2009

AUTRES ÉPREUVES D'ATHLÉTISME (HOMMES)

Épreuve	Distance	Nom (Nationalité)	Date
Hauteur	2,45 m	Javier Sotomayor (Cuba)	27 juill. 1993
Perche	6,14 m	Sergey Bubka (Ukraine)	31 juill. 1994
Longueur	8,95 m	Mike Powell (USA)	30 août 1991
Triple saut	18,29 m	Jonathan Edwards (RU)	7 août 1995
Poids	23,12 m	Randy Barnes (USA)	20 mai 1990
Disque	74,08 m	Jürgen Schult (ex-RDA)	6 juin 1986
Marteau	86,74 m	Yuriy Sedykh (ex-URSS)	30 août 1986
Javelot	98,48 m	Jan Železný (Rép. tchèque)	25 mai 1996

Épreuve	Points	Nom (Nationalité)	Date
Décathlon	9 039 pts	Ashton Eaton (USA)	23 juin 2012

Statistiques au 12 mars 2014

ÉPREUVES DE COURSE SUR PISTE (FEMMES)

Épreuve	Temps	Nom (Nationalité)	Date
100 m	10"49	Florence Griffith-Joyner (USA)	16 juill. 1988
200 m	21"34	Florence Griffith-Joyner (USA)	29 sept. 1988
400 m	47"60	Marita Koch (ex-RDA)	6 oct. 1985
800 m	1'53"28	Jarmila Kratochvílová (Rép. tchèque)	26 juill. 1983
1 000 m	2'28"98	Svetlana Masterkova (Russie)	23 août 1996
1 500 m	3'50"46	Yunxia Qu (Chine)	11 sept. 1993
1 mile	4'12"56	Svetlana Masterkova (Russie)	14 août 1996
2 000 m	5'25"36	Sonia O'Sullivan (Irlande)	8 juill. 1994
3 000 m	8'06"11	Junxia Wang (Chine)	13 sept. 1993
5 000 m	14'11"15	Tirunesh Dibaba (Éthiopie)	6 juin 2008
10 000 m	29'31"78	Junxia Wang (Chine)	8 sept. 1993
20 000 m	1 h 05'26"6	Tegla Loroupe (Kenya)	3 sept. 2000
25 000 m	1 h 27'05"9	Tegla Loroupe (Kenya)	21 sept. 2002
30 000 m	1 h 45'50"0	Tegla Loroupe (Kenya)	6 juin 2003
3 000 m steeple	8'58"81	Gulnara Samitova-Galkina (Russie)	17 août 2008
100 m haies	12"21	Yordanka Donkova (Bulgarie)	20 août 1988
400 m haies	52"34	Yuliya Pechenkina (Russie)	8 août 2003
Relais 4 x 100 m	40"82	USA	10 août 2012
Relais 4 x 200 m	1'27"46	USA « Blue »	29 avril 2000
Relais 4 x 400 m	3'15"17	ex-URSS	1er oct. 1988
Relais 4 x 800 m	7'50"17	ex-URSS	5 août 1984
Relais 4 x 1 500 m	17'09"75	Australie	25 juin 2000

AUTRES ÉPREUVES D'ATHLÉTISME (FEMMES)

Épreuve	Distance	Nom (Nationalité)	Date
Hauteur	2,09 m	Stefka Kostadinova (Bulgarie)	30 août 1987
Perche	5,06 m	Yelena Isinbayeva (Russie)	28 août 2009
Longueur	7,52 m	Galina Chistyakova (ex-URSS)	11 juin 1988
Triple saut	15,50 m	Inessa Kravets (Ukraine)	10 août 1995
Poids	22,63 m	Natalya Lisovskaya (ex-URSS)	7 juin 1987
Disque	76,80 m	Gabriele Reinsch (ex-RDA)	9 juill. 1988
Marteau	79,42 m	Betty Heidler (Allemagne)	21 mai 2011
Javelot	72,28 m	Barbora Špotáková (Rép. tchèque)	13 sept. 2008

Épreuve	Points	Nom (Nationalité)	Date
Heptathlon	7 291	Jackie Joyner-Kersee (USA)	24 sept. 1988
Décathlon	8 358	Austra Skujyte (Lituanie)	15 avril 2005

Statistiques au 12 mars 2014

Sanya Richards-Ross et Allyson Felix (toutes deux USA), qui ont terminé leur moisson en 2012.

JEUX PARALYMPIQUES

Le plus de médailles en athlétisme

Hommes : Heinz Frei (Suisse) a disputé 14 jeux paralympiques (1984-2012, été et hiver). Il compte

Le plus jeune médaillé au championnat du monde en relais

Femmes : Dina Asher-Smith (RU, née le 4 décembre 1995) a remporté le bronze sur 4 x 100 m, à 17 ans et 247 jours, en 2013.
Hommes : Darrel Brown (Trinité-et-Tobago), né le 11 octobre 1984, avait 16 ans et 305 jours quand il a pris l'argent au 4 x 100 m en 2001.

34 médailles, dont 22 en athlétisme.
Femmes : Chantal Petitclerc (Canada) est montée 21 fois sur le podium entre 1992 et 2008 sur différentes distances, du 100 au 1 500 m.
Chantal détient aussi le **plus de médailles d'or en athlétisme paralympique** (14), un record partagé avec le sportif Franz Nietlispach (Suisse).

CHAMPIONNATS DU MONDE IAAF

Le plus de participations

Hommes : Le spécialiste du 50 km, Jesús Ángel García (Espagne), a disputé 11 Championnats du monde IAAF, entre 1993 et 2013.
Femmes : Susana Feitór (Portugal) compte aussi 11 participations entre 1991

et 2011 dans les épreuves de marche sur 10 et 20 km.

Le plus de médailles d'or

Quatre sportifs – 3 hommes et 1 femme – ont remporté 8 titres aux Championnats du monde. Carl Lewis (USA) a été le premier à y parvenir en 1983-1991, suivi de Michael Johnson (USA, 1991-1999), Allyson Felix (USA, 2005-2011) et Usain Bolt (2009-2013).

Le plus de victoires sur 200 m

Femmes : Allyson Felix a remporté 3 fois de suite la spécialité, en 2005-2009.
Hommes : Usain Bolt l'a égalé entre 2009 et 2013.

Le plus de victoires consécutives en relais 4 x 400 m

LaShawn Merritt (USA) a été sacré 4 fois de suite en 2007-2013.

Le plus de points en meetings de Ligue de diamant

Femmes : Le plus de points inscrits en Ligue de diamant au cours d'une carrière est de 94, par Valerie Adam (Nouvelle-Zélande, ci-dessus), en lancer de poids entre 2010 et 2013. Les points sont attribués aux 3 premières places.
Hommes : Renaud Lavillenie *(voir ci-contre)* totalise le plus de points chez les hommes. À la fin de la saison 2013, il en comptait 86.

Le plus de médailles en Championnat du monde IAAF

Hommes : L'homme qui est monté le plus souvent sur un podium en Championnat du monde est Carl Lewis *(ci-dessous)*, avec 10 médailles, dont 8 en or, 1 en argent et 1 en bronze, entre 1983 et 1993.
Il a été égalé par Usain Bolt *(à gauche)*, avec 8 titres et 2 deuxièmes places entre 2007 et 2013.
Femmes : Merlene Ottey (Jamaïque) a accumulé 14 médailles – 3 en or, 4 en argent et 7 en bronze –, entre 1983 et 1997.

Sports de balle

Il y a 3 000 ans, les Mayas se servaient de **têtes humaines** comme ballons.

Le plus grand score en finale de World Series de netball

La Nouvelle-Zélande a inscrit le plus de points en finale de la plus grande compétition de netball, le Netball Fast5, en battant l'Australie 56-27, soit 29 points d'écart, le 10 novembre 2013.

Le plus d'affluence pour un match de netball

L'Allphones Arena de Sydney (Australie) a réuni 14 339 spectateurs pour Australie-Nouvelle-Zélande, le 13 novembre 2004, partie remportée 54-49 par l'équipe hôte.

Le plus de points marqués en finale du Mondial de handball féminin

Le 14 décembre 2003, la France et la Hongrie s'affrontaient en finale du Championnat du monde en Croatie. Les Bleus l'emportaient 32-29, soit 61 points inscrits.

Le plus de Championnats du monde de polo

L'Argentine a remporté le Championnat du monde à 4 reprises depuis sa création en 1987 : en 1987 justement, puis en 1992, 1998 et 2011.

HOCKEY SUR GAZON

Le plus de Coupes du monde

Femmes : Les Néerlandaises ont remporté 6 Coupes du monde entre 1974 et 2006.
Hommes : Le Pakistan a décroché 4 titres entre 1971 et 1994.

Le plus de buts en sélection

Le défenseur Sohail Abbas (Pakistan) a inscrit 348 buts entre le 1er mars 1998 et le 5 août 2012.

Le plus de victoires en Coupe d'Afrique des Nations

La Coupe d'Afrique des Nations de hockey sur gazon est un tournoi qualificatif pour la Coupe du monde et les JO selon l'année. L'Afrique du Sud a obtenu 7 titres entre 1993 et 2013.

La plus large victoire aux JO

Hommes : Le 3e match de l'épreuve de hockey aux Jeux de Los Angeles (USA), en 1932, a vu l'Inde écraser l'équipe hôte 24-1.
Femmes : L'Afrique du Sud a balayé les États-Unis 7-0, à Londres (RU), le 6 août 2012.

GAA

Le plus de Championnats d'Irlande de hurling (équipe)

Le hurling est un sport de crosse irlandais très rapide (qui rappelle le hockey) organisé par la Fédération sportive gaélique (GAA). Kilkenny a remporté le championnat irlandais, plus grande compétition de ce sport, 34 fois entre 1904 et 2012.

Le plus de Championnats d'Irlande de camogie

Le camogie est la version féminine du hurling. Le record de titres est détenu par Dublin, avec 26 sacres en championnat.

Le plus de victoires en Championnat d'Irlande de hurling (joueur)

Henry Shefflin (Irlande) totalise 9 médailles – et d'innombrables cicatrices – avec Kilkenny, en 2000, 2002, 2003, 2006-2009, 2011 et 2012. Né à Waterford, le « roi Henry » est l'une des légendes de ce sport. Quand l'avant-centre ne terrorise pas les défenses adverses, il travaille dans la finance.

Le plus de Championnats d'Irlande de football gaélique

Le football gaélique mêle rugby et football. Kerry a remporté le championnat 36 fois, plus que toute autre équipe.

KORFBALL

Le plus de points en finale mixte du Championnat du monde

Le korfball est un sport mixte proche du netball et du basket-ball. Lors de la finale du Mondial, le 5 novembre 2011, à Shaoxing (Chine), les Pays-Bas ont inscrit 32 points contre la Belgique.

Le plus d'Europa Cup

Le club PKC (Pays-Bas) a remporté la coupe d'Europe 7 fois : en 1985, 1990, 1999, 2000, 2002, 2006 et 2014.
La sélection des Pays-Bas compte le plus de titres

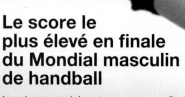

Le score le plus élevé en finale du Mondial masculin de handball

Le plus grand écart au score en finale d'un Championnat du monde masculin de la Fédération internationale de handball est de 16 points. L'Espagne avait écrasé le Danemark 35-19, au Palau Sant Jordi de Barcelone (Espagne), le 27 janvier 2013. Ci-contre, le pivot Julen Aguinagalde (Espagne, à gauche) repousse l'arrière-gauche Mikkel Hansen (Danemark).

INFO

Dans l'*Odyssée* d'Homère, les Grecs jouaient déjà à une forme de handball avec un ballon en laine pourpre.

Le plus de participants en Ligue mondiale FIVB

En 2013, 18 pays issus de quatre continents ont pris part à la Ligue mondiale FIVB de volley-ball. La Russie est devenue championne en battant le Brésil 3-0 en finale.

Le plus de tournois FIVB de beach-volley par un même duo

Vegard Høidalen et Jørre Kjemperud (tous deux Norvège) ont disputé

135 compétitions FIVB de beach-volley entre 1987 et 2010.

INFO

En 1363, Édouard III d'Angleterre bannit la pratique du hockey, du football et d'autres « jeux inutiles ».

Le plus de buts en Ligue européenne de hockey

Le meilleur buteur de l'Euro Hockey League, la plus grande compétition de hockey sur gazon, est Jeroen Hertzberger (Pays-Bas), auteur de 32 réalisations pour HC Rotterdam, entre le 27 octobre 2007 et le 25 octobre 2013.

Le plus de Coupes des grands champions de volley féminin

Le Brésil est devenu la 1re équipe féminine à gagner la Coupe des grands champions FIVB 2 fois, lors de son triomphe à Tokyo (Japon), le 17 novembre 2013, après celui de 2005. Les 5 premières éditions ont connu des vainqueurs différents.

en Championnat du monde (8) et a remporté toutes les épreuves de korfball aux Jeux mondiaux entre 1985 et 2013.

CROSSE

Le plus de titres en Championnat du monde masculin

Entre 1967 et 2010, les États-Unis ont remporté 9 titres. Ils détiennent aussi

le **plus de titres en Coupe du monde féminine de crosse**, avec 7 médailles d'or entre 1982 et 2013.

Le tir le plus rapide

La frappe de Mike Sawyer (USA) a atteint 183 km/h, à Charlotte (USA), le 13 juillet 2013.

VOLLEY-BALL

Le plus de titres en Ligue mondiale FIVB

La Ligue mondiale de la Fédération internationale de volley-ball est une compétition annuelle où les équipes s'affrontent lors d'un tour préliminaire avant la phase finale. Le Brésil a remporté la compétition 9 fois : en 1993, 2001, 2003-2007, 2009 et 2010.

Le plus de points en une saison de crosse

Le plus de points marqués en une seule saison de Major League de crosse est de 72, par Paul Rabil (USA), qui jouait pour les Boston Cannons en 2012.

FOOTBALL AUSTRALIEN : Le plus de...		
Matchs en une carrière	426	Michael Tuck (1972-1991)
Matchs consécutifs	244	Jim Stynes (1987-1998)
Buts en carrière	1360	Tony Lockett (1983-2002)
Buts en une saison	150	Bob Pratt (1934)
		Peter Hudson (1971)
Buts en un match	18	Fred Fanning (1947)

FOOTBALL CANADIEN : Le plus de...		
Matchs en une carrière	408	Lui Passaglia (1976-2000)
Matchs consécutifs	353	Bob Cameron (1980-2000)
Touchdowns (carrière)	147	Milt Stegall (1992-2008)
Touchdowns (saison)	23	Milt Stegall (2002)
Touchdowns (match)	6	Eddie James (1932)
		Bob McNamara (1956)

Le plus de titres en beach-volley féminin

Kerri Walsh Jennings (USA) a remporté le plus de tournois de beach-volley : 113 au total (67 nationaux et 46 internationaux), entre mai 2001 et le 28 octobre 2013. Walsh Jennings a gagné 60 % des 189 tournois qu'elle a disputés, la plupart aux côtés de Misty May-Treanor (USA), dont elle s'adjuge le record.

Baseball

Pour améliorer la prise, les balles utilisées en MLB sont frottées avec de la **boue d'un lieu secret** dans le New Jersey.

Le plus de home runs en carrière par un batteur désigné

David Ortiz (Rép. dominicaine) a frappé 381 home runs en tant que batteur désigné dans sa carrière – record de Major League Baseball (MLB) – sur 431 home runs pour les Minnesota Twins et Boston Red Sox depuis 1997. Ses 47 frappes pour les Red Sox en 2006 représentent le **plus de home runs par un batteur désigné en une saison**, sur 54 home runs.

Le plus de sauvetages et victoires combinées
Andy Pettitte (USA) et Mariano Rivera (Panamá) ont sauvé puis remporté un match à 72 reprises au lancer pour les New York Yankees, de 1996 à 2013.

Le joueur le plus âgé à frapper un walk-off home run
Un walk-off home run est un home run réalisé dans la dernière manche et qui offre la victoire à l'équipe à domicile. À 42 ans et 202 jours, Jason Giambi (USA, né le 8 janvier 1971), est le joueur le plus âgé à en avoir réussi un en MLB. Il l'a fait en tant que remplaçant lors de la 9e manche face aux Chicago White Sox, le 29 juillet 2013.

Le plus de doubles en une saison
Earl Webb (USA) a réussi 67 doubles pour les Red Sox en 1931. Le **plus**

Le plus de grands chelems en carrière MLB
Un grand chelem est un home run frappé avec un batteur sur chaque base. Depuis 1994, Alex Rodriguez en a réussi 24 avec les Seattle Mariners, Texas Rangers et New York Yankees.

LE PLUS DE MATCHS...

Conclus en carrière
Avec les New York Yankees, entre 1995 et 2013, Mariano Rivera (Panamá) a été le dernier lanceur de son équipe lors de 952 rencontres. C'est aussi le joueur qui a réalisé le **plus de lancers pour une même équipe** (1 115 matchs avec les Yankees).

Remportés à la suite par un lanceur
Masahiro Tanaka (Japon) a gagné 30 matchs de suite comme lanceur des Tohoku Rakuten Golden Eagles, du 26 août 2012 au 27 octobre 2013. Tanaka compte aussi le **plus de matchs** de... ...consécutifs gagnés par un lanceur en saison régulière (28), pour les Tohoku Rakuten Golden Eagles, du 26 août 2012 au 8 octobre 2013. Enfin, il détient le record du **plus de matchs gagnés par un lanceur en une saison** (24), du 2 avril au 8 octobre 2013.

Remportés à la suite par un lanceur en MLB
Roger Clemens (USA) a enchaîné 20 victoires avec les Toronto Blue Jays et New York Yankees, du 3 juin 1998 au 1er juin 1999.

de triples frappés par un même joueur en une saison
est de 36, par "Chief" Wilson (USA) avec les Pittsburgh Pirates en 1912.

Le plus de strikeouts par une équipe en fin de saison

Les lanceurs des Detroit Tigers ont éliminé 1 428 batteurs en 2013. Leur performance surpasse le record de 1 404 strikeouts des lanceurs des Chicago Cubs en 2003.

LE PLUS DE HOME RUNS...

Par un receveur
Mike Piazza (USA) a frappé 396 home runs (sur un total de 427) avec les Los Angeles Dodgers, Florida Marlins, New York Mets, San Diego Padres et Oakland Athletics, entre 1992 et 2007.

Par un batteur ambidextre
Avec les New York Yankees, de 1951 à 1968, Mickey Mantle (USA) a frappé 536 home runs.

Le plus jeune à frapper 30 home runs et à prendre 30 bases en une saison

À 21 ans et 53 jours, Mike Trout (USA, né le 7 août 1991, à gauche) est devenu le plus jeune joueur de MLB à frapper au moins 30 home runs et à voler au moins 30 bases en une seule saison. Il a accompli cet exploit avec les Los Angeles Angels d'Anaheim, en 2013. Avant Trout, le record était détenu par Alex Rodriguez avec les Seattle Mariners en 1998. Celui-ci avait alors 22 ans.

Le plus de matchs consécutifs à guichets fermés

La plus longue série de matchs se jouant à guichets fermés dans les grands championnats américains (baseball, basket, hockey sur glace et football américain) a duré 820 rencontres. Les Red Sox ont rempli leur stade, le Fenway Park de Boston (USA), à chaque match disputé entre le 15 mai 2003 et le 10 avril 2013.

Par un joueur de 2e base
Jeff Kent (USA) a réussi 351 home runs en tant que 2e base (sur 377) avec les Toronto Blue Jays, New York Mets, Cleveland Indians, San Francisco Giants, Houston Astros et LA Dodgers, de 1992 à 2008.

Le **plus de home runs en une saison par un joueur de 3e base** est de 52 (sur 54), par Alex Rodriguez (USA) pour les New York Yankees, en 2007.

Les 1ers home runs successifs d'un père et son fils

Ken Griffey et son fils Ken Jr (USA) ont réussi chacun leur tour un home run pour les Seattle Mariners le 14 septembre 1990. Ils étaient déjà le 1er duo père-fils à jouer en même temps pour la même équipe, le 31 août 1990.

LE PLUS DE STRIKEOUTS...

Par un batteur en play-offs
Alfonso Soriano (Rép. dominicaine) a été retiré 26 fois en 17 rencontres lors des play-offs 2003 avec les New York Yankees.

Par une équipe de lanceur en play-offs
Les lanceurs des Detroit Tigers ont éliminé 73 batteurs des Boston Red Sox sur les 6 matchs des Finales de la Ligue américaine en 2013.

Par un batteur en une saison
Le plus de strikeouts subis par un batteur en MLB est de 223, par Mark Reynolds (USA) pour les Arizona Diamondbacks, en 2009. Il dépasse son propre record de 204 retraits de 2008.

Par un lanceur en carrière
Nolan Ryan (USA) a subi 5 714 strikeouts avec les New York Mets, California Angels, Houston Astros et Texas Rangers, entre 1966 et 1993.

Par une équipe en une saison
Les batteurs des Houston Astros (USA) ont été éliminés 1 535 fois en 2013, dépassant le record de 1 529 des Arizona Diamondbacks en 2010.

Les 1ers frères à frapper un home run l'un après l'autre

Le 23 avril 2013, B J Upton et son frère Justin (USA, ci-dessus) ont réussi des home runs coup sur coup pour les Atlanta Braves contre les Colorado Rockies, devenant la 2e fratrie à y parvenir après Lloyd et Paul Waner (USA) des Pittsburgh Pirates, le 15 septembre 1938. C'était la 27e fois que deux frères réussissaient un home run, chacun dans un même match en MLB.

Par des batteurs en play-offs (équipe)
Les batteurs des Boston Red Sox (USA) ont subi 165 strikeouts en 16 rencontres de play-offs en 2013.

Toutes équipes confondues en une saison
Lors de la saison 2013, les batteurs de MLB ont été éliminés 36 710 fois.

Le plus de sauvetages en carrière

Le record de MLB de sauvetages est de 652, par Mariano «Sandman» Rivera (Panamá) en 19 saisons, avec les New York Yankees, de 1995 (ses débuts en MLB) à sa retraite, en 2013. Le maire de New York de l'époque, Michael Bloomberg, a instauré la journée Mariano Rivera, le 22 septembre 2013.

i Le dernier n° 42 de l'histoire

Rivera est le dernier joueur de baseball à avoir porté le maillot n° 42. Ce numéro a été retiré de tous les grands championnats le 15 avril 1997 en mémoire de la légende des Brooklyn Dodgers, Jackie Robinson.

RECORDS EN WORLD SERIES DE MAJOR LEAGUE BASEBALL (MLB)		
Records collectifs		
Le plus de titres (1er en 1903)	27	New York Yankees
Le plus de titres consécutifs	5	New York Yankees, 1949-1953
Le public total le plus nombreux	420 784	Six matchs entre les Los Angeles Dodgers et les Chicago White Sox, 1er-8 octobre 1959 ; victoire des Dodgers 4-2
Records individuels		
Le plus de home runs en World Series	5	Chase Utley (USA) des Philadelphia Phillies, World Series 2009 contre les New York Yankees
		«Reggie» Jackson (USA) des New York Yankees, World Series 1977 contre les Los Angeles Dodgers
Le plus de matchs au lancer	24	Mariano Rivera (Panamá) des New York Yankees, 1996, 1998-2001, 2003, 2009
Le plus de titres de Meilleur joueur (MVP)	2	Sanford «Sandy» Koufax (USA), 1963, 1965
		Robert «Bob» Gibson (USA), 1964, 1967
		«Reggie» Jackson (USA), 1973, 1977

Statistiques à la fin de la saison 2013

Basket

Le regretté commentateur « Chick » Hearn a inventé le terme **« dunk »**.

Le plus de matchs en NBA

Robert Parish a disputé 1 611 rencontres de saison régulière en NBA (National Basketball Association), entre 1976 et 1997. Pendant ces 21 saisons, il a porté le maillot des Golden State Warriors (1976-1980), Boston Celtics (1980-1994), Charlotte Hornets (1994-1996) et Chicago Bulls (1996-1997).

NBA

Le plus de minutes jouées

Durant ses 20 ans de carrière professionnelle en NBA, Kareem Abdul-Jabbar a passé 57 446 min sur les parquets pour les Milwaukee Bucks et les Los Angeles Lakers (1969-1989), près de 40 jours !

Le plus de matchs consécutifs

A. C. Green a joué 1 192 rencontres d'affilée pour les Los Angeles Lakers, Phoenix Suns, Dallas Mavericks et Miami Heat du 19 novembre 1986 au 18 avril 2001.

Le plus jeune à atteindre 9 000 rebonds

Dwight Howard (né le 8 décembre 1985) a passé la barre des 9 000 rebonds à 27 ans et 130 jours avec les Los Angeles Lakers face aux Houston Rockets, le 17 avril 2013.

Le plus âgé à réussir 20 rebonds en un match

Le 2 mars 2007, à 40 ans et 251 jours, le pivot des Houston Rockets Dikembe Mutombo (Rép. dém. du Congo, né le 25 juin 1966) est le **joueur le plus âgé de la NBA à dépasser 20 rebonds en un match** (22).

Le plus de lancers francs tentés en un match

Dwight Howard a égalé son propre record de 39 tentatives avec les Los Angeles Lakers, le 12 mars 2013.

Les 1ers joueurs champions olympiques et de NBA la même année

En 1992, Michael Jordan et Scottie Pippen ont remporté les finales de NBA avec les Chicago Bulls avant de décrocher l'or olympique avec l'équipe des États-Unis.

Le plus de lancers francs en carrière WNBA

Au 12 février 2014, Tamika Catchings a marqué 1 709 lancers francs en championnat américain féminin (WNBA). Catchings, qui joue pour l'Indiana Fever depuis 2002, a également réalisé le **plus d'interceptions en carrière WNBA**, soit 930.

> ## INFO
> La ligne des 3 points se situe à 7,23 m du centre du panier en NBA, mais à 6,75 m en WNBA.

Le plus de 3 points tentés par une équipe en une saison de NBA

Les New York Knicks ont tenté 2 371 tirs à 3 points en 2012-2013 et en ont réussi 891, soit le **plus de 3 points marqués en une saison**. Les Knicks ont aussi le record peu enviable de la **plus longue série de défaites en play-offs**, avec 13 revers d'affilée entre 2001 et 2012.

Le plus de matchs consécutifs à marquer un 3 points

Au 5 mars 2014, Kyle Korver avait inscrit au moins un tir bonifié en 127 matchs consécutifs. Sa série a commencé le 4 novembre 2012. Il a dépassé les 89 rencontres de Dana Barros, le 6 décembre 2013.

Le plus de 3 points en un match

Kobe Bryant (Los Angeles Lakers) et Donyell Marshall (Toronto Raptors) ont inscrit chacun 12 paniers à 3 points,

Le plus de titres de Meilleur défenseur de l'année

Fin 2014, deux joueurs ont été désignés Meilleur défenseur de NBA de l'année à quatre reprises : Dikembe Mutombo (Rép. Dém. du Congo) a obtenu la distinction avec les Denver Nuggets, Atlanta Hawks et Philadelphia 76ers entre 1994 et 2001 et Ben Wallace (à gauche) avec les Detroit Pistons entre 2001 et 2006.

Le plus de trois points en une saison

Stephen Curry a réussi 272 tirs à trois points pour les Golden State Warriors durant la saison 2012-13, dépassant le record de Ray Allen de 269 trois points en 2005-06.

En février 2014, Allen détient toujours le record de trois points en une carrière avec 2 920 paniers marqués depuis 1996. Allen a rejoint le Miami Heat en 2012.

Le plus de 3 points en finales de NBA

Danny Green a converti 27 tirs à 3 points lors des finales 2013 de NBA. Green jouait pour les San Antonio Spurs contre le Miami Heat dans la série au meilleur des 7 matchs. Il a fait mieux que les 22 paniers de Ray Allen avec les Bostons Celtics en 2008.

Individuels	NBA		WNBA	
Le plus de points	Michael Jordan (1984-1998)	38 387	Tina Thompson (1997-aujourd'hui)	7 488
Le plus de rebonds	Wilt Chamberlain (1959-1973)	23 924	Lisa Leslie (1997-2009)	3 307
Le plus de paniers	Kareem Abdul-Jabbar (1969-1989)	15 837	Tina Thompson (1997-aujourd'hui)	2 630
Le plus de passes	John Stockton (1984-2003)	15 806	Ticha Penicheiro (Portugal, 1998-2012)	2 599
Le plus de lancers francs	Karl Malone (1985-2004)	9 787	Tamika Catchings (2002-aujourd'hui)	1 709
Le plus de contre	Hakeem Olajuwon (Nigeria, 1984-2002)	3 830	Margo Dydek (Pologne, 1998-2008)	877
Le plus d'interceptions	John Stockton (1984-2003)	3 265	Tamika Catchings (2002-aujourd'hui)	930
Collectifs	**NBA**		**WNBA**	
Le plus de titres	Boston Celtics (1957, 1959–66, 1968–69, 1974, 1976, 1981, 1984, 1986 and 2008)	17	Houston Comets (1997–2000)	4
Le plus de participations aux finales	Los Angeles Lakers (1949–50, 1952–54, 1959, 1962–63, 1965–66, 1968–70, 1972–73, 1980, 1982–85, 1987–89, 1991, 2000–02, 2004 et 2008–10)	31	Houston Comets (1997–2000)	4
			Detroit Shock (2003 et 2006-2008)	
			New York Liberty (1997, 1999, 2000 et 2002)	

Statistiques au 12 février 2014

le 7 janvier 2003 et le 13 mars 2005.

Le **plus de 3 points en un match pour une équipe** est de 23 : Orlando Magic (13 janvier 2009) et Houston Rockets (5 février 2013).

Le plus de 3 points en un quart-temps
Joe Johnson en a placé 8 pour les Brooklyn Nets, le 16 décembre 2013, égalant le record de 2002 de Michael Redd.

WNBA

Le plus de matchs en carrière
Au 20 décembre 2013, Tina Thompson avait disputé 496 rencontres au cours de sa carrière en WNBA débutée en 1997 avec les Houston Comets. Elle a ensuite joué pour les Los Angeles Sparks avant de s'engager au Seattle Storm.

Thompson a aussi disputé le **plus de minutes en carrière WNBA** avec 16 088, soit 11 jours sur les parquets.

Le plus de lancers francs tentés en un match
Deux joueuses ont tenté 24 pénalités en un match : Cynthia Cooper le 3 juillet 1998 et Tina Charles le 29 juin 2013.

Le tir le plus lointain

Le 11 novembre 2013, Corey « Thunder » Law des Harlem Globetrotters a réussi un panier à 33,45 m. Son tir record a été réalisé à l'US Airways Center de Phoenix (USA), à l'occasion de la Journée du Guinness World Records 2013. Trois autres joueurs des Globetrotters ont tenté leur chance, sans faire aussi bien que Law.

La meilleure moyenne de rebonds par match
Jouant pour le Connecticut Sun depuis 2010, Tina Charles a aussi réalisé le plus de rebonds par match avec une moyenne de 10,8.

Le plus de 3 points en carrière
Au 12 février 2014, Katie Smith avait marqué 906 paniers à 3 points depuis le début de sa carrière, en 1999. Elle a joué pour cinq franchises : Minnesota Lynx, Detroit Shock, Washington Mystics, Seattle Storm et New York Liberty.

Le 8 septembre 2013, Riquna Williams a inscrit le **plus de 3 points en un match**, avec 8 tirs bonifiés pour le Tulsa Shock, égalant Diana Taurasi qui y est parvenue 2 fois pour le Phoenix Mercury, le 10 août 2006 et le 25 mai 2010.

L'avantage le plus large à la mi-temps
Le Connecticut Sun avait 34 points d'avance à la mi-temps face au New York Liberty (61-27), le 15 juin 2012. Les Suns l'emportaient sans trembler 97-55.

Le record précédent était de 33 points, pour le Seattle Storm contre le Tulsa Shock, le 22 août 2010.

Le moins de remplacements en un match de NBA

Le Thunder d'Oklahoma City n'a remplacé que deux joueurs contre les Los Angeles Lakers, le 5 mars 2013, tout comme les Milwaukee Bucks, en 2006, et les Cleveland Cavaliers, en 2009.

Le **moins de remplacements en finales de NBA** est de 4, par les Detroit Pistons, le 16 juin 2005, et les San Antonio Spurs, le 6 juin 2013.

Tous les joueurs sont originaires des USA sauf indication contraire.

Le plus de points en carrière NBA

Kareem Abdul-Jabbar a marqué 38 387 points (soit une moyenne de 24,6 points par match) en saison régulière, entre 1969 et 1989. Il faut y ajouter ses 5 762 points en play-offs, ce qui le place juste derrière les 5 987 points de Michael Jordan, de 1984 à 2003.

Sports de combat

Il n'y a **pas de catégories de poids** en compétition professionnelle de sumo.

La plus grande fratrie de champions du monde de boxe

Au 1er août 2013, les frères Koki, Daiki et Tomoki Kameda (Japon) avaient remporté un titre mondial chacun. Tomoki a été champion du monde des poids coqs WBO, Koki s'est octroyé la ceinture WBA de la même catégorie et Daiki a débuté la moisson familiale chez les poids mouches WBA.

LUTTE

Le plus de titoires mondiaux (hommes)

Deux hommes partagent le record de 7 titres mondiaux : Aleksandr Medved (Biélorussie) en + de 100 kg, entre 1962 et 1971, ainsi que Valentin Jordanov (Bulgarie) en - de 55 kg, entre 1983 et 1995.

Le plus de victoires pour un sumo

Kaio Hiroyuki (Japon) a gagné 1 047 combats (sur 1 731), entre mars 1988 et juillet 2011. Un exploit remarquable pour un homme qui n'était pas sûr d'être assez bon pour devenir sumo.

Le plus de titres mondiaux en lutte libre

Entre 2002 et 2013, Saori Yoshida (Japon) a remporté 11 championnats du monde en - de 55 kg. Pour cet exploit – inégalé par un homme ou une femme au Japon ou ailleurs –, Yoshida a reçu le Prix d'honneur de la nation japonaise, en novembre 2013.

L'athlète vivant le plus lourd

Le sumo Emmanuel « Manny » Yarborough de Rahway (USA) mesure 203 cm et ne pèse pas moins de 319,3 kg.

Le plus de bras de fer en 24 h

Le 12 février 2012, le champion du monde Ion Oncescu (Roumanie) a enchaîné 1 024 bras de fer, à Bucarest (Roumanie). Il les a tous gagnés.

ESCRIME

Le plus de titres mondiaux en individuel

Hommes : Christian d'Oriola (France) a remporté 6 titres mondiaux et olympiques au fleuret individuel, entre 1947 et 1956. Stanislav Pozdnyakov (Russie) l'a égalé au sabre, entre 1996 et 2007.

BOXE

Le plus de combats pour le titre mondial

Julio César Chávez (Mexique) a remporté 31 de ses 37 combats entre 1984 et 2000 en catégories de poids super-plumes, légers et super-légers.

Le plus de K.-O. éclairs en carrière pro

Mike Tyson (USA) a infligé 9 K.-O. en moins de 60 s dans sa carrière.

Le combat le plus rapide pour un titre mondial

Il n'a fallu que 17 s à Daniel Jiménez (Porto Rico) pour mettre Harold Geier au tapis. Jiménez défendait sa ceinture WBO en super-coqs, au Wiener Neustadt (Autriche), le 3 septembre 1994.

Le combat de boxe télévisé le plus rentable

Le combat en super-welter entre Saúl El Canelo Álvarez (Mexique, *à gauche*) et Floyd Mayweather Jr (USA, *à droite*), le 4 septembre 2013, a rapporté 150 millions $ grâce aux 2,2 millions de téléspectateurs. Il faut y ajouter 20 millions $ générés par les entrées de la salle, à Las Vegas (USA), qui a affiché complet.

La plus grande fratrie de champions du monde de taekwondo

La famille López (USA) a reçu 3 médailles d'or au championnat du monde de taekwondo à Madrid (Espagne), en avril 2005. Steven s'est imposé chez les welters, son petit frère Mark en plumes et leur sœur Diana également en plumes. Ils étaient entraînés par leur père, Jean.

Femmes : Valentina Vezzali (Italie) compte 9 titres au fleuret : 3 médailles d'or olympiques et 6 championnats du monde, entre 1999 et 2011.

Le plus de championnats du monde (pays)

En 2013, l'Italie est devenue la 1re nation à totaliser plus de 100 médailles d'or au championnat du monde d'escrime. Fin 2013, son palmarès était de 101 médailles d'or, 97 d'argent et 114 de bronze.

ARTS MARTIAUX

Le plus de championnats du monde de taekwondo

Hommes : Steven López (USA) a été sacré 5 fois : en légers, en 2001, et 4 fois en welters, en 2003-2009.

Femmes : les 3 succès de Jung Myung-suk (Corée du Sud), en 1993-1997, ont été égalés par Brigitte Yagüe (Espagne), en poids fins en 2003 et en mouches en 2007 et 2009.

Le plus de coups de pied en 1 min

Raul Meza (USA) a réalisé 335 coups de pied de la même jambe, au Meza's Karate America de Sioux Falls (USA), le 17 novembre 2011.

Le plus de titres aux World Combat Games

De 2010 (Pékin, Chine) à 2013 (Saint-Pétersbourg, Russie), la Russie a décroché 65 médailles d'or. Les derniers Jeux mondiaux regroupaient 97 pays et 135 disciplines. Ci-dessus, Nikita Selyanskiy, champion de kickboxing full-contact en - de 71 kg.

Le plus de victoires en kumite par équipe au championnat du monde de karaté

Le 1er championnat du monde de karaté s'est tenu en 1970. La France a remporté 7 fois l'épreuve de kumite, en 1972, 1994, 1996, 1998, 2000, 2004 et 2012.

UFC

Le plus de victoires par décision

Georges St-Pierre (Canada) a gagné 12 combats d'Ultimate Fighting Championship (UFC) par décision, entre le 16 avril 2005 et le 16 novembre 2013. Il détient le record de victoires UFC (19), entre le 31 janvier 2004 et le 16 novembre 2013.

Le plus de victoires par K.-O.

Anderson Silva (Brésil), «l'Araignée», a gagné 20 combats par K.-O., entre 2000 et 2012. Il a aussi remporté le **plus de victoires consécutives en UFC** (17), en 2006-2012.

Le plus de victoires aux championnats du monde de judo

Hommes : Teddy Riner (France) est sextuple champion du monde, avec 5 titres en poids lourds (+ de 100 kg), en 2007, 2009-2011 et 2013, et un par équipe en 2011.

Femmes : Ryoko Tani (Japon) a obtenu 7 titres en - de 48 kg, entre 1993 et 2007.

La durée moyenne de combat la plus courte

En moyenne, Drew McFedries (USA) a combattu 2 min et 20 s, lors de ses 17 combats, entre le 8 septembre 2001 et le 25 janvier 2013.

Le combattant UFC le plus grand

Stefan Struve (Pays-Bas), surnommé « le Gratte-Ciel », inscrit en catégorie poids lourds de l'UFC, mesure 211 cm. Il a une allonge phénoménale de 213 cm.

CHAMPIONS DE BOXE — JEUNES ET MOINS JEUNES

Record	Âge	Boxeur	Titre (date)
Les plus âgés...			
Champion du monde (hommes)	48 ans et 53 jours	Bernard Hopkins (USA, né le 15 janvier 1965)	Mi-lourds IBF (9 mars 2013)
Champion du monde (femmes)	46 ans et 61 jours	Alicia Ashley (USA/ Jamaïque, née le 23 août 1967)	Super-coqs WBC (23 octobre 2013)
Les plus jeunes...			
Champion du monde (hommes)	17 ans et 176 jours	Wilfred Benítez (USA, né le 12 septembre 1958)	Super-légers WBA (6 mars 1976)
Champion du monde (femmes)	18 ans et 342 jours	Ju Hee Kim (Corée du Sud, née le 13 janvier 1986)	Mi-mouches IFBA (19 décembre 2004)

Statistiques au 23 janvier 2014

Pour plus de muscles, rendez-vous p. 104

INFO

La seule règle du pancrace, sport de combat libre aux JO antiques de - 648 était l'interdiction de mordre et d'arracher les yeux.

Le plus de temps dans la cage en UFC

Georges St-Pierre (Canada, *à gauche*) est l'homme qui a passé le plus de temps sur l'octogone (surface de combat entourée de grillage utilisée en Ultimate Fighting Championship), avec 5 h, 28 min et 21 s, entre le 25 janvier 2002 et le 16 novembre 2013.

Cricket

Avec 3 milliards de passionnés, le cricket est le 2e sport **le plus populaire au monde**

La plus longue exclusion de joueur

En septembre 2013, le lanceur Shanthakumaran Sreesanth (Inde) a été radié à vie. Il a été reconnu coupable d'avoir truqué le match de championnat indien entre les Rajasthan Royals et les Kings XI Punjab, le 9 mai 2013.

Le lancer le plus rapide

Shoaib Akhtar (Pakistan) a lancé une balle à 161,3 km/h, le 22 février 2003, lors du match de coupe du monde contre l'Angleterre, au Cap (Afrique du Sud).

Le plus de victoires dans une grande compétition nationale

La Nouvelle-Galles du Sud a remporté le Sheffield Shield australien 45 fois entre 1895-1896 et 2007-2008.

GUICHETS

Le plus de guichets sans concéder 1 point en ODI féminin

Deux femmes ont pris 3 guichets sans concéder 1 point en ODI (One-Day International) : Olivia Magno (Australie) y est parvenue face à 3 valets en 1,4 over, le 14 décembre

INFO

Les batteurs en position 8 à 11 sont dits «de classe inférieure» et sont appelés «valets».

Le plus de guichets en T20 international en carrière (femmes)

La lanceuse Anisa Mohammed (Trinité-et-Tobago) a pris le plus de guichets en Twenty20 international féminin. Au 9 mars 2014, elle en totalisait 74 en 59 matchs pour les Indes occidentales, avec une moyenne de 13,68 points concédés par guichet.

Le plus de victoires en Champions League T20

La Ligue des champions annuelle de Twenty20 (T20) met aux prises les meilleures équipes de 7 pays. Les Mumbai Indians (Inde) sont les seuls à avoir remporté le titre 2 fois, le 9 octobre 2011 et le 6 octobre 2013, en battant les Rajasthan Royals (Inde) de 33 points, à Delhi (Inde).

La plus grande affluence en une journée pour un test match

91 092 spectateurs se sont amassés au Melbourne Cricket Ground (Australie) pour le 1er jour du 4e test match des Ashes entre l'Australie et l'Angleterre, le 26 décembre 2013.

Le plus de points par un joueur en T20 international

Le meilleur score individuel lors d'un match de T20 international est de 156 points, par Aaron Finch (Australie) contre l'Angleterre, à l'Ageas Bowl de Southampton (RU), le 29 août 2013. Finch, premier batteur, a frappé 14 six-points sur 63 balles et offert un incroyable 248 pour 6 à l'Australie.

Le plus de points par un batteur n° 11 en une manche de test cricket

Débutant en test cricket, Ashton Agar (Australie) est entré dans les annales en réalisant 98 points lors du 1er test match des Ashes 2013 contre l'Angleterre, à Trent Bridge (RU), le 11 juillet. Sur 101 frappes, Agar a réussi 12 frappes à quatre-points et 2 à six-points, sauvant ainsi l'Australie alors menée 117 à 9.

1997, et Arran Brindle (RU) en 2 overs vierges, à Mumbai (Inde), le 5 février 2013.

POINTS

Le meilleur partenariat de 10e guichet en test match

Les Australiens Ashton Agar (98) et Phillip Hughes (81 non éliminé), battant respectivement en n° 11 et 6, ont fait 163 points en 31,1 overs, aux Ashes 2013, à Trent Bridge (RU), le 11 juillet.

Le plus de points en T20

Chris Gayle (Jamaïque) a terminé à 175 non éliminé – le meilleur score pour un joueur en T20 professionnel –

pour les Royal Challengers Bangalore, en championnat indien, le 23 avril 2013. Gayle a réussi le **century le plus rapide** en T20 (100 points en 30 frappes) et le **plus de quatre-points** (13) et de **six-points** (17) en T20 (154 points au total).

Le century international le plus rapide

Corey Anderson (Nouvelle-Zélande) a marqué un century en 36 frappes en ODI contre les Indes occidentales, le 1er janvier 2014. Anderson a frappé 14 six-points et 6 quatre-points pour un total de 131 points en 47 balles.

Le plus de récupérations par un gardien en test cricket

Le gardien Brad Haddin (Australie) a fait tomber un record vieux de 30 ans en réalisant 29 récupérations lors des Ashes 2013 contre l'Angleterre, même si l'Australie s'est inclinée 3-0 au meilleur des 5 matchs. Haddin a établi ce record le 25 août 2013, lors de la 5e journée du 5e test, surpassant la performance de Rod Marsh (Australie), auteur de 28 récupérations en 5 matchs en 1982-1983.

Test matchs (hommes)		
Points	15 921	Sachin Tendulkar (Inde), 1989-2013
Guichets	800	Muttiah Muralitharan (Sri Lanka), 1992-2010
Récupérations	210	Rahul Dravid (Inde), 1996-2012
Test matchs (femmes)		
Points	1 935	Janette Brittin (RU), 1979-1998
Guichets	77	Mary Duggan (RU), 1949-1963
Récupérations	25	Carole Hodges (RU), 1984-1992
One-Day International (hommes)		
Points	18 426	Sachin Tendulkar (Inde), 1989-2012
Guichets	534	Muttiah Muralitharan (Sri Lanka), 1993-2011
Récupérations	201	Mahela Jayawardene (Sri Lanka), 1998-2013
One-Day International (femmes)		
Points	5 432	Charlotte Edwards (RU), 1997-2014
Guichets	180	Cathryn Fitzpatrick (Australie), 1993-2007
Récupérations	50	Jhulan Goswami (Inde), 2002-2014

Source : www.espncricinfo.com, au 4 février 2014 (récupérations des gardiens non incluses)

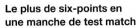

Le plus grand score cumulé en T20 international

L'Angleterre a réussi un 209 pour 6 en réponse au 248 pour 6 de l'Australie à l'Ageas Bowl de Hampshire (RU), le 29 août 2013, soit 457 points.

FRAPPE À SIX-POINTS

Le plus de six-points cumulés en test matchs

Lors des 5 matchs des Ashes 2013-2014 entre l'Australie et l'Angleterre, 65 frappes à six-points ont été marquées. L'Australie, qui a remporté la série 5-0, en a inscrit 40, soit **le plus de six-points par une équipe en une série de test matchs**. Les marqueurs principaux étaient Brad Haddin (9), George Bailey (8) et Shane Watson (6) pour l'Australie, et Ian Bell et Stuart Broad (6 chacun) pour l'Angleterre.

Bailey a frappé 3 de ses six-points en un seul over lors du 3e test à Perth, le 16 décembre 2013, égalant le record de 28 points inscrits en 1 seul over de test match. Le batteur des Indes occidentales Brian Lara y était parvenu le 14 décembre 2003.

Le plus de six-points en ODI

Rohit Sharma (Inde) a frappé 16 six-points à Bangalore (Inde), le 2 novembre 2013. Premier batteur, Sharma a obtenu 209 points, 2e meilleur score en ODI, en 158 balles.

Le plus de six-points par un joueur en cricket traditionnel

Chris Gayle (Jamaïque) a réussi 17 six-points et établi un record de 175 non éliminé en Twenty20. Un score réalisé lors du match de tous les records en championnat indien, le 23 avril 2013 *(voir page de gauche)*.

Le plus de six-points en une manche de test match

Wasim Akram (Pakistan) a réussi 12 six-points en une manche pour un score de 257 non éliminé contre le Zimbabwe, à Sheikhupura (Pakistan), les 19-20 octobre 1996.

Le plus de six-points en une carrière en IPL

Au terme du championnat indien 2013, le 26 mai, Chris Gayle (Jamaïque) totalisait 180 sic-points sur les 5 saisons de sa carrière (2009-2013).

La 1re série multiformat en cricket international

Un test match, 3 Twenty20 et 3 One-Day International ont permis de déterminer le vainqueur des Ashes féminins multiformat entre l'Angleterre et l'Australie en août 2013. Emmenées par Charlotte Edwards, les Anglaises ont remporté à domicile la série 12 points à 4, récupérant ainsi la couronne perdue en Australie en 2011.

⊗ Retrouvez l'architecture sportive p. 200-201

LE CENTURION DU CRICKET

Statistiques de Sachin Tendulkar en carrière (1989-2013)	
Le plus de centuries en matchs internationaux	100
Le plus de centuries en test matchs	51
Le plus de centuries en One-Day International	49
Le plus de centuries internationaux en partenariat (carrière) – avec Sourav Ganguly (Inde)	38

Source : www.espncricinfo.com

Le plus de test matchs

Batsman Sachin Tendulkar (Inde) – surnommé le « Dieu du cricket » – a pris sa retraite le 16 novembre 2013 après une carrière de 24 ans, non sans avoir disputé son 200e test match, contre les Indes occidentales au stade Wankhede (Mumbai). Tendulkar détient 20 titres Guinness World Records, les plus remarquables étant présentés dans le tableau ci-dessus.

ⓘ L'origine des « Ashes »

En 1882, *The Sporting Times* déplorait la mort du cricket anglais à la suite de la première défaite des Anglais contre l'Australie, chez eux. La nécrologie satirique ajoutait : « La dépouille sera incinérée et les cendres (ashes) envoyées en Australie. »

Le plus de six-points par une équipe en T20 international

Les Pays-Bas ont frappé 19 six-points en match de groupe de World T20 contre l'Irlande au Sylhet Stadium (Bangladesh), le 21 mars 2014, atteignant les 190 points nécessaires pour se qualifier en Super 10 avec 37 balles à jouer.

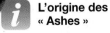

Cyclisme

La plupart des **vélos sont « droitiers »** : la chaîne est du côté droit du cadre.

La championne olympique de cyclisme sur route la plus âgée

En conservant son titre lors du contre-la-montre des jeux Olympiques 2012 à Londres, Kristin Armstrong (USA, née le 11 août 1973) est devenue la médaillée d'or olympique la plus âgée en cyclisme sur route. Elle avait 38 ans et 356 jours lorsqu'elle a couvert les 29 km en 37 min et 34,82 s.

La plus grande distance en 12 h

Marko Baloh (Slovénie) a parcouru 475,26 km en solitaire en 12 h, au vélodrome Montichiari de Brescia (Italie), le 8 octobre 2010. Il a effectué 1 901 tours sur la piste de 250 m dans le temps imparti.

Baloh a poursuivi son exploit pendant 12 h supplémentaires, réalisant ainsi la plus grande distance en 24 h, avec 903,76 km, soit 3 615 tours complets.

La plus grande course cycliste

42 614 participants ont pris le départ du Cape Argus Pick n Pay Cycle Tour 2004, au Cap (Afrique du Sud), le 14 mars 2004. Ils étaient 31 219 à l'arrivée.

Le plus de cyclistes à terminer un grand tour

175 cyclistes ont franchi la ligne d'arrivée de la Vuelta 2012, le Tour d'Espagne, qui

 En tournée

Les grands tours cyclistes sont le Tour de France, le Giro d'Italie et la Vuelta d'Espagne, créés respectivement en 1903, 1909 et 1935.

s'est disputée du 18 août au 9 septembre 2012.

La poursuite femmes la plus rapide (4 km)

L'équipe de Grande-Bretagne (Katie Archibald, Elinor Barker, Danielle King et Joanna Rowsell) a parcouru 4 km en 4 min et 16,552 s remportant ainsi la poursuite par équipe en Coupe du monde de cyclisme sur piste de l'Union cycliste internationale (UCI), à Aguascalientes (Mexique), le 5 décembre 2013.

JEUX OLYMPIQUES

Le plus de médailles olympiques

Les deux sportifs les plus décorés en cyclisme olympique sont Bradley Wiggins et Chris Hoy (RU), avec 7 médailles individuelles chacun. Wiggins en remporta 4 en or, 1 en argent et 2 en bronze entre 2000 et 2012. Hoy détient 6 médailles d'or et 1 d'argent, décrochées sur la même période.

Les 6 victoires de Chris Hoy font de lui **le plus titré en cyclisme sur piste aux jeux Olympiques**. Il s'est imposé au contre-la-montre 1 km à Athènes 2004, en sprint individuel, par équipe et en keirin à Pékin 2008 et en sprint par équipe et en keirin à Londres 2012.

Le plus de titres olympiques lors d'une même olympiade

Le 5 août 1904, aux Jeux olympiques de St Louis (USA), Marcus Hurley (USA) a raflé 4 médailles d'or : en quart de mile, tiers de mile, demi-mile et mile.

Le plus de médailles aux JO d'été et d'hiver (femmes)

Clara Hughes (Canada) est montée 6 fois sur le podium entre jeux Olympiques d'été et d'hiver. Elle a remporté 3 médailles de bronze en cyclisme aux JO d'Atlanta 1996 (USA), avant de s'adonner au patinage de vitesse. Dans cette discipline, Hugues a remporté le bronze aux Jeux d'hiver de Salt Lake City 2002 (USA), l'or et l'argent à Turin 2006 (Italie) et encore une médaille de bronze à Vancouver 2010 (Canada).

INFO

Avant la victoire d'Horner, le plus vieux vainqueur d'un Tour de France était Firmin Lambot (Belgique), âgé de 36 ans lors de son succès en 1922.

Le plus âgé à remporter un grand tour

Chris Horner (USA, né le 23 octobre 1971) a remporté la Vuelta à 41 ans et 327 jours, le 15 septembre 2013, à Madrid (Espagne). Il était déjà devenu le **vainqueur d'étape le plus âgé d'un grand tour**, à 41 ans et 314 jours, en arrivant premier de la 10e étape, à Alto de Hazallanas (Espagne), le 2 septembre 2013.

Le plus de médailles olympiques (femmes)

Leontien Zijlaard-van Moorsel (Pays-Bas) a remporté 6 médailles olympiques, dont 4 en or, aux Jeux de Sydney 2000 et Athènes 2004.

Le 1er à remporter le Tour de France et l'or olympique la même année

Bradley Wiggins a offert un été mémorable au cyclisme britannique lorsqu'il a filé vers la victoire en 50 min et 39 s dans le contre-la-montre aux

Le plus de podiums sur le Tour de France

Raymond Poulidor (France) est monté sur le podium du Tour de France à 8 reprises. Il a terminé 3 fois deuxième (1964, 1965 et 1974) et 5 fois troisième (1962, 1966, 1969, 1972 et 1976).

CYCLISME SUR PISTE – RECORDS ABSOLUS

Hommes	Départ	Temps/Distance	Nom et nationalité	Lieu	Date
200 m	lancé	9,347	François Pervis (France)	Aguascalientes, Mexique	6 déc. 2013
500 m	lancé	24,758	Chris Hoy (RU)	La Paz, Bolivie	13 mai 2007
1 km	arrêté	56,303	François Pervis (France)	Aguascalientes, Mexique	7 déc. 2013
4 km	arrêté	4:10,534	Jack Bobridge (Australie)	Sydney, Australie	2 févr. 2011
4 km (équipe)	arrêté	3:51,659	Grande-Bretagne (Steven Burke, Ed Clancy, Peter Kennaugh et Geraint Thomas)	Londres, RU	3 août 2012
1 h	arrêté	49,7 km	Ondřej Sosenka (Rép. tchèque)	Moscou, Russie	19 juil. 2005
Femmes	**Départ**	**Temps/Distance**	**Nom et nationalité**	**Lieu**	**Date**
200 m	lancé	10,384	Kristina Vogel (Allemagne)	Aguascalientes, Mexique	7 déc. 2013
500 m	lancé	29,481	Olga Streltsova (Russie)	Moscou, Russie	29 mai 2011
3 km	arrêté	3:22,269	Sarah Hammer (USA)	Aguascalientes, Mexique	11 mai 2010
1 h	arrêté	46,065 km	Leontien Zijlaard-van Moorsel (Pays-Bas)	Mexico, Mexique	1er oct. 2003

Statistiques au 7 décembre 2013

Le plus de Championnats du monde de VTT-Marathon

Christoph Sauser (Suisse) a remporté le Championnat du monde de VTT-Marathon de l'UCI à 3 reprises, en 2007, 2011 et 2013.

Le plus de Championnats du monde de cyclo-cross (femmes)

Marianne Vos (Pays-Bas) compte 6 titres au Championnat du monde de cyclo-cross, créé en 2000 : en 2006 et 2009-2013. Elle a également remporté l'or olympique dans différentes disciplines cyclistes à Pékin et Londres.

JO de Londres, le 1er août 2012, tout juste 10 jours après être devenu le 1er maillot jaune britannique du Tour de France.

TOUR DE FRANCE

Le plus long
En 1926, le Tour de France totalisait 5 745 km de route. Il a été remporté par Lucien Buysse (Belgique).

Le plus de victoires
Quatre cyclistes ont remporté le Tour à 5 reprises : Jacques Anquetil (France) en 1957 et 1961-1964 ; Eddy Merckx (Belgique) en

Le plus de Coupe du monde de trial de l'UCI
Hommes : Benito Ros Charral (Espagne) s'est imposé 9 fois en catégorie élite de trial, en 2003-2005 et 2007-2012.
Femmes : Karin Moor (Suisse) a également raflé 9 titres entre 2001 et 2011.

1969-1972 et 1974 ; Bernard Hinault (France) en 1978, 1979, 1981, 1982 et 1985 et Miguel Indurain (Espagne) en 1991-1995. Merckx détient aussi le record de victoires d'étapes, avec 34 succès entre 1969 et 1978.

Le plus serré
Lors du Tour 1989, après 3 267 km de course en 23 jours (1er-23 juillet), Greg LeMond (USA) s'est emparé du maillot jaune en 87 h, 38 min et 35 s, devançant Laurent Fignon (France) de 8 s.

La plus forte affluence pour un événement sportif
Le Tour de France 2012 a été l'événement sportif le plus suivi, tous sports confondus, avec 12 millions de spectateurs en 3 semaines. Le Tour avait traversé la France, la Belgique et la Suisse, du 30 juin au 22 juillet. Les organisateurs estiment que 80 % des spectateurs étaient français et 70 % des hommes.

BMX

Le plus de titres au Championnat du monde
Hommes Kyle Bennett (USA) a remporté 3 fois le Championnat du monde UCI de BMX, en 2002, 2003 et 2007.
Femmes 2 femmes comptent 3 titres : Gabriela Diaz

(Argentine), en 2001, 2002 et 2004 et Shanaze Reade (RU), en 2007, 2008 et 2010.

Le plus de médailles olympiques
Le BMX est devenu une discipline olympique en 2008. Un seul cycliste a remporté 2 médailles. Māris Štrombergs (Lettonie) s'est imposé chez les hommes en individuels en 2008 et 2012.

Le 1er à remporter la Triple Couronne

Le tout premier coureur à remporter la Triple Couronne cycliste était Eddy Merckx (Belgique), vainqueur du Tour de France, du Giro et du Championnat du monde UCI en 1974. Le seul autre cycliste à y être parvenu est Stephen Roche (Irlande), en 1987.

X Plus de vitesse avec les sports mécaniques, p. 232

Golf

Le terme « **caddie** » vient du français « cadet », qui signifie jeune garçon.

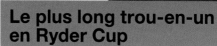

Le 1er doublé FedEx Cup et Race to Dubai la même année

Henrik Stenson (Suède) a remporté la FedEx Cup *(vignette)* du PGA Tour (l'Association de golf professionnel), le 22 septembre 2013, puis la Race to Dubai *(photo principale)* du Tour européen PGA, le 17 novembre. L'exploit est d'autant plus notable qu'aucun golfeur n'avait remporté les 2 compétitions auparavant.

Cette année-là, Nelson a raflé 18 victoires sur le circuit. Devenu golfeur professionnel en 1932, il a pris sa retraite sportive en 1946. Il avait alors accumulé 52 titres PGA tout au long de sa carrière.

Le plus de titres de Joueur PGA de l'année
Le plus de prix du Joueur PGA de l'année est de 11, pour Tiger Woods (USA), en 1997, 1999-2003, 2005-2007, 2009 et 2013. Créée en 1948, cette distinction est attribuée sur un système de cotation basé sur les victoires, les classements au top 10, les résultats dans les tournois majeurs et la

Le plus long trou-en-un en Ryder Cup

Paul Casey (RU, *ci-dessus*) a réussi un exploit de 194 m au 14e trou (par 3), au K Club de Straffan, County Kildare (Irlande), le 23 septembre 2006. Le plus incroyable est qu'il a été imité le lendemain par Scott Verplank (USA), sur le même trou, lors du dernier jour du tournoi.

La Ryder Cup oppose les États-Unis à l'Europe tous les 2 ans.

Le trou le plus long
Le 7e trou (par 7) du parcours de Satsuki, à Sano (Japon), mesure 881 m de long.

Le plus long trou-en-un sur le PGA Tour
Le 25 janvier 2001, Andrew Magee (USA) a frappé un trou-en-un de 303 m au 17e trou (par 4), lors du 1er tour du Phoenix Open, à Scottsdale (Arizona, USA).

Le plus long trou-en-un à l'US Masters est de 194 m, par Jeff Sluman (USA), au trou n° 4 (par 3), à l'Augusta National Golf Club (Géorgie, USA), le 9 avril 1992.

Le plus de titres consécutifs sur le PGA Tour
Byron Nelson (USA) a remporté 11 titres de suite sur le PGA Tour en 1945.

moyenne de score. Woods compte près de 2 fois plus de trophées que son dauphin, Tom Watson (USA), sacré 6 fois.

LES SCORES LES PLUS BAS

Le score le plus bas en un tour (18 trous) en US Masters
Deux golfeurs ont réussi un score de 63 en un tour à l'US Masters, disputé à l'Augusta National Golf Club. Il s'agit de Nick Price (Zimbabwe), en 1986, et de Greg Norman (Australie), en 1996.

Le score le plus bas au British Open
Huit joueurs ont terminé à 63 au British Open : Mark Hayes (USA), à Turnberry, South

LE PLUS DE TITRES ET LES SCORES LES PLUS BAS (72 TROUS)

British Open		
Le plus de titres	6	Harry Vardon (RU)
Le score total le plus bas	267	Greg Norman (Australie), 1993
US Open		
Le plus de titres	4	Willie Anderson (USA)
		Bobby Jones Jr (USA)
		Ben Hogan (USA)
		Jack Nicklaus (USA)
Le score total le plus bas	268	Rory McIlroy (RU), 2011
Championnat US PGA		
Le plus de titres	5	Walter Hagen (USA)
		Jack Nicklaus (USA)
Le score total le plus bas	265	David Toms (USA), 2001
US Masters		
Le plus de titres	6	Jack Nicklaus (USA)
Le score total le plus bas	270	Tiger Woods (USA), 2007

Statistiques au 24 février 2014

INFO
Le Humana Challenge 2014 a mis en jeu 5,7 millions $, dont 1,026 million est revenu au vainqueur du tournoi, Patrick Reed.

Le score le plus bas sous le par après 54 trous en tournoi du PGA Tour

Patrick Reed (USA) a rendu une carte de 27 sous le par après 54 trous, à l'Humana Challenge 2014, sur le parcours PGA West, à La Quinta (Californie, USA), les 16-18 janvier. Reed a même été félicité par téléphone par l'ancien président des États-Unis Bill Clinton. Le tournoi est organisé en partenariat avec la Fondation Clinton.

La paire la plus souvent présente en Ryder Cup

Le duo le plus récurrent dans l'histoire de la Ryder Cup est celui formé par les Espagnols Severiano « Seve » Ballesteros *(à droite)* et José María Olazábal *(à gauche)*, qui ont joué 15 fois ensemble pour l'Europe, en 2 contre 2 et 4 balles, entre 1987 et 1993. La doublette a terminé avec un bilan de 11 victoires, 2 nuls et 2 défaites.

Ayrshire, en 1977 ; Isao Aoki (Japon), à Muirfield, East Lothian, en 1980 ; Greg Norman (Australie), à Turnberry, en 1986 ; Paul Broadhurst (RU), à St Andrews, Fife, en 1990 ; Jodie Mudd (USA), à Royal Birkdale, Southport, en 1991 ; Nick Faldo (RU) et Payne Stewart (USA), tous deux à Royal St George's, Sandwich, en 1993 ; et Rory McIlroy (RU), à St Andrews, en 2010.

Le score le plus bas sous le par en pro golf (un tour)

Richard Wallis (RU) a fait un score de 59 au PGA Southern Open Championship OOM Pro-Am, sur le parcours de 73, au Drift Golf Club (East Horsley, RU), le 2 juin 2013, soit une carte de 14 sous le par.

Le score le plus bas sous l'âge

Deux golfeurs ont réussi un score de -17 sous leur âge. James D. Morton (USA) a fini à 72 coups, au Valleybrook Golf and Country Club d'Hixon (USA), le 21 avril 2001, à 89 ans. Même score et même âge pour Keith Plowman (Nouvelle-Zélande), au Maungakiekie Golf Club d'Auckland (Nouvelle-Zélande), le 20 novembre 2007.

LES PLUS JEUNES ET LES PLUS ÂGÉS

Les gains annuels les plus élevés

Selon le classement des 100 célébrités publié par *Forbes* en 2013, Tiger Woods (USA) est le golfeur et le sportif qui cumule le **plus de gains**. Ses revenus en 2012-2013 sont estimés à 78 millions $.

Le plus jeune golfeur qualifié à l'US Masters

À 14 ans et 171 jours, Guan Tianlang (Chine, né le 25 octobre 1998) s'est qualifié avec une carte de +4 après 18 trous, au 77e US Masters, le 13 avril 2013. Le tournoi s'est déroulé à Augusta (Géorgie, USA). Guan était déjà le **plus jeune golfeur à participer à l'US Masters** lorsqu'il a

frappé la balle lors du même tournoi 2 jours plus tôt, à 14 ans et 169 jours. Il a terminé avec un score de 300 (73, 75, 77, 75).

Le plus jeune golfeur avec un score égal à son âge

Tsugio Uemoto (Japon, né le 3 juillet 1928) a terminé à 68, au Higashi Hiroshima Country Club d'Hiroshima (Japon), le 22 octobre 1996.

Le joueur le plus âgé

à réussir un score de son âge est C. Arthur Thompson (Canada, 1869-1975), qui a terminé à 103, sur le parcours d'Uplands (Victoria, Canada) de 5 682 m, en 1973.

Le plus jeune capitaine de Ryder Cup

Arnold Palmer (USA) avait 34 ans et 31 jours lorsqu'il a emmené les États-Unis en Ryder Cup, sur l'East Lake Golf Club d'Atlanta (Géorgie, USA), en 1963.

Le capitaine de Ryder Cup le plus âgé

est Tom Watson (USA, né le 4 septembre 1949), sélectionné le 13 décembre 2012 à 63 ans et 100 jours pour mener l'équipe américaine. La Ryder

Cup 2014 a débuté le 26 septembre à Gleneagles (Écosse). Watson était alors âgé de 65 ans et 22 jours.

Le plus de titres de Joueuse LPGA

Annika Sörenstam (Suède) a été sacrée 8 fois Joueuse de l'année par l'Association de golf professionnel féminin (LPGA) en 1995, 1997-1998 et 2001-2005.

Le plus jeune golfeur en Ryder Cup

Sergio García (Espagne, né le 9 janvier 1980) a participé à la Ryder Cup pour l'Europe en 1999, à 19 ans et 229 jours.

Le golfeur le plus âgé à participer à la Ryder Cup

est Raymond Floyd (USA, né le 4 septembre 1942), qui avait 51 ans et 20 jours lors de l'édition 1993 du tournoi. Floyd a pris sa retraite sportive en avril 2010, mais Tom Watson l'a recruté comme vice-capitaine pour la Ryder Cup 2014.

Le golfeur le plus âgé à réussir un trou-en-un

Otto Bucher (Suisse, né le 12 mai 1885) a réussi un trou-en-un de 119 m au 12e trou, à La Manga (Espagne), le 13 janvier 1985, à 99 ans et 244 jours.

Le président de club de golf le plus âgé

Jack Miles (RU, né le 10 mars 1913), président du Wimbledon Common Golf Club, a fêté ses 101 ans en 2014. Il est un joueur actif du club depuis 1947.

 Solheim Cup

L'équivalent féminin de la Ryder Cup est la Solheim Cup, organisée tous les 2 ans depuis 1990. Les États-Unis ont remporté 8 titres, contre 5 pour l'Europe.

Le plus de majeurs remportés en une année (femmes)

Mildred Ella « Babe » Didrikson Zaharias (USA, *photo principale*) a remporté 3 tournois majeurs consécutifs en 1950, avant d'être imitée par Inbee Park (Corée du Sud, *vignette*) en 2013. Leurs 3 succès constituent aussi le **plus de majeurs sur un an (femmes)**, record partagé avec Mary « Mickey » Wright (USA, 1961) et Pat Bradley (USA, 1986).

Hockey sur glace

Les palets étaient autrefois faits à partir de **bouses de vache gelées**.

INFO

Jágr a commencé à jouer au hockey dès l'âge de trois ans.

Le plus de buts décisifs en carrière NHL

Au 30 décembre 2013, Jaromír Jágr (Rép. tchèque) avait marqué 122 buts victorieux en National Hockey League (NHL). Il a aussi inscrit le **plus de buts en prolongations en saison régulière NHL**, avec 18 réalisations pour les Pittsburgh Penguins, Washington Capitals, New York Rangers, Philadelphia Flyers et New Jersey Devils, de 1990 à 2013.

Le plus de victoires en une saison NHL
Les Detroit Red Wings (USA) ont remporté 62 matchs lors de la saison 1995-1996.

Le plus de passes décisives en une saison NHL
Wayne Gretzky (Canada) a distribué 163 passes décisives avec les Edmonton Oilers, en 1985-1986.

Il a aussi réussi le **plus de passes décisives en carrière NHL**, avec 1 963 caviars pour les Oilers, Los Angeles Kings, St Louis Blues et New York Rangers, entre 1979 et 1999.

Le plus de minutes de pénalités dans un match de NHL
Lorsqu'il jouait pour les Los Angeles Kings contre les Philadelphia Flyers, le 11 mars 1979, Randy Holt (Canada) a totalisé 67 min de pénalité.

Le joueur qui compte le **plus de pénalités dans l'histoire de la NHL** reste Dave Williams (Canada), dit « le Tigre », avec 3 966 min en 17 saisons, entre 1974 et 1988, avec les Toronto Maple Leafs, Vancouver Canucks, Detroit Red Wings, Los Angeles Kings et Hartford Whalers.

L'entraîneur le plus rapide à atteindre 200 victoires en NHL
La victoire 3-1 des Pittsburgh Penguins contre les Ottawa Senators, le 22 avril 2013, était la 200e de Dan Bylsma (USA), en 316 rencontres.

La plus longue série d'invincibilité en NHL
Entre le 14 octobre 1979 et le 6 janvier 1980, les Philadelphia Flyers (USA) ont disputé 35 matchs sans perdre (25 victoires, 10 nuls). (Pour la **plus longue série de victoires**, voir le tableau page de droite.)

Le plus de matchs professionnels joués
L'ailier droit Gordon « Gordie » Howe (Canada, né le 31 mars 1928) a disputé 2 421 matchs professionnels en 26 saisons, de 1946 à 1980, en NHL et WHA (Association mondiale de hockey).

Howe a pris sa retraite en 1980, à 52 ans, ce qui fait de lui le **joueur le plus âgé de l'histoire de la NHL**.

Le triplé le plus rapide en NHL

Le 23 mars 1952, l'ailier droit Bill Mosienko (Canada) a marqué 3 buts en 21 s pour les Chicago Blackhawks contre les New York Rangers, au Madison Square Garden de New York (USA). Les Blackhawks se sont imposés 7-6.

Le buteur le plus âgé aux JO

Le 22 février 2014, aux jeux Olympiques de Sotchi (Russie), Teemu Selänne (Finlande, né le 3 juillet 1970), à 43 ans et 234 jours, a marqué deux fois dans le match pour le bronze joué contre les USA. Selänne a permis à la Finlande de battre les Américains 5-0 et est aussi devenu le médaillé le plus âgé sur glace.

Le plus de matchs consécutifs de NHL
Doug Jarvis (Canada) a participé à 964 matchs de suite pour les Canadiens de Montréal, Washington Capitals et Hartford Whalers, entre octobre 1975 et octobre 1987.

Le plus de matchs consécutifs en NHL pour un défenseur
À la fin de la saison 2012-2013, Jay Bouwmeester (Canada) avait joué 635 rencontres consécutives en saison régulière de NHL. Chris Chelios (USA) est le **défenseur qui a disputé le plus de matchs NHL en carrière**, avec 1 651 rencontres pour diverses équipes, entre 1983 et 2010.

Le plus de victoires aux tirs au but pour un gardien de NHL
Henrik Lundqvist (Suède) a obtenu 44 victoires aux tirs au but avec les New York Rangers.

Le plus de billets vendus pour un match de NHL

105 491 billets ont été vendus pour la rencontre entre les Detroit Red Wings (USA) et les Toronto Maple Leafs (Canada), pour le NHL Winter Classic. Le match s'est déroulé dans le stade de football de l'université du Michigan, à Ann Arbor (USA), le 1er janvier 2014.

 Gardez la tête froide, visitez les pôles, p. 144

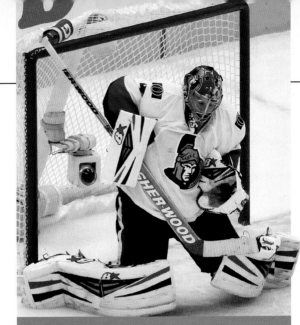

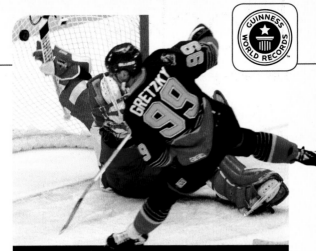

Le plus haut pourcentage d'arrêts en une saison NHL

Craig Anderson (USA) a affiché un taux d'arrêt de 94,1 % en jouant avec les Ottawa Senators en saison 2012-2013, améliorant le record de 94,0 % de Brian Elliott (Canada) pour les St Louis Blues en 2011-2012.

Le plus de buts en prolongations en saison NHL

En NHL, le plus de buts inscrits en prolongations est de 5, par Steven Stamkos (Canada), lors de la saison 2011-2012, avec les Tampa Bay Lightning.

Le plus de tirs au but réussis en carrière NHL

Zach Parise (USA) a marqué 34 fois au tir au but pour les New Jersey Devils et Minnesota Wild depuis 2005.

Le plus de buts par un rookie (recrue) en une saison NHL

Lors de la saison 1992-1993, Teemu Selänne (Finlande) a frappé 76 fois pour les Winnipeg Jets.

Le plus de buts lors d'un 1er match de NHL

Le 9 octobre 2010, Derek Stepan (USA) est devenu le 4e joueur à marquer un triplé pour son 1er match de NHL avec les New York Rangers, face aux Buffalo Sabres (6-3). Les autres sont Alex Smart (Canada), le 14 janvier 1943, Réal Cloutier (Canada), le 10 octobre 1979, et Fabian Brunnström (Suède), le 15 octobre 2008.

Le plus de Championnats du monde de hockey masculin

Le 1er Championnat du monde masculin de l'IIHF (Fédération internationale de hockey sur glace) s'est tenu en 1920. L'Union soviétique/ Russie est le pays le plus titré avec 22 victoires en tant qu'URSS (1954, 1956, 1963-1971, 1973-1975, 1978, 1979, 1981-1983, 1986, 1989 et 1990) et 4 en tant que Russie (1993, 2008, 2009 et 2012).

Le plus de Championnats du monde de hockey féminin

Créé en 1990, le Championnat du monde féminin de l'IIHF est organisé tous les ans sauf les années de jeux Olympiques et en 2003, en raison de l'épidémie de SRAS. Les Canadiennes comptent 10 sacres : 1990, 1992, 1994, 1997, 1999-2001, 2004, 2007 et 2012. Les États-Unis l'ont remporté 5 fois, la dernière en 2013.

Le plus de points en carrière NHL

Wayne Gretzky (Canada) a contribué à 2 857 buts pour les Edmonton Oilers, Los Angeles Kings, St Louis Blues et New York Rangers, entre 1979 et 1999. Il a réussi 894 buts et 1 963 passes décisives en 1 487 matchs de saison régulière. Il faut y ajouter 122 buts en Coupe Stanley et 56 en WHA (Association mondiale de hockey), en 1978-1979.

Le plus de victoires en Coupe Stanley (joueur)

Henri Richard (Canada) a soulevé la Coupe à 11 reprises avec les Canadiens de Montréal de 1956 à 1975. Le petit frère du légendaire ailier droit Maurice Richard dit « la Fusée » était surnommé « la Fusée de poche ».

Le plus jeune capitaine vainqueur de la Coupe Stanley

À 21 ans et 309 jours, Sidney Crosby (Canada, né le 7 août 1987) est devenu le plus jeune capitaine à triompher en Coupe Stanley, lorsque les Pittsburgh Penguins ont battu les Detroit Red Wings en finale 2009.

Le moins de buts concédés en série finale de Coupe Stanley

Le gardien qui a encaissé le moins de buts en série finale de Coupe Stanley est Tim Thomas (USA), avec 8 buts pour les Boston Bruins contre les Vancouver Canucks, en 2011.

LIGUE NATIONALE DE HOCKEY (NHL)

Le plus de participations en Coupe Stanley	34	Canadiens de Montréal (Canada), 1916-1993
Le plus de victoires en Coupe Stanley	24	Canadiens de Montréal (Canada), 1916-1993
Le plus de matchs joués en carrière	1 767	Gordie Howe (Canada), Detroit Red Wings et Hartford Whalers, 1946-1980
La plus longue série de victoires	17	Pittsburgh Penguins (USA), du 9 mars au 10 avril 1993
Le plus de buts marqués	894	Wayne Gretzky (Canada), Edmonton Oilers, Los Angeles Kings, St Louis Blues et New York Rangers
Le plus de buts en un match par un joueur	7	Joe Malone (Canada), Bulldogs de Québec contre Toronto St Patricks, le 31 janvier 1920
Le plus de buts en un match par une équipe	16	Canadiens de Montréal, 16-3 contre Bulldogs de Québec (tous deux Canada), le 3 mars 1920
Le plus de buts en une saison par un joueur	92	Wayne Gretzky (Canada), Edmonton Oilers en 1981-1982
Le plus de buts en une saison par une équipe	446	Edmonton Oilers (Canada), 1983-1984
Le plus d'arrêts par un gardien	27 312	Martin Brodeur (Canada), New Jersey Devils, 1993-aujourd'hui

Statistiques au 29 janvier 2014

Marathons

Le marathon de Londres a levé **663 m£** pour des œuvres caritatives.

Le marathon le plus profond

Le marathon de Cristal est une course qui se déroule dans une ancienne mine de sel à 500 m sous le niveau de la mer. Il a lieu tous les ans depuis 2002, à Sondershausen (Thuringe, Allemagne).

Le marathon le plus froid

En 2001, le marathon des Glaces de Sibérie, à Omsk (Russie), s'est tenu par – 39 °C, ce qui en fait le marathon le plus froid.

La **course la plus chaude** est l'ultramarathon de Badwater, entre la vallée de la Mort et le mont Whitney (Californie, USA), où il peut faire jusqu'à 55 °C.

Le marathon le plus septentrional

Le marathon du pôle Nord (pôle géographique) est organisé tous les ans depuis 2002. En 2007, Thomas Maguire (IRL) est devenu l'**homme le plus rapide du pôle Nord** en 3h, 36min et 10s. Un an plus tard, Cathrine Due (Danemark) est devenue la **femme la plus rapide** en 5h, 37min et 14s.

Le **marathon le plus méridional** est celui des glaces de l'Antarctique, sur le continent antarctique, à 80° de latitude Sud.

Le meilleur temps cumulé au World Marathon Majors

Le « World Marathon Majors » regroupe les marathons des jeux Olympiques et des mondiaux ainsi que ceux de Berlin, Boston, Chicago, Londres et New York. Kjell-Erik Ståhl (Suède) a terminé les 7 courses avec un temps total de 15 h, 36 min et 47 s. Il avait lancé sa séquence record aux JO de Moscou en 1980 et l'avait terminée à Berlin en 1991.

Le marathon le plus rapide

Le marathon de Berlin (Allemagne) a été marqué par un record absolu. Wilson Kipsang (Kenya) n'a mis que 2 h, 3 min et 23 s pour terminer la course, le 29 septembre 2013. Kipsang a aussi remporté le marathon de Francfort 2 fois (2010 et 2011), comme celui de Londres (2012 et 2014).

Le marathon le plus rapide (femme)

Paula Radcliffe (RU) a franchi l'arrivée du marathon de Londres, le 13 avril 2003, en 2h, 15min et 25s, devenant la femme la plus rapide sur la distance. Elle est aussi la **plus rapide au marathon de Chicago**, bouclé en 2h, 17min et 18s, le 13 octobre 2002.

Le marathon olympique le plus rapide

Femmes : Le 5 août 2012, Tiki Gelana (Éthiopie) a mis 2 h, 23min et 7 s pour s'emparer de l'or au marathon féminin des JO de Londres 2012. Elle avait déjà fait mieux sur la distance : le 15 avril 2012, elle avait terminé le marathon de Rotterdam (Pays-Bas) en 2 h, 18min et 58 s.

Hommes : Samuel Wanjiru (Kenya) a décroché l'or à Pékin en 2 h, 6min et 32 s, le 24 août 2008.

Le plus de victoires au World Marathon Majors

Femmes : Grete Waitz (Norvège) a gagné 12 majeurs : 9 à New York, 2 à Londres et 1 aux mondiaux d'athlétisme (1978-1987).
Hommes : Bill Rodgers (USA) compte 8 titres : 4 à Boston et 4 à New York, de 1975 à 1980.

Le plus de médailles aux Séries de triathlon ITU

Femmes : Michellie Jones (Australie) a décroché 2 médailles d'or, 2 d'argent et 4 de bronze aux championnats du monde de triathlon, soit 8 podiums entre 1991 et 2003.
Hommes : Simon Lessing (RU) totalise 7 médailles aux mondiaux : 4 en or, 2 en argent et 1 en bronze,

---

> **2014 VIRGIN MONEY LONDON MARATHON : NOUVEAUX RECORDS**

Si courir un marathon est une affaire sérieuse pour des athlètes d'exception tels que ceux présentés ci-dessus, pour d'autres, il s'agit plutôt d'un amusement – en particulier dans le cadre d'un des plus grands marathons du monde, celui de Londres. Voici quelques-uns des personnages les plus hauts en couleur qui y ont participé cette année.

Animal Alex Collins (RU) 2 h, 48min et 29s

Personnage de télévision David Stone (RU) 2 h, 49min et 51s

Écolier Steven Nimmo (RU) 2 h, 50min et 17s

Bébé Ali King (RU) 2 h, 51min et 18s

Toilettes Marcus Mumford (RU) 2 h, 57min et 28s

Mariée (homme) Lee Goodwin (RU) 3 h et 54s

Jockey Ross Birkett (RU) 3 h, 8min et 30s

Astronaute Simon Couchman (RU) 3 h, 8min et 45s

Cow-boy Rik Vercoe (RU) 3 h, 9min et 9s

Infirmière (femme) Caroline Pleasence (RU) 3 h, 13min et 58s

Mariée (femme) Sarah Dudgeon (RU) 3 h, 16min et 44s

Moine Tom Collins (RU) 3 h, 29min et 32s

Bouteille Paul Simons (RU) 3 h, 31min et 57s

Organe (homme) Adam Giangreco (RU) 3 h, 36min et 42s

Logo Kevin Hunt (RU) 3 h, 37min et 14s

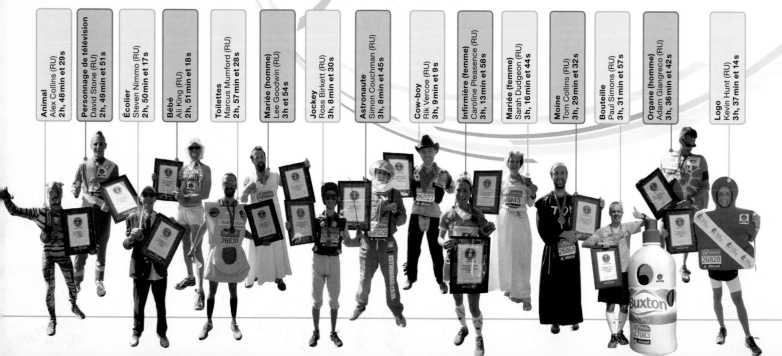

LES PLUS GRANDS MARATHONS

Marathon	Le plus de coureurs à l'arrivée	Les plus rapides (hommes)	Les plus rapides (femmes)
Berlin, Allemagne	36 544 29 septembre 2013	Wilson Kipsang (Kenya), 2:03:23, 29 septembre 2013	Mizuki Noguchi (Japon), 2:19:12, 25 septembre 2005
Boston, USA	35 868 15 avril 1996	Geoffrey Mutai (Kenya), 2:03:02, 18 avril 2011	Rita Jeptoo (Kenya), 2:18:57, 21 avril 2014
Chicago, USA	39 122 13 octobre 2013	Dennis Kimetto (Kenya), 2:03:45, 13 octobre 2013	Paula Radcliffe (RU), 2:17:18, 13 octobre 2002
Londres, RU	36 672 22 avril 2012	Wilson Kipsang (Kenya), 2:04:29, 13 avril 2014	Paula Radcliffe (RU), 2:15:25, 13 avril 2003
New York, USA	50 062 3 novembre 2013	Geoffrey Mutai (Kenya), 2:05:06, 6 novembre 2011	Margaret Okayo (Kenya), 2:22:31, 2 novembre 2003
Osaka, Japon	27 674 27 octobre 2013	Ser-Od Bat-Ochir (Mongolie), 2:11:52, 25 novembre 2012	Lidia Simon (Roumanie), 2:32:48, 30 octobre 2011
Paris, France	38 690 7 avril 2013	Kenenisa Bekele (Éthiopie), 2:05:04, 6 avril 2014	Feyse Tadese (Éthiopie), 2:21:06, 7 avril 2013
Tokyo, Japon	35 308 24 février 2013	Dickson Chumba (Kenya), 2:05:42, 23 février 2014	Tirfi Tsegaye (Éthiopie), 2:22:23, 23 février 2014

Statistiques au 30 avril 2014. Marathon de Boston inéligible aux records du monde selon l'IAAF.

entre 1992 et 1999. Un record égalé par Javier Gómez (Espagne), avec 3 en or, 3 en argent et 1 en bronze en 2007-2013.

Le plus rapide à l'Ironman d'Hawaï

Hommes : L'Ironman d'Hawaï s'est tenu la 1re fois le 18 février 1978, à Kailua-Kona (Hawaï, USA). La description indiquait : « Nagez 2,4 miles ! Roulez 112 miles ! Courez 26,2 miles ! Vantez-vous pour le reste de votre vie ! » Craig Alexander (Australie) détient le record avec un temps de 8 h, 3 min et 56 s, le 8 octobre 2011 : 51 min et 56 s pour les 3,8 km de natation, 4 h, 24 min et 5 s pour les 180 km de vélo et 2 h, 44 min et 2 s pour le marathon.

La 1re à remporter un Grand Chelem en fauteuil roulant

Tatyana McFadden (USA) a accompli un « Grand Chelem » de marathons en fauteuil roulant en 2013 : un exploit qui se traduit par des victoires à Boston, Londres, Chicago et New York la même année. Tatyana a également fini le **marathon de Londres en fauteuil le plus rapide pour une femme** en 1 h, 46 min et 2 s, le 21 avril 2013.

Femmes : Le 12 octobre 2013, Mirinda Carfrae (Australie) a battu le record féminin en 8 h, 52 min et 14 s. Sa dauphine était reléguée à plus de 5 min.

Le **plus âgé à terminer l'Ironman d'Hawaï** est Lew Hollander (USA, né le 6 juin 1930), qui avait 82 ans et 129 jours lorsqu'il a franchi la ligne d'arrivée le 13 octobre 2012.

Le plus rapide à courir un ultramarathon sur chaque continent

Ziyad Tariq Rahim (Pakistan) a couru 7 ultramarathons de 50 km, un sur chaque continent, du 26 janvier au 8 mars 2014. Le chrono a démarré au départ de l'ultramarathon de l'Antarctique et s'est arrêté quand Ziyad a franchi l'arrivée de son dernier ultramarathon, en Afrique du Sud, 41 jours, 3 h, 23 min et 40 s plus tard.

Andrei Rosu (Roumanie) a établi le **meilleur temps pour un marathon et un ultramarathon sur chaque continent** en 1 an et 217 jours. Il a commencé avec l'Australian Outback Marathon le 31 juillet 2010 et a terminé par le Supermaratona Cidade do Rio Grande (Brésil), le 4 mars 2012.

Le plus rapide à courir 10 marathons en 10 jours

Hommes : Adam Holland (RU) a terminé le challenge Brathay 10 in 10, à Cumbria (RU), du 7 au 16 mai 2010, en 30 h, 20 min et 54 s.

Femmes : Sally Ford (RU) a disputé la même compétition en 36 h, 38 min et 53 s, du 11 au 20 mai 2012.

Le marathon pieds nus le plus rapide

Hommes : Abebe Bikila (Éthiopie) a couru le marathon olympique 1960 sans chaussures en 2 h, 15 min et 16,2 s, à Rome (Italie), le 10 septembre 1960.

Femmes : Il a fallu 2 h, 29 min et 45 s à Tegla Loroupe (Kenya) pour terminer le marathon des JO de Sydney (Australie), le 24 septembre 2000.

LONDON MARATHON 2014

Facteur Pete Waumsley (RU) 3 h, 47 min et 35 s

Mascotte Francis Gilroy (RU) 3 h, 51 min et 50 s

Organe (femme) Emma Denton (RU) 3 h, 52 min et 2 s

Robinet Richard Quartermaine (RU) 3 h, 52 min et 9 s

Médecin Naomi Garrick (RU) 3 h, 54 min et 6 s

Crustacé Oliver Johnson (RU) 3 h, 55 min et 13 s

Carte à jouer Lisa Wright (RU) 4 h, 23 min et 57 s

Noix Spenser Lane (RU) 4 h, 29 min et 36 s

Pompier James Dajird (RU) 4 h, 39 min et 13 s

Avec un sac de 9 kg Gill Begnor (RU) 5 h, 7 min et 56 s

La corde la plus longue 139,4 m Susie Hewer (RU) (temps : 5 h, 40 min et 47 s)

Chevalier en cotte de mailles Michael Dodd (RU) 5 h, 49 min et 7 s

Cabine téléphonique Sid Keyte (RU) 5 h, 54 min et 52 s

Groupe de 4 personnes Andy Newman (derrière) et, de gauche à droite, Earl Edwards, Adam James et Stuart Bailey (tous RU) 6 h, 29 min et 44 s

Orchestre ambulant Huddersfield Marathon Band (RU) 6 h, 56 min et 48 s

Sports mécaniques

Une voiture de Formule 1 compte environ **80 000 pièces**.

Le plus de voitures à l'arrivée de la Baja 1000

La Baja 1000 est un rallye de 1 000 km dans la péninsule de Basse-Californie (Mexique). Motos, voitures et camions s'affrontent dans des conditions difficiles à travers le désert, au milieu des animaux sauvages et de pièges tendus par les spectateurs pour se divertir. En 2007, 237 participants ont franchi la ligne d'arrivée sur les 424 présents au départ.

la suite, remporté le Grand Prix de la Communauté valencienne en Espagne pour devenir le **plus jeune champion du monde de MotoGP**, à 20 ans et 266 jours, le 10 novembre 2013.

Le TT de l'île de Man le plus rapide en Superbike

Michael Dunlop (RU) a établi un temps de 1 h, 45 min et 29,98 s sur sa TT Legends Honda 1 000 cm³ pour ses six tours de l'île de Man en Superbike, à Douglas (RU), le 2 juin 2013.

Le plus de victoires en Motocross des nations

Le Motocross des nations est une course tout-terrain

Le plus de victoires en NASCAR Sprint Cup Series

Jimmie Johnson (USA) a remporté 5 fois de suite les Sprint Cup Series, le championnat de l'Association américaine de stock-car (NASCAR), entre 2006 et 2010. Son règne s'est achevé avec la victoire de Tony Stewart (USA) en 2011, mais Johnson a repris sa couronne en 2013, portant ainsi son palmarès à 6 titres en 2006-2013.

MOTO

Le plus de titres en MotoGP

La MotoGP est l'une des 3 catégories du championnat du monde de moto sur circuit, la compétition principale qui a remplacé la catégorie 500 cm³ en 2002. Le plus de titres en Grand Prix est à mettre à l'actif de Valentino Rossi (Italie), 6 fois champion en 2002-2005 et 2008-2009.

Le **plus de titres en MotoGP pour un constructeur** est également de 6,

pour Yahama (Japon) en 2004, 2005, 2008-2010 et 2012.

Le plus jeune pilote de MotoGP en pole position

Le 20 avril 2013, Marc Márquez (Espagne, né le 17 février 1993) a pris la pole du Grand Prix d'Amérique 2013, sur le circuit des Amériques à Austin (Texas, USA), à l'âge de 20 ans et 62 jours.

Le lendemain, Márquez a remporté la course, devenant le **plus jeune vainqueur d'une course de MotoGP** à 20 ans et 63 jours. Il a, par

Le plus de leaders en Indianapolis 500

Quatorze leaders se sont succédé lors de l'édition 2013 de l'Indianapolis 500, sur l'Indianapolis Motor Speedway (USA), le 26 mai 2013. Dans l'ordre : Carpenter, Kanaan, Andretti, Hunter-Reay, Power, Jakes, Viso, Muñoz, Allmendinger, Tagliani, Bell, Hinchcliffe, Castroneves et Dixon. La course a été remportée par Tony Kanaan.

qui se dispute tous les ans depuis 1947. Le pays le plus souvent titré est les États-Unis, avec 22 sacres entre 1981 et 2011.

AUTO

Le plus de victoires en F1 pour un constructeur

Le constructeur qui a remporté le plus de Grands Prix de Formule 1 est Ferrari, avec 221 succès entre 1951 et 2013. L'écurie italienne a glané son 1er succès au GP de Grande-Bretagne, à Silverstone (Northamptonshire, RU), en 1951, grâce au pilote José Froilán González (Argentine). Le Cheval cabré a également enchaîné le **plus de Grands Prix de F1 consécutifs gagnés aux points par un constructeur** : ses

Le meilleur tour en superbike au TT de l'île de Man

En catégorie TT Superbike à Douglas, sur l'île de Man (RU), le 2 juin 2013, John McGuinness (RU) a réalisé un tour en 17 min et 11,57 s sur sa Honda CBR1000RR. Il a établi ce record à son 6e et dernier tour du Tourist Trophy en roulant à une vitesse moyenne de 211,90 km/h.

LE PLUS DE TITRES EN...		
Compétition	Titres	Champion
Tourist Trophy de l'île de Man	26	Joey Dunlop (RU) en 1977, 1980, 1983-1988, 1992-1998 et 2000
Motocross des nations	22	USA en 1981-1993, 1996, 2000 et 2005-2011
Championnat du monde des constructeurs de F1	16	Ferrari (Italie) en 1961, 1964, 1975-1977, 1979, 1982-1983, 1999-2004 et 2007-2008
Championnat du monde de moto	15	Giacomo Agostini (Italie) 500 cm^3 en 1966-1972 et 1975 ; et 350 cm^3 en 1968-1974
Championnat du monde de motocross	10	Stefan Everts (Allemagne) 125 cm^3 en 1991 ; 250 cm^3 en 1995-1997 ; 500 cm^3 en 2001-2002 ; et MX1 en 2003-2006
Championnat du monde des rallyes	9	Sébastien Loeb (France) en 2004-2012
Championnat du monde des pilotes de F1	7	Michael Schumacher (Allemagne) en 1994-1995 et 2000-2004
Championnat des pilotes de NASCAR Sprint Cup Series	7	Richard Petty (USA) en 1964, 1967, 1971-1972, 1974-1975 et 1979
		Dale Earnhardt, Sr (USA) en 1980, 1986-1987, 1990-1991 et 1993-1994
Championnat du monde de karting	6	Mike Wilson (RU) en 1981-1983, 1985 et 1988-1989
MotoGP	6	Valentino Rossi (Italie) en 2002-2005 et 2008-2009
Rallye Dakar	5	Stéphane Peterhansel et Jean-Paul Cottret (tous deux France) en 2004-2005, 2007 et 2012-2013
Championnat du monde de superbike	4	Carl Fogarty (RU) en 1994-1995 et 1998-1999

Statistiques au 25 mars 2014

Le plus de victoires de suite en Grand Prix de F1

Sebastian Vettel (Allemagne) a remporté 9 courses consécutives sur sa Red Bull lors de la saison 2013, entre le 25 août et le 24 novembre 2013. Vettel est aussi devenu le **plus jeune champion du monde de F1** après son triomphe au GP d'Italie 2008, à 21 ans et 73 jours, le 14 septembre 2008.

Il a ensuite gagné au moins un Grand Prix les 8 saisons suivantes, jusqu'à son succès au GP de Sepang (Malaisie) 2014, le 30 mars.

Le plus de victoires en une saison de NASCAR Sprint Cup Series
En 1967, Richard Petty (USA) a gagné 27 courses en NASCAR Sprint Cup Series. Cette même année, il a enregistré le **plus de victoires consécutives en NASCAR** avec 10 succès entre le 12 août et le 1er octobre 1967.

Le 1er pilote à terminer tous ses Grands Prix la 1re saison

Max Chilton (RU) a franchi la ligne d'arrivée des 19 courses pour sa 1re saison de F1 en 2013 avec Marussia. Il n'a certes pas pris un seul point, mais c'est le 1er débutant à terminer tous les GP en 64 ans d'histoire de la F1.

pilotes ont terminé 70 fois de suite dans les points entre le GP d'Allemagne 2010, le 25 juillet, et celui de Bahreïn, le 6 avril 2014. Depuis 2010, une voiture doit arriver dans les dix premiers pour rapporter des points à son pilote et à son écurie.

Le plus de points pour un pilote de F1 en carrière
Le plus de points cumulés au cours d'une carrière en F1 est de 1 700, par Fernando Alonso (Espagne) entre le 9 mars 2003 et le 6 avril 2014.

Le plus de victoires en F1 pour un pilote en une saison
Michael Schumacher (Allemagne) a remporté 13 Grands Prix en 2004. Il a été rejoint par Sebastian Vettel (Allemagne) en 2013.

Le plus de saisons consécutives à remporter un Grand Prix
Le pilote Lewis Hamilton (RU) a fait ses débuts en F1 en 2007 et a remporté le GP du Canada cette année-là.

Le plus de courses de NASCAR gagnées en carrière
Richard Petty (USA) a célébré 200 succès en NASCAR entre 1958 et 1992. Il a aussi réalisé le **plus de pole positions en NASCAR** (126) et le **plus de courses remportées en partant de la pole** (61).

Le plus de points en une saison de WRC (pilote)

Sébastien Ogier (France) a cumulé 290 points avec Volkswagen lors de la saison 2013 du championnat du monde des rallyes (WRC). Ogier a mis fin au règne de Sébastien Loeb, champion 9 saisons de suite, inscrivant au passage 14 points de plus que Loeb en 2010.

Rugby

L'Écosse a battu l'Angleterre lors du 1er match international.

Le plus de matchs internationaux

Brian O'Driscoll (Irlande, *ci-dessus avec sa fille Sadie*) a disputé 141 matchs internationaux, du 12 juin 1999 au 15 mars 2014, avec 133 rencontres pour l'Irlande et 8 pour les Lions britanniques et irlandais (2001, 2005, 2009 et 2013). Il a marqué 47 essais et remporté 81 matchs, dont le dernier face à la France (22-20), synonyme de titre au Six Nations 2014.

RUGBY À XIII

L'essai le plus rapide

Tim Spears (RU) a aplati pour les Featherstone Rovers après 7,75 s de jeu contre les Wakefield Trinity Wildcats, au Post Office Road de Featherstone (RU), le 12 janvier 2014. Il bat d'un cheveu le record précédent de 7,9 s réussi en 2010 par Danny Samuel (RU) pour les Rochdale Hornets.

Le plus de spectateurs en finale de coupe du monde

74 468 spectateurs ont suivi la finale mondiale de rugby à XIII entre l'Australie et la Nouvelle-Zélande, à Old Trafford (Manchester, RU), le 30 novembre 2013 *(voir à droite)*.

Le plus de frères dans une même équipe NLR

Quatre frères ont joué pour la même équipe en National Rugby League (NLR), le championnat australien, à deux reprises dans l'histoire. La 1re fratrie était composée de Ray, Roy, Rex et Bernard Norman (tous Australie), pour Annandale en championnat de Nouvelle-Galles du Sud (remplacé par la NRL) en 1910. Un siècle plus tard, Sam, Luke, Tom et George Burgess (tous RU) ont joué pour les South Sydney Rabbitohs contre les Wests Tigers, à l'Allianz Stadium de Sydney (Australie), le 30 août 2013.

Le drop le plus long

Joseph « Joe » Lydon (RU) a réussi un drop de 56 m pour Wigan contre Warrington, en demi-finale de Challenge Cup, à Maine Road (Manchester, RU), le 25 mars 1989.

La victoire la plus large en finale de coupe du monde

L'écart de 32 points en faveur de l'Australie contre la Nouvelle-Zélande, lors de la finale de coupe du monde de rugby à XIII, le 30 novembre 2013, représente la victoire la plus large dans cette compétition, organisée depuis 1954.

Le plus de points en carrière en Super League

Kevin Sinfield (RU) a totalisé 3 498 points pour les Leeds Rhinos, du 13 septembre 1998 au 14 mars 2014. En 2012, le demi d'ouverture a reçu le Rugby League World Golden Boot Award, remis au meilleur joueur de rugby à XIII du monde.

Le plus de points en matchs internationaux

Entre le 5 mai 2006 et le 30 novembre 2013, Johnathan Thurston (Australie) a cumulé 318 points en matchs internationaux de rugby à XIII. Ses 14 points sur transformations en finale de la coupe du monde 2013 contre la Nouvelle-Zélande lui ont permis de surpasser le record de 309 points de Mick Cronin.

Le plus âgé en sélection de rugby à XIII et à XV

Tom Calnan (né le 22 octobre 1976) est le joueur le plus âgé à avoir joué en sélection internationale dans les deux variantes de rugby. Calnan avait 36 ans et 50 jours lorsqu'il a défendu les couleurs des Émirats arabes unis en rugby à XV contre Hong Kong, à Dubaï (ÉAU), le 11 décembre 2012. Auparavant, il avait joué pour les ÉAU en rugby à XIII contre le Pakistan, le 30 mars 2012.

Le plus jeune international

Gavin Gordon (né le 28 février 1978) avait 17 ans et 229 jours quand il a affronté la Moldavie avec l'Irlande, le 16 octobre 1995, à Spotland (Rochdale, RU). Il a inscrit 3 essais dans ce match remporté 48-26.

RUGBY INTERNATIONAL – LE PLUS DE...

Rugby à XV		
Sélections	141	Brian O'Driscoll (Irlande, 1999-2014)
Points	1 442	Dan Carter (Nouvelle-Zélande, 2003-2013)
Essais	69	Daisuke Ohata (Japon, 1996-2006)
Rugby à XIII		
Sélections	59	Darren Lockyer (Australie, 1998-2011)
Points	318	Johnathan Thurston (Australie, 2006-2013)
Essais	41	Mick Sullivan (RU, 1954-1963)

Statistiques au 15 mars 2014

GUINNESS WORLD RECORDS

INFO
Âgé de 17 ans lors de son 1er match pour les Saracens contre les Llanelli Scarlets, en 2008, Farrell était le plus jeune joueur professionnel de rugby anglais.

Le plus de pénalités passées en H Cup

Owen Farrell (RU) a tiré 10 pénalités pour les Saracens contre le Racing Métro 92, en Heineken Cup, au stade de la Beaujoire (Nantes, France), le 12 janvier 2013.

RUGBY À XV

L'essai le plus rapide
Il a suffi de 7,24 s à Tyson Lewis (RU) pour offrir un essai aux Doncaster Knights contre les Old Albanians, au Woollam Playing Fields de St Albans (RU), le 23 novembre 2013.

L'exclusion la plus rapide en championnat anglais
Le joueur du London Scottish Mike Watson (RU) a été exclu après 42 s de jeu contre Bath, au Recreation Ground de Bath (RU), le 15 mai 1999.

Le plus de victoires internationales consécutives
Chypre a décroché 21 succès entre le 29 novembre 2008 et le 30 novembre 2013.

Le plus de défaites de suite en coupe du monde
La Namibie a essuyé 15 défaites entre le 1er octobre 1999 et le 26 septembre 2011.

Le match le plus prolifique en coupe du monde
La Nouvelle-Zélande a battu le Japon 145-17, le 4 juin 1995, à Bloemfontein (Afrique du Sud). Les All Blacks ont inscrit 21 essais.

Le plus jeune joueur en coupe du monde
Le 30 septembre 2007, Thretton Palamo (né le 22 septembre 1988) a joué pour les États-Unis contre l'Afrique du Sud à 19 ans et 8 jours, au stade de la Mosson (Montpellier, France).

Le 1er à jouer en rugby australien, à XIII et à XV
Karmichael Hunt (Australie) a débuté sa carrière en NRL avec les Brisbane Broncos en 2004 avant de passer au rugby à XV, à Biarritz, en 2009-2010. En 2011, il jouait en AFL pour les Gold Coast Suns.

Le plus d'essais en coupes du monde de rugby à XV

Jonah Lomu (Nouvelle-Zélande) totalise 15 essais aux Coupes du monde 1995 et 1999. Son record en un match est de 7 essais, lors de la victoire 45-29 contre l'Angleterre, le 18 juin 1995. Ci-dessus, Lomu lors du match contre l'Italie qui s'est soldé par une victoire écrasante des All Blacks, 101-3.

Le plus de matchs consécutifs avec un essai en championnat anglais
Mark Cueto (RU) a aplati au moins une fois en 8 matchs de suite pour les Sale Sharks du 9 avril au 25 septembre 2005.

Le plus de points marqués en H Cup
Ronan O'Gara (Irlande) a inscrit 1 365 points pour Munster du 7 septembre 1997 au 27 avril 2013.

Le plus d'essais en H Cup est de 35, par Vincent Clerc (France), pour le Stade toulousain, du 13 octobre 2002 au 13 janvier 2013.

Le plus d'essais en carrière en Super Rugby
Doug Howlett (Nouvelle-Zélande) a marqué 59 essais pour les Auckland Blues, entre 1999 et 2007.

Le joueur international le plus âgé
Mark Spencer (né le 21 mai 1954) avait 57 ans et 340 jours quand il a joué pour le Qatar, au tournoi des Cinq Nations asiatique face à l'Ouzbékistan, à Dubaï (EAU), le 25 avril 2012. Mark est né aux États-Unis mais réside au Qatar, ce qui lui permet de jouer pour ce pays.

Le plus de matchs internationaux consécutifs sans défaite sur une année

Les Néo-Zélandais sont restés invaincus pendant 14 rencontres internationales en 2013, du 8 juin au 24 novembre. Mieux, les All Blacks ont remporté tous leurs matchs. En 2003, l'Angleterre avait remporté plus de succès (16 victoires), mais avait perdu un match.

Football de club

Le football est pratiqué par plus de **265 millions de personnes** dans le monde.

INFO

La Copa Libertadores (Amérique du Sud) et la Ligue des Champions (Europe) sont les compétitions continentales les plus prestigieuses.

Le 1er joueur à réussir un triplé en Copa Libertadores et Ligue des Champions

Le 11 décembre 2013, le Barcelonais Neymar (Brésil) a inscrit un triplé en Ligue des Champions, au Camp Nou (Espagne). Il avait déjà réussi un hat-trick en Copa Libertadores, le 7 mars 2012, avec son ancien club de Santos, ce qui fait de lui le 1er joueur à le faire dans les 2 compétitions.

Le club de football le plus riche

Selon *Forbes*, au 17 avril 2013, le Real Madrid était évalué à 3,3 milliards $. Le club espagnol, qui a remporté sa 32e Liga en 2011-2012, a détrôné Manchester United en tête de liste.

Le plus de cartons rouges en un match

En Argentine, lors de la rencontre de Primera D entre le Club Atlético Claypole et Victoriano Arenas le 27 février 2011, 36 joueurs (les 2 onze et tous les remplaçants) ont été exclus par Damián Rubino (Argentine).

Les 1ers joueurs à détenir 4 trophées majeurs simultanément

Lorsque Chelsea a remporté l'Europa League le 15 mai 2013, Fernando Torres et Juan Mata (tous deux Espagne) détenaient 4 grands trophées :

la Coupe du monde, l'EURO, la Ligue des Champions et l'Europa League.

CHAMPIONNATS

Le championnat le plus regardé

En 2010-2011, la Premier League anglaise a été suivie par 4,7 milliards de personnes sur 212 territoires. Un total gonflé par une diffusion hertzienne en Chine.

Le plus de buts en une saison de 1re division

Archibald Stark (RU) a inscrit 67 buts pour Bethlehem Steel en American Soccer League entre le 15 septembre 1924 et le 18 mai 1925.

Le plus de titres consécutifs en 1re division

Skonto FC, le club de Riga, a remporté la 1re division lettone 14 saisons de suite entre 1991 et 2004.

Le plus de triplés en Liga

Telmo Zarra (Espagne) a réussi 22 coups du chapeau pour l'Athletic Bilbao, entre 1940 et 1953. Alfredo Di Stéfano (Argentine/Espagne) a pris la relève pour le Real et l'Espanyol entre 1953 et 1966.

Le plus de titres en MLS

Deux équipes ont remporté la MLS, le championnat américain, à 4 reprises : le DC United de Washington (1996-1997, 1999 et 2004) et le LA Galaxy de Californie (2002, 2005 et 2011-2012).

Le plus de défaites consécutives

Le revers à domicile contre Rothwell Corinthians était la 62e défaite de suite pour

Le plus de matchs pour un même club

Rogério Ceni (Brésil) a porté le maillot du São Paulo Futebol Clube pendant 1 081 matchs officiels, entre le 7 juillet 1993 et le 27 novembre 2013. Le gardien, habitué à tirer les coups francs et penalties, a également inscrit le **plus de buts pour un gardien** (113), au 13 novembre 2013.

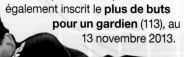

La plus longue invincibilité en Bundesliga

Le Bayern de Munich est resté invaincu en Bundesliga – 1re division allemande – pendant 53 rencontres, du 3 novembre 2012 au 29 mars 2014. Augsbourg a mis fin à cette série le 5 avril 2014, avec une victoire 1-0. Le record précédent était de 36 matchs, par Hambourg, en 1983.

Woodford United FC (RU). Le match du championnat United Counties s'est soldé par un 6-2, au stade de Byfield Road, à Woodford Halse (RU), le 26 octobre 2013.

Le plus jeune joueur à avoir connu les 4 divisions anglaises

Jack Hobbs (RU, né le 18 août 1988) a fait ses débuts en League One pour Leicester City, le 9 août 2008, à 19 ans et 357 jours. Auparavant il avait joué pour Lincoln City en League Two, pour Liverpool en Premier League et pour Scunthorpe en Championship.

Le plus de matchs en Premier League

Le gardien Peter Shilton (RU) a disputé 848 rencontres pour Leicester City, Stoke City, Nottingham Forest, Southampton et Derby County, du 3 mai 1966 au 11 mai 1991.

Le joueur le plus cher

L'indemnité de transfert de l'ailier Gareth Bale (RU), passé de Tottenham (RU) au Real Madrid (Espagne), le 1er septembre 2013, est évaluée à 100 millions €, soit plus que les 94 millions € payés par le Real pour recruter Cristiano Ronaldo, le 1er juillet 2009.

LE PLUS DE VICTOIRES EN COUPE CONTINENTALE

Équipe	Pays	Compétition	Titres
Real Madrid	Espagne	Coupe des Champions/Ligue des Champions	9
Al Ahly	Égypte	Afrique/Ligue des Champions de la CAF	8
AC Milan	Italie	Coupe des Champions/Ligue des Champions	7
Independiente	Argentine	Copa Libertadores	7
Boca Juniors	Argentine	Copa Libertadores	6
Cruz Azul	Mexique	Ligue des Champions CONCACAF	6
América	Mexique	Ligue des Champions CONCACAF	5
Auckland City	Nouvelle-Zélande	Ligue des Champions de l'OFC	5
Bayern Munich	Allemagne	Coupe des Champions/Ligue des Champions	5
Liverpool	Angleterre	Coupe des Champions/Ligue des Champions	5
Peñarol	Uruguay	Copa Libertadores	5
Zamalek	Égypte	Afrique/Ligue des Champions de la CAF	5

Statistiques au 25 avril 2014

Le plus de semaines consécutives en tête de Liga

Barcelone a passé 59 semaines à la tête du championnat espagnol, du 19 août 2012 au 27 janvier 2014. Le Barça compte aussi le **plus de victoires consécutives en Liga** avec 16 succès de suite, entre le 16 octobre 2010 et le 5 février 2011, inscrivant 60 buts contre seulement 6 encaissés.

COUPES D'EUROPE

Le joueur le plus âgé à débuter en Ligue des Champions
Mark Schwarzer (Australie, né le 6 octobre 1972) a fait ses débuts en Ligue des Champions à 41 ans et 66 jours avec Chelsea, contre le Steaua Bucarest, à Stamford Bridge (Londres, RU), le 11 décembre 2013.
Le gardien de Tottenham Brad Friedel (USA, né le 18 mai 1971) avait 42 ans et 305 jours quand il a affronté Benfica, le 20 mars 2014, devenant ainsi le **joueur le plus âgé en UEFA Europa League.**

INFO
Ronaldo bat aussi des records en dehors des stades. C'est le sportif le plus suivi sur Twitter, avec 25 229 560 followers au 1er avril 2014.

Le plus de victoires pour un joueur en Ligue des Champions
Le milieu Xavi (Espagne) a remporté 83 matchs avec le Barça entre le 16 septembre 1998 et le 12 mars 2014.

Le plus de matchs consécutifs de Ligue des Champions à marquer
Le Real Madrid a marqué au moins 1 but par match sur 34 matchs de suite, du 3 mai 2011 au 2 avril 2014.

Le plus de buts en un match de Coupe des Champions
Quatorze buts ont été inscrits lors du match du 1er tour de Coupe des Champions 1969 entre le Feyenoord (Pays-Bas) et le KR Reykjavík (Islande), remporté 12-2 par les Néerlandais, le 17 septembre.

Le plus de matchs en Ligue des Champions
Ryan Giggs (RU) a disputé 151 rencontres de Ligue des Champions de l'UEFA avec Manchester United. Son 1er match remonte à septembre 1993. Plus de 20 ans après, le 1er avril 2014, il disputait un quart de finale contre le Bayern de Munich.

Le plus de matchs en Europa League
Ola Toivonen (Suède) a joué 36 rencontres d'UEFA Europa League pour le PSV Eindhoven, du 30 juillet 2009 au 12 décembre 2013.

Le but le plus lointain

Le 2 novembre 2013, lorsque le gardien de Stoke City, Asmir Begović (Bosnie), a dégagé le ballon à la 13e s, en Premier League, un phénomène inattendu s'est produit. Poussé par le vent, le ballon a trompé le gardien de Southampton, offrant un but de 91,9 m à Begović. Seul Ledley King a marqué un but plus rapidement en Premier League, après 10 s de jeu.

Le match le plus prolifique en Ligue des Champions
a été ponctué de 11 buts, quand Monaco (France) a battu le Deportivo La Coruña (Espagne) 8-3, le 5 novembre 2003.

Le plus de buts en Ligue des Champions sur une année

Cristiano Ronaldo (Portugal) a marqué à 15 reprises pour le Real, entre le 13 février et le 10 décembre 2013, battant le record de son rival du Barça, Lionel Messi, auteur de 13 buts en 2012.

Un joueur de foot **court en moyenne 11 km** en un match de 90 min.

Le score le plus large en compétition FIFA (hommes)

Le 20 juin 2013, en coupe des confédérations, l'Espagne a inscrit 10 buts à Tahiti, au Maracanã de Rio de Janeiro (Brésil). Tahiti – une équipe constituée de joueurs amateurs – s'était qualifiée après son succès-surprise en coupe d'Océanie.

Le plus de sélections
Kristine Lilly (USA) a été appelée 352 fois en équipe nationale – plus que tout autre joueur, homme ou femme. Sa 1re sélection remonte à 1987, sa dernière au 5 novembre 2010.

Le **plus de sélections en football masculin** appartient à Ahmed Hassan (Égypte) avec 184 capes, entre le 29 décembre 1995 et le 22 mai 2012.

Le plus de victoires internationales
Le gardien Iker Casillas a remporté 112 victoires en 153 matchs pour l'Espagne, entre le 3 juin 2000 et le 5 mars 2014.

La plus longue invincibilité en compétition

L'Espagne est restée invaincue pendant 29 rencontres, entre le 21 juin 2010 et le 27 juin 2013. La série a été stoppée par le Brésil en finale de coupe des confédérations 2013. En incluant les matchs amicaux, ces deux pays se partageraient le record.

Le plus jeune joueur à atteindre 100 capes
Cha Bum-Kun (Corée du Sud, né le 22 mai 1953) avait 24 ans et 139 jours pour sa 100e sélection, le 9 octobre 1977, contre le Koweït.

L'international le plus âgé
Le 31 mars 2004, MacDonald Taylor Sr (îles Vierges, né le 27 août 1957) a joué pour les îles Vierges américaines à 46 ans et 217 jours.

Le plus de participants en éliminatoires de l'EURO
Gibraltar ayant rejoint l'UEFA (Union des associations européennes de football) en 2013, 53 équipes vont tenter de se qualifier au championnat d'Europe 2016 en France.

Le plus de défaites consécutives
Le 4 septembre 2004, Saint-Marin a débuté une série de 57 défaites d'affilée, jusqu'à un revers 8-0 face à l'Ukraine pour son dernier match, le 15 octobre 2013. Saint-Marin, 30 000 habitants, était la plus petite nation du football européen avant l'adhésion de Gibraltar à l'UEFA.

Le plus de triplés en coupe des confédérations
Fernando Torres (ESP) est le seul joueur à avoir inscrit deux triplés en coupe des confédérations de la FIFA (Fédération Internationale de Football Association). C'était le 14 juin 2009 et le 20 juin 2013.

COUPE DU MONDE

Le plus de titres
L'équipe masculine du Brésil a remporté 5 coupes du monde : 1958-1962, 1970, 1994 et 2002.

En football féminin, le **plus de titres** est de 2. Vainqueurs en 1991 et 1999, les États-Unis ont été égalés par l'Allemagne en 2003 et 2007.

Le plus de buts internationaux

Aucun joueur – homme ou femme – n'a marqué plus de buts en sélection que l'attaquante Abby Wambach (USA, ci-contre). Au 12 mars 2014, elle en avait inscrit 167 depuis le 9 septembre 2001. Wambach a dépassé les 158 réalisations de son ancienne coéquipière Mia Hamm en juin 2013 avec un quadruplé contre la Corée du Sud, à Harrison (USA).

Le plus de buts internationaux (hommes)

Ali Daei compte 149 capes pour l'Iran et a marqué dans plus d'un match sur deux pour un total de 109 buts, entre le 25 juin 1993 et le 1er mars 2006.

Il est suivi de la légende Ferenc Puskás (Hongrie), auteur de 84 buts en 85 matchs.

LE PLUS DE VICTOIRES EN COMPÉTITIONS CONTINENTALES

Hommes	Titres	Pays
Confédération asiatique de football (AFC) : coupe d'Asie	4	Japon
Confédération africaine de football (CAF) : coupe d'Afrique des Nations	7	Égypte
Confédération de football d'Amérique du Nord, d'Amérique centrale et des Caraïbes (CONCACAF) : Gold Cup	6	Mexique
Union des associations européennes de football (UEFA) : championnat d'Europe	3	Espagne
		Allemagne
Confédération sud-américaine de football (CONMEBOL) : Copa América	15	Uruguay
Confédération de football d'Océanie (OFC) : coupe d'Océanie	4	Nouv.-Zélande
		Australie

Femmes	Titres	Pays
AFC : coupe d'Asie	8	Chine
CAF : championnat d'Afrique féminin	8	Nigeria
CONCACAF : Gold Cup	4	USA
UEFA : championnat d'Europe féminin	8	Allemagne
CONMEBOL : Sudamericano Femenino	5	Brésil
OFC : coupe d'Océanie	4	Nouv.-Zélande

Statistiques au 11 mars 2014

Le plus d'équipes représentées en coupe du monde

La FIFA interdit à un joueur de changer de nationalité en équipe senior, mais Dejan Stanković a représenté 3 pays des Balkans en fonction de la situation géopolitique. Il a disputé 3 coupes du monde sous le maillot de la Yougoslavie en 1998 (ci-dessus), de la Serbie-et-Monténégro en 2006 (encart) et de la Serbie en 2010 (à droite).

Le sélectionneur champion d'Europe le plus âgé

Luis Aragonés (Espagne, 1938-2014) avait 69 ans et 337 jours quand il est devenu champion d'Europe avec l'Espagne après la victoire en finale, au stade Ernst-Happel de Vienne (Autriche), le 29 juin 2008.

La meilleure moyenne de buts en phase finale

La coupe du monde 1954 en Suisse affichait une moyenne de 5,38 buts par match. La **moyenne la plus basse** est de 2,21 pour le Mondial 1990.

Le plus de buts inscrits

Hommes : Le buteur Ronaldo Luís Nazário de Lima (Brésil), dit Ronaldo, totalise 15 buts en 3 coupes du monde entre 1998 et 2006.

Femmes : Birgit Prinz (Allemagne) a inscrit 14 buts en 4 éditions de 1995 à 2007. Marta (Brésil) l'a égalé, mais sur 3 coupes du monde, en 2003-2011.

Le score le plus large

Femmes : Le 1er match de la coupe du monde féminin, le 10 septembre 2007, a vu l'Allemagne inscrire 11 buts face à l'Argentine. En finale, les Allemandes ont battu le Brésil 2-0.

Hommes : Le 17 juin 1954, 5 Hongrois ont marqué pour la victoire 9-0 contre la Corée du Sud. La Yougoslavie a balayé le Zaïre 9-0, en 1974, et la Hongrie a battu le Salvador 10-1, en 1982.

Le plus de joueurs expulsés en un match

Surnommée « la bataille de Nuremberg », la rencontre entre les Pays-Bas et le Portugal, le 25 juin 2006, en Allemagne, a été marquée par 4 cartons rouges, 2 dans chaque camp.

Le plus de matchs de qualification

Entre le 4 mars 1934 et le 20 novembre 2013, le Mexique a disputé 141 matchs de qualification pour 92 victoires, le **plus de matchs de qualification gagnés**.

L'ex-RFA détient **le plus de victoires consécutives en éliminatoires** avec 16 succès entre le 10 mai 1969 et le 30 avril 1985.

Le plus de titres en coupe du monde pour un joueur

Le seul joueur à avoir remporté 3 fois la coupe du monde FIFA est Pelé (Brésil), titré en 1958, 1962 et 1970 avec le Brésil.

Entre le 7 septembre 1956 et le 1er octobre 1977, Pelé a marqué 1 279 buts en 1 363 matchs, le **plus de buts en carrière**.

Le plus de titres en coupe des confédérations

Les Brésiliens ont remporté la coupe des confédérations FIFA à 4 reprises, en 1997 et 2005-2013. Ils ont aussi remporté le **plus de matchs consécutifs** avec 12 succès entre le 25 juin 2005 et le 30 juin 2013.

 Tournois de champions

La coupe des confédérations est organisée tous les 4 ans et oppose les vainqueurs des 6 tournois continentaux de la FIFA (voir tableau), le champion du monde et le pays hôte.

Tennis/sports de raquette

Wimbledon est le seul tournoi du Grand Chelem à se jouer encore sur gazon.

INFO
Graf a remporté 22 Grands Chelems en simple, le premier et le dernier à Roland Garros en 1987 et 1999.

Le 1er joueur à réussir un « Super Chelem en carrière »

Un « Super Chelem en carrière » consiste à remporter les 4 tournois du Grand Chelem, la coupe Davis (hommes) ou la Fed Cup (femmes), le Masters ATP (hommes) ou WTA (femmes) et l'or olympique. En 1988, Steffi Graf (Allemagne) a été la toute première personne à y parvenir. Son mari, Andre Agassi (USA), a été le 1er tennisman à réaliser un «Super Chelem en carrière» en 1999.

BADMINTON

Le plus de titres en Sudirman Cup
La Sudirman Cup est le Championnat du monde mixte, organisé tous les deux ans depuis 1989.
La Chine a raflé 9 sacres entre 1995 et 2013. La finale 2013 a également vu la Chine enchaîner le **plus de titres consécutifs en Sudirman Cup,** avec 5 succès d'affilée (2005-2013).

Femmes 4 Chinoises comptent 2 titres mondiaux : Li Lingwei, Han Aiping, Ye Zhaoying et la dernière en date, Xie Xingfang, championne en 2005 et 2006.

L'échange le plus long en compétition

Le 18 mars 2010, au 3e set d'un match de l'Open de Suisse à Bâle, la paire Petya Nedelcheva (Bulgarie) et Anastasia Russkikh (Russie) a échangé 154 coups avec Shizuka Matsuo et Mami Naito (Japon).

SQUASH

Le plus de Championnats d'Europe par équipe
L'Angleterre détient le record **masculin** (38 titres) et **féminin** (35 titres).

Le plus de World Opens Hommes
Jansher Khan (Pakistan) a été titré 8 fois

Le plus de Thomas Cup
Le Championnat du monde masculin par équipe, ou Thomas Cup, a été remporté par l'Indonésie à 13 reprises entre 1958 et 2002.

Le plus de Championnats du monde en simple Hommes Dan Lin (Chine) s'est imposé pour la 5e fois en simple au Championnat du monde de la Fédération mondiale de badminton (BWF), le 11 août 2013.

L'athlète le plus « puissant »

Roger Federer (Suisse) est le premier sportif sur la liste des personnalités les plus influentes de Forbes, où il est classé 8e. Federer détient de nombreux records tels que le **plus de titres en Grand Chelem en simple** (17), le **plus de matchs gagnés en Grand Chelem** (265) et le **plus de semaines en tant que n° 1 mondial** (302). Pour établir ce classement, Forbes évalue des critères tels que les revenus, la présence médiatique ou l'opinion publique.

108 mph

INFO
Selon Forbes, Federer a accumulé près de 46 millions $ de gains entre juin 2012 et juin 2013.

INFO
Grands rivaux, Jahangir Khan et Jansher Khan n'ont aucun lien de parenté.

La plus longue série sans défaite

Hommes La plus longue série sans défaite en squash est de 555 matchs, par Jahangir Khan (Pakistan), entre novembre 1981 et novembre 1986.
Femmes Heather McKay (Australie) est restée invaincue de 1962 à 1981 (seulement 2 défaites dans toute sa carrière).

en World Open : en 1987, 1989, 1990 et 1992-1996.
Femmes Le titre féminin est revenu 7 fois à Nicol David (Malaisie), en 2005, 2006 et 2008-2012.

Le plus de World Series Hommes Jansher Khan (Pakistan) détient le record de titres en World Series, avec 4 victoires entre 1993 et 1998.

Femmes Les deux éditions des World Series féminines ont été remportées par Nicol David, en 2012 et 2013.

Le plus long match en simple
Guy Fotherby et Darren Withey (RU) ont disputé un match de 31 h, 35 min et 34 s, au Racquets Fitness Centre de Thame (RU), les 13-14 janvier 2012. Darren a touché 422 des 465 jeux.

TENNIS

La plus grande dotation en Grand Chelem
En 2013, la dotation totale de l'US Open s'élevait à 34,3 millions $. Les champions en simple, Rafael Nadal et Serena Williams, ont chacun touché 2,6 millions $.

Le plus d'abandons en une journée en Grand Chelem
Le 26 juin 2013, lors du tournoi de Wimbledon à Londres (RU), 7 joueurs ont déclaré forfait lors d'un match ou avant d'entrer sur le court. Les victimes de ce « mercredi maudit » souffraient de blessures à l'épaule, au bras, aux ischio-jambiers et, pour 4 d'entre elles, au genou.

Le 1er duo à gagner tous les Grands Chelems en même temps

Serena Williams (USA) et Rafael Nadal (Espagne) ont remporté en même temps les 4 Grands Chelems, s'imposant tous deux en simple à l'Open d'Australie en 2009, Wimbledon en 2010 et Roland Garros en 2013. Ils ont complété leur moisson lors de l'US Open, les 8-9 septembre 2013.

Le plus de Grandes Finales du Pro-tour ITTF en simple

Femmes Zhang Yining (Chine) a triomphé 4 fois lors de la finale du Pro-tour de la Fédération internationale de tennis de table (ITTF), en 2000, 2002, 2005 et 2006. **Hommes** Deux pongistes chinois comptent 3 titres ITTF chacun : Wang Liqin (1998, 2000 et 2004) et Ma Long (2008, 2009 et 2011).

Le plus de titres olympiques

Hommes Ma Lin (Chine) a remporté 3 fois l'or olympique, en double en 2004, en simple et par équipe en 2008. **Femmes** Trois Chinoises totalisent 4 médailles d'or chacune : Yaping Deng aux JO 1992 et 1996, Nan Wang en 2000, 2004 et 2008, et Yining Zhang en 2004 et 2008.

Le plus de titres en simple au même Grand Chelem

Femmes Dans l'ère Open (depuis 1968), aucun homme ou femme n'a gagné plus de titres en simple dans un Grand Chelem que Martina Navratilova (USA), qui compte 9 victoires à Wimbledon, entre 1978 et 1990.
Hommes Rafael Nadal a remporté son 8e tournoi de Roland Garros en battant David Ferrer, le 9 juin 2013.

TENNIS DE TABLE

Le plus de Championnats du monde en simple

Femmes Angelica Rozeanu (Roumanie) a remporté 6 titres consécutifs, entre 1950 et 1955. **Hommes** La couronne en simple est revenue 5 fois à Viktor Barna (Hongrie), en 1930 et 1932-1935.

Le plus jeune médaillé d'or olympique en ping-pong

Le 21 août 2004, Chen Qi (Chine, né le 15 avril 1984), l'un des rares gauchers parmi les Chinois les mieux classés, a remporté le double masculin à 20 ans et 128 jours avec son partenaire Ma Lin (Chine).

Le plus de titres consécutifs en Grande Finale du Pro-tour ITTF

Femmes Liu Shiwen (Chine, *à gauche*) n'a pas perdu entre 2011 et 2013. **Hommes** Deux Chinois ont remporté 2 Pro-tour de suite : Ma Long (2008, 2009) et Xu Xin (2012, 2013).

LE PLUS DE TITRES EN GRANDS CHELEMS (SIMPLES)

Open d'Australie		
Femmes	11	Margaret Court (Australie, 1960-1973)
Hommes	6	Roy Emerson (Australie, 1961-1967)
Roland Garros		
Hommes	8	Rafael Nadal (Espagne, 2005-2013)
Femmes	7	Chris Evert (USA, 1974-1986)
Wimbledon		
Femmes	9	Martina Navratilova (USA, 1978-1990)
Hommes	7	W. C. Renshaw (RU, 1881-1889)
		Pete Sampras (USA, 1993-2000)
		Roger Federer (Suisse, 2003-2012)
US Open		
Femmes	8	Molla Mallory (Norvège, 1915-1926)
Hommes	7	Richard Sears (USA, 1881-1887)
		William Larned (USA, 1901-1911)
		Bill Tilden (USA, 1920-1929)

Le plus de Championnats du monde IRF (hommes)

Rocky Carson (*ci-dessus*) et Jack Huczek (USA) ont gagné le Championnat du monde de la Fédération internationale de racquetball (IRF) 3 fois de suite : Huczek en 2002-2006 et Carson en 2008-2012.

Le service le plus rapide

Le 9 mai 2012, Samuel Groth (Australie) a réussi un ace à 263 km/h.

Le plus de Grands Chelems joués avant un titre (femmes)

Marion Bartoli (France) a décroché son 1er titre du Grand Chelem à sa 47e tentative en battant Sabine Lisicki (Allemagne), à Wimbledon, le 6 juillet 2013. Elle avait débuté à Roland Garros en 2001.

Sports nautiques

Michael Phelps engloutit 12 000 calories les jours d'entraînement.

Le 1er champion du monde de nage en eau libre dans toutes les épreuves (hommes)

Thomas Lurz (Allemagne) est le 1er homme à avoir remporté l'or aux championnats du monde FINA dans toutes les épreuves en eau libre, sur 5, 10 et 25 km, entre 2005 et 2013. La 1re femme à y être parvenue est Viola Valli (Italie) entre 2001 et 2003.

Le plus de nations en championnat du monde
Des athlètes de 181 pays ont participé au 15e championnat du monde de la FINA (Fédération internationale de natation), à Barcelone (Espagne), en 2013.

PLONGEON

Le plus de titres au Championnat du monde
Guo Jingjing (Chine) a remporté 5 titres en tremplin à 3 m, en individuel et synchronisé, de 2001 à 2009.

Le plus jeune médaillé olympique en individuel
Nils Skoglund (Suède, 1906-1980) avait 14 ans et 11 jours quand il a décroché l'argent en plongeon haut simple, aux JO de 1920.

Le plus de médailles olympiques
Hommes : Dmitri Sautin (Russie) a obtenu 8 médailles, dont 2 en or, entre 1992 et 2008.
Femmes : deux Chinoises ont gagné 6 médailles : Guo Jingjing (2000-2008) et Wu Minxia (2004-2012).

Le plus de victoires en coupe de l'America

Les équipages américains ont remporté 30 des 35 coupes de l'America entre 1851 et 2013. Cette course de voile oppose 2 équipes, le champion en titre et un challenger. La 1re édition s'est tenue en 1851, ce qui en fait la **course internationale de voile la plus ancienne**. Ci-dessous, le Golden Gate Yacht Club, champion 2013.

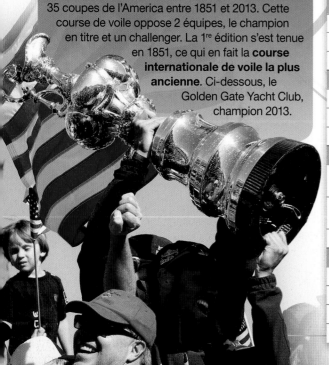

NATATION

Le plus de médailles olympiques individuelles (hommes)
Michael Phelps (USA) totalise plus de médailles que tout autre sportif, toutes disciplines confondues. Il a filé vers ses 13 médailles à Athènes 2004, Pékin 2008 et Londres 2012. Seule une femme a fait mieux : la gymnaste Larisa Latynina (ex-URSS/Ukraine), qui a décroché 14 médailles.

Phelps détient aussi le record masculin du **plus de titres en épreuve individuelle** (11), du **plus de titres** (18) et du **plus de médailles en natation** (22), sans oublier ses 7 records de vitesse (voir tableau).

Le plus de titres olympiques en une olympiade (femmes)
Kristin Otto (ex-RDA) a cumulé 6 médailles d'or aux JO de Séoul 1988.

Le plus de titres consécutifs en natation synchronisée en championnat du monde

Entre le 23 juillet 2009 et le 27 juillet 2013, la Russie a décroché 17 médailles d'or au championnat du monde FINA, remportant notamment les 7 épreuves à Barcelone (Espagne). La Russie espère gonfler son compteur chez elle, lors du Mondial 2015 à Kazan.

NATATION MASCULINE : LES PLUS RAPIDES

Épreuve	Temps	Nom (Nationalité)	Temps	Nom (Nationalité)
Nage libre	**Petit bassin**		**Grand bassin**	
50 m	20.30	Roland Schoeman (Afrique S.)	20.91	Cesar Filho Cielo (Brésil)
100 m	44.94	Amaury Leveaux (France)	46.91	Cesar Filho Cielo (Brésil)
200 m	1:39.37	Paul Biedermann (Allemagne)	1:42.00	Paul Biedermann (Allemagne)
400 m	3:32.25	Yannick Agnel (France)	3:40.07	Paul Biedermann (Allemagne)
800 m	7:23.42	Grant Hackett (Australie)	7:32.12	Zhang Lin (Chine)
1 500 m	14:10.10	Grant Hackett (Australie)	14:31.02	Sun Yang (Chine)
4 x 100 m	3:03.30	USA	3:08.24	USA
4 x 200 m	6:49.04	Russie	6:58.55	USA
Papillon	**Petit bassin**		**Grand bassin**	
50 m	21.80	Steffen Deibler (Allemagne)	22.43	Rafael Muñoz (Espagne)
100 m	48.48	Evgeny Korotyshkin (Russie)	49.82	Michael Phelps (USA)
200 m	*1:48.56	Chad le Clos (Afrique du Sud)	1:51.51	Michael Phelps (USA)
Dos	**Petit bassin**		**Grand bassin**	
50 m	22.61	Peter Marshall (USA)	24.04	Liam Tancock (RU)
100 m	48.94	Nicholas Thoman (USA)	51.94	Aaron Peirsol (USA)
200 m	1:46.11	Arkady Vyatchanin (Russie)	1:51.92	Aaron Peirsol (USA)
Brasse	**Petit bassin**		**Grand bassin**	
50 m	25.25	Cameron van der Burgh (Afrique du Sud)	26.67	Cameron van der Burgh (Afrique du Sud)
100 m	55.61	Cameron van der Burgh (Afrique du Sud)	58.46	Cameron van der Burgh (Afrique du Sud)
200 m	2:00.67	Dániel Gyurta (Hongrie)	2:07.01	Akihiro Yamaguchi (Japon)
4 nages	**Petit bassin**		**Grand bassin**	
200 m	1:49.63	Ryan Lochte (USA)	1:54.00	Ryan Lochte (USA)
400 m	3:55.50	Ryan Lochte (USA)	4:03.84	Michael Phelps (USA)
4 x 100 m	3:19.16	Russie	3:27.28	USA

*Au 19 mars 2014 (*sous réserve de validation par la FINA)*

NATATION FÉMININE : LES PLUS RAPIDES

Épreuve	Temps	Nom (Nationalité)	Temps	Nom (Nationalité)
Nage libre	**Petit bassin**		**Grand bassin**	
50 m	23.24	Ranomi Kromowidjojo (Pays-Bas)	23.73	Britta Steffen (Allemagne)
100 m	51.01	Lisbeth Trickett (Australie)	52.07	Britta Steffen (Allemagne)
200 m	1:51.17	Federica Pellegrini (Italie)	1:52.98	Federica Pellegrini (Italie)
400 m	3:54.52	Mireia Belmonte (Espagne)	3:59.15	Federica Pellegrini (Italie)
800 m	7:59.34	Mireia Belmonte (Espagne)	8:13.86	Katie Ledecky (USA)
1 500 m	*15:26.95	Mireia Belmonte (Espagne)	15:36.53	Katie Ledecky (USA)
4 x 100 m	3:28.22	Pays-Bas	3:31.72	Pays-Bas
4 x 200 m	7:35.94	Chine	7:42.08	Chine
Papillon	**Petit bassin**		**Grand bassin**	
50 m	24.38	Therese Alshammar (Suède)	25.07	Therese Alshammar (Suède)
100 m	55.05	Diane Bui Duyet (France)	55.98	Dana Vollmer (USA)
200 m	2:00.78	Liu Zige (Chine)	2:01.81	Liu Zige (Chine)
Dos	**Petit bassin**		**Grand bassin**	
50 m	25.70	Sanja Jovanović (Croatie)	27.06	Zhao Jing (Chine)
100 m	55.23	Shiho Sakai (Japon)	58.12	Gemma Spofforth (RU)
200 m	2:00.03	« Missy » Franklin (USA)	2:04.06	« Missy » Franklin (USA)
Brasse	**Petit bassin**		**Grand bassin**	
50 m	*28.71	Yulia Efimova (Russie)	29.48	Rúta Meilutyté (Lituanie)
100 m	*1:02.36	Rúta Meilutyté (Lituanie)	1:04.35	Rúta Meilutyté (Lituanie)
200 m	2:14.57	Rebecca Soni (USA)	2:19.11	Rikke Moeller-Pederson (Danemark)
4 nages	**Petit bassin**		**Grand bassin**	
200 m	2:03.20	Katinka Hosszú (Hongrie)	2:06.15	Ariana Kukors (USA)
400 m	4:20.85	Katinka Hosszú (Hongrie)	4:28.43	Ye Shiwen (Chine)
4 x 100 m	3:45.56	USA	3:52.05	USA

*Au 19 mars 2014 (*sous réserve de validation par la FINA)*

Le 100 m 4 nages petit bassin le plus rapide (femmes)

Katinka Hosszú (Hongrie) a nagé le 100 m 4 nages en 57,45 s. Elle a établi ce record lors de la coupe du monde FINA à Berlin (Allemagne), le 11 août 2013. Hosszú détient 2 autres records en petit bassin *(voir tableau ci-contre)*.

Le 800 m nage libre petit bassin le plus rapide (femmes)

Le 10 août 2013, à Berlin (Allemagne), Mireia Belmonte (Espagne) a terminé son 800 m nage libre en 7 min et 59,34 s (petit bassin), devenant ainsi la 1re nageuse à passer sous la barre des 8 min. Belmonte a été désignée meilleure sportive espagnole en 2013, avec le tennisman Rafael Nadal.

Surf en haute mer
Garrett McNamara (USA) a pris une vague haute de 23,77 m au large de Praia do Norte (Portugal), le 1er novembre 2011, la **plus grande vague jamais surfée**.

WATER-POLO

Le plus de titres olympiques
La Hongrie a décroché l'or à 9 reprises, conservant son titre en 2000, 2004 et 2008. Onze hommes ont obtenu 3 titres olympiques chacun. L'épreuve féminine a été introduite aux JO en 2000, mais aucun pays n'a triomphé plus d'une fois.

Le plus de titres en Ligue mondiale
Hommes : l'équipe de Serbie a obtenu 7 victoires en Ligue mondiale de water-polo de la FINA (2 en tant que Serbie et Monténégro) entre 2005 et 2013. La compétition a été inaugurée en 2002.
Femmes : créé en 2004, le tournoi féminin est dominé par les États-Unis, qui totalisent 7 titres : en 2004, 2006, 2007 et 2009-2012.

SURF

Le plus titré sur le World Tour ASP
Le surfeur qui a remporté le plus de victoires sur le World Tour ASP (Association des surfeurs professionnels) est Kelly Slater (USA), avec 54 succès entre 1992 et 2014.
Slater détient aussi le **plus de titres de champion du monde ASP,** récompensant le surfeur qui cumule le plus de points en fin d'année. Les 11 sacres de Slater entre 1992 et 2011 le placent 7 longueurs devant son dauphin, Mark Richards (Australie).
Layne Beachley (Australie) détient le **plus de titres de championne du monde ASP :**

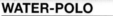

elle a été sacrée 6 ans de suite entre 1998 et 2003, avant un 7e titre en 2006.

CANOË-KAYAK

Le plus de participations aux JO (femmes)
Josefa Idem (Italie, née ex-RFA) a participé à 8 JO en course en ligne de canoë-kayak. Idem a défendu les couleurs de l'ex-RFA de 1984 à 1988 puis de l'Italie de 1992 à 2012. Elle a remporté 5 médailles, dont l'or en K1 1 500 m à Sydney 2000.

Le plus de médailles olympiques en slalom monoplace
Michal Martikán (Slovaquie) est monté 5 fois sur le podium en slalom C1, remportant 2 médailles d'or, 2 d'argent et 1 de bronze, entre 1996 et 2012.

Le plus de titres olympiques en slalom en canoë
Tony Estanguet (France) a remporté son 3e titre olympique le 31 juillet 2012.

La plus jeune championne du monde ASP

Carissa Moore (USA, née le 27 août 1992) est devenue la plus jeune championne du World Tour ASP, à l'âge de 18 ans et 322 jours, le 15 juillet 2011. Née à Hawaï, Carissa remporta la compétition dès sa 2e saison après avoir terminé 3e en 2010. Elle battit le record de Frieda Zamba (USA), sacrée championne 27 ans auparavant, en 1984, à 19 ans et 164 jours.

Sports d'hiver

En ski alpin, les skieurs peuvent atteindre **250 km/h**.

La 1re médaille d'or partagée en ski alpin

L'épreuve de descente féminine des Jeux 2014 a sacré Tina Maze (Slovénie) et Dominique Gisin (Tchéquie), qui ont terminé avec le même chrono de 41,57 s, le 12 février.

LES PLUS RAPIDES...

Ski-bob
Le 19 avril 2006, à l'épreuve de vitesse du Pro Mondial des Arcs (France), Romuald Bonvin (Suisse) a atteint 204,43 km/h sur un ski-bob.

Le médaillé olympique de saut à ski le plus âgé

Noriaki Kasai (Japon, né le 6 juin 1972) a remporté le bronze par équipe à 41 ans et 256 jours, à Sotchi (Russie), le 17 février 2014. C'est aussi le **champion du monde de saut à ski le plus âgé**, sacré en vol à ski à 41 ans et 219 jours, à Tauplitz (Autriche), le 11 janvier 2014.

Le meilleur score en programme libre de patinage artistique

Sacrés champions olympiques, Meryl Davis et Charlie White (tous deux USA) ont obtenu un score de 116,63 points aux XXIIes jeux Olympiques de Sotchi (Russie), le 17 février 2014. Ils ont survolé le programme libre de danse sur glace sur *Shéhérazade* de Nikolaï Rimski-Korsakov.

JO D'HIVER

Les JO les plus chers (été ou hiver)
Les jeux Olympiques d'hiver 2014 à Sotchi (Russie) auraient coûté 50 milliards $, notamment pour la construction des infrastructures.

Ces Jeux ont également accueilli le **plus de pays participants dans l'histoire des JO d'hiver** : 87 comités nationaux olympiques ont inscrit des athlètes. La **plus grande équipe des Jeux d'hiver** était celle des États-Unis, avec 230 sportifs.

Le plus de médailles pour un pays
À la fin des JO de Sotchi 2014, la Norvège était le pays le plus médaillé de l'histoire des Jeux d'hiver, avec 329 médailles : 118 en or (le **plus de titres olympiques pour un pays**), 111 d'argent et 100 de bronze.

Le plus de médailles d'or pour un sportif
Hommes : deux Norvégiens comptent 8 titres chacun : Ole Einar Bjørndalen *(voir page ci-contre)* en biathlon, en 1998-2014, et Bjørn Dæhlie en ski de fond, en 1992-1998.
Femmes : trois sportives partagent le record de 6 médailles d'or : la patineuse de vitesse Lydia Skoblikova (ex-URSS), en 1960-1964, et les skieuses de fond Lyubov Yegorova (ex-URSS/Russie), en 1992-1994, et Marit Bjørgen (Norvège), en 2010-2014.

La 1re équipe féminine de curling à gagner tous ses matchs du 1er tour
La phase de poules a été introduite dans l'épreuve de curling aux JO 1998 de Nagano (Japon). Le Canada est la seule équipe féminine à avoir remporté tous ses matchs du 1er tour, avec 9 succès à Sotchi, du 10 au 18 février 2014.

INFO
Le snowboard est devenu une discipline olympique en 1998.

Le plus jeune médaillé olympique de snowboard

Ayumu Hirano (Japon, né le 29 novembre 1998) n'avait que 15 ans et 74 jours lorsqu'il a gagné l'argent en half-pipe, à Sotchi (Russie), le 11 février 2014. Le record de la **plus jeune médaillée en ski acrobatique** a également été établi à Sotchi, par Justine Dufour-Lapointe (Canada, née le 25 mars 1994), sacrée championne olympique en ski de bosses à 19 ans et 321 jours, le 8 février 2014.

Patinage de vitesse 500 m
Hommes : Jeremy Wotherspoon (Canada) a parcouru les 500 m en 34,03 s, à Salt Lake City (USA), le 9 novembre 2007.
Femmes : Lee Sang-Hwa (Corée) a mis 36,36 s pour couvrir la distance, à Salt Lake City, le 16 novembre 2013.

Patinage de vitesse 1 000 m
Hommes : Le 7 mars 2009, Shani Davis (USA) a patiné 1 000 m en 1 min et 6,42 s, à Salt Lake City (USA).

Femmes : Brittany Bowe (USA) a couvert le kilomètre en 1 min et 12,58 s, à Salt Lake City, le 17 novembre 2013.

Skeleton
Hommes : Alexander Tretyakov (Russie) et Sandro Stielicke (Allemagne) ont tous deux atteint 146,4 km/h aux Jeux olympiques de Vancouver (Canada), le 19 février 2010.
Femmes : Marion Trott (Allemagne) a été flashée à 144,5 km/h, toujours au Canada, à Whistler, le 19 février 2010.

LE PLUS DE...

Titres en coupe des nations
La coupe des nations cumule les résultats individuels féminins et masculins d'un pays en coupe du monde de ski alpin. L'Autriche l'a remportée 35 fois entre 1969 et 2013.

Le plus de participations aux JO d'hiver

Deux athlètes ont participé à 7 éditions consécutives des Jeux d'hiver : le sauteur Noriaki Kasai (Japon) et le lugeur Albert Demchenko (Russie, *ci-dessus*) ont participé à tous les Jeux, d'Albertville 1992 à Sotchi 2014.

Le plus de médailles individuelles consécutives

Armin Zöggeler (Italie) a décroché 6 médailles olympiques individuelles entre 1994 et 2014 : 2 en or, 1 en argent et 3 en bronze, toutes en luge. Le record précédent était déjà détenu par un lugeur, Georg Hackl (Allemagne), avec 5 médailles de suite entre 1988 et 2002.

Le plus de...	Total	Athlète	Dates
Médailles (femmes)	27	Ragnhild Myklebust (Norvège)	1988-2002
Médailles (hommes)	22	Gerd Schönfelder (Allemagne)	1992-2010
Médailles d'or (femmes)	22	Ragnhild Myklebust (Norvège)	1988-2002
Médailles d'or (hommes)	16	Gerd Schönfelder (Allemagne)	1992-2010
Le plus de médailles en...	Total	Athlète	Dates
Ski alpin (hommes)	22	Gerd Schönfelder (Allemagne)	1992-2010
Ski alpin (femmes)	19	Reinhild Möller (Allemagne)	1980-1998, 2006
Ski de fond (hommes)	17	Frank Höfle (Allemagne)	1988-2006
Ski de fond (femmes)	16	Ragnhild Myklebust (Norvège)	1988-2002
Course sur luge (hommes)	12	Knut Lundstrøm (Norvège)	1988, 1994-1998
Course sur luge (femmes)	11	Brit Mjaasund Øjen (Norvège)	1980-1984, 1994
		Sylva Olsen (Norvège)	1980-1988
Biathlon (hommes)	7	Vitaliy Lukyanenko (Ukraine)	2002-2014
Biathlon (femmes)	7	Olena Iurkovska (Ukraine)	2002-2014

Le plus de médailles d'or en ski de fond paralympique

Hommes : Frank Höfle (Allemagne), Terje Loevaas (Norvège) et Brian McKeever (Canada, *ci-dessus*) ont décroché chacun 10 médailles d'or en ski de fond paralympique. McKeever en a remporté 3 autres en 2014.
Femmes : Ragnhild Myklebust (Norvège) a gagné 16 médailles d'or en ski de fond entre 1988 et 2002.

Individuel (hommes) : Eduard Khrennikov (Russie) a décroché 11 médailles, dont 7 en or.
Individuel (femmes) : sa compatriote Tatiana Vlasova a obtenu 10 médailles.

Victoires en coupe du monde de skeleton
Martins Dukurs (Lituanie) a gagné 31 courses de skeleton en coupe du monde entre le 8 février 2008 et le 25 janvier 2014.

LA PLUS JEUNE...

Équipe de curling féminine médaillée olympique
L'équipe de Grande-Bretagne d'Eve Muirhead, Anna Sloan, Vicki Adams, Claire Hamilton et Lauren Gray avait une

Le plus de points en une manche de curling aux JO

Au curling, une manche se termine lorsque les 2 équipes ont jeté leurs 8 pierres. Le plus haut score réalisé par une équipe en une manche aux JO est de 7, par la Grande-Bretagne face aux États-Unis, à Sotchi (Russie), le 11 février 2014. Les Britanniques l'ont emporté 12-3 en 6 manches sur les 10 possibles.

moyenne d'âge de 23 ans et 255 jours quand elle a pris le bronze à Sotchi (Russie), le 20 février 2014.

Capitaine championne du monde de curling
L'Écossaise Eve Muirhead (RU, née le 22 avril 1990) avait 22 ans et 336 jours quand elle a mené son équipe à la victoire à Riga (Lettonie), le 24 mars 2013.

LE PLUS VIEUX...

Médaillé olympique en individuel
Le vice-champion de luge Albert Demchenko (Russie, né le 27 novembre 1971) avait 42 ans et 74 jours à Sotchi (Russie), le 9 février 2014.
Le **champion olympique le plus âgé aux Jeux d'hiver** est Ole Einar Bjørndalen (Norvège, né le 27 janvier 1974), qui avait 40 ans et 12 jours lors de sa victoire au sprint en biathlon, le 8 février 2014.

Vainqueur d'un slalom en coupe du monde de ski (homme)
Mario Matt (Autriche, né le 9 avril 1979) est arrivé 1er, à 34 ans et 250 jours, à Val-d'Isère (France), le 15 décembre 2013.

Le plus de médailles aux JO d'hiver
Hommes : Ole Einar Bjørndalen (Norvège) a décroché 13 médailles en biathlon entre 1998 et 2004.
Femmes : trois femmes comptent 10 médailles en ski de fond : Raisa Smetanina (ex-URSS/EUN), Stefania Belmondo (Italie) et Marit Bjørgen (Norvège).

Médailles en orientation à ski
Relais : la Finlande compte 38 médailles en championnat du monde d'orientation à ski dans les 3 catégories de relais (hommes, femmes, mixte).

Le plus de titres olympiques en patinage de vitesse (hommes)

Viktor Ahn (Corée du Sud/Russie, né Ahn Hyun-Soo) a décroché 3 médailles d'or en patinage de vitesse pour la Corée du Sud aux JO 2006, à Turin (Italie). Après avoir pris la nationalité russe en 2011, il a remporté 3 nouveaux titres, cette fois pour la Russie, lors des JO 2014 de Sotchi (Russie).

Autres sports

En 1927, le 1er champion du monde de snooker a reçu une **récompense de 6,50 £**.

Le plus de victoires en course d'orientation individuelle sur longue distance

L'épreuve longue distance du championnat du monde de course d'orientation est organisée tous les ans depuis 1966. Simone Niggli-Luder (Rép. tchèque) l'a remportée 8 fois, plus que tout autre participant, homme ou femme. Elle a été sacrée en 2001, 2003, 2005-2006, 2009-2010 et 2012-2013.

Le plus de breaks royaux en snooker

Ronnie O'Sullivan (RU) a enchaîné 12 breaks de 147 points en compétition de snooker. Une performance accomplie entre le 24 avril 1997 et le 2 mars 2014.

O'Sullivan a aussi réalisé le **plus de séries à plus de 100 points en championnat du monde de snooker** (144), du 15 avril 1995 au 5 mai 2014.

La 1re joueuse de snooker à atteindre le tableau final d'un tournoi Ranking

Reanne Evans (RU) – 10 fois championne du monde féminine – s'est qualifiée pour le tournoi final télévisé du Wuxi Classic (Chine) avec une victoire 5-4 sur le joueur Thepchaiya Un-Nooh (Thaïlande) en match de qualification, à la South West Snooker Academy de Gloucester (RU), le 28 mai 2013.

Le plus de centuries en une saison

Neil Robertson (Australie) a réussi 103 séries à plus de 100 points dans 22 tournois sur la saison 2013-2014, du 7 juin 2013 au 5 mai 2014. Au 3 mai 2014, il avait réussi 361 centuries dans sa carrière professionnelle. C'est le 5e joueur à avoir réalisé le plus de centuries, dans un classement dominé par Stephen Hendry (RU) avec 775.

La plus longue interdiction de snooker

Le 25 septembre 2013, un tribunal indépendant a déclaré le joueur professionnel Stephen Lee (RU) coupable d'avoir truqué des matchs en 2008 et 2009. Lee a été interdit de toute rencontre organisée par l'Association internationale de billard et snooker professionnel pendant 12 ans.

Le plus de tournois de l'Association professionnelle de bowling

Entre 1976 et 2013, Tom Baker (USA) a disputé 840 tournois du championnat de l'Association professionnelle de bowling (PBA).

Carmen Salvino (USA, né le 23 novembre 1933) est le **plus vieux joueur du circuit**. Il a participé au tournoi des champions PBA 2014 à 80 ans et 58 jours, au Thunderbowl Lanes (Michigan, USA), le 20 janvier.

Walter Ray Williams Jr (USA) compte le **plus de titres PBA en bowling** à 10 quilles, avec 47 victoires. La dernière remonte à l'USBC Masters, le 14 février 2010.

Le plus de nine-darters en une journée à la télé

Aux fléchettes, une partie de 501 se termine après 9 lancers au minimum, et s'appelle alors un « nine-darter ». Deux joueurs y sont parvenus lors du championnat du monde PDC de fléchettes 2014, à Londres (RU), retransmis à la télévision : Terry Jenkins (RU) et Kyle Anderson (Australie), le 14 décembre 2013.

La 1re femme à remporter le Derby mongol

Lara Prior-Palmer (RU, née le 24 juin 1994) est la 1re femme à remporter le Derby mongol, le 10 août 2013. La compétition s'étend sur 1 000 km : c'est la **plus longue course d'endurance**

Le plus de 180 en championnat du monde de fléchettes

Lors du championnat du monde 2014 de la Corporation professionnelle de fléchettes (PDC), organisé à l'Alexandra Palace de Londres (RU), du 13 décembre 2013 au 1er janvier 2014, un total de 603 scores maximums (180 points) ont été inscrits, soit plus que les 588 en 2012. La palme revient à Michael van Gerwen (Pays-Bas, ci-dessus), auteur de 16 scores maximums.

Le plus jeune médaillé aux X-Games

Alana Smith (USA, née le 20 octobre 2000) avait 12 ans et 210 jours quand elle a décroché l'argent en skateboard park féminin aux X-Games de Barcelone (Espagne), le 18 mai 2013.

Tom Schaar (USA, né le 14 septembre 1999) est le **plus jeune médaillé d'or aux X-Games**. Il avait 12 ans et 229 jours quand il a gagné la catégorie Mini Mega, le 30 avril 2012.

hippique avec plusieurs montures. Cette victoire fait également d'elle la **plus jeune gagnante du Derby mongol**, à 19 ans et 47 jours.

Le plus de victoires en Groupe 1 pour un cheval

Hurricane Fly (Irlande) a gagné 19 courses hippiques du Groupe 1, les plus prestigieuses, du 30 novembre 2008 au 26 janvier 2014.

Le plus de titres en coupe du monde de tir à l'arc

Femmes : Yun Ok-Hee (Corée du Sud) a décroché 2 titres mondiaux à l'arc classique. Elle a été sacrée championne du monde en 2010 et 2013. La coupe du monde a été créée en 2006 et compte 4 épreuves sur différents sites avant un tournoi final.
Hommes : Brady Ellison (USA) a gagné 2 coupes du monde, en 2010-2011.

Le plus de titres aux mondiaux USASF de cheerleading
Les Cheer Athletics du Kentucky (USA) ont remporté 16 titres aux mondiaux de cheerleading à la fin de l'année 2013. L'équipe s'est imposée en épreuve féminine et mixte aux niveaux 5 et 6.

• **200 m route (femme) :** Jersy Puello (Colombie) a couvert 200 m en 17,677 s, le 27 août 2013, à Ostende (Belgique).
• **1 000 m piste (homme) :** Bart Swings (Belgique) a patiné 1 km sur piste en 1 min et 20,923 s, le 25 août 2013, à Ostende (Belgique).
• **1 000 m piste (femme) :** Barbara Fischer (Allemagne) l'a fait en 1 min et 27,06 s, à Inzell (Allemagne), le 27 août 1988.

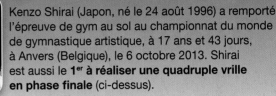

Le plus jeune champion du monde en gymnastique artistique au sol

Kenzo Shirai (Japon, né le 24 août 1996) a remporté l'épreuve de gym au sol au championnat du monde de gymnastique artistique, à 17 ans et 43 jours, à Anvers (Belgique), le 6 octobre 2013. Shirai est aussi le **1er à réaliser une quadruple vrille en phase finale** (ci-dessus).

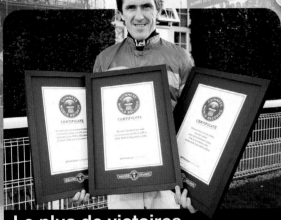

Le plus de victoires en saut d'obstacles

Tony «AP» McCoy (RU) a remporté 4 106 courses de saut d'obstacles dans sa carrière, du 26 mars 1992 au 26 avril 2014. McCoy compte aussi le **plus de victoires en une saison** (289 en 2001-2002) et le **plus de titres de champion des jockeys** (19 entre 1996 et 2014).

Patinage de vitesse
• **200 m route (homme) :** Le 9 décembre 2012, à San Benedetto del Tronto (Italie), loseba Fernandez (Espagne) a terminé le 200 m contre-la-montre en 15,879 s.

• **10 000 m piste (homme) :** Le 23 août 2013, le champion du monde de roller Fabio Francolini (Italie) a parcouru 10 km sur piste, à Ostende (Belgique), en 14 min 23,54 s.

• **10 000 m piste (femme) :** Yang Hochen (Taiwan) a mis 15 min et 26,970 s pour couvrir 10 000 m sur piste, à Ostende (Belgique), le 24 août 2013.

Le plus de participations aux Jeux équestres mondiaux
Anky van Grunsven (Pays-Bas) a disputé les Jeux équestres mondiaux de la Fédération équestre internationale (FEI) 6 fois entre 1990 et 2010. C'est la seule cavalière à avoir participé à toutes les éditions de la compétition depuis sa création en 1990.

La plus longue course en radeau
La Great River Amazon Raft Race est organisée tous les ans depuis 1999 au Pérou, entre l'île de Pescadores et le Club de Caza y Pesca de Bella Vista. Créée par Mike Collis (RU), la course couvre 180 km. Elle met aux prises des équipes de 4 personnes qui doivent construire un radeau dans un tronc et ramer sur 3 étapes en 3 jours.

INFO
Le titre « All-Around » est décerné au cow-boy qui cumule le plus de gains dans au moins 2 épreuves en 1 saison.

Le plus de championnats du monde de rodéo

Entre 2002 et 2013, Trevor Brazile (USA) a cumulé 19 titres au championnat du monde de l'Association professionnelle de rodéo. Ses triomphes ont été acquis dans 4 épreuves : All-Around, Tie-Down Roping (individuel et par équipe) et Steer Wrestling. Brazile compte également le **plus de titres mondiaux en All-Around**, avec 11 victoires en 12 ans.

HALTÉROPHILIE PARALYMPIQUE (IPC)

Catégorie	Poids	Nom	Année
Hommes			
– de 49 kg	181 kg	Yakubu Adesokan (Nigeria)	2014
– de 59 kg	190 kg	Ali Jawad (RU, né Liban)	2014
– de 80 kg	236 kg	Xiao Fei Gu (Chine)	2014
– de 97 kg	240 kg	Mohamed Eldib (Égypte)	2013
+ de 107 kg	285 kg	Siamand Rahman (Iran)	2014
Femmes			
– de 41 kg	103 kg	Nazmiye Muslu (Turquie)	2014
– de 50 kg	122 kg	Olesya Lafina (Russie)	2014
– de 61 kg	135.5 kg	Fatma Omar (Égypte)	2014
– de 73 kg	150 kg	Souhad Ghazouani (France)	2013
+ de 86 kg	151 kg	Precious Orji (Nigeria)	2014

Statistiques au 21 avril 2014

Index

Remerciements

Guinness World Records remercie sincèrement les personnes physiques et morales suivantes pour leur aide dans l'élaboration de cette édition :

Across the Pond (Rob, Aaron, Julie, Karen, Katie et tous leurs collègues) ; API Laminates Ltd (Simon Thompson) ; Asatsu-DK Inc. (Motonori Iwasaki, Shinsuke Sakuma) ; Charlotte Atkins ; Eric Atkins ; Freya Atkins ; Simon Atkins ; BAFTA ; Alexander Balandin ; Elle Bartlett ; BBC ; Oliver Beatson ; Sarah Bebbington ; Andrew Benson (Carnegie Institution for Science) ; BFI ; Anisa Bhatti ; Alexander Boatfield ; Joseph Boatfield ; Luke Boatfield ; Bodyflight Bedford (Bryony Doughty, Ged Parker) ; Sam Borden ; Chiara Bragato ; Patrick Bragato ; Veronica Bridges (Featherstone Rovers RLFC) ; Broadcast ; Colin Burgess (Stoke City FC) ; Nicola Campbell (Camelot Group) ; Canton Classic Car Museum, Ohio, USA ; Carousel Candies, California, USA ; CCTV (Guo Tong, Wang Wei et tous leurs collègues) ; Frank Chambers ; Richard M. Christensen (professeur émérite, université de Stanford) ; The Chunichi Shimbun (Tetsuya Okamura, Tadao Sawada) ; Adam Cloke ; Collaboration Inc. Japan (MM. Suzuki, Miho, Kyoto et tous leurs collègues) ; Connexion Cars (Rob et Tracey) ; Ken Cook (Caboose Hobbies, Denver, Colorado, USA) ; Anne Cowne (Information Officer, Information Centre, Lloyd's Register) ; Pietro D'Angelo ; Panos Datskos ; Anastassia Davidzenka ; Martyn Davis ; Denmaur Independent Papers Limited (Julian Townsend) ; Frank Dimroth ; Gemma Doherty ; Emmys (Academy of Television Arts & Sciences) ; Europroduzione (Renato, Gabriela, Carlo, Paola et tous leurs collègues) ; Toby et Amelia Ewen ; Eyeworks/Warner Bros. Allemagne (Michael, Martin, Käthe et tous leurs collègues) ; Benjamin Fall ; Rebecca Fall ; Daniel Fernandez ; Jonathan de Ferranti ; FJT Logistics Limited (Ray Harper, Gavin Hennessy) ; Forbes ; Martin Fuechsle ; Gemological Institute of America (Kristin Mahan, Shane McClure, Stephen Morisseau, Gwen Travis) ; Damien Gildea ; Andrew Goodwin ; Brandon Greenwood ; Jordan Greenwood ; Ryan Greenwood ; Victoria Grimsell ; GWRJ internship students (Jiani Xie, Natsumi Kawakami, Chisaki Iijima, Maho Miyamoto, Yumina Murata) ; Carmen Alfonzo de Hannah ; Alexia Hannah Alfonzo ; Amy Hannah Alfonzo ; Rod Hansen (Museum of Idaho, Idaho Falls, Idaho, USA) ; Ellie Hayward ; Dr Haze (Circus of Horrors) ; Bob Headland ; Matilda et Max Heaton ; High Noon (Brad, Jim, Dana et tous leurs collègues) ; The Himalayan Database ; Hololens Technology Co., Ltd ; Stephen J Holroyd (US Soccer Archives) ; Claire Holzman (Houghton Mifflin Harcourt) ; Marsha K Hoover ; Dora Howard ; Tilly Howard ; Colin Hughes ; Cynthia Hunt ; Sarah Icken (Camelot Group) ; Integrated Colour Editions Europe (Roger Hawkins, Susie Hawkins, Clare Merryfield) ; Richard Johnston, Barbara Jones (Information Centre Manager, Lloyd's Register) ; Stephanie Jones (Great British Racing) ; Raymond S Jordan, Drogheda, Ireland ; Justin Kazmark (Kickstarter) ; Harry Kikstra ; Laleham Camping Club, UK ; Orla Langton ; Thea Langton ; Sophie Lawrenson (Royal Collection Trust) ; Frederick Horace Lazell ; Sydney Leleux ; Lion Television (Simon, Jeremy, Tom et tous leurs collègues) ; Lloyd's Insurance (Oonagh Bates, Jonathan Thomas) ; London Pet Show ; London Wonderground ; Rüdiger Lorenz ; Luci Producciones (Maria, Shaun, Stefano) ; Ciara Mackey ; Sarah & Martin Mackey ; Theresa Mackey ; Christian de Marliave ; Missy Matilda ; Dave McAleer ; Chelsea McGuffin ; Clare Merryfield ; Metacritic ; Jeremy Michell, responsible du fonds iconographique historique et des plans de navires, Royal Museums Greenwich ; Miditech (Niret, Nivedith, Nikhil et tous leurs collègues) ; John Jackson Miller ; Tamsin Mitchell ; Harriet Molloy ; Sophie, Joshua et Florence Molloy ; Colin Monteath ; Dan Morrison ; Steven Munatones (Open Water Source) ; Museum of the Weird, Austin, Texas, USA ; Anikó Németh-Móra (International Weightlifting Federation) ; James Ng ; Jim Nicholls ; David Oberlink ; Caitlin Penny ; Periscoop (Peri, Elsy et tous leurs collègues) ; Karen Perkins (World Alternative Games) ; Tom Pierce ; Sophie Procter (British Airways) ; Robert Pullar ; Miriam Randall ; John Reed (World Speed Sailing Records Council) ; Kevin Rochfort (FISB) ; Dan Roddick (World Flying Disc Association) ; Roller Coaster Database ; Kate Rushworth (YouTube) ; Nick Ryan (Xpogo) ; Nick Ryuan (Xpogo) ; Eric Sakowski ; Paolo Scarabaggio ; Rob Schweitzer (Historic Hudson Valley) ; Nellie Scott (Brick Artist) ; Michael Serra (São Paulo Futebol Clube) ; Bill Sharp (Billabong XXL Big Wave Awards) ; Ang Tsering Sherpa ; Dawa Sherpa ; Patrice Simon ; Athena Simpson ; Chris Skone-Roberts ; Katy Smith (John Wiley & Sons, Inc.) ; Spectratek Technologies, Inc (Terry Conway, Mike Foster) ; Glenn Speer ; Bill Spindler ; St Mary's University, UK ; Ray Stevenson ; Stephen Sutton ; Charlie, Holly et Daisy Taylor ; Terry et Jan Todd (H J Lutcher Stark Center for Physical Culture and Sports, University of Texas, USA) ; Matthew Tole ; Anaelle Torres ; Cliff Towne (Professional Disc Golf Association) ; truTV (Michael, Chris, Stephen, Angel, Marissa et tous leurs collègues) ; Sheryl Twigg, Press & PR Manager, Royal Museums Greenwich ; UPM Plattling, Germany ; Kripa Varanasi ; Variety ; Virgin (Charmaine Clarke, Philippa Russ) ; Craig Walter ; Lara et Sevgi White ; Oli White ; Robert White ; Paul Winston (Zippos Circus) ; Robert Wood ; Daniel Woods ; Madeleine Wuschech ; Hayley Wylie-Deacon ; Rueben George Wylie-Deacon ; Tobias Hugh Wylie-Deacon ; Zodiak Clips (Sandra, David, Dom, Cath et tous leurs collègues) ; Zodiak Kids (Karen, Gary et tous leurs collègues) ; Zodiak Rights (Andreas, Tim, Barney et tous leurs collègues)

Crédits photographiques

1 : Kevin Scott Ramos/GWR **2** : Getty Images **3** : Hilary Morgan/Alamy, Erik C Pendzich/Rex, V&A Images/Alamy, Getty Images, Lloyds of London/AP/PA, Lloyds of London/AP/PA, Lionel Cironneau/AP/PA **5** : Paul Michael Hughes/GWR **7** : Kevin Scott Ramos/GWR Paul Michael Hughes/GWR **8** : Alain Guizard ; Lanceloo du Lac **9** : Ricardo Moraes/Reuters, Michel Hendrickx **10** : Alain Perus/l'Œil du Diaph ; Parc Astérix **11** : Vasily Fedosenko/Reuters **12** : Getty Images, Photoshot, Clive Limpkin/Rex, Fox TV, Getty Images, Paul Michael Hughes/GWR **13** : ITV/Rex, John Wright/GWR **14** : NASA, NASA/Science Photo Library, NASA **15** : NASA **16** : NASA, Getty Images, Alamy **17** : NASA, Reuters, ESA, Mike Blake/Reuters **18** : NASA **19** : ESO, NASA, Alamy **20** : NASA, NASA/Alamy, German Aerospace Center **21** : NASA, Mark A Garlick/Science Photo Library, Joongi Kim, Robert Matton/Alamy **22** : NASA, ESA, Denysov Dmytro/iStock, Science Photo Library **23** : MPIA, Gavin Collins, NASA, Sci-Fi Photo Journal **24** : NASA, Getty Images **25** : Eberly College of Science, Zeit News, Alamy **26** : NRAO/AUI, redOrbit.com **27** : Large Binocular Telescope Observatory, NRAO/AUI, Alamy, Stefan Schwarzburg/H.E.S.S. Collaboration, Pablo Bonet/IAC, Javier Larrea/Alamy, Alamy **28** : Thomas Senf/Mammut **30** : Getty Images, NASA, NOAA, Kara Lavender, Argo Information Centre, University of California, Tomas Munita/Evevine, Getty Images, Holger Leue/Corbis **31** : University of Texas, NASA, ESA, Curtin University of Technology, NOAA, Alamy, Ralph White/Corbis, Bill Waugh/Reuters, Dean Conger/Corbis, Getty Images **32** : Australian Science, AP/PA, Reuters, NASA/Reuters, NASA, Roger Coulam/Alamy **33** : AP/PA, Alamy, Reuters, NASA, Addi Bischoff, Stefan Ralew/sr-meteorites.de, NASA **34** : NASA **35** : NASA **36** : Getty Images, Cartes de Free, Alamy, Royal Geographical Society **37** : Susanna Wikman, Galen Rowell/Corbis, Dianne Blell/Getty Images, British Antarctic Survey **38** : Bay of Bengal Large Marine Ecosystem Project, Andrew McLachlan/Superstock, Massimo Brega/Science Photo Library, Massimo Brega/Science Photo Library **39** : W Robert Moore/National Geographic, Doug Perrine/Corbis, Colorado State University, Anderson Aerial Photography, Alamy, Gary Bell/Oceanwide Images **40** : Dave Bunnell/Under Earth Images, David Kilpatrick/Alamy, Robbie Shone/Alamy **41** : Carsten Peter/Getty Images, Getty Images, Alamy, Stephen L Alvarez/National Geographic **42** : Martin Strmiska/Alamy **44** : Alamy, Getty Images, Nurlan Kalchinov/Alamy, Bio-Ken Snake Farm, Dirk Ercken/Alamy, Image Quest Marine, Image Quest Marine, Jodi Rowley, Tilo Nadler, Richard Porter/Ardea, Alamy, Nicole Dutra **45** : Daniel Heuclin/Nature PL, AP/PA, Bruce Rasner/Nature PL, Sebastian Kennerknecht/FLPA, Alamy, Miguel Rangel Jr, Peter Kappeler, Public Library of Science, Knud Andreas Jønsson, Mahree-Dee White, Samuel Nienow **46** : Alamy, Steve Bloom/Alamy, Alamy, Human Dynamo Workshop **47** : Martin Strmiska/Alamy, Alamy, Justin Hofman/Alamy **48** : Anup Shah/Getty Images, Thomas Marent/Corbis, H Lansdown/Alamy, Corbis **49** : Masahiro Iijima/Ardea, FLPA, Denis Palanque/FLPA, Getty Images, Alamy, Dave Watts/Alamy **50** : Corbis, Photoshot, Frans Lanting/Corbis, Eric Nathan/Photoshot **51** : Alamy, Donald M. Jones/FLPA, Corbis, Barry Mansell/Nature PL **52** : Alamy, Kevin Elsby/Alamy, Alamy, M. Watson/Ardea, Getty Images **53** : Jim Zipp/Ardea, Photoshot, Cyril Laubscher/Getty Images, Alamy, Steven David Miller/Nature PL, Chris Howarth/Alamy **54** : Milos Manojlovic/iStock, Andrew Murray/Nature PL, Alamy, Danté Fenolio **55** : Alamy, Stan Osolinski/Getty Images, Chris Mattison/Alamy, A & J Visage/Alamy **56** : Zeb Hogan/WWF, Chris Radburn/PA, Catalina Island Marine Institute **57** : Doug Perrine/Nature PL, Jesse Cancelmo/Alamy, Steve Bloom Images/Alamy, David Jenkins/Caters News **58** : Corbis, Getty Images, Reuters **59** : www.aphotomarine.com, Chris Skone-Roberts/GWR, Koen G H Breedveld/Spring Rivers Ecological Sciences, Corbis, Alamy, creepyanimals.com **60** : Morley Read/Alamy, Dale Ward, Alamy, Caters, California Academy of Sciences **61** : Csiro Ecosystem Sciences, Maximilian Weinzierl/Alamy, Getty Images, Louise Murray/Alamy, Natural History Museum, London **62** : Barry Durrant/Getty Images, SWNS, Alamy, Jeff Rotman/Getty Images, Andrey Nekrasov/Alamy, Andrey Nekrasov/Alamy **63** : snailworld.eu, Seren/Bangor University, MMurphy/NPWS **64** : David Crump/Rex, Kevin Scott Ramos/GWR **65** : James Ellerker/GWR, Ryan Schude/GWR, Ryan Schude/GWR, Sophie Davidson/GWR, Getty Images, Corbis, Elaine Thompson/AP/PA **66** : James Ellerker/GWR, Ryan Schude/GWR, James Ellerker/GWR, Kevin Scott Ramos/GWR, Howard Burditt/Reuters **67** : Ranald Mackechnie/GWR, David Moir/Reuters, Kevin Scott Ramos/GWR **68** : Silvia Vignolini/PNAS, Paul Street/Alamy, Vinayaraj, Jerry Lampen/Reuters **69** : Frans Lanting/Corbis, Redfern Natural History, Getty Images, Alamy **70** : Paul Michael Hughes/GWR **72** : Ron Siddle/AP/PA, Corbis, Buddhika Weerasinghe/Getty Images, John Wright/GWR, Corbis, Irish Independent, Birmingham Mail, Getty Images **73** : John Wright/GWR, Paul Michael Hughes/GWR, The Burns Archive, Getty Images, Alamy **74** : Roslan Rahman/Getty Images, PA, Sam Green **75** : Naturex, Getty Images **76** : Gary Wainwright, Devon Steigerwald, Reuters, Simon Pizzey/The Citizen, Tyler Hicks/Eyevine, Alamy, Reuters **78** : Drew Gardner/GWR, James Ellerker/GWR, Leon Schadeberg/Rex **79** : Kimberly Cook/GWR, James Ellerker/GWR, Paul Michael Hughes/GWR, John Wright/GWR, **80** : Rex, Tomas Bravo/GWR **81** : Hank Walker/Getty Images, Sean Sexton/Getty Images, Corbis, Paul Michael Hughes/GWR **83** : D L Anderson, Lakruwan Wanniarachchi/Getty Images **84** : Corbis **85** : Alamy, Getty Images, Wellcome Images, Rex Features, John A Secoges/AP/PA **86** : Ranald Mackechnie/GWR **88** : Sam Christmas/GWR, Richard Howard/Getty Images, Tengku Bahar/Getty Images **90** : Philip Robertson/GWR, Shinsuke Kamioka/GWR, Richard Bradbury/GWR **91** : Frank Espich/The Indianapolis Star, Richard Bradbury/GWR, Alamy, Mike Sonnenberg/iStock, Alamy **92** : Kevin Scott Ramos, Pete Jenkins/Alamy **93** : Ranald Mackechnie/GWR, Dan Kitwood/Getty Images, Peter Byrne/PA, Steve Parsons/PA, Steve Parsons/PA, David Cripps/Royal Collection **94** : Ranald Mackechnie/GWR **95** : Fredrik Naumann/Felix Features **96** : Richard Bradbury/GWR, Ryan Schude/GWR, Ranald Mackechnie/GWR **97** : Ranald Mackechnie/GWR, Kate Melton, Paul Michael Hughes/GWR **98** : Ryan Schude/GWR **99** : Ryan Schude/GWR **100** : Dan Rowlands/Caters, Ryan Schude/GWR **101** : David Parry/PA, David Parry/PA, Reuters **102** : Ryan Schude/GWR, John Wright/GWR, Rob Loud/Getty Images **103** : Ranald Mackechnie/GWR, Drew Gardner/GWR **104** : Ryan Schude/GWR, Paul Michael Hughes/GWR **105** : Paul Michael Hughes/GWR, Ranald Mackechnie/GWR, Keith Heneghan/Phocus **106** : Richard Keith Wolff/Getty Images, Ryan Schude/GWR **107** : Ryan Schude/GWR, Matt Crossick/GWR, John Wright/GWR, Ranald Mackechnie/GWR **108** : Ranald Mackechnie/GWR, Paul Michael Hughes/GWR **109** : Richard Birch, Paul Michael Hughes/GWR, Ranald Mackechnie/GWR, Nathan King/Alamy, Tomasz Rossa, Alexander Nemonov/Getty Images **110** : Aly Song/Reuters **111** : WSSA **112** : Paul Michael Hughes/GWR **113** : Andrew Schwartz/Corbis, Marcel Wichert, Jeff Holmes, The Strong, Alamy **114** : Rick Belden, Capture the Moment Photography **115** : Christiane Kappes, Mirja Geh/Red Bull, Michael G Nightengale **116** : Philip Robertson/GWR, Rentsendorj Bazarsukh/Reuters, Anne Caroline/GWR **117** : Theo Cohen, Ilya S Savenok/Getty Images, Daniel Berehulak/Getty Images, Sanjay Kanojia/Getty Images **118** : Ruud van der Lubben/PA, Ryan Schude/GWR, Paul Michael Hughes/GWR **119** : Paul Michael Hughes/GWR, Mark Radford **120** : Ryan Schude/GWR **122** : Getty Images, Tim Rooke/Rex, National Archives, Shel Hershorn/Getty Images, Alamy, Corbis **123** : Alamy, Corbis, Alamy, Nati Harnik/AP/PA, Gus Ruelas/Reuters, Keith Dannemiller/Alamy **124** : Ahmad Masood/Reuters, Thomas Mukoya/Reuters, Ho New/Reuters, Soe Zeya Tun/Reuters **125** : Getty Images, Reuters, Reuters, Ho New/Reuters, Reuters, Athar Hussain/Reuters **126** : Christophe Simon/Getty Images, Evaristo Sa/Getty Images, Krishnendu Halder/Reuters, Ezequiel Abiu Lopez/AP/PA, Kem McNair/Getty Images **127** : Global Times, Onur Coban/Getty Images, Wim Scheire/Getty Images, Mahmoud Raouf Mahmoud/Reuters **128** : Ragnhild Gustad, Chaiwat Subprasom/Reuters **129** : United States Geological Survey, Alamy, Oleksandr Rupeta/Alamy, Pascal Ducept/Alamy, Giorgio Marcoaldi/CVN, Reuters, Manuel Silvestri/Reuters **130** : Kristijan Vuckovic, National Center for Ecological Analysis and Synthesis, Jahre-Wallern, Michael Kooren/Reuters **131** : Aly Song/Reuters, Marine Traffic, Reuters **132** : Cameron Laird/Rex, Pablo Blazquez Dominguez/Getty Images **133** : Mark Bialek/Alamy, Phil Mingo/Pinnacle **134** : Thomas Grimm/AP/PA, Michael Urban/Getty Images, Paul Cooper/Rex,

Alamy, Alamy **135** : Alamy, RMN-Grand Palais/Musée du Louvre/Hervé Lewandowski, Roger Viollet/Getty Images, Alamy **136** : Tina Hager/Getty Images, Chao-Yang Chan/Alamy, George Nikitin/AP/PA, Craig Barritt/Getty Images **137** : Toru Hanai/Reuters, Alamy, Rebecca Cook/Reuters, Yorgos Karahalis/Reuters, NASA **138** : Dove, Google Maps, Universal Pictures/Alamy, Facebook, Alamy **139** : Instagram, Instagram, AP, Lucy Nicholson/Reuters, Andrew Kelly/Reuters, Laurence Mathieu/The Guardian **140** : Mike Goldwater/Alamy, Alamy **141** : Alastair Muir/Rex **142** : Everest Media Productions **144** : Afanassi Makovnev, Getty Images **145** : Jarek Jõepera/GWR **147** : Getty Images, Paul Michael Hughes/GWR **148** : Will Wintercross **149** : James Ellerker/GWR **150** : British Nanga Parbat 2012 Expedition, Philip Temple, Paul A Souders/Corbis, Frieder Blickle/Camera Press **151** : Paul Michael Hughes/GWR **152** : Felipe Souza, Ben Duffy **153** : Daniel Deme/GWR, Torsten Blackwood/Getty Images, Paul Michael Hughes/GWR **154** : Bas de Meijer, Lars Stenholt Kirkegaard, Lupi_Spuma, Shutterstock **155** : John Dickey, Claudia Marcelloni, James Ellerker/GWR, James Ellerker/GWR **157** : Paul Michael Hughes/GWR **158** : Lionsgate/Alamy **160** : MGM/Alamy, Walt Disney Productions, Twentieth Century Fox, MGM/Alamy, Universal, MGM/Alamy, Paramount, Walt Disney Productions/Rex, MGM, Twentieth Century Fox, Warner Bros. **161** : Universal/Alamy, Yash Raj Films, Walt Disney Pictures, Twentieth Century Fox/Alamy, Twentieth Century Fox, Summit Entertainment, Walt Disney Productions, Twentieth Century Fox, Marvel, Lucasfilm, Hollywood Pictures, Warner Bros., MGM/Alamy, Lucasfilm, Universal, Twentieth Century Fox, Twentieth Century Fox **162** : Lionsgate, Warner Bros., Paramount Pictures **163** : Paramount Pictures, Warner Bros., Salty Features, Warner Bros. **164** : Yashraj Films, Twentieth Century Fox, Alamy, Cross Creek Pictures, Alamy **165** : Alamy, Mario Anzuoni/Reuters, Alamy, Walt Disney Pictures, Karen Ballard/Paramount Pictures, Fred Prouser/Reuters **166** : Getty Images, Brian Snyder/Reuters **167** : Lucy Nicholson/Reuters, Steven Klein, Terry Richardson, Isaac Brekken/Getty Images **168** : YouTube **169** : Girlguiding North West, Matt Crossick/GWR **170** : Don Emmert/Getty Images, Alamy, PA, Marijan Murat/PA, Alamy, Rodrigo de Balbin Behrmann **171** : WENN, WENN, Russell Cheyne/Reuters, Alain Perus/L'Oeil du Diaph **172** : Ryan Schude/GWR, Alamy **173** : Olivia Harris/Reuters, Benjamin Pritzkuleit **174** : Rex Features, Haut et Court, Virginia Sherwood/Getty Images, Yogen Shah/Getty Images, Samir Hussein/Getty Images **175** : A & E Networks, Bob D'Amico/Getty Images, BBC **176** : Ryan Schude/GWR, Kevin Scott Ramos/GWR, Paul Michael Hughes/GWR, Ryan Schude/GWR, Richard Bradbury/GWR **177** : Ranald Mackechnie/GWR, Richard Bradbury/GWR, Ryan Schude/GWR **178** : Kevin Scott Ramos/GWR **180** : Alcatel-Lucent, Topfoto, HP Museum, Eric Risberg/AP/PA, Getty Images, AP/PA, NASA, Getty Images, Gene J Puskar/AP/PA, Science Photo Library **181** : Elise Amendola/AP/PA, Getty Images, Rebecca Cook/Reuters, Fabrizio Bensch/Reuters, Reidar Hahn, Getty Images, Kimberly White/Reuters, Denis Closon/Rex **182** : Mathew Imaging, Ho New/Reuters, Justin Garvanovic/Coaster Club **183** : Iain Masterton/Alamy, Stan Honda/Getty Images, Craig T Mathew/Mathew Imaging, Kazuhiro Nogi/Getty Images **184** : Corbis, J S Callahan/Alamy, Alamy **185** : Rex Features, Alamy, Getty Images, Ray Roberts/Rex **186** : Damian Kramski, Max Earey/Newspress **187** : Alamy, Canton Classic Car Museum, Chrysler Group LLC, Alamy, Alamy, Kim Kyung Hoon/Reuters, Tobias Schwarz/Reuters, Reuters **188** : Maciej Dakowicz/Alamy, iStock **189** : Peter Brogden/Alamy, Robert Nickelsberg/Alamy, PA **190** : Andy Clark/Reuters, Alison Thompson/Alamy, Colombia Travel, Alamy **191** : Shadow Fox, Mark L Simpson/Electric Lemonade Photography, Wisconsin Duck Tours, Marcio Jose Sanchez/AP/PA, Rex **192** : Paul Michael Hughes/GWR, Paul Michael Hughes/GWR, Shinsuke Kamioka/GWR, Paul Michael Hughes/GWR, Ranald Mackechnie/GWR, James Ellerker/GWR **193** : Paul Michael Hughes/GWR, Richard Bradbury/GWR, Drew Gardner/GWR, Kevin Scott Ramos/GWR **194** : Solid Concepts, US Navy, Reuters, USAF **195** : US Navy, Alamy, USDA **196** : Sean Pavone/Alamy, Gustau Nacarino/Reuters, Rory Daniel, Rex Features, Alamy, Alamy, Alamy **197** : Jianan Yu/Reuters, Rex Features, iStock **198** : iStock, Postojna Cave, Jim Zuckerman/Alamy **199** : Jorge Royan, Glenn Asakawa/Getty Images, Alice Finch, Alamy **200** : Khaled Al-Sayyed/Getty Images, Dominique Debaralle/Corbis, Ed Jones/Getty Images, Chi Po-lin, Pichi Chuang/Reuters, Christian Haugen **201** : Joel Riner, Hans Blossey/Corbis, Cor Mulder/EPA, Reuters, David Cannon/Getty Images, David Cannon/Getty Images, Getty Images **202** : Baxley/JILA, Baxley/JILA, Long Hongtao/Rex, Long Hongtao/Rex, Sven Sturm/MPI for Nuclear Physics **203** : ESA, Felipe Pedreros/IceCube/NSF, Jim Haugen/IceCube/NSF, Alamy **204** : Alamy, Iberpress, Harvard School of Engineering and Applied Sciences, Seth Wenig/AP/PA, Peter Morgan/Reuters **205** : Kevin Ma et Pakpong Chirarattananon/Harvard Microrobotics Lab, Boston Dynamics **206** : Kumar Sriskandan/Alamy **207** : Alamy, NASA, NASA **208** : Stephane Mahe/Reuters **210** : Ezra Shaw/Getty Images, Jeremy Brevard/Reuters, Lucy Nicholson/Reuters, Reuters **211** : Alamy, Jack Dempsey/AP/PA, John Leyba/Getty Images **212** : John Thys/Getty Images, Dylan Martinez/Reuters, Pascal Lauener/Reuters **213** : Ian Walton/Getty Images, Alamy, Alamy **214** : Hannah Johnston/Getty Images, Lorraine O'Sullivan/Inpho, Lluis Gene/Getty Images, Toshifumi Kitamura/Getty Images **215** : Alamy, Marco Garcia/Getty Images **216** : Ray Stubblebine/Reuters, Alamy, Mike Cassese/Reuters **217** : Martin Thomas/Alamy, Keith Charles/Getty Images, Getty Images, Mike Blake/Reuters **218** : Dick Raphael/Getty Images, Ron Hoskins/Getty Images, Joe Skipper/Reuters, Reuters, Mike Segar/Reuters **219** : Layne Murdoch Jr/Getty Images, Getty Images **220** : Getty Images, Alamy, Al Bello/Getty Images, Kristian Dowling/Getty Images **221** : David Finch/Getty Images, Nathan Denette/PA **222** : Christopher Lee/Getty Images, Philip Brown/Reuters, Philip Brown/Reuters, David Gray/Reuters **223** : Aijaz Rahi/AP/PA, Alamy, Philip Brown/Reuters **224** : Stefano Rellandini/Reuters, Reuters **225** : Javier Lizon/Alamy, Getty Images, John Sommers/Corbis, PA, Corbis, Leo Mason/Corbis **226** : Caren Firouz/Reuters, Tami Chappell/Reuters, Daren Staples/Reuters, Alamy, Alamy **227** : Phil Sheldon/Getty Images, Andy Lyons/Getty Images, Jim Young/Reuters, Harry Warnecke/Getty Images, Denis Balibouse/Reuters **228** : Reuters, Antti Aimo-Koivisto/PA, B Bennett/Getty Images, Reuters, Alamy, Reuters **229** : Dick Raphael/Getty Images **230** : Reuters, Tobias Schwarz/Reuters, Chris Helgren/Reuters **231** : Reuters, Reuters, Alamy, Reuters, Alamy **232** : Cody Duncan/Alamy, Alamy, Tannen Maury/Alamy, Mervyn McClelland/Presseye **233** : Adrees Latif/Reuters, Lars Baron/Getty Images, Dozier Mobley/Getty Images, Lehtikuva/Reuters **234** : Cathal McNaughton/Reuters, Alamy, Alamy **235** : Jean Sebastien Evrard/Getty Images, Alamy, Reuters, Eddie Keogh/Reuters **236** : Josep Lago/Getty Images, Michaela Rehle/Reuters, Paul Hanna/Reuters, Alamy **237** : Alamy, Paul Burrows/Action Images, Alex Morton/Action Images, Susana Vera/Reuters **238** : Reuters, Christophe Simon/Getty Images, Wolfgang Rattay/Reuters, Getty Images, Juan Medina/Reuters **239** : Alamy, Clive Brunskill/Getty Images, Goran Tomasevic/Reuters, Alamy, Jorge Silva/Reuters **240** : Adam Stoltman/Corbis, Bob Thomas/Getty Images, Mike Hewitt/Getty Images **241** : Darren Carroll/Getty Images, Stan Honda/Getty Images, Charles Platiau/Reuters **242** : Albert Gea/Reuters, Matthias Oesterle/Alamy, Alamy **243** : Alamy, Alamy, Alex Laurel/Red Bull **244** : Lucy Nicholson/Reuters, Michael Dalder/Reuters, Alamy, Fabrizio Bensch/Reuters, Alamy **245** : Alamy, Sergei Karpukhin/Reuters, Alamy, Alexander Demianchuk/Reuters **246** : Lehtikuva Lehtikuva/Reuters, Bryce Kanights/ESPN Images, Alamy, Franck Fife/Getty Images, Getty Images, Alamy, Dan Abraham, Isaac Brekken/AP/PA **254** : Derek Wade Alamy **255** : Birmingham Mail, Kevin Scott Ramos/GWR

Codes des pays

Afghanistan	AF
Afrique du Sud	ZA
Åland, Îles	AX
Albanie	AL
Algérie	DZ
Allemagne	DE
Andorre	AD
Angola	AO
Anguilla	AI
Antarctique	AQ
Antigua et Barbuda	AG
Arabie saoudite	SA
Argentine	AR
Arménie	AM
Aruba	AW
Australie	AU
Autriche	AT
Azerbaïdjan	AZ
Bahamas	BS
Bahreïn	BH
Bangladesh	BD
Barbade	BB
Belarus	BY
Belgique	BE
Belize	BZ
Bénin	BJ
Bermudes	BM
Bhoutan	BT
Bolivie	BO
Bonaire, Saint-Eustache et Saba	BQ
Bosnie-Herzégovine	BA
Botswana	BW
Bouvet, île	BV
Brésil	BR
Bruneï Darussalam	BN
Bulgarie	BG
Burkina Faso	BF
Burundi	BI
Caïmans, îles	KY
Cambodge	KH
Cameroun	CM
Canada	CA
Cap-Vert	CV
Centrafricaine, République	CF
Chili	CL
Chine	CN
Christmas, île	CX
Chypre	CY
Cocos (Keeling), îles	CC
Colombie	CO
Comores	KM
Congo	CG
Congo, République démocratique du	CD
Cook, îles	CK
Corée, République de	KR
Coree, République populaire démocratique de	KP
Costa Rica	CR
Côte d'Ivoire	CI
Croatie	HR
Cuba	CU
Curaçao	CW
Danemark	DK
Djibouti	DJ
Dominicaine, République	DO
Dominique	DM
Égypte	EG
El Salvador	SV
Émirats arabes unis	AE
Équateur	EC
Érythrée	ER
Espagne	ES
Estonie	EE
États-Unis	US
Éthiopie	ET
Falkland, Iles (Malvinas)	FK
Féroé, îles	FO
Fidji	FJ
Finlande	FI
France	FR
Gabon	GA
Gambie	GM
Géorgie	GE
Géorgie du Sud et îles Sandwich du Sud	GS
Ghana	GH
Gibraltar	GI
Grèce	GR
Grenade	GD
Groenland	GL
Guadeloupe	GP
Guam	GU
Guatemala	GT
Guernesey	GG
Guinée	GN
Guinée-Bissau	GW
Guinée équatoriale	GQ
Guyana	GY
Guyane française	GF
Haïti	HT
Heard, île Et McDonald, îles	HM
Honduras	HN
Hong Kong	HK
Hongrie	HU
Île de Man	IM
Îles Mineures éloignées des États-Unis	UM
Îles Vierges britanniques	VG
Îles Vierges des États-Unis	VI
Inde	IN
Indonésie	ID
Iran, République islamique d'	IR
Iraq	IQ
Irlande	IE
Islande	IS
Israël	IL
Italie	IT
Jamaïque	JM
Japon	JP
Jersey	JE
Jordanie	JO
Kazakhstan	KZ
Kenya	KE
Kirghizistan	KG
Kiribati	KI
Koweït	KW
Laos, République démocratique populaire	LA
Lesotho	LS
Lettonie	LV
Liban	LB
Liberia	LR
Libyenne, Jamahiriya arabe	LY
Liechtenstein	LI
Lituanie	LT
Luxembourg	LU
Macao	MO
Macédoine, ex-république yougoslave de	MK
Madagascar	MG
Malaisie	MY
Malawi	MW
Maldives	MV
Mali	ML
Malte	MT
Mariannes du Nord, îles	MP
Maroc	MA
Marshall, îles	MH
Martinique	MQ
Maurice	MU
Mauritanie	MR
Mayotte	YT
Mexique	MX
Micronésie, États fédérés de	FM
Moldavie, République de	MD
Monaco	MC
Mongolie	MN
Monténégro	ME
Montserrat	MS
Mozambique	MZ
Myanmar	MM
Namibie	NA
Nauru	NR
Népal	NP
Nicaragua	NI
Niger	NE
Nigeria	NG
Niue	NU
Norfolk, île	NF
Norvège	NO
Nouvelle-Calédonie	NC
Nouvelle-Zélande	NZ
Océan Indien, Territoire britannique de l'	IO
Oman	OM
Ouganda	UG
Ouzbékistan	UZ
Pakistan	PK
Palaos	PW
Palestinien occupé, Territoire	PS
Panamá	PA
Papouasie-Nouvelle-Guinée	PG
Paraguay	PY
Pays-Bas	NL
Pérou	PE
Philippines	PH
Pitcairn	PN
Pologne	PL
Polynésie française	PF
Porto Rico	PR
Portugal	PT
Qatar	QA
Réunion	RE
Roumanie	RO
Royaume-Uni	GB
Russie, Fédération de	RU
Rwanda	RW
Sahara occidental	EH
Saint-Barthélemy	BL
Sainte-Hélène, Ascension et Tristan Da Cunha	SH
Sainte-Lucie	LC
Saint-Kitts-et-Nevis	KN
Saint-Marin	SM
Saint-Martin (partie française)	MF
Saint-Martin (partie néerlandaise)	SX
Saint-Pierre-et-Miquelon	PM
Saint-Siège (État de la Cité du Vatican)	VA
Saint-Vincent-et-Les Grenadines	VC
Salomon, îles	SB
Samoa	WS
Samoa américaines	AS
Sao Tome-et-Principe	ST
Sénégal	SN
Serbie	RS
Seychelles	SC
Sierra Leone	SL
Singapour	SG
Slovaquie	SK
Slovénie	SI
Somalie	SO
Soudan	SD
Sri Lanka	LK
Suède	SE
Suisse	CH
Suriname	SR
Svalbard et île Jan Mayen	SJ
Swaziland	SZ
Syrienne, République arabe	SY
Tadjikistan	TJ
Taiwan, Province de Chine	TW
Tanzanie, République unie de	TZ
Tchad	TD
Tchèque, République	CZ
Terres Australes françaises	TF
Thaïlande	TH
Timor-Leste	TL
Togo	TG
Tokelau	TK
Tonga	TO
Trinité-et-Tobago	TT
Tunisie	TN
Turkménistan	TM
Turks et Caïques, îles	TC
Turquie	TR
Tuvalu	TV
Ukraine	UA
Uruguay	UY
Vanuatu	VU
Vatican, État de la Cité du *voir Saint Siège*	
Venezuela, République bolivarienne du	VE
Vietnam	VN
Wallis et Futuna	WF
Yémen	YE
Zambie	ZM
Zimbabwe	ZW

Dernière minute

Le plus petit parachute mesurait 3,25 m² le 5 avril 2014.

La plus importante collection Garfield

Cathy Kothe (USA) possède 6 190 éléments Garfield uniques recensés par son catalogueur officiel – son mari Robert – et vérifiés à la station Huntington (New York, USA), le 10 avril 2014. La collection comprend 3 machines à sous et 1 structure gonflable de 7,6 m ... plus haute que la maison du couple !

Le plus grand jeu de *Quelle heure est-il monsieur Loup ?*

494 employés de Royal London (RU) se sont prêtés à ce jeu au Centre international de conférences d'Édimbourg (RU), le 6 février 2014.

La plus grande marche pour une œuvre

Iglesia Ni Cristo (Philippines) a organisé une marche au départ de Quirino Grandstand, à Manille

(Philippines), avec 175 509 personnes, le 15 février 2014. L'argent était destiné aux victimes du Typhon Haiyan en 2013.

La navigation la plus méridionale

Le 27 janvier 2014, *Arctic P*, skippé par Russell Pugh et propriété de la famille Packer (tous Australie), a atteint la baie des Baleines, barrière de Ross (Antarctique). Un instrument à la proue a enregistré 78°43,042'S 163°42,069'O, le point le plus au sud. La latitude de la barrière est dynamique en raison du vêlage de la glace

(quand la glace se sépare de la barrière).

Le plus de haïkus sur une ville

Le 29 avril 2014, 1 663 haïkus avaient été écrits sur Luton (Bedfordshire, RU), par le *Clod Magazine*. L'équipe de haïkus de Luton (Andrew Kingston, Tim Kingston, Andrew Whiting et Stephen Whiting) ont commencé à mettre des haïkus en ligne chaque jour depuis le 23 janvier 2007.

Le plus de pubs visités

Le 29 janvier 2014, Bruce Masters (RU) avait visité 46 495 pubs et débits de boissons, goûtant les bières le cas échéant. Il a commencé sa tournée en 1960 et visité 936 pubs en 2013. À ce

La triple certification Telmex

Telmex (Mexique) a réussi un triplé GWR à Aldea Digital, à Mexico (Mexique), du 11 au 27 avril 2014. Le P-D.G. Héctor Slim (au centre) reçoit le certificat pour le **plus grand événement digital** (258 896 personnes), le **plus de personnes formées pour IT en 1 mois** (177 517 au même événement), le **plus de scans à l'appli de réalité augmentée en 8 h** (49 273, le 26 avril).

Rumeysa Gelgi

Le nouveau titulaire du record nous a dit : « J'adapte tout à ma taille. Il y a des bons et des mauvais côtés, mais de toute façon, je considère que j'ai de la chance. »

La plus grande adolescente

Mesurant 213,6 cm, Rumeysa Gelgi (Turquie, née le 1er janvier 1997) est la plus grande femme âgée de moins de 18 ans. Rumeysa, à gauche sur la photo, avec sa nièce Zeynep Ravza Yakut, souffre du syndrome de Weaver, trouble génétique rare qui provoque une croissance rapide. Elle a été mesurée par le Dr Ömer Hakan Yavaşoğlu *(voir encadré)*, à Karabük (Turquie), le 19 mars 2014.

Le plus long roulement de tambour par un groupe

Pour célébrer le 350e anniversaire des Royal Marines (fondés en 1664), le corps des tambours (Band Service) de Sa Majesté (RU) a effectué un roulement de tambour en groupe durant 64 h, 27 min et 59 s. Débutant le 30 avril 2014, 40 membres se sont relayés sur le même tambour à la tour de Londres (RU) et ont terminé le 3 mai 2014.

Le plus de tonneaux consécutifs avec un avion

Kingsley Just (Australie) a effectué 987 tonneaux avec son biplan Pitts Special, au Lethbridge Airpark de Victoria (Australie), le 1er mars 2014. Kingsley a fait des tonneaux sans interruption pendant presque 1 h.

jour, le nom de pub le plus populaire est *Red Lion*.

Le champion de boxe le plus âgé

Bernard Hopkins (USA, né le 15 janvier 1965) a battu aux points Beibut Shumenov (Kazakhstan) pour les titres de WBA super léger, IBA poids mi-lourd et IBF poids mi-lourd le 19 avril 2014, à 49 ans et 94 jours.

La plus grande carte de vœux

Une carte pour la fête des mères de 10,19 x 7,09 m a été présentée par Nestlé Moyen-Orient FZE (ÉAU), au centre commercial de Dubaï (ÉAU), le 21 mars 2014.

La plus grande roue d'observation

La Grande Roue de Las Vegas mesure 167,5 m de haut. Inaugurée le 31 mars 2014, à Las Vegas (Nevada, USA), elle possède 28 cabines pouvant accueillir chacune 40 personnes. Un tour complet de la roue nécessite 30 min.

Le plus de frères et sœurs à célébrer leurs noces de diamant

Edward Thomas et Ellen Jane Howell (RU) ont eu 5 enfants qui tous avaient fêté 60 ans de mariage le 4 mars 2014 :
• Gwendoline Jean Howell et Douglas Derek Bennett : 61 ans
• John Edward Howell et Sylvia Beryl (née Winter) : 61 ans
• Doris Winifred Howell et Donald Street : 66 ans
• Stanley Frederick Howell et Margaret Elizabeth (née Sharpe) : 65 ans
• William George Howell et Hazel Pauline (née Freeman) : 60 ans.

Le plus grand aquarium

L'aquarium pour requins-baleines de Chimelong Ocean Kingdom, à Hengqin (Guangdong, Chine), possède un dôme de 12 m de diamètre. L'attraction a été inaugurée le 28 janvier 2014 et a obtenu 5 records du monde, dont celui du **plus grand dôme d'observation sous l'eau** *(voir ci-dessus)*. Il utilise 48,75 millions de litres d'eau salée et d'eau douce.

Le plus de personnes faisant un cœur avec les mains

Stephen Sutton (RU, 1994-2014) et 553 amis se sont rassemblés pour faire un cœur avec les mains, le 4 mai 2014, dans le Staffordshire (RU). Stephen, souffrant d'un cancer en phase terminale, a fait les gros titres en 2014 pour ses efforts visant à rassembler des fonds et a déclaré que l'un de ses rêves était d'obtenir un titre du Guinness World Records.

La plus longue période n° 1 aux échecs (femme)
Comme cela a été confirmé par la Fédération internationale des échecs, Judit Polgár (Hongrie) est restée n° 1 depuis le 1er février 1989 et conservait sa place le 17 avril 2014.

La tondeuse la plus rapide

La *Mean Mower* peut tondre le gazon à 187,61 km/h. Elle a été construite par Honda et Team Dynamics (tous deux RU), et a participé à une course sur la piste d'essais d'Applus+ IDIADA à Tarragone (Espagne), le 8 mars 2014. Le journaliste de *Top Gear,* Piers Ward, pilotait la tondeuse.

Le plus de sauts à l'élastique en 24 h

Le préparateur physique Colin Phillips (RU) a réalisé 151 sauts à l'élastique à partir d'une grue de 100 m, au profit de l'œuvre caritative Breast Cancer Arabia. Il a tenté ce record dans le cadre de la Gravity Zone, à l'autodrome de Dubaï (ÉAU), le 21 mars 2014. Il s'est foulé un doigt et a admis plus tard que : « Pour être honnête, il se sentait un peu secoué. »

Les haltères les plus lourdes soulevées avec un bras en 1 min
L'homme fort Robert Natoli (USA) a établi 5 records en 1 h, au Pacific Health Club de Liverpool (New York, USA), le 22 mars 2014. Il a soulevé des haltères de 1 975,85 kg et enregistré le **plus de pull-ups (tractions) en 1 min avec un poids de 18 kg** (23) ; le **plus de step-ups en 1 min avec un poids de 36 kg** (41) ; le **plus de step-ups en 1 min avec un poids de 45 kg** (38) ; le **plus de pompes en s'appuyant sur les articulations en 1 min** (58).

La police d'assurance la plus élevée
L'identité du milliardaire de la Silicon Valley qui a souscrit une police d'assurance de 201 millions $ reste anonyme. Avec plus de 100 milliardaires qui résident dans ce lieu célèbre de Californie (USA), les candidats ne manquent pas. La police a été établie par Dovi Frances (Israël) du cabinet de conseils SG, LLC (USA), et certifiée par notaire à Santa Barbara (Californie, USA), le 28 février 2014. Le record de la police de 100 millions $ vendue par Peter Rosengard (RU) au magnat des médias David Geffen (USA) en 1990 est largement battu.

Manuel Uribe (1965-2014)
Le 26 mai 2014, nous avons appris la mort de Manuel Uribe de Monterrey (Mexique) : Manuel figure dans le livre comme **l'homme (et l'être humain) le plus lourd du monde** dès l'édition de 2008 – avec un poids maximum de 560 kg. Il a détenu le record jusqu'à sa mort, à l'âge de 48 ans. Nous sommes à la recherche de son successeur.

Le plus grand adolescent

Broc Brown (USA, né le 15 avril 1997) mesurait 217,17 cm lors de la vérification d'avril 2014. Étudiant à la Vandercook Lake High School de Jackson (Michigan, USA), Broc souffre du syndrome de Sotos, ce qui lui a valu de nombreux séjours à l'hôpital.

PLUS ENCORE ?

VOTRE LIVRE NUMÉRIQUE GRATUIT

Visitez les coulisses de GWR, découvrez comment sont validés les records et testez vos connaissances des records avec notre grand quiz ! TÉLÉCHARGEZ-LE MAINTENANT SUR **GUINNESSWORLDRECORDS.COM/ BONUS**

Over three million copies sold!

GUINNESS WORLD RECORDS 2015

GUINNESS WORLD RECORDS

GAMER'S EDITION

ÊTES-VOUS UN GAMER ?

L'édition *GAMER'S* du Guinness World Records est le guide annuel le plus vendu sur les jeux vidéo. Indispensable à tous les gamers.

Pour des offres spéciales exclusives, rendez-vous régulièrement sur **GUINNESSWORLDRECORDS.COM/ GAMERS**

Le guide incontournable des jeux vidéo et de leurs records !

DES VIDÉOS EXCLUSIVES ET LES DERNIÈRES INFOS SUR LES RECORDS

Restez informé sur les exploits réalisés dans le monde entier sur :

GUINNESSWORLDRECORDS.COM

THE GUINNESS BOOK OF RECORDS 1986

THE GUINNESS BOOK OF RECORDS 1987
WITH AUSTRALIAN SUPPLEMENT

THE GUINNESS BOOK OF RECORDS 1988

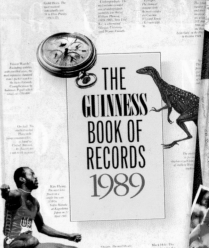
THE GUINNESS BOOK OF RECORDS 1989

THE GUINNESS BOOK OF RECORDS 1994

The New Guinness Book of Records 1995

THE GUINNESS BOOK OF RECORDS 1996

GUINNESS WORLD RECORDS 2001

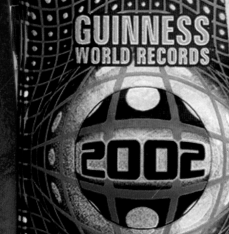
GUINNESS WORLD RECORDS 2002

20 GUINNESS WORLD RECORDS

GUINNESS WORLD RECORDS 2008
WITH GLOW-IN-THE-DARK FEATURES

GUINNESS WORLD RECORDS 2009
WITH ALL-NEW 3-D PHOTOGRAPH

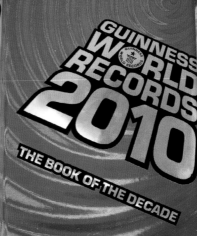
GUINNESS WORLD RECORDS 2010
THE BOOK OF THE DECADE

GUINNESS WORLD RECORDS 2011
EXPLODING WITH THOUSANDS OF NEW RECOR